신소설연구

新小說研究

전광용문학전집 4

신소설연구新小說硏究

초판 제1쇄 인쇄 2011년 11월 20일
초판 제1쇄 발행 2011년 12월 15일

지은이 | 전광용
엮은이 | 전광용문학전집 간행위원회 편
펴낸이 | 지현구
편집장 | 박종훈
편 집 | 김수영 김보미
디자인 | 이보아 이효정
펴낸곳 | 태학사
등록 | 제406-2006-00008호
주소 | 경기도 파주시 문발동 파주출판도시 498-8
전화 | 마케팅부 (031) 955-7580~82 편집부 (031) 955-7585~89
전송 | (031) 955-0910
전자우편 | thaehak4@chol.com
홈페이지 | www.thaehaksa.com

전6권 150,000원

ISBN 978-89-5966-465-8 04810
978-89-5966-461-0 (세트)

전광용 문학전집 **4**

신소설연구

태학사

『전광용문학전집』을 내면서

소설가이며 국문학자이셨던 백사(白史) 전광용(全光鏞) 선생의 모든 저작을 한데 모아 『전광용문학전집』 전6권을 새로 펴낸다. 1권, 2권, 3권에는 선생이 발표한 소설들을 수록하였고, 4권과 5권은 단행본으로 발간된 바 있는 『한국현대문학논고』와 『신소설연구』를 각각 수록하였다. 그리고 6권은 선생이 생전에 발표한 수필과 산문들을 찾아 한 권의 책으로 꾸몄다.

전광용 선생은 호적부에 1919년 3월 1일 출생으로 기록되어 있지만 실제로는 1918년 음 9월 5일 함경남도 북청군 거산면(居山面) 하입석리(下立石里) 1011번지에서 태어났다. 성천촌(城川村)이라는 작은 마을의 과수원집에서 성장한 선생은 부친 전주협(全周協)과 모친 이녹춘(李彔春)의 2남 4녀 가운데 장남이었다. 고향인 북청에서 북청공립농업학교을 졸업한 후 경성경제전문학교에 입학하였는데, 해방 직후 이 학교가 서울대학교 상과대학으로 바뀌자 2년을 수료한 후 진로를 바꾸었다. 1947년 9월 서울대학교 문리과대학 국어국문학과에 입학하면서 문학에 뜻을 두게 된 것이다.

전광용 선생의 글쓰기 작업은 소설가로서의 창작활동을 통해 그 특징이 잘 드러나고 있다. 선생은 1948년 11월 정한숙(鄭漢淑), 정한모(鄭漢模), 남상규(南相圭), 김봉혁(金鳳赫) 등과 함께 《주막(酒幕)》 동인을 결성하고 창작활동을 시작하였고, 1955년 1월 조선일보 신춘문예에 단편소설 「흑산도(黑山島)」가 당선되면서 정식으로 소설문단에 등단한다. 비록 다작은 아니었지만 열정을 담은 많은 문제작을 내놓았다. 선생의 작품은 주로 냉철한 현실적 시각으로 인간의 삶을 그려놓고 있기 때문에, 현실에 대한 비판적 의미가 두드러지게 나타나고 있다. 선생은 생전에 『흑산도』, 『꺼삐딴 리』, 『동혈인간』, 『목단강행 열차』 등의 작품집과 장편소설 『태백산맥』, 『나신(裸身)』, 『창과 벽』, 『젊은 소용돌이』 등을 발표하였다. 이러한 소설적 작업은 '동인문학상', '대한민국문학상' 등의 수상으로 더욱 그 권위를 인정받게 되었다. 선생의 소설은 대부분 인간의 삶과 현실에 대한 진실 탐구에 그 목표를 둔 것이었고, 엄격한 윤리적 가치관에 의해 그 주제가 표출되곤 하였다. 선생은 창작활동 후반기에 이르면서 망향의 정을 그린 소설을 자주 발표하였다. 북에 두고 온 가족과 고향에 대한 사무친 그리움이 단편집 『목단강행 열차』에 감동적으로 스며들어 있다.

전광용 선생은 국문학자로서 모교인 서울대학교 국어국문학과에서 교육과 연구에 평생을 바쳤다. 선생이 주로 관심을 두었던 학문영역은 우리 근대문학의 성립 단계에 형성된 신소설에 대한 연구이다. 6·25전쟁 직후 한국현대문학 연구가 대학에서 학문적 기반을 제대로 갖추고 있지 못한 상태에 놓여 있을 때, 선생은 아무도 거들떠보지 않는 신소설 연구에 몰두하였다. 처음으로 서울대학교 문리과대학 국어국문학과 전임교수가 되어 한국현대문학 강의를 맡으면서 그 학문적 체계화를 위해 힘을 기울였다. 선생의 신소설 연구는 철저한 자료조사, 정밀한 해독, 엄격한 가치평가로 이미 널리 알려져 있거니와, 그 성과에 힘입어 한국현대문학의 첫머리에서 서술되게 마련인 신소설에 대한 설명이 명확한 소설사적 체계를 갖출 수 있게 되었다. 이러한 학문적 성과는 '사상계논문상'으로 높이 평가되기도 하였다. 선생은 모교에서 정년퇴임을 맞이할 무렵에 제자들의 권유에 따라 그동안 발표한 연구논문들을 모아 『한국현대문학논고』와 『신소설연구』를 발간하였다. 선생의 「이인직연구」를 서두에 싣고 제자들이 논문을 모아 한국현대소설사를 정리한 정년퇴임 기념논문집인 『한국현대소설사연구』가 만들어지자 당신의 저작을 책으로 묶는 것을 허락하였다. 이 두 권의 책은 선생의 학문적 열정과 태도를 확인할 수 있는 중요한 업적이라고 할 수 있거니와 『한국현대소설사연구』와 더불어 현대문학 연구의 학문적 토대가 쌓여진 과정을 그대로 드러내고 있는 것이라고 하겠다.

전광용 선생은 고향인 함경도 북청을 떠나 문학 공부를 위해 서울로 올라왔고, 분단 후 다시 고향을 찾을 수 없었다. 그렇기 때문에 단신으로 온갖 어려움 속에서 문학과 학문의 꿈을 키워야만 하였다. 문학이 유일한 길이었고 삶의 전부였던 것이다. 선생은 문학에 대한 열정을 강조하면서도 이것을 생업으로 삼기에는 너무 고달픈 일이라고 하였다. 창작이든 문학 연구든 간에 각별한 사랑과 열정이 없이 문학을 한다는 것은 잘못이며, 거기서 물질적인 것을 구한다는 것도 기대할 수 없는 일이라는 거였다. 아마도 이러한 충고와 훈계는 모두 개인적 경험에서 비롯된 것이 아닌가 생각된다.

전광용 선생은 언제나 학문의 성과에 대한 엄격한 평가를 강조하였지만, 다른 학자들의 연구업적에 대해 결코 무시하는 법이 없었다. 학위논문을 쓰면서, 선배들의 연구업적에 대한 소개를 소홀히 하거나, 자기주장에만 매달린 학생에게는 몹시 꾸중을 하였다. 이는 앞서 걸어간 사람들의 고통을 생각하지 않는 경망을 훈계하기 위한 일이었다. 그러면서도 선생은 결코 당신께서 해온 연구작업을 부추겨 내세우는 법이 없었다. 1950년대 중반부터 시작된 신소설 연구가 거의 10여 년에 걸쳐 지속되었고, 그것을 함께 모아 한 권의 책으로 묶을 수 있는 분량이 훨씬 넘었을 뿐만 아니라, 국문학계에서도 그 업적의 발간을 기다렸지만 선생님께서 한사코 이를 사양하였다. 책을 간행한다는 것이 자칫 자기 학문의 불필요한 과시가 될 수도 있다는 말씀을 하신 일이 있다. 그러나 이보다도 한국현대소설사의 윤곽을 해명할 수 있을 때까지 그 간행을 미루었던 것이 아닌가 생각되기도 한다.

전광용 선생은 1988년 6월 21일 세상을 떠났다. 이제는 다시 선생의 모습을 뵈올 수 없고 그 음성을 들을 수도 없지만, 선생이 남긴 소설과 연구 논문은 한국문학의 한복판에 자리하고 있다. 선생의 가르침을 따라 한국현대문학 연구의 학풍을 이어가는 것이 우리 제자들이 선생의 뜻을 기리는 일일 것이다. 오늘 『전광용문학전집』이라는 이름으로 한데 묶여진 선생의 책과 글 속에 담긴 소중한 뜻이 조금도 헛되지 않게 이어지길 기대한다. 이 책을 엮는 데에 참여한 모든 제자들은 함께 머리 숙여 선생의 명복을 빈다. 어려운 여건 속에서 전집의 간행을 맡아준 태학사 지현구 사장께 감사드린다.

2011년 가을에 권영민

목차

제2부 | 신소설작가와 작품

제1부

개화기의 신소설과 번역소설

Ⅰ. 신소설의 성격

Ⅱ. 개화기의 번역소설

Ⅰ. 신소설의 성격

1. 신소설의 개념

반세기(半世紀) 여의 시간의 흐름과 문학양식 자체의 변용에 따라, 신소설도 어느덧 우리 문학에 있어서의 고전적인 영역으로 점차 편입되는 단계에 놓여지게끔 되었다. '신소설'이란 한국문학사만이 지니고 있는 문학 양식상의 독특한 명칭이며, 그 어휘는 그대로 한국 근대화 과정의 한 반영인 동시에, 그 기형적인 사회발전의 배경 속에서 이루어진 한국문학의 비정통적인 변모를 고스란히 대변하는 명칭이기도 한 것이다.

한국의 신문학이 그 조종(祖宗)의 계보를 따져서, 자기의 고전 유산보다 서구문학의 조류나 수법에 더 영향됨이 컸으며, 또한 그 모방 이식의 단계를 멀리 벗어나지 못하고, 서구문학의 아류적인 파생에 불과하다는 전제를 거의 전적으로 시인하지 않을 수 없는 한국 신문학의 배태과정을 역사적으로 살펴볼 때, 이러한 기형적인 특수성을 부정할 수 없는 관건은 스스로 해명되어지는 것이다. 따라서 이와 같은 역사적 사실은 그대로 이 땅 신문학의 성격을 규정짓고, 그 발전에 제약을 주고, 아울러 한국 신문학으로 하여금 해탈하기 어려운 문학사적인 불운한 숙명을 피동적으로 체념하지 않을 수 없게까지 만들었다.

즉 서구문학에 있어서는, 총체적인 면에서 볼 때에는 그리스·로마의 고전의 맥락이 그대로 근대 및 현대로 통하는가 하면, 각개의 민족이나 국가의 개별적인 문학사에서는 거의 공통적으로, 중세의 교부철학(敎父哲

學)에 기반을 둔 암흑기 문학에서 문예부흥 이후 근대로의 획기적 변혁이 이루어졌고, 그것이 다시 시대의 전변(轉變)과 문학의 배경적인 제 요소의 전환에 따라, 하나의 무르익은 문예사조는 궁극에 가서 기존의 문예사조에 반발하여, 새로운 경향으로 지양 발전하는 단계적인 비약이 거듭 반복되었음에도 불구하고, 그 저류로 흐르는 연면(連綿)하는 전통의식은 그대로 새로운 사조 속에서 싹터 나오는 새로운 문학에 풍요한 영양소로 계승되어, 각개의 문학조류나 각 시대의 문학작품은 그 시대적인 특색을 뚜렷하게 지니면서도, 기조에 연결되는 자기문학 유산에 대한 종관성(縱貫性)은 현대에까지 지속 계승되고 있음을 볼 수 있다. 환언하면, 17세기 영문학은 18세기 영문학의 모태가 되었고, 18세기 불문학은 19세기 불문학에 불가결의 원천이 되어, 20세기 영문학이나 불문학은 그 이전시대의 자기유산을 몰각하고는 그 성립 가능성조차 생각할 수 없을 정도의 역사적인 상관관계에 놓이고 있다.

그러나 한국 신문학의 경우는 이러한 유럽문학의 역사적인 사실과는 전연 판이한 실정에 놓여져 있다. 갑오경장(甲午更張)을 계기로 하여 조수처럼 휩쓸려 들어온 서구사조는 이질적인 외래사조를 동화 섭취할 수 있는 태세를 미처 갖추지 못하였을 뿐만 아니라, 아직 새로운 사조를 거부 배척하려는 계층이 훨씬 우세하였던 이 땅의 현실을 무시하고 폭주(暴注)되었기 때문에, 이러한 피동적인 외래사조의 접촉은 정치 · 경제 · 문화 등 각 분야에 걸쳐 경이적인 일대 변혁을 가져왔다.

더욱이 문학 분야에 있어서는, 전후의 순서도 없이 일시에 밀려드는 다양한 문예사조의 혼류는 의식적 · 무의식적으로 그 조잡한 흡수를 강요당하게 만들었으므로, 이같은 사적(史的) 결과는 점차로 외래문학에 대한 경이와 호기(好奇)와 찬탄을 유발하는 일면, 자기의 문화유산, 즉 재래의 문학에 대한 낡은 문학이라는 자의적인 멸시와 비하감을 자아내게 하였고, 이로 인한 자아의 열등의식은 종국에 가서 문학면에 있어서의 현대적인 사대사상까지 잉태케 하고 말았다. 뿐만 아니라, 그 결과는 기존문학에 대한 등한시 내지는 의식적인 몰각을 자행하였으며, 이와 같은 사태의 극단적인 현상은 낡은 것은 모조리 나쁘고 새로운 것은 전부 다 좋다는 파행적인 관념을 조장하여, 이러한 비정통적인 문학관은 오늘날 현재까지도 연장 계속되었으니, 여기에 이 땅 신문학의 비극적인 특성은 뿌리 깊게 자리 잡혔던 것이다.

이러한 배경적인 조건과 기형적인 사실(史實) 속에서 산출된 것이 곧 이 땅의 신문학이요, 이 신문학을 대표하는 문학양식의 하나가 바로 신소설인 것이다. 따라서 낡은 문학의 대표격이 구소설 즉 고대고설이라면, 새로운 문학의 상징으로 등장한 것이 신소설이라 하겠다. 낡은 것과 새로운 것, 즉 신구(新舊)의 대립관념은 비단 소설에만 한한 것이 아니라, 각 분야에 파급되었으니, 예를 들면 시조(時調)·가사(歌詞) 등 재래의 시가에 대한 신시(新詩)·신체시(新體詩), 구파(舊派) 구극(舊劇) 등 재래의 연극에 대한 신파(新派) 신극(新劇) 등으로, 종래에는 없었던 새로운 명칭들이 비로소 시대적인 각광을 받고 대척적인 위치에 놓이게끔 되었던 것이다.

이러한 연유로, 다른 나라 문학사에서는 도저히 찾아볼 수 없는 신소설이라는 특수한 명칭이 한국문학사에만 쓰여졌고, 또한 이 명칭은 우리 문학사에 있어서 소설의 한 양식을 대표하는 사적(史的)인 술어로 정착되는 단계에까지 이르렀다. 그러므로 신문학 초창기에 있어서는 낡은 것에 대하여 단순히 새롭다는 대치어로 사용되었던 신소설이라는 어휘도 문학사에 있어서의 개화기의 한 시기를 상징하는 소설 장르의 시대적인 명칭으로 고정화되어 가고 있는 만큼 이제부터 나오는 새로운 소설에 대하여도 단순한 그 어의(語義)로는 신소설이라는 말이 통할 수 있을지 모르나, 이미 사적 개념을 지닌 신소설이라는 명칭은 일반적 의미로는 사용될 수 없게 되었으므로, 신소설의 술어적인 의의는 신문학사상의 한 시대를 표징하는 소설 양식상의 한 명칭으로 특정 제한되고 말았다.

이같은 사적 의의를 지니는 신소설이라는 명칭은 맨 처음 누구에 의하여 어떻게 쓰여진 것일까. 그 경위를 현재까지 발견된 문헌에서 살펴보면 다음과 같다. 즉 광무 10년(1906) 7월 3일부터 《만세보》에 발표된 이인직의 최초의 작품 「소설 단편」[1]이나, 그 뒤를 이어 동년(同年) 7월 22일부터 역시 《만세보》에 연재된 그의 처녀 장편소설인 소설 「혈(血)의 누(淚)」[2]에서나 다같이 단순히 '소설'이라고만 표시하여, '신소설'이란 어휘는 아직 쓰여지지 않고 있음을 볼 수 있다. 그러나 광무 11년(1907) 3월 17일 김상만서포(金相萬書舖)에서 발행한 「혈(血)의 누(淚)」 초판본에는 그 표지에 '혈의 루 신소설, 新小說 血淚'라고 하여, 한글과 한자 제목이 병기되었고, 본문 제1면에는 다만 '혈루(血淚)'라고 하였으며, 또한 판권에는 '新小說 血의 淚'라고 하여, 신소설이라는 어휘가 비로소 사용되었음을 발견하게 된다.

여기에서 보여 주는 신소설의 명칭은 작자 이인직의 창안인지, 또는 출판사의 착안인지, 그 연유를 스스로 밝히고 있지는 않으나, 출판된 이인직의 작품에 처음으로 붙어 있는 만큼 객관적인 시대사조에 의한 문학사적인 발전과정에서 자연발생적으로 안출(案出)된 용어라 할지라도, 이 명칭 사용에 대한 작자 이인직의 독창성을 전면 무시할 수는 없다고 보아진다.

---

1 이인직의 소설로 최초로 활자화된 작품이며, 특정한 제목 없이 다만 「소설 단편(小說 短篇)」이라고만 되어 있으며, 그의 아호(雅號)인 '국초(菊初)'의 필명으로 발표되었고, 그 첫머리에 "이 소설은 국문(國文)으로만 보고 한문음(漢文音)으로는 보지 말으시오" 하는 작자의 말이 붙어 있다. 이 작품은 한자가 본문과 섞여 국한문 혼용체로 되어 있고, 그 한자 옆에 음 또는 풀이한 말이 한글로 쓰여져 있다.(예(例), 汗땀, 雨비, 吐토, 長安路서울길, 都城서울, 何其어찌 그리 등).

2 「혈(血)의 누(淚)」 상편은 광무 10년(1906) 7월 22일부터 동년(同年) 10월 10일까지 50회에 걸쳐 《만세보》에 연재되었으며, 본문은 역시 국한문 혼용체로 되었고, 그 옆에 음 또는 풀이한 말이 한글로 소위 '루비'가 달려 있다. 「혈(血)의 누(淚)」의 하편은 「모란봉(牧丹峰)」이란 제목으로 개제(改題)되어, 1913년 2월 5일부터 동년 6월 3일까지 《매일신보》에 연재되다가 65회로 중단되었다.

한편 광무 11년(1907) 3월 29일자 《만세보》 지상에는 '소설(小說) 광고(廣告)'라는 제하(題下)에 전기(前記) 「혈(血)의 누(淚)」 초판본의 발매 광고문이 게재되어 있음을 볼 수 있다.

> 「혈(血)의 누(淚)」난 작년추(昨年秋)에 《만세보》 지상(紙上)에 속재(續載)하던 소설이온대 애독(愛讀)하시난 제씨(諸氏)난 차(此)를 옥련전(玉蓮傳)이라 하고 기하편(其下篇)[3] 속재(續載)됨을 《만세보》 분전자(分傳子)에게 독촉(督促)하던 소설이온대 본포(本鋪)에서 차(此)를 발간(發刊)하여 작일(昨日)부터 발매(發賣)하오니 구매(購買)코자 하시난 제씨(諸氏)난 육속래구(陸續來購)하심을 망(望)함.
>
> －발매소(發賣所) 포전병문하(布廛屛門下) 김상만서포(金相萬書鋪)

그러나 「혈(血)의 누(淚)」를 발간한 출판사인 김상만서포에서 책이 나온 지 불과 10여 일만에 낸 이 광고문에는, '소설'이라는 말은 있어도 '신소설'이라는 어휘는 전연 쓰여 있지 않으므로 보아, '신소설'이란 용어의 창안 및 그 사용은 출판사라기보다 작자 이인직 자신에 의하여 비롯된다는 추단을 더욱 굳게 하는 바 없지 않다. 또한 이보다 며칠 후인 광무 11년(1907) 4월 3일자 《만세보》에는 다시 다음과 같은 「혈(血)의 누(淚)」의 광고가 실려 있음을 볼 수 있다.

> 신소설 혈(血)의 누(淚)
>
> 일책(一冊) 구십사엽(九十四頁)

3 《만세보》에 연재된 「혈(血)의 누(淚)」의 최종회 맨 끝 및 김상만서포 발행 「혈(血)의 누(淚)」 초판본의 끝머리에는 "아래권은 그 여학생이 고국에 돌아온 후를 기다리오. 상편종(上篇終)"의 부기가 덧붙여져 있어, 하편을 예고하였음을 알 수 있다.

정가(定價) 이십전(二十錢)

저작인(著作人) 국초(菊初) 이인직씨(李人稙氏)

차신소설(此新小說)은 순국문(純國文)으로 작년추(昨年秋)에 《만세보》 상(上)에 속재(續載)하였던 것이온대 사실(事實)은 일청전쟁(日淸戰爭)에 평양(平壤) 이북(以北) 인민(人民)이 경투(鯨鬪)에 하배(蝦背)가 탁(坼)함과 여(如)히 병화(兵火)를 경(經)하난 중(中)에, 평양성중(平壤城中)에 옥련(玉蓮)이라난 김씨(金氏) 여아(女兒)가 무한(無限)한 곤란(困難)을 경(經)하고 외국(外國)에 유리(流離)하며 유학(留學)한 실사(實事)가 유(有)하니 차소설(此小說)을 독(讀)하면 국민(國民)의 정신(精神)을 감발(感發)하여 무론(無論) 남녀(男女)하고 혈루(血淚)를 가(可)히 쇄(灑)할 신사상(新思想)이 유(有)할지니 차(此)난 서양소설투(西洋小說套)를 모범(模範)한 것이오니 구람자(購覽子)난 세독(細讀)하심을 망(望)함.

발매소(發賣所) 중서(中署) 포병하(布屛下)

김상만서포(金相萬書舖)

위의 예시에서 보여 주듯이, 신문이나 잡지 광고문에 신소설이라는 용어가 쓰인 것은 이 경우가 처음인 듯하며, 이후부터는 융희 2년(1908)판의 「치악산」 상편 및 「은세계」를 비롯하여 계속 출간되는 소설에는 신소설의 명칭이 일반화되었고[4] 심지어 번역소설에까지도 사용되었음을 볼 수 있다.[5]

---

4 이해조의 작 「탄금대(彈琴臺)」(1912년)의 후기(後記)에도 작자 스스로 자기 작품을 '신소설'이라고 호칭한 다음과 같은 대목이 있다.

"사람의 칠정에 각축될만한 공전 절후의 신소설(방점(傍點) : 인용자(引用者))을 저술코저 하나……"

그러나 같은 융희 2년판의 「귀(鬼)의 성(聲)」에서는 표지에는 신소설이라고 썼고, 본문 제1면에는 단순히 소설이라고 썼을 뿐더러, 심지어 1917년에 《매일신보》에 연재된 춘원(春園) 이광수의 처녀 장편 「무정(無情)」[6]에서도 그 예고에 신소설이라고 박아 놓았으니, 새로운 소설이라는 극히 상식적인 개념 외에, 그 술어나 소설양식에 대한 의식적인 구분이 없이 막연한 호칭으로 쓰여진 사적(史的) 전말(顚末)을 더욱 명백하게 해 줌을 알 수 있게 한다.

신소설의 문학사적인 연기(年紀)는 이인직의 초기작품이 발표된 1900년대 초엽부터 1917년 이광수의 「무정」이 《매일신보》에 발표되기 이전까지로 볼 수 있는 것이며, 좀 더 배경적인 폭을 넓힌다면, 갑오경장부터 기미(己未)운동까지의 20년 내외에 해당된다 하겠다.

그것은 갑오경장 이전의 소설인 고대소설, 즉 근세소설문학의 주류를 이루고 조선조 봉건사회의 생활을 반영한 이른바 구소설은 서구 근대사조의 영향을 받고, 적으나마 그 발판에서 출발하여, 이 땅 개화기의 현실을 반영한 신소설과는 그 형식 및 내용에 있어서, 독자적인 특색과 차이를 가지기 때문에, 여기에 필연적으로 한 계선(界線)이 그어져야 할 것이며, 「무정」 또한 아직 신소설의 냄새를 적잖이 풍기나, 미비한 대로 현대 장편소설의 효시로서, 개화 초기를 벗어난 새로운 시대의식을 반영하였을 뿐만 아니라, 문체면에서나 또는 작품이 지니고 있는 형식 및 내용의 특징이 신소설과는 자연 구별이 되기 때문에 이같은 귀결에 도달하지 않

5 일례(一例)를 들면 일본 개화기의 정치소설인 「경국미담(經國美談)」의 번역본 「경국미담(經國美談)」(1908년) 첫머리에 "영웅 준걸의 애국 혈성을 감동하여 「경국미담」 신소설(방점(傍點) : 인용자(引用者))을 번역하되"라 하여, 번역소설에도 신소설이라는 명칭을 사용하였다. 또한 「동각한매(東閣寒梅)」(1911년)라는 국문과 일문을 병기한 소설에도 「일선어(日鮮語) 신소설」(방점 : 인용자)이라는 표제가 붙어 있다.

6 이광수의 「무정(無情)」은 1917년 1월 1일부터 동년 6월 14일까지 126회에 걸쳐 《매일신보》에 연재되었다.

을 수 없게 되는 것이다. 그러나 엄밀히 말하면, 창조파(創造派) 이후의 단편소설에서 우리는 좀 더 구비된 조건의 현대소설을 비로소 얻게 되는 것이다.

따라서 갑오경장 후에 쓰여지고, 또한 신문 잡지에 발표되거나 단행본으로 출간된 고대소설이 없는 바는 아니지만, 신소설 발아 이후의 고대소설은 이미 문학사적인 의의를 상실하게 되는 것이며, 이러한 논거는 결국 기미운동 이후에 발표된 신소설이 없지 않으나, 이 또한 문학사적인 논의의 대상에서는 제외될 수밖에 없다는 역사적인 객관조건을 수반하지 않을 수 없게 되는 것이다.

그러므로 신소설은 이른바 '이야기 책'으로 불리어지는 고대소설과 서구적인 소설의 체재를 거의 갖추어 가는 현대소설과의 중간단계에 위치하는 소설양식이라 하겠다. 말하자면, 순전한 동양적 내지 한국적인 지반에서 제작된 고대소설과, 거의 서구적 소설기법에 추종한 현대소설과의 사이에 개재한 신시대의 전초적인 소설이라고도 할 수 있는 것으로 봉건사회의 고대소설, 개화기의 신소설, 현대의 현대소설로 이 땅 소설의 발전적인 계보를 따질 수 있는 것이다.

특히 갑오경장을 전후한 시기의 서구 근대사조의 도입이 폐쇄적인 500년 은둔의 나라에 대한 세기적인 경종이었다면, 그 사조에서 배태된 신문학의 총아인 신소설의 출현은 우리 문학사상(文學史上)에 있어서 획기적인 일대 혁신이라고 하지 않을 수 없겠다.

2. 신소설의 특색

고대소설이 동양적인 바탕과 전통 속에서 이루어진 재래적인 요소를 띤 소설이라면, 신소설은 적게나마 서구소설[7]의 영향 하에 형성된 근대소설의 계보 속에 일환(一環)을 이루는 소설이라는 역사적인 사실을 부인할 사람은 아무도 없을 것이다. 따라서 이 초기 근대소설의 본질을 구명하려면, 자연히 문학의 배경이 되는 이 시기 사회 변천의 양상을 더듬어 보지 않을 수 없게 된다.

갑오경장을 전후한 시기 이후 기미운동까지를 우리는 흔히 개화기라고 통칭하고 있다. 이 경우 개화란 '문명개화'의 약칭이요, 이는 또한 몽매에서 벗어나는 계몽성과, 서구적인 근대화를 뜻하는 것으로 된다. 그러므로 개화란 어떤 의미에서는 서양화라는 말과 통할 수 있는 일면의 의의를 지니고 있는 것이다. 그것은 개화의 도화선이나 그 후의 추진력이 시대의 추세에 따른 주체성 및 자아의 각성에 힘입은 바 없는 것은 아니나, 태반의 원동력이 서구사조 내지 그 문물제도의 영향 하에서 배태되었기 때문이다.

1876년 이 땅에 있어서 근대적인 외교의 최초의 관문인 병자수호조약(丙子修好條約)이 일본과의 사이에 체결되자, 500년간 굳게 닫혔던 쇄국의 문은 열리고, 뒤를 이어 1880년대에 들어서면서부터 미국 · 영국 · 독일 · 불란서 · 노서아 등의 서구 열강과 국교를 맺게 되자, 유럽의 이질적인 사조는 물질문명의 새로운 이기(利器)와 더불어 고요한 은둔의 나라에 조수와 같이 밀려들어오기 시작했다.

화륜선(火輪船)을 타고 나타난 낯선 이방인의 본을 따라, 누대(累代)의 계율에 반기를 들어가며 상투는 깎여 쓰레기통으로 들어가고, 서양식 하이칼라 머리로 바뀌어진 손자와 상투를 끝내 지키려 드는 할아버지와의 대화는 통하지 않고, 대면하는 것조차 꺼려했었다. 바지저고리를 벗어 던지고, 어색한 양복으로 갈아입은 젊은 유지(有志) 신사는 미투리와 통버

7 1907년 4월 3일자 《만세보》에 개재된 《혈(血)의 누(淚)》의 초판 발매 광고에는 다음과 같은 구절이 있다. "……차소설(此小說)을 독(讀)하면 국민(國民)의 정신(精神)을 감발(感發)하여 무론(無論) 남녀(男女)하고 혈루(血淚)를 가(可)히 쇄(灑)할 신사상(新思想)이 유(有)할지니 차(此)난 서양소설투(西洋小說套)(방점(傍點) : 인용자(引用者))를 모범(模範)한 것이오니 구람자(購覽子)난 세독(細讀)하심을 망(望)함."

선마저 벗어 팽개치고, 홀가분한 양말에 발가락이 조여드는 가죽 구두로 바꿔 신었다. 그들의 코허리에는 어느덧 금속테의 개화경(開化鏡:안경)이 걸리고, 그들의 손에는 18K 금테를 두른 개화장(開化杖)이 휘둘려졌다.

이쯤 되면, 향료도 들어 있지 않은 엽초를 담아 피우던 장죽은 어울리지도 않거니와, 거추장스럽기 짝이 없었다. 피기 전의 수수 깜부기같이 새하얗게 날름한 인디언 페이퍼 속에 말려 있는 권연 히로[8]의 향훈은 그들의 기호를 자극했을 뿐만 아니라, 비스듬히 물고 있는 모습 또한 여간 멋지고 건방지게 어울리는 것이 아니었다.

이리하여 서구의 물결은 개화기 젊은이의 사고나 사상에 뿐만 아니라, 실생활 내부에까지 한걸음 한걸음 짙게 침투되어 갔다. 그러나 노도와 같은 그 물결은 아무도 막을 길이 없었다. 이 결과로 당시 서양식 예복에는 으레 붙기 마련인 와이샤쓰의 높은 칼라, 즉 하이칼라는 그러한 옷차림에 따르는 하이칼라 머리의 대명사로 바뀌었고, 결국은 이같은 옷차림에 이러한 머리를 한 새로운 멋쟁이를 하이칼라 신사라고 부르게끔 되었다. 말하자면, 신소설은 이러한 신식 분위기 속에서 생성된 당시의 첨단적인 하이칼라 문학의 일익이라고도 할 수 있는 것이다. 그것은 무엇보다도 신소설의 소재나 주제 자체가 스스로 그것을 웅변으로 대변하고 있는 실증적인 사실이다.

신소설의 특징을 좀 더 구체적으로 예증하기 위하여, 편의상 형식과 내용의 양면에서 살펴보기로 하겠다.

우선 형식면에서 보면, 작품을 시작하는 서두부터가 다르다.

> 슉종ᄃᆡ왕(肅宗大王) 직위 초(卽位初)의 셩덕(聖德)이 너부시사 셩자

■

8 개화기에 수입된 영국산 궐련(卷煙)의 명칭. 이 관계로 일부 지방에서는 궐련을 '히로'라고 통칭하기도 하였다.

셩손(聖子聖孫)은 계계승승(繼繼承承) ᄒᆞ사 금고(金膏) 옥족(玉燭)은 요(堯) 슌(舜) 시졀이요 으관문물(衣冠文物)은 우(禹) 탕(湯)의 버금이라. 좌우보필(左右輔弼)은 쥬셕지신(柱石之臣)이요, 용양호위(龍驤虎衛)난 간셩지장(干城之將)이라. 조정(朝廷)의 흐르난 덕화(德化) 힝곡(鄕曲)의 펴엿시니 사히(四海) 구든 기운이 원근(遠近)의 어려 잇다. 츙신(忠臣)은 만조(滿朝)ᄒᆞ고, 회자(孝子) 열여(烈女) 가가ᄌᆡ(家家在)라. 미ᄌᆡ미ᄌᆡ(美哉美哉)라. 우슌풍조(雨順風調)ᄒᆞ니 함포고복(含哺鼓腹) 빅셩(百姓)덜은 쳐쳐(處處)의 격량가(擊壤歌)라. 잇ᄃᆡ 절나도(全羅道) 남원부(南原府)의 월ᄆᆡ(月梅)라 하난 기ᄉᆡᆼ(妓生)이 잇스되 삼남(三南)의 명기(名妓)로서 일직 퇴기(退妓)ᄒᆞ야 성가(成哥)라 ᄒᆞ는 양반(兩班)을 다리고 세월을 보ᄂᆡ되 연장사순(年將四旬)의 당하야 일졈혀륙(一點血肉)이 업셔 일노 한(恨)이 되야 장탄슈심(長嘆愁心)의 병이 되것구나.
(완판본(完板本) 춘향전)[9]

일청전쟁(日淸戰爭)의 총소리는 평양일경(平壤一境)이 떠나가는 듯하니 그 총소리가 그치매 청인(淸人)의 패(敗)한 군사(軍士)는 추풍(秋風)에 낙엽(落葉)같이 흩어지고 일본(日本) 군사는 물미듯 서북(西北)으로 향(向)하여 가니 그 뒤는 산과 들에 사람 죽은 송장뿐이라.

평양성(平壤城) 외(外) 모란봉(牧丹峰)에 떨어지는 저녁볏은 누엿누엿 넘어가는데 저 해빗을 붙들어매고 싶은 마음에 붙들어매지는 못하고 숨이 턱에 단듯이 갈팡질팡하는 한(一) 부인(婦人)이 나이(年) 삼십(三十)이 될락말락하고 얼굴은 분(粉)을 따고 넌듯이 흰 얼굴이나 인정(人情) 없이 뜨겁게 내리쪼이는 가을(秋) 볏에 얼굴이 익어서 선앵

9 완판본 「춘향전」은 속칭 「열녀춘향수절가」라고 한다.

도빗이 되고 걸음걸이는 허동지동하는데 쪽진 머리는 흘러 내려서 등에 질머지고 옷은 흘러 내려서 젖가슴이 다 드러나고 치마자락은 땅에 질질 끌려서 걸음을 걷는대로 치마가 밟히니, 그 부인(婦人)은 아무리 급(急)한 걸음걸이를 하드라도 멀리 가지도 못하고 허동거리기만 한다.

(혈(血)의 누(淚))[10]

위에 인용한 것은 고대소설의 대표작인 「춘향전」의 첫머리와, 신소설의 최초의 장편인 「혈(血)의 누(淚)」의 첫 대목이다.

고대소설은 대부분의 경우 "대명년간(大明年間)"에나 "화설 중고적에" 등과 같이, 어느 때 어디에 어떤 사람이 있었는데 하는 식으로, 거의 천편일률적인 허두로 시작된다. 앞에 보인 「춘향전」의 경우도 숙종대왕(肅宗大王) 즉위 초에 전라도 남원부(南原府)에 월매(月梅)라는 기생이 있었는데, 퇴기(退妓)로 성가(成哥)라는 양반과 세월을 보내고 운운으로, 그 예에서 벗어나지 않음을 볼 수 있다.

그러나 신소설은 그러한 고대소설의 규격적인 투식(套式)에서 완전히 벗어나, 어떤 장면에서든지 자유롭게 시작하였을 뿐만 아니라, 또한 재래에 없던 다양한 표현 방법을 시도하였음을 역력히 볼 수 있다. 위에 예로 든 「혈의 누」의 경우도 청일전쟁(淸日戰爭)의 전진(戰塵)이 가시지 않은 모란봉의 정경과, 그 속에서 갈팡질팡하는 여인의 모습을 선명하게 그리려고 애쓴 흔적을 엿볼 수 있게 한다.

다음에 드는 몇 개의 예에서도 볼 수 있는 바와 같이, 소설 서두의 이같은 파격적인 변형은 소설의 형식면에 획기적인 혁신을 가져온 것이라고 하지 않을 수 없겠다.

---

10 「혈(血)의 누(淚)」의 여러 가지 이본 중에서 여기 인용한 것은 《만세보》에 연재된 초고본(初稿本)이다.

겨울 치위 저녁 기운에 푸른 하늘이 새로이 취색한 듯이 더욱 푸르렀는데, 해가 뚝 떨어지며 복새풍이 슬슬불더니 먼 산 뒤에서 검은 구름 한장이 올라온다. 구름 뒤에 구름이 일어나고 구름 옆에 구름이 일어나고 구름 밑에서 구름이 치받쳐 올라오더니 삽시간에 그 구름이 하늘을 뒤덮어서 푸른 하늘은 볼 수 없고 시꺼먼 구름 천지라.(은세계)11

박동 마루길에 종치는 소리가 땡땡 들리더니 반양복 입은 여학도 한떼가 제각기 책보 하나씩을 옆에다 끼고 앞서기 뒤서거니 둘씩 셋씩 짝을지어 안동 별궁 모퉁이로 돌아오며 희희락락하여 저희끼리

"이애 순경아 어제 시험은 대단히 어렵더라."

"글쎄다. 문제도 단단히 냈거니와 선생님들이 어떻게 단속을 하는지 꼼짝도 못하겠더라. 정순이 너는 산술을 잘 하니까 아마 일공공을 했을걸."

(춘외춘(春外春))12

시름없이 오던 가을비가 그치고 슬슬부는 서풍이 싸인 구름을 쓸어 보내더니 오리알 빛 같은 하늘에 티끌 한점 없어지고 교교한 추월색이 천지에 가득하니 이때는 사람사람마다 공기 신선한 곳에 한번 산보할 생각이 도저히 나겠더라.

(추월색(秋月色))13

문학이 문장을 표현 매재(媒材)로 하여 이루어진 예술양식이요, 그 속에서도 소설 특히 근대소설은 일상적인 산문을 바탕으로 하여 이룩된 대표적인 문학양식인만큼, 소설에 있어서의 문장의 표현문제는 그 형식면

11 이인직 작, 「은세계」의 첫머리.

12 이해조 작, 「춘외춘」의 첫머리.

13 최찬식 작, 「추월색」의 첫머리.

에서 가장 중요시되어야 할 요소의 하나라고 하지 않을 수 없겠다.

신소설에서는 이런 문제에 대한 의식적인 관심이 기울어졌으며, 평이한 일상용어인 이른바 시문체(時文體)로 된 구어체 문장이 쓰여져, 고대소설의 자칫하면 한문 숙어에 토를 단 것 같은 재래의 문장과는 확연히 구분지어질 수 있는 자연스러운 산문체의 특징을 발견할 수 있다. 그것은 앞에서 예로 든 「춘향전」의 경우에서도 쉽사리 간취(看取)될 수 있는 일이다.

뿐만 아니라, 신소설의 문장은 고대소설이 지니지 못하였던 개화기의 새로운 시대감각을 풍겨 주며, 표현면에 있어서의 사실적인 묘사에도 그 작가들이 적잖이 부심하였던 흔적을 더듬어 볼 수 있다. 이해조 같은 작가는 자신의 작품 창작태도를 표명한 글에서 "사실을 적확하여 눈으로 그 사람을 보고 귀로 그 사정을 듣는 듯하여"[14]라고 서술하여, 표현의 정확성과 사실적인 묘사에 관심을 기울이고 있음을 표백(表白)한 바 있다.

다음에 예거하는 몇 대목에서만도 우리는 오늘날의 현대소설을 방불케 하는 치밀한 묘사장면을 발견할 수 있는 것이다.

> 우짜 쓴 벙거지 쓰고 감장 홀태바지 저고리 입고 가죽 주머니 메고 문 밖에 와서 안중문을 기웃기웃하며 편지 받아 들여가오 편지 받아 들여가오 두세번 소리하는 것은 우편 군사라. (혈의 누)

> 너른 솟곳에 치마 하나만 두르고 때가 닥지닥지 앉은 까막발에 버선도 아니 신고 불고염치하고 방 한가운데로 들어온다. 새벽녘 찬바람이 방고래 빠진 곳으로 들이치더니 가난이 똑똑 듣는 등피 없는 석유 등불이 툭 꺼지더라. (귀(鬼)의 성(聲))

■

14 이해조 작, 「화(花)의 혈(血)」 서(序).

옥련이가 침대에서 내려서 구씨를 인도하여 테불 앞 교의(椅子)에 앉게 하고 옥련이는 그 맞은편 교의에 걸터 앉으며 손으로 초인종을 썩 눌러서 뽀이를 부르더니 커피차와 부란데와 과자를 갖추어 놓는다.

(모란봉(牧丹峰))

위에 예로 든 속에서, 맨 처음 것은 「혈의 누」의 끝머리에서 우체부의 모습을 그린 장면인데, 우리는 여기서 개화기의 우편 군사(軍士)의 편모를 그려볼 수 있으며, 둘째 번의 「귀의 성」 속에 나오는 박참봉 마누라의 모습에서 그 빈궁에 찌들은 집안꼴과 거기에 시달린 여인의 모습을 더듬을 수 있으며, 끝의 「모란봉」 대목에서는 워싱턴의 한 호텔 방에서 벌어지는 간단한 장면에서 개화기 독자에게 새로 접하여진 서양풍습의 일면을 족히 엿볼 수 있는 것이다.

또한 작품의 구성에 있어서도 신소설은 새로운 면을 보여 주었으니, 그것은 고대소설의 대부분의 작품이 시간의 흐름에 병행하여 사건이 진전되는 종합적 구성, 말하자면 이야기 중심의 구성방법을 취한 데 비하여, 신소설에서는 시간의 흐름에 역행하거나, 사건 및 장면이 전후 엇바뀌는 해부적 구성방법을 시도하였다는 점이다. 일례를 들면, 「귀의 성」의 경우에 있어서, 여주인공 길순(吉順)과 김승지(金承知)의 애욕관계를 처음부터 순서대로 서술하지 않고, 임신하여 만삭이 된 길순이 홀로 고민하는 장면에서 시작하여, 과거로 거슬러 올라가 그 전말을 풀어가는 수법 같은 것은 해부적 구성방법에 의한 것으로, 이것은 근대소설 구성법의 중요한 특징 중 하나에 속하는 것이다.

다음 내용면에서는 소재 · 인물 · 주제 등 여러 관점에서 그 특징을 고찰할 수 있겠다. 신소설은 그 소재나 등장인물에 있어서 일부 예외가 없는 것은 아니지만, 대다수의 작품은 개화기를 배경으로 하여, 그 현실 속에서 취재하였으며, 인물 또한 이 신시대의 인간을 등장시켜, 그 시대상과 시대의식을 반영하고 있다.

서구의 근대의식이 지니는 가장 중요한 특징의 하나가 인간중심의 휴머니즘, 즉 인간의 존엄성 · 인권 · 자유 · 평등 등이 그 핵심이 되어 있는 만큼 개화기의 주조를 이루는 시대의식도 자연히 여기에 귀착될 수밖에 없는 동시에, 그 기초작업이 되는 계몽성 또한 필연적으로 수반되지 않을 수 없었다. 따라서 신소설의 주제도 이에 연관되는 자주독립 · 신교육 · 여권존중 · 계급타파 · 자유결혼 · 평민의식 · 자아각성에 의한 현실고발 등이 다루어졌다.

자주독립과 신교육은 개화기 시대의식의 가장 중추를 이루는 이념이므로, 신소설에 있어서도 각 작품에 거의 공통되는 주제로 다루어졌으며, 특히 자주독립은 「혈의 누」 · 「자유종(自由鍾)」 등에 강하게 반영되었고, 신교육은 「혈의 누」 · 「치악산(雉岳山)」 · 「은세계」 · 「추월색」 · 「안(雁)의 성(聲)」 · 「춘외춘」 등 많은 작품에 나타나 있다.

여권존중은 「자유종」에 가장 짙게 절규되었고, 계급타파는 비복(婢僕) 등 천민계급의 속량(贖良)을 비롯하여, 반상(班常)의 철폐 · 지방색의 타파 등 다각도로 다루어져, 「귀의 성」 · 「치악산」 · 「자유종」 등에 반영되었다. 자유결혼은 남녀의 자유의사에 의한 애정문제를 비롯하여 조혼폐지 · 과부의 재혼 등 기성 가족제도에 대한 반발로 나타났으며, 「혈의 누」 · 「추월색」 · 「안의 성」 · 「춘외춘」 · 「홍도화(紅桃花)」 등 작품에 다루어졌다.

평민의식 · 자아각성에 의한 현실고발 등은 근대화에 대한 가장 기본적인 문제이면서 그렇게 광범위하게는 다루어지지 않았으나, 「은세계」와 「귀의 성」에 가장 적극적으로 나타나 있고, 「자유종」에서 관념적이기는 하나, 상당히 언급되어 있음을 볼 수 있다. 이 밖에 기존 폐습인 미신타파를 다룬 작품에 「치악산」 · 「구마검(驅魔劍)」 등이 있다.

그러나 신소설은 아직 어떤 하나의 주제를 앞에 놓고 그것만을 깊이 파고든 작품은 적으며, 앞에 열거한 여러 가지 주제가 한데 어울려 개화기의 시대의식을 종합적으로 반영한 것이 대체의 경향으로 되어 있다. 또한 신소설 작가는 작품의 허구성에도 관심을 가진 바 있다. 즉 이해조 같은 이는,

> 소설의 성질이 눈에 뵈이고 귀에 들리는 실적만 더러 기록하면 취미도 없을 뿐 아니라, 한 기사에 지나지 못할 터인즉 소설이라 명칭할 것이 없고[15]……

라 하여, 기사나 실화와 소설을 구분하고, 비록 허구나 픽션이라는 어휘 자체는 쓰지 않았어도 일찍이 이같은 소설의 허구성의 문제에까지 언급하고 있음을 볼 수 있다.

이상 신소설의 특징적인 점, 즉 고대소설이 지니지 못한 새로운 특색에 대하여 논급하였지만, 신소설은 개화기를 대변하는 소설로서, 개화기 자체가 근대화의 첫 단계인 만큼 신소설 또한 근대소설로서의 하나의 시도의 과정에 불과했던 것이다.

따라서 문장어미의 '이라'·'더라'·'노라' 등 시제의 무자각적인 사용, 사건전개에 있어서의 꿈 장면의 부자연한 설정, 자살미수의 빈번한 삽입 등으로 사건을 진행시키려는 우발성, 고대소설의 타성인 권선징악의 목적의식, 등장인물의 성격을 완전히 전형화하지 못하고, 하나의 이상적 유형의 경지에서 벗어나지 못한 점 등, 적지 않은 결함을 내포하고 있음도 부인할 수 없다.

그러나 그것은 오늘날 현재의 현대소설과 비교하는 가치 기준에서의 문제이지, 고대소설과 비교하면 월등한 진경(進境)을 보이고 있음을 또한

15 이해조 작, 「탄금대」 발문(跋文).

부정할 수 없다. 특히 신소설 작가는 작품에 임하는 자세에 있어서, 종래의 고대소설이 작가 미상인 작품이 수다(數多)함에 비하여 자기 자신이 작품을 쓰는 것에 자랑을 가지고 작가로서의 주체성을 지니는 동시에, 적으나마 예술적 창작의욕을 지니고 있었다는 점에서, 이 또한 작가의식의 대전환을 가져온 점이라고 보지 않을 수 없는 귀중한 계기를 마련하여 놓은 것이다.

3. 신소설의 주요 작가

신소설 작품은 순수한 창작물, 외국작품의 번안물, 고대소설을 개작[16]한 것 등 수백 종을 산(算)할 수 있으며, 그 작가 또한 유명 · 무명의 허다한 이름들을 발견할 수 있으나, 순수한 창작이라고 추정되어 온 작품 속에도 전혀 번안물이 없다고 단정하기 어렵고, 실지의 작자가 있음에도 불구하고 저작자란에 버젓이 출판사주(出版社主)의 이름이 기록되어 있는 것이 있는가 하면,[17] 또한 작자인지 출판사주인지 미상(未詳)한 것이 있을 뿐더러, 개중에는 초판에는 실지의 작자 이름이 명기되어 있으나, 재판 또는 타사(他社)가 새로 그 작품을 출판할 때는 출판사주가 임의로 저작자가 되어 있는 것도 있어,[18] 그 정확한 판별에 적지 않은 혼란을 수반하고 있는 실정이다.

16 「설중매」는 종전까지 이인직 작 창작소설로 알려져 왔으나, 구연학(具然學)이 개작한 일본 작가 말광철장(末廣鐵腸)의 원작 「설중매」의 번안작품임이 밝혀졌다.(졸고, 「설중매」, 1955년 10월호 《사상계(思想界)》 소재(所載) 참조)

17 「비파성(琵琶聲)」은 1912년 11월 30일부터 1913년 2월 23일까지 64회에 걸쳐 《매일신보》에 연재된 이해조의 작품임에도 불구하고, 1958년 10월 20일 발행 영화출판사(永和出版社) 판(版)에는 판권란(版權欄)에 저자(著者) 겸 발행자 강근형(姜槿馨)으로 되어 있다.

18 「추월색」은 최찬식의 작품임에도 불구하고, 1914년 2월 20일 발행(3판)의 회동서관(匯東書館) 판(版)에는 작자 겸 발행자 고유상(高裕相)(회동서관(匯東書館) 주인)으로 되어 있다.

따라서 순수한 창작물로 그 가치가 어느 수준에 달한다고 인정되는 작품은 몇십 편에 지나지 않으며, 또한 이에 따라 논의의 대상이 될 만한 작가도 그렇게 많은 수에 달하는 것은 아니다. 즉 그 작품이 평가의 대상에 오르고 있는 중요한 신소설 작가로는 이인직을 비롯하여 이해조, 최찬식, 안국선, 김교제(金敎濟) 등을 들 수 있으며, 한편 주로 번안에 종사한 작가로 구연학(具然學), 조일재(趙一齋), 이상협(李相協), 민태원(閔泰瑗) 등을 열거할 수 있다.

(1) 이인직

이인직은 지금까지 밝혀진 한계 내에서는 최초의 신소설 작가요, 또한 가장 대표적인 작품을 제작한 작가로, 바꾸어 말하면 신소설의 새로운 문학 장르를 창시하여 서구문학의 영향을 받은 근대소설의 창작을 최초로 시험한 사람이다. 그러므로 신소설 하면 으레 이인직을 첫손에 꼽게 되고 이인직 하면 신소설을 연상케 할 정도로, 이인직과 신소설은 불가분의 관계에 놓여져 있는 것이다. 그는 또한 연극 개량에도 관심을 가져, 1908년 11월 자작(自作) 소설 「은세계」를 원각사(圓覺社) 무대에 올려, 이 땅에서 최초로 서구 근대극의 영향을 받은 신극(新劇) 공연을 가지기도 한 사람이다.

이인직은 호를 국초라 하며, 고종(高宗) 등극 2년 전인 1862년 임술(壬戌) 음 7월 27일에 출생하여,[19] 1916년 11월 25일(병진(丙辰)년 음 11월 1일) 55세를 일기로 세상을 떠났다.[20] 국초는 1900년 2월 구한국 정부의

19 졸고, 「이인직 연구」, 제 164면 참조.(서울대학교 논문집 인문사회편 제6집)

20 "이인직씨(李人稙氏) 별세(別世), 조선의 첫 소설가 경학원(經學院) 사성(司成) 이인직씨(李人稙氏)는 신경통(神經痛)으로 십일월(十一月) 이십일일(二十一日)부터 총독부(總督府) 의원(醫院)에 입원(入院)하여

관비 유학생으로 일본 동경에 건너가, 동경정치학교(東京政治學校) 청강생(科外生)으로 들어가, 1903년에 졸업한 후 노일전쟁 때는 일본 육군성(陸軍省) 한어(韓語) 통역에 임명되어, 제1군사령부에 부속되어 종군하였다.[21]

그는 1906년《국민신보(國民新報)》주필을 거쳐《만세보》주필로 옮겼고, 다시《대한신문(大韓新聞)》사장으로 취임 후는 이완용(李完用)의 비서역을 겸하였고, 그 후에는 선릉(宣陵) 참봉(參奉), 중추원(中樞院) 부찬의(副贊議) 등을 역임하였다.[22] 한일합방 후인 1911년에는 경학원(經學院) 사성(司成)에 취임하여, 세상을 떠날 때까지 현직으로 있었다.[23]

이인직은 한말의 풍운이 거세던 시기에 수상 이완용의 비서로 있으면서 한일합방의 전초역으로 병합의 일본측 선봉역인 통감부(統監府) 외사국장(外事局長) 소송록(小松綠)을 찾아 합방의 구체적인 제의를 하였고,[24] 다시 사태의 진전에 박차를 가하여, 합방조약 체결단계에까지 이르도록

치료중(治療中)이던 바 마침내 이십오일(二十五日) 밤 십일시(十一時)에 영면(永眠)하였는데, 향년(享年)이 오십오세(五十五歲)이더라." 1916년 11월 28일자《매일신보》소재.

21 "명치(明治) 삼십삼년(三十三年) 이월(二月) 구한국(舊韓國) 정부(政府)의 관비(官費) 유학생(留學生)으로 동경(東京)에 파견(派遣)되어 동경정치학교(東京政治學校)에 입학(入學)하고 삼십육년(三十六年) 칠월(七月)에 졸업(卒業)하자 일로전쟁(日露戰爭)을 당하여 육군성(陸軍省) 한어(韓語) 통역(通譯)에 임명(任命)되고 제일군사령부(第一軍司令部)에 부속되어 종군(從軍)하였더라." 1916년 11월 28일자《매일신보》소재.

"명치(明治) 삼십년(三十年) 전후(前後)라고 생각하는데 내가 성형(星亨) 송본군평(松本君平) 등이 창립(創立)한 신전(神田)의 정치학교(政治學校)에서 열국정치제도(列國政治制度)의 강의(講義)를 한 일이 있다. 그 무렵에 조중응(趙重應)과 이인직은 과외생(科外生)으로서 그 강의록(講義錄)을 강습(講習)하고 있었다……" 소송록(小松綠) 저(著),「조선병합의 이면(朝鮮併合の裏面)」, 제124면, 1920년, 동경.

"명치(明治) 삼십년(三十年) 전후(前後)에 판원퇴조(板垣退助) 성형(星亨) 등(等)이 고문(顧問)이 되어 송본군평(松本君平)이 주간(主幹)으로 신전(神田)에 동경정치학교(東京政治學校)를 설립(設立)한 일이 있었다. 그때 저자(著者)는 열국정치제도(列國政治制度)와 국제법(國際法)의 강의(講義)를 담당(擔當)하고 있었는데, 이 이인직은 조중응(趙重應)과 함께 청강생(聽講生) 속에 있었다." 소송록(小松綠) 저(著),「명치외교비화(明治外交秘話)」, 441면, 1936년, 동경(東京).

22 1916년 11월 28일자《매일신보》소재.

23 「경학원(經學院) 잡지(雜誌)」소재.

24 소송록(小松綠),「명치외교비화(明治外交秘話)」, 천창서방(千倉書房), 1936, 동경(東京), 442면.

중개역할을 하고 나섰다.[25]

그러나 그는 합방 후의 논공행상(論功行賞)에서 무슨 영문인지, 배후의 수훈 공로자임에도 불구하고 그 흔한 수작(受爵)의 은전(恩典)도 입지 못하고, 경학원 사성이라는 말직에 보임(補任)되었을 뿐이다. 다만 그는 죽음에 제하여, 당시의 최고시설을 가진 조선총독부 의원에서 신경통의 병명으로 마지막 목숨을 거두었고, 장례는 그가 평소 신앙하던 천리교(天理教) 의식에 의하여, 당국에서 보내온 450원의 공로금으로 집행되었으며, 한말의 고관이요 합방 후의 수작자(受爵者)인 이완용, 조중응(趙重應) 등 및 총독부의 현직 고관들에게 호종(護從)되어, 아현(阿峴) 화장장(火葬場)에서 한줌의 재로 화하였다.[26] 그러므로 국초는 1917년 1월 1일부터 발표되기 시작한 이광수의 처녀 장편 「무정」이 발표되기 2개월 전, 자기의 작품세계보다 한걸음 더 나아간 소설을 보지 못하고 세상을 떠난 셈이었다.

이인직은 「혈(血)의 누(淚)」(상편) · 「모란봉(牧丹峰)」(「혈(血)의 누(淚)」의 하편) · 「귀(鬼)의 성(聲)」(상 · 하편) · 「치악산」(상편) · 「은세계」(상편) 등의 장편 및 「단편(短篇)」 · 「빈선랑(貧鮮郞)의 일미인(日美人)」 등의 단편을 발표하였다.

「혈의 누」(상편)는 광무 10년(1906) 7월 22일부터 동년 10월 10일까지 50회[27]에 걸쳐 《만세보》에 연재된 이인직의 처녀 장편소설로, 한갓 습작에 지나지 않는 그의 초기작품 「단편」[28]을 제외하면, 이 땅에 있어서 본격적인 신소설의 효시에 해당되는 작품이기도 하다. 이 작품은 청일전쟁 때 격전이 휘몰고 간 뒤의 피비린내 나는 모란봉(牧丹峰)의 참상을 시발점으로

---

25 소송록(小松綠), 「조선병합지이면(朝鮮併合之裏面)」, 중외신론사(中外新論社), 1920, 동경(東京), 139면. 황의돈(黃義敦), 「위국항일의사열전(爲國抗日義士列傳)」, 1956년 6월 8일자 《동아일보(東亞日報)》.

26 1916년 12월 12일자 《매일신보》.

27 실제 신문에 연재된 회수는 53회이나, 3회에 걸친 번호 중복으로 끝회가 50회로 되어 있다.

28 광무 10년(1906) 7월 3일부터 수회에 걸쳐 「단편」이라는 이름 아래 제목 없이 발표된 단편소설.

하여, 그 후 10년간의 시간의 경과 속에서 한국 · 일본 및 미국을 무대로, 여주인공 옥련(玉蓮)의 기구한 운명의 전변(轉變)에 얽힌 개화기의 시대상을 그린 것으로서, 자주독립 · 신교육 · 신결혼관 등이 그 주제로 다루어져 있다. 「혈의 누」의 출현으로서, 비로소 이 땅의 소설은 형식 및 내용면에 있어서, 고대소설의 구각(舊殼)에서 탈피하여 서구적인 근대소설의 제일보를 내어 디딜 수 있는 문학사적인 새로운 계기를 마련할 수 있었다.[29]

「모란봉」은 「혈의 누」의 하편에 해당되는 작품으로, 상편 「혈의 누」가 발표된 지 7년 후인 1913년 2월 5일부터 동년 6월 3일까지 65회에 걸쳐 《매일신보》에 연재되다가 미완으로 끝난 이인직의 최종작이다. 「혈의 누」와 「모란봉」은 상하 양편으로 이루어진 하나의 작품이나, 또한 상하 각각 별개의 독립된 작품으로도 볼 수 있는 일면의 이유를 지니고 있으므로, 그 경위를 밝히면 다음과 같다.

「혈(血)의 누(淚)」는 《만세보》에 연재시 그 작품 말미에 "아래권은 그 여학생이 고국에 돌아온 후를 기다리오"라고 하여, 하권이 계속될 것을 막연히 예고하는 동시에, "상편종(上篇終)"이라고 하여 이 작품이 상편만으로 일단 끝났음을 밝혔으며, 다음해인 1907년에는 역시 「혈의 누」의 제하(題下)에 상편만으로 단행본이 출간되었다. 그 후 "혈루(血淚) 하편(下篇) 인쇄중(印刷中)"[30]이라는 광고까지 난 일이 있으나, 예고로 그쳤을 뿐 실지로 출간되지는 못하였고, 결국 1913년에 와서야 「모란봉」의 이름으로 하편이 신문에 연재되게 되었다. 이 「모란봉」이 연재되기 직전의 신문 예고를 보면,

29 졸고, 「혈(血)의 누(淚)」, 《사상계(思想界)》, 1956년 3월호.
졸고, 「이인직 연구」, 서울대학교 논문집 인문사회편 제6집.

30 융희 2년(1908) 11월 20일 동문사에서 발간된 「은세계」의 뒷 표지 광고란에 "혈루(血淚) 하편(下篇) 인쇄중(印刷中)"이라는 광고가 나 있다.

……다음에는 모란봉(牧丹峰)이라 하는 신소설을 게재하옵는데 이 소설은 조선의 소설가로 유명한 리인직씨가 교묘한 의량을 다하여 혈루(血淚) 하편으로 만든 것인데, 곧 옥련의 십칠세(十七歲) 이후 사적을 서술한 것이요, 또한 상편되는 혈루와 독립되는 성질이 있으니, 그 진진 취미는 매일 아침 본보를 고대치 못하리라.[31]

고 하여, 「혈의 누」의 속편임을 밝히는 동시에, 또한 상편인 「혈의 누」와 별개의 작품이라는 뜻을 나타내고 있음을 볼 수 있다. 또한 「모란봉」이 연재됨에 즈음하여, 그 서문격으로 「혈의 누」와 「모란봉」의 관계를 작자 스스로 다음과 같이 서술한 바 있다.

牧丹峰

모란봉

국초(菊初) 이인직(李人稙)

차소설(此小說)은 낭년(曩年)에 강호(江湖) 애독자(愛讀者)의 환영(歡迎)을 득(得)하든 옥련(玉蓮)의 사적(事蹟)인대, 금(今)에 기(其) 전편(全篇)을 정정(訂正)하고 차(且) 혈루(血淚)라 하는 제목(題目)이 비관(悲觀)에 근(近)함을 혐피(嫌避)하여 모란봉(牧丹峰)이라 개제(改題)하고 하편(下篇)을 저술(著述)하여 옥련(玉蓮)의 말로(末路)를 알고자 하시던 제씨(諸氏)의 일람(一覽)을 공(供)하옵는데 차(此) 모란봉(牧丹峰)이 비록 상하편(上下篇)이나 양편(兩篇)이 공(共)히 독립(獨立)한 성질(性質)이 유(有)하여 상편(上篇)은 옥련(玉蓮)의 칠세(七歲)부터 세간(世

31 1913년 2월 4일자 《매일신보》.

間) 풍상(風霜)을 열(閱)하던 사실(事實)로 조직(組織)하였는데 기(其) 하편(下篇)이 무(無)하여도 무방(無妨)하며 하편(下篇)은 옥련(玉蓮)의 십칠세(十七歲) 이후(以後) 사적(事蹟)을 술(述)한 것인데 기(其) 상편(上篇)이 무(無)하더래도 또한 무방(無妨)한 고로 자(玆)에 기(其) 하편(下篇)을 게재(揭載)하오니 혹(或) 상편(上篇)을 열람(閱覽)코자 하시는 인씨(人氏)는 경성(京城) 중부(中部) 철물교(鐵物橋) 동양서원(東洋書院)에 청구(請求)하시압.[32]

여기서 보여 주는 바와 같이, 작자는 이미 발표한 「혈의 누」의 전편(全篇)을 정정했음과, 「혈의 누」라는 제목의 어의가 주는 비관적인 점을 피하기 위하여, 「모란봉」이라 개제했음과 아울러 상하 양편이 각각 독립한 작품이라는 작자의 의도를 선명히 밝혔음을 볼 수 있다.

실지에 있어서, 1907년에 초판[33]이 발간된 「혈의 누」는 1908년의 재판[34]을 마지막으로 절판되었으며, 위에서 작자가 말한 정정본은 1912년 「혈의 누」 상편이 「모란봉」[35]으로 개제되어 출간되는 동시에, 다음해인 1913년 하편 역시 「모란봉」의 이름으로 신문에 연재 발표되었으나, 이 하편은 단행본으로 출간되지는 않았다. 즉 상편은, 처음 신문에 발표될 때에는 「혈의 누」의 제목으로 연재되었으나, 단행본에서 볼 때에는 「혈의 누」와 「모란봉」의 두 가지 제목을 지니게 되었고, 후에 하편은 「모란봉」의 제목으로 신문에 연재 발표되었으므로, 이 작품의 명칭은 상하편 할 것 없이 「혈의 누」와 「모란봉」의 두 제목이 혼동 병용될 수 있는 사적(史的) 연유를 작품

32 1913년 2월 5일자 《매일신보》.

33 광무 11년 3월 17일 광학서포(廣學書舖)(김상만서포(金相萬書舖))에서 「혈(血)의 누(淚)」 초판본이 출간되었다.

34 융희 2년 3월 27일에 광학서포에서 「혈의 누」 재판이 출간되었다.

35 1912년 11월 10일 동양서원에서 「모란봉」으로 개제된 「혈의 누」 상편이 출간되었다.

스스로 내포하고 있는 것이다.

그러나 상편은 처음 「혈의 누」의 제목으로 발표되었고, 하편은 「모란봉」의 제목으로 발표되었으므로, 상하편 각각 '독립한 성질'이 있다는 작자의 의도를 살리는 동시에, 문학사를 비롯한 모든 문헌에서 이미 이인직의 처녀 장편인 「혈의 누」 상편을 정정본 「모란봉」의 명칭에 구애됨이 없이 「혈의 누」의 제목으로 다루고 있는 만큼 상편은 「혈의 누」, 하편은 「모란봉」으로 그 발표 제목에 기준한 명칭으로 고정시켜 구분 사용함이 문학사 정리상의 혼란을 막고, 사적 사실에 바탕을 둔 분류방법이 아닐까 생각된다.[36]

상편 「혈의 누」에 있어서는 신학문의 섭취에 의한 국권의 자주적인 확립이 가장 중추적 주제로 되어 있으나, 하편인 「모란봉」에 와서는 남녀 애정문제와 혼인문제가 전편(全篇)에 걸쳐 주류를 이루고 있음을 볼 수 있다. 특히 이것이 정식 결혼을 전제로 한 삼각관계의 애정문제를 다루었다는 점에서, 근대적인 자유연애의 시대의식이 싹트기 시작한 이 땅의 사회 배경적인 조건과 대조하여 생각할 때, 주제면에 대한 하나의 의의를 제시하는 바 없지 않다고 보아진다.[37]

「귀(鬼)의 성(聲)」은 상하 양편으로 되어 있으며, 1906년부터 1907년까지 《만세보》[38]에 연재 발표되고, 1908년에 단행본으로 그 초판본[39]이 발간된 작품으로, 발표 당시는 물론 그 후 계속 많은 애독자를 지니고 가장 감명을 주었던 작품이다. 이 작품은 「치악산」과 더불어 신소설 중에서 가장 방대한 양을 가진 장편의 하나로, 「혈의 누」의 뒤를 이어 발표된 신소

36 졸고, 「이인직 연구」, 서울대학교 논문집 인문사회편 제6집.

37 졸고, 「모란봉(牧丹峰)」, 《사상계》, 1956년 4월호.

38 「귀의 성」은 광무 10년(1906) 10월 14일부터 익년 5월 31일까지에 15장 134회로 《만세보》에 연재되었다.

39 「귀의 성」 초판본은 융희 2년(1908) 7월 25일 중앙서관(中央書館)에서 발간되었으며, 상편은 20장(제15장 흠(欠))의 장회로 나누어졌고, 하편은 분장(分章)이 없이 통편(通篇)으로 되어 있다.

설의 초기작품 중의 하나이며, 이인직의 저작 중에서 「은세계」와 더불어 수작의 한자리를 차지하는 작품이기도 하다.

「귀의 성」은 그 주제가 참신하다거나, 사건내용이 특이하다거나 한 점은 별로 발견할 수 없으나, 그 저류에 흐르는 현실의 반영 및 항거의식을 높이 살 수 있다. 즉 갑오경장 후의 몰락해 가는 양반계급의 무력한 면을 가정 내의 갈등을 매개로 하여 폭로하는 동시에, 귀족 지배계급의 가렴주구에 견디다 못해 반발하는 피지배계급의 모습을 돈에 대한 욕망에서, 또는 신분관계의 속량(贖良)에 대한 갈구로서, 적으나마 근대적인 요소를 지닌 인간상을 통하여 그려냈다는 점이, 장면이나 사건의 묘사에 적잖은 관심을 기울였다는 점과 더불어 이 소설이 근대소설의 범주 속에 들어갈 수 있게 한 가장 뚜렷한 거점이라 하겠다.

특히 재래의 고대소설이 고진감래(苦盡甘來)의 인생관이나 권선징악적인 윤리관을 내세우기 위하여, 작품의 결말을 해피엔딩으로 끌고 간 데 비하여, 「귀의 성」에서는 작자가 끝까지 객관적인 위치에서 냉정하게 사건을 다루어 참상에 빠져가는 인물을 가는 대로 내버려 두고, 하등의 설교도 가하지 않은 것이 주목할 점이다. 거기에다 치밀한 구성과 사건전개의 빠른 템포 및 내용이 주는 비극성은 독자를 끝까지 박력 있게 이끌어, 강한 충격 속에 공명을 일으키게 하였다.[40]

김동인(金東仁)은 일찍이 이 작품에 대하여 다음과 같은 찬사를 보낸 바 있다.

> 한국(韓國) 근대소설(近代小說)의 원조(元祖)의 영관(榮冠)은 이인직의 「귀(鬼)의 성(聲)」에 돌아갈밖에는 없다. 당시의 많은 작가들이 모

40 졸고, 「귀의 성」, 《사상계(思想界)》, 1956년 1월호.

두 작중(作中) 주인공(主人公)을 재자가인(才子佳人)으로 하고 사건(事件)을 선인(善人) 피해(被害)에 두고 결말(結末)도 악인필망(惡人必亡)을 도모할 때 이 작가뿐은 「귀(鬼)의 성(聲)」으로서 학대(虐待)받은 한 가련한 여성(女性)의 일대(一代)를 우리에게 보여 주었다. ……(중략)…… 여하(如何)턴 이 「귀(鬼)의 성(聲)」뿐으로도 이 작가를 한국(韓國) 근대소설(近代小說)의 조(祖)라고 서슴지 않고 명언(明言)할 수 있다.[41]

「치악산」은 상하 양편이 다 이인직의 작인 것으로 알려져 왔으나 사실은 그렇지 않고, 상편은 이인직, 하편은 아속(啞俗) 김교제(金敎濟)에 의하여 저작된, 말하자면 상하편이 각각 저자가 다른 작품이다.[42] 이인직의

41 김동인(金東仁), 「한국근대소설고(韓國近代小說考)」, 182면.

42 「치악산」 단행본에는 상편 이인직, 하편 김교제(金敎濟)로 각각 저자가 명시되어 있을 뿐 아니라, 1912년 10월 30일자 《매일신보》에 게재된 「치악산」 발간 광고문에는 작자에 대한 다음과 같은 기록이 있다.

치악산(雉岳山)	이인직(李人稙)	공저(共著)	전일책(全一冊)	국판(菊版)	삼백이십혈(三二○頁)
	김교제(金敎濟)			정가(定價)	칠십전(七十錢)

분권(分卷)	국초(菊初)	이인직(李人稙)	상권(上卷)	이백혈(二○○頁) 사십전(四十錢)
	아속(啞俗)	김교제(金敎濟)	하권(下卷)	백이십혈(一二○頁) 삽십전(三十錢)

"이 소설은 「귀(鬼)의 성(聲)」의 자매편(姉妹篇)으로 강호(江湖)에 정평(定評)이 있는 것이라 국초(菊初) 이인직씨(李人稙氏)의 비밀(秘密)한 상상(想像)과 곡진(曲盡)한 필법(筆法)으로 전반부(前半部) 사실(事實) 전개(展開)가 서술(敍述)되고, 아속(啞俗) 김교제씨(金敎濟氏)의 명쾌(明快)한 판단(判斷)과 교묘(巧妙)한 조직(組織)으로 후반부(後半部) 사실(事實) 결합(結合)이 기록(記錄)된 이 치악산(雉岳山) 일편(一篇)은 만천하(滿天下)의 상탄중(賞嘆中)으로 그 성가(聲價)를 뽐내나니 그 대체(大體)는 조선(朝鮮) 가정사회(家庭社會)에 가장 큰 폐풍(弊風)인 고부관계(姑婦關係)를 개선(改善)하랴 함이라."

또한 이보다 1개월 먼저인 1912년 9월 25일자 《매일신보》에는 다음과 같은 광고문이 실려 있다.

"현미경(顯微鏡)
비행선(飛行船)

작인 상편은 융희 2년(1908)[43]에 출간되었으며, 김교제의 작인 하편은 융희 연대로 올라가는 것은 없고, 1911년에 간행된 초판본[44]이 가장 오랜 것으로 된다.

「치악산」은 계모를 중심으로 한 가정비극에 개화풍조가 함께 얽혀진 작품으로서, 그 주제는 계모를 둘러싼 고부간의 갈등, 갑오경장 이후의 신구(新舊) 사조의 대립, 신교육 사상의 고취, 미신타파 및 노복(奴僕) 등 하층계급의 반발의식 등이 다각도로 다루어져 있다. 계모문제의 비극성은 가부장제하(家父長制下)의 대가족제도에서 완전히 벗어나지 못한 한국 가정에 있어서 항다반(恒茶飯)으로 가정불화의 화근이 되어온 만큼, 이 문제는 문학작품의 소재나 주제로서 고대소설 이후 거의 유형화된 대상이다.

그러나 「치악산」이 재래적인 하나의 가정비극에만 머무르지 않고, 고대소설의 타성에서 벗어난 것은 퇴영적인 보수적 가정과 진취적인 개화풍 가정의 대조를 보여 주는 동시에 몰락해 가는 봉건사회의 배경 속에서 노주(奴主)를 싸고 도는 현실의 단면을 반영하고, 신교육의 필요성을 주장 실천한 점에 있다고 하겠으며, 근대소설적인 의의 또한 여기에서 발견될 수 있는 것이다.[45]

「은세계」는 융희 2년(1908)에 발표된 작품[46]으로 이인직의 작품 중에서

위 이책(二冊)은 향일(向日) 목단화(牧丹花) 치악산(雉岳山) 하(下)를 저(著)하여 강호(江湖)의 대갈채(大喝采)를 박(博)하던 김교제군(金敎濟君)의 탁의(託意)한 소저(所著)라."

43 「치악산」 상편 초판본은 융희 2년(1908) 9월 20일 유일서관(唯一書館)에서 발행한 것이 가장 오랜 것으로 된다.

44 「치악산」 하편 초판본은 1911년 12월 28일 동양서원(東洋書院)에서 발행한 초판본이 현재로는 가장 오랜 것이다.

45 졸고, 「치악산」, 《사상계(思想界)》 11월호, 1955년.
졸고, 「이인직 연구」, 서울대학교 논문집 인문사회편 제6집, 1957년.

46 융희 2년(1908) 11월 20일 동문사에서 초판본이 발간되었다.

가장 주제가 강하고 뚜렷하며, 한편 신극과 불가분의 관계를 지니고 있는 작품이다. 「은세계」의 초판본 표지에는 제목 '은세계'가 '신연극(新演劇)'의 표상으로 구도가 되어 있음을 볼 수 있다. 즉 '은(銀)'자의 획은 '신(新)'자의 소활자가 모여 이루어졌고, '세(世)'는 '연(演)'자, '계(界)'는 '극(劇)'자로서 각각 자획을 이루어 '은세계'는 바로 '신연극(新演劇)' 소설이라는 것을 나타내고 있다. 실지에 있어서 「은세계」는 1908년 11월 이인직 자신에 의하여 원각사(圓覺社)에서 이 땅 최초의 신연극 작품으로 무대의 각광을 받았던 것이다.

이 작품은 처음부터 끝까지 부패와 학정으로 양민을 수탈하는 양반관료에 대한 한 평민 최병도(崔秉陶)의 현실고발과 항거로 일관되어 있으며, 끝머리에 가서 미국 유학에 의한 신교육의 필요성이 절규되고 또한 실천에 옮겨져 있다. 특히 이 작품에 나타난 또 하나의 특색인 「농부가」·「나뭇군 노래」·「상두소리」 등의 민요적인 가요가 많이 삽입되고, 그 내용은 사회현실에 대한 비판과 풍자가 토로 호소되어 있어, 관권(官權)에 대한 민중의 반발의식을 더욱 고취하고 있다는 점이다.

순사도난 쇠구신
호방비장은 노링수건
례방비장은 소경불한당
공방비장은 쵸랑이
회계비장은 갈강쇠
별실마마난 계집망난이
수청기생은 불여우(민요)

도적질을 하더래도
사모바람에 거드러거리고

망난이짓을 하여도
금관자서슬에 큰기침한다
애—고 날 살려라

강원도 두메골에
살찐백성을 다잡아먹어도
피똥도 아니누고
배병도 없다네
애-고 날 살려라(나뭇꾼 노래)

이 주검이 무슨 주검인고
학정밑에 생주검일세
워—허 워—허

생때같은 젊은목숨
불연목에 맞어죽었네
워—허 워—허(상두소리)

그러나 「은세계」는 상권만 발간되고, 하권은 끝내 발표되지 못하였다.[47] 끝으로 이인직의 작품에 대해서 한마디 덧붙이고 싶은 것은, 「설중매」를 이인직의 창작물인 양 다루고 있는 저서 · 논문 등이 허다히 발견되나, 사실에 있어 이 작품은 구연학(具然學)이 일본작가 말광철장(末廣鐵腸)의 원작 「설중매」를 같은 제목으로 번안 개작한 것이므로, 번안소설의 항에서

47 졸고, 「은세계」, 《사상계》 1956년 2월호.
졸고, 「이인직 연구」, 서울대학교 논문집 인문사회편 제6집, 1957년.

상론하고자 한다.[48]

(2) 이해조

이해조는 고종 6년(1869) 경기도 포천에서 출생하여 서울에 이거(移居)한 후, 한때 언론에 관계한 외에는 1927년 59세로 세상을 떠날 때까지 계속 작품제작에만 일관한 작가다. 그는 호를 동농(東儂) 또는 이열재(怡悅齋)라 하였고, 이 밖에 선음자(善飮子), 하관생(遐觀生), 석춘자(惜春子), 신안생(神眼生), 해관자(解觀子), 우산거사(牛山居士) 등 많은 필명[49]으로 작품을 발표하였다.

이해조는 그의 대표작인 「자유종(自由鍾)」을 비롯하여 「빈상설(鬢上雪)」·「구마검(驅魔劍)」·「원앙도(鴛鴦圖)」·「홍도화(紅桃花)」·「모란병(牧丹屛)」·「쌍옥적(雙玉笛)」 등의 작품을 발표하는 한편, 1910년에서 1913년에 걸쳐 「박정화(薄情花)」·「화세계(花世界)」·「월하가인(月下佳人)」·「화(花)의 혈(血)」·「구의산(九疑山)」·「소양정(昭陽亭)」·「춘외춘(春外春)」·「탄금대(彈琴臺)」·「소학령(巢鶴嶺)」·「봉선화(鳳仙花)」·「비파성(琵琶聲)」 등 제작(諸作)을 신문에 연재하였으며, 또한 판소리를 광대들로부터 직접 들은 다음 「옥중화(獄中花)」(춘향전), 「강상련(江上蓮)」(심청전(沈淸傳)), 「연(燕)의 각(脚)」(흥부전(興夫傳)), 「토(兎)의 간(肝)」(별주부전(鼈主簿傳))[50] 등의 제목으로 《매일신보》에 산정

48 졸고, 「설중매」, 《사상계》 1955년 10월호.

49 이해조는 1910년부터 1912년까지 《매일신보》에 여러 작품을 연재 발표하였는데, 그때의 작품명과 필명을 보면 아래와 같다. 「화세계(花世界)」(선음자(善飮子)), 「월하가인(月下佳人)」(하관생(遐觀生)), 「화(花)의 혈(血)」(석춘자(惜春子)), 「구의산(九疑山)」(신안생(神眼生)), 「소양정(昭陽亭)」(우산거사(牛山居士)), 「춘외춘(春外春)」(이열재(怡悅齋)), 「옥중화(獄中花)」·「강상련(江上蓮)」·「연(燕)의 각(脚)」·「토(兎)의 간(肝)」·「봉선화(鳳仙花)」·「비파성(琵琶聲)」(해관자(解觀子)) 등.

50 「옥중화(獄中花)」는 명창 박기홍(朴起弘) 조(調) 해관자(解觀子)(이해조) 산정(刪正), 「강상련(江上蓮)」은 명창 심정순(沈正淳) 구술(口述) 해관자(解觀子) 산정(刪正), 「연(燕)의 각(脚)」은 명창 심정순(沈正淳) 구

(刪正) 발표하였고, 이밖에도 수많은 작품을 발표하였으며, 또 「철세계(鐵世界)」·「화성돈전(華盛頓傳)」 등의 역술(譯述)을 하는 등 다각도적인 활동을 하여, 30여 편의 작품을 내놓았다.

그는 또한 국어의 문법과 문장표현면에 적지 않은 관심을 가져, 이에 관한 저작으로 「신찬일선작문법(新撰日鮮作文法)」[51]을 엮었으며, 한편 극히 단편적이나마 자신이 지니고 있는 문학에 대한 견해를 토로한 바 있어, 이는 이 시기 작가의 문학에 임하는 자세의 일면을 엿볼 수 있게 하므로, 문학사 정리에 희귀한 자료를 남겨준 결과로 되었다. 즉 그는 작품 「화(花)의 혈(血)」[52]의 서(序)에 해당되는 글에서 다음과 같이 술회하고 있다.

무릇 소설은 체재가 여러가지라, 한가지 전례를 들어 말할 수 없으니 혹 정치를 언론한 자도 있고 혹 정탐을 기록한 자도 있고 혹 사회를 비평한 자도 있고 혹 가정을 경계한 자도 있으며 기타 윤리 과학 교제 등 인생의 천사만사 중 관계 아니되난 자이 없나니 상쾌하고 악착하고 슬프고 즐겁고 위태하고 우순 것이 모도다 좋은 재료가 되야 기자의 붓끝을 따라 자미가 진진한 소설이 되나 그러나 그 재료가 매양 옛 사람의 지나간 자최어나 가탁이 형질 없난 것이 열이면 팔구난 되되 근일에 저술한 박정화 화세계 월하가인 등 수삼종 소설은 모다 현금의 있난 사람의 실지 사적이라. 독자 제군의 신기히 여기난 고평을 이미 많이 얻었거니와 이제 또 그와 같은 현금 사람의 실적으로

술(口述) 해관자(解觀子) 산정(刪正), 「토(兎)의 간(肝)」은 명창 곽창기(郭昌基), 심정순(沈正淳) 구술(口述) 해관자(解觀子) 산정(刪正) 등으로 각각 광대의 창을 바탕으로 하여, 이해조가 산정(刪正)하였음을 《매일신보》 연재 지면에 밝히고 있다.

51 졸고, 「신소설 소양정고(昭陽亭攷)」(부(附) 신찬일선작문법(新撰日鮮作文法)), 《국어국문학》 제10집, 1954년 7월 1일.

52 「화(花)의 혈(血)」은 1911년 4월 6일부터 동년(同年) 6월 21일까지 《매일신보》에 연재 발표되었다.

화의혈(花의 血)이라 하난 소설을 새로 저술할새 허언 낭설은 한구절도 기록지 아니하고 정녕 있난 일동 일정은 일호차착없이 편즙하노니 기자의 재조가 민첩지 못하므로 문장의 광채난 황홀지 못할지언정 사실을 적확하야 눈으로 그 사람을 보고 귀로 그 사정을 듣난 듯하야 선악간 족히 밝은 거울이 될만한가 하노라.

이같이 그는 소설의 소재의 다양성에 대하여 언급한 다음, 과거의 형질(形質) 없는 사실보다 현실적 사실에서의 취재를 주장하고, 허언(虛言) 낭설(浪說)보다는 정녕 있는 일동일정(一動一靜)을 정확히 그려내어 눈으로 그 사람을 보고, 귀로 그 사정을 듣는 듯한 사실적인 표현에 대한 의도를 표출하였다.

그는 계속하여 「화의 혈」의 끝머리에서,

기자 왈 소설이라 하는 것은 매양 빙공착영(憑空捉影)으로 인정에 맞도록 편즙하야 풍속을 교정하고 사회를 경성하는 것이 제일 목적인 중 그와 방불한 사람과 방불한 사실이 있고 보면 애독하시난 열위 부인 신사의 진진한 자미가 일층 더 생길 것이오 그 사람이 회개하고 그 사실을 경계하는 좋은 영향도 없지 아니할지라. 고로 본 기자는 이 소설을 기록하매 스사로 그 자미와 그 영행이 있음을 바라고 또 바라노라.

고 하여, 풍속을 교정하고 사회를 경성(警醒)하는 교훈성을 소설의 가장 중요한 목적으로 내세우고, 아울러 그에 공명을 일으킬 독자의 '재미'라는 것에 적지 않은 관심을 가졌음을 볼 수 있다.

그는 또한 작품 「탄금대(彈琴臺)」[53]의 끝머리에서는 다음과 같은 점을 내세웠다.

한갓 결심하기를 아모조록 힘과 정신을 일칭 더하여 악한 자를 징계하고 착한 자를 찬양하며 혹 직설도 하며 혹 풍자도 하여 사람의 칠정에 각축될만한 공전절후의 신소설을 저술코저하나 매양 붓을 들고 종이에 임하매 생각이 삭막하고 문견이 고루하여 마음과 글이 같이 못하므로 애독 제씨의 진진한 취미를 돕지 못하였도다. 혹자의 말을 들은즉 본기자의 저술한 바 소설이 취미는 없지 아니하나 매양 허탄무고하고 후분을 다 말하지 아니하는 두가지 결점이 있다 하나 이는 결코 생각지 못한 언론이라 하노니 어찌하여 그러냐하면 소설에 성질이 눈에 뵈이고 귀에 들리는 실적만 더러 기록하면 취미도 없을뿐 아니라 한 기사에 지나지 못할터인즉 소설이라 명칭할 것이 없고 또는 기자의 말 저술한 소설 삼십여 종이 확실한 소역사가 없는자는 별로 없으니 볼지어다. …(중략)… 꽃을 봄에 이울기에 이르지라는 말이 아니 있는가. 비록 결사를 후문까지 지루하게 기록지 아니한대도 애독 제군의 추상으로 그 다음 일은 족히 요해할 줄로 믿는 바이로다.

여기서 작자는 권선징악의 목적의식을 뚜렷이 내세웠음을 볼 수 있는 한편, 소설의 허구성 및 결말의 함축성 있는 여운 등 작가의 구성면에도 관심을 가졌음을 엿볼 수 있다.

이상 열거한 몇 가지 점에서 보듯이, 이만한 정도의 초보적인 이론도 이 시기의 작가로서는 하나의 탁견이라고 보지 않을 수 없으며, 이해조 외에는 자신의 문학적 주장을 내세운 신소설 작가를 아직껏 별로 발견할 수 없다.

「자유종(自由鍾)」은 '토론소설(討論小說)'이라는 명(銘)이 붙어 융희 4년

53 「탄금대(彈琴臺)」는 1912년 3월 12일부터 동년(同年) 5월 1일까지 《매일신보》에 연재 발표되었다.

(1910)에 초판이 발행되었으며, 그 주제면에 있어서 신소설 중에서 가장 정치성이 강한 작품이다. 작품의 시간적인 경과는, 초저녁부터 새벽에 이르는 하룻밤 사이에 일어나는 사건 전개이며, 전편이 거의 대화로만 일관되어 이어, 흡사 단막물 희곡 같은 느낌을 주는 바도 없지 않으나, 무대와의 연관이 전혀 없으므로 그렇게 볼 수는 없고, 또한 내용이 정치적 토론의 연속이므로 토론회의 기록문 같은 감도 없지 않으나, '신소설' 또는 '토론소설' 등 소설이라는 뚜렷한 표제가 붙어 있느니 만큼 소설로 다룰 수밖에 없는, 좀 특이한 형식을 지닌 작품이다.

작품의 내용은 융희 2년(1908) 음력 정월 16일(대보름 이튿날) 밤, 매경부인의 생일 잔치에 초대를 받아 모인 당시의 지식 여성들이 개화 계몽에 대한 여러 가지 문제를 토론하는 것으로 시작하여, 결국에는 꿈 이야기 속에서까지 국가의 자주독립을 논하다가, 닭이 우는 새벽녘에야 해산하는 장면으로 끝나는데, 이 토론에 직접 참여하는 인물은 신설헌부인, 홍국란부인, 강금운부인 및 주인인 이매경부인의 네 사람만으로 한하고, 여타의 부인들은 그대로 청중이 되고 있으며, 작자가 서술하는 지문이라고는 처음 일절에 국한되었고, 그 외는 끝까지 전부 이 네 부인이 주고받는 대화의 연속으로 되어 있다. 다만 맨 끝에 가서 이 토론회를 방청만 하고 있던 한 부인이 일어나서

> 나는 지식이 없어 연하여 담화는 잘 못하거니와 사상이야 어찌 다르며 꿈이야 못꾸겠오. 나도 어제밤에 좋은 몽사가 있으나 벌써 닭이 울어 밤이 들었으니 이다음에 이야기 하오리다.

하는 방청객의 한마디로, 작품의 결말은 이루어진다. 이들의 토론 내용은 여권문제에 가장 중점을 두고, 그 밖에 자녀교육, 자주독립, 계급 및 지방색 타파, 미신타파, 한문폐지 등 다각도에 걸치고 있으나, 이렇다 할 행동

적인 표시는 없고, 다만 관념적인 토론으로 일관되고 있으므로, 작자가 붙인 명칭 그대로 하나의 토론소설에 그치고 만 것이다.[54]

「빈상설(鬢上雪)」은 처첩간의 갈등에 혼인제도의 계급성을 지양한 평민 의식을 고취하고 아울러 신학문을 강조한 작품이며, 「구마검(驅魔劍)」은 무당·복술(卜術) 등의 비과학성을 드러내어 미신타파의 계몽성을 주장한 작품이며, 「홍도화(紅桃花)」는 자유연애·재혼허용 등의 신결혼관을 내세운 작품이며, 「모란병(牧丹屛)」은 양반 사회에 기생하는 역관·서리 등 중인계층이 양반계급의 몰락과 더불어 전락하는 사회상의 일면을 그리고 아울러 외국유학의 시대적인 필요성을 덧붙인 작품으로, 특히 작품 첫머리 문장의 치밀한 산문성이 주목을 끌게 한다.

한편 「화(花)의 혈(血)」[55]은 1911년 《매일신보》에 연재 발표된 작품으로, 기생의 효(孝)와 정절(貞節)이 주류를 이룬 속에 동학란을 전후한 시기의 부패한 관료들의 이면상을 그린 작품이며, 「구의산(九疑山)」은 계모형 가정소설에 외국유학에 따르는 신학문이 가미된 작품이며, 「춘외춘(春外春)」[56]은 여주인공이 여학교를 다닌 지식여성이나 신교육문제를 제외하면 계모형 가정소설의 역(域)을 멀리 벗어나지 못하였고, 「봉선화(鳳仙花)」 역시 같은 계열의 계모형 소설이며, 「소양정(昭陽亭)」[57]은 그 허두의 서술방식이 고대소설의 일반 투식과 유사할 뿐더러, 내용도 고대소설적 가정비극의 유형을 멀리 벗어나지 못한 작품이다.

이상 열거한 바와 같이, 이해조는 신소설 작가 중에서 가장 많은 작품을 내놓은 작가이며, 또한 창작·개작·번역 등 여러 면에 걸쳐 활약했을

54 졸고, 「자유종(自由鍾)」, 《사상계》 1956년 8월호 및 9월호.
55 졸고, 「화(花)의 혈(血)」, 《사상계》 1956년 6월호.
56 졸고, 「춘외춘(春外春)」, 《사상계》 1956년 7월호.
57 졸고, 「소양정고(昭陽亭攷)」, 《국어국문학》 제10집, 1954년 7월 1일.

뿐더러, 자신의 문학적인 이론까지 개진(開陳)한 작가이나, 작품의 수준에 있어서는 이인직을 뛰어넘을 만한 경지에까지는 이르지 못하였다.

(3) 최찬식

최찬식은 호를 해동초인(海東樵人) 또는 동초(東樵)라고 하며, 고종(高宗) 18년(1881) 음 8월 16일 경기도 광주(廣州)에서 출생하였으나, 본적은 서울로 되어 있다. 그는 유시(幼時)에 광주(廣州) 사숙(私塾)에서 한학(漢學)을 공부하여 칠서(七書)까지 떼었고, 갑오경장 후 아버지 매하산인(梅下山人) 최영년(崔永年)(후에 개화기 언론계의 중진이 되었음)이 광주에 시흥학교(時興學校)를 설립하자 이곳에서 신학문을 공부하였으며, 후에 서울로 올라와 구한국(舊韓國) 말엽의 한성중학교(漢城中學校)에서 수학하였다.

동초는 한때 언론기관에도 관계하였으며, 말년에는 독도(纛島)에 있는 농장에 은퇴하여, 문족(門族)으로 한말에 흑산도(黑山島)에 유배되었던 면암(勉庵) 최익현(崔益鉉)의 실기(實記)를 집필중이었으나, 6·25동란으로 말미암아 1·4 후퇴 때 노쇠 와병중의 몸으로 한강 건너까지 피난했으나, 병세가 위독하여졌으므로, 탄우중(彈雨中)에 다시 독도(纛島)로 귀환하여, 1951년 1월 10일 향년 71세로 영서(永逝)하였다.

그는 저명한 신소설 작가 중에서 가장 오래 생존한 사람으로, 최초의 신소설 작가인 이인직은 자기 작품보다 한 계단 비약한 춘원의 「무정」이 발표되는 것을 보지 못하고 2개월 전에 세상을 떠났으나, 동초(東樵)는 「무정」뿐만 아니라, 반세기에 걸친 우리 문단의 전변교체(轉變交替)하는 과정을 스스로 목격하였으며, 특히 해방 후의 발랄한 새로운 문단 조류까지 전망하고, 신문학사상에 놓인 자기의 위치를 손수 깨달으면서 동란 중에 희생된 작가 중의 한 사람이기도 하다.

동초는 그의 대표작인 「추월색(秋月色)」을 비롯하여, 「안(鴈)의 성(聲)」·

「금강문(金剛門)」·「도화원(桃花園)」·「능라도(綾羅島)」·「춘몽(春夢)」 등 여러 편의 작품을 발표하였으며, 이들 작품 속의 일부는 당시 발간된 일간지 《국민신보(國民新報)》 및 《조선신문(朝鮮新聞)》 등에 연재 발표되었다고 하나, 이 게재지들이 현재까지 구득(求得)이 용이하지 않아, 작품의 정확한 발표연대는 구명되지 못하고 있는 실정이다.

「추월색(秋月色)」은 1912년에 발표된 초판본[58]이 가장 오래된 것으로 되며, 이는 오랜 시일에 걸쳐 많은 애독자를 가진[59] 신소설 작품 중의 하나이다. 이 작품은 한국은 물론 일본 동경, 영국 런던, 만주 등지를 무대로 하여 벌어지는 지식층 남녀 간의 애정문제를 소재로 한 것으로서, 자유결혼과 신교육관이 주제로 다루어졌으나, 그 기저로 흐르고 있는 윤리관은 양쪽 부모끼리 어릴 때에 정해 준 혼인 약정을 끝까지 고수한다는 기성 도덕률에 얽매이고 있다. 그러나 갑오경장 후의 사회현실 속에서 부패한 관료 정치에 대한 민중의 봉기를 나타내어 시대의식을 반영하고, 아울러 작품 첫머리를 비롯한 여러 장면의 생생한 묘사로 신선한 감각을 풍겨주는 점은, 애정문제의 기구한 스토리와 더불어 이 작품이 독자를 박력있게 이끌고 가는 중요한 요소가 되게 하였다.[60]

「안(鴈)의 성(聲)」[61] 역시 지식층 남녀의 애정문제를 다룬 소설로, 삼각애정의 각추 끝에 자유결혼이 성립되었으나, 연적(戀敵)인 여인의 끈덕진 모함으로 수다한 우여곡절을 겪다가, 결국에는 원점으로 회귀한다는 해피 엔딩의 작품이다. 이 작품에서는 신구(新舊) 사회를 배경으로 한 애정문제의 변모과정이 나타나 있을 뿐만 아니라, 특히 계급타파를 주장하여,

58 「추월색(秋月色)」의 가장 오랜 초판본은 1912년 3월 13일 회동서관(匯東書館)에서 발간된 것이다.

59 이효석(李孝石)의 단편 「석류(柘榴)」 속에도 작중인물이 어릴 때 읽은 「추월색」 대목을 회상하는 장면이 나온다.

60 졸고, 「추월색(秋月色)」, 《사상계》, 1956년 11월호.

61 졸고, 「안(鴈)의 성(聲) 고(攷)」, 《국어국문학》 제25집, 1962년 6월 5일.

기성사회의 권위가 반상(班常)의 신분제도로부터 점차 자본의 축적으로 인한 금력(金力)으로 가치기준이 옮겨져 오는 사회의 변천과정을 중요하게 다루고 있음이 주목할 만한 점이다.

최찬식의 여타의 작품인 「금강문(金剛門)」·「춘몽(春夢)」 등도 역시 애정문제를 다룬 작품으로, 이 작가는 개화기의 공통과제였던 자주독립이나 민족의식 같은 정치성에는 직접적인 관심을 기울이지 않았고, 이성문제를 위주로 한 애정소설에 주력하여, 오늘날의 신문소설의 원류를 개척한 셈이었다. 그러나 그 속에서도 기성사회의 윤리관을 비롯한 사회문제에 대하여, 비판의 안식(眼識)을 가지고 개혁의 방향으로 관점을 돌린 것은 그의 작가적 자세의 중요한 일면이라고 보아야 할 것이다.

(4) 안국선

안국선은 16세 때 청일전쟁이 발발한 1894년에 도일하여[62] 동경 조도전대학(早稻田大學)에서 정치학을 수학하고 귀국한 후 정치운동을 획책하다가 탄로(綻露)되어 참형(斬刑)의 선고를 받고, 나중에는 전라남도 진도(珍島)에 유배되었다가 방면(放免)된 바 있다. 한일합방 후는 관계(官界)에 관련을 가졌다가 6개월만에 직(職)을 사(辭)하고, 실업계에 투신하여 개간·금광·미두(米豆)·주권(株券) 등 여러 방면에 손을 대었으나 실패로 돌아갔고, 한때는 강단에서 정치·경제를 강의하여 육영(育英)에 힘쓰기도 하고, 기독교에도 관계를 가졌으나, 말년에는 서울 살림을 거두어 가

62 안국선은 소설가 안회남(安懷南)(본명 안필승(安必承))의 선친이다.
안회남(安懷南), 「선고유사(先考遺事)」, 박문(博文) 5월호 제3권 제5집, 1940년 6월 1일.
명치(明治) 44년(1911) 5월 20일 발행 「조선신사연감(朝鮮紳士年鑑)」에는 명치(明治) 13년(1880) 생으로 되어 있다.

지고 다시 낙향하여 은퇴생활을 보냈다.

그는 호를 천강(天江)이라 하였으며, 「정치원론(政治原論)」[63]을 비롯하여, 「연설법방(演說法方)」·「외교통의(外交通義)」 등 정치·외교에 관한 저술을 내놓는 한편, 「금수회의록(禽獸會議錄)」·「공진회(共進會)」등의 소설[64]을 발표하였다. 「금수회의록」은 1908년에 초판[65]이 발간되었으며, 까마귀·여우·개구리·벌·개·게·파리·호랑이·원앙 등의 동물을 내세워 현실을 풍자한 우화소설로서, 제재가 특이하고 주제의식이 강한 작품이다. 「공진회」는 이 땅 최초의 근대적인 단편집[66]이다. '공진회(共進會)'란 하나의 작품명이 아니고 단편집의 명칭이며, 사실은 그 속에 「기생(妓生)」·「인력거군(人力車軍)」·「시골노인 이야기」 등 3편의 단편이 수록되어 있다.[67]

그러나 작자는 이들 작품에서, 조선총독부(朝鮮總督府) 시정(始政) 5주년 기념행사로 당년에 개최된 공진회(共進會)[68]에서 직접 취재한 것이 아니라, 작자의 다음과 같은 서문이 암시하듯이, 공진회라는 어휘를 소설집

63 「정치원론(政治原論)」은 융희 원년(元年)(1907) 10월 황성신문사에서 간행된 차종유서(此種類書)의 최초 저술이다.

64 안국선은 전기한 작품 외에 「발섭기(跋涉記)」, 「됴염라전(傳)」 등의 작품도 창작하였다고 한다(앞의 「선고유사」(참조).

65 「금수회의록(禽獸會議錄)」은 융희 2년(1908) 2월 황성서적업조합(皇城書籍業組合)에서 초판이 간행되었다.

66 「공진회(共進會)」는 표지에 '단편소설(短篇小說) 공진회(共進會)'라고 뚜렷이 박았으며, 1915년 8월 25일 작자 자신이 발행자가 되어 간행하였고, 발행소는 수문서관(修文書館)으로 되어 있다.

67 「공진회」의 끝머리에는 두 편의 작품이 검열에서 삭제되었다는 다음과 같은 기록이 첨부되어 있다. "차차(此次)에 '탐정순사(探偵巡査)'라 명칭(名稱)한 일편(一篇)과 '외국인(外國人)의 화(話)'라 칭(稱)한 일편(一篇)이 유(有)하나 경무총장(警務總長)의 명령(命令)을 의(依)하여 삭제(削除)하였사오며 본책자(本冊子)의 체재(體裁)가 완미(完美)치 못함을 독자(讀者) 제군(諸君)의 서량(恕諒)하심을 요(要)함."

68 공진회(共進會)는 조선총독부(朝鮮總督府) 시정(始政) 5주년 기념으로 1915년 9월 11일부터 동년(同年) 10월 31일까지 경복궁 내에서 개최되었다. 그러므로 소설 「공진회(共進會)」는 그 소재가 된 공진회가 개최되기 반개월 전에 이미 출간되었다.

의 뜻으로 원용하였음을 알 수 있게 한다.

> 총독부에서 새로운 정치를 시행한지 다섯해된 기념으로 공진회를 개최하니 공진회는 여러가지 신기한 물건을 벌려 놓고 모든 사람으로 하여금 구경하게 하는 것이어니와 이책은 소설공진회라 여러가지 기기묘묘한 사실을 책속에 기록하여 모든 사람으로 하여금 보게한 것이니 총독부에서는 물산공진회를 광화문 안 경복궁 속에 개설하였고 나는 소설공진회를 언문으로 이책 속에 진술하였도다. 물산공진회는 돌아당기며 구경하는 것이요 소설공진회는 앉아서나 드러누어 보는 것이라.

「기생」은 여성의 순정과 절개를 강조한 작품이요, 「인력거군」은 하층 계급의 생활 속에서 근로와 금주치부설(禁酒致富說)을 주장한 작품이요, 「시골노인 이야기」는 동학란을 전후한 시기의 부패정치를 그린 작품으로, 이 세 작품에 공통되는 점은 다 같이 교훈적인 요소를 지니고 있다는 점이다.

작자는 '이책 본 사람에게 주는 글'[69]이라는 발문(跋文)에 해당되는 글에서, "이책 읽은 여러 군자는 책속에 기록한 여러가지 사정을 가지고 각기 자기의 마음을 비추어 볼지어다"라고 하여, 교훈적 목적의식을 한층 짙게 나타내고 있음을 볼 수 있다.

69 「공진회」의 첫머리에는 서문이 붙어 있고, 그 다음에 다시 '이책 보는 사람에게 주는 글'이라는 독자에게 주는 글이 있고, 끝머리에는 또한 '이책 본 사람에게 주는 글'이라는 읽은 후의 독자에게 주는 글이 덧붙여 있다.

(5) 김교제 및 그 밖의 작가

아속(啞俗) 김교제(金敎濟)는 「치악산」 하권[70]을 비롯하여, 「목단화(牧丹花)」·「지장보살(地藏菩薩)」·「현미경(顯微鏡)」·「비행선(飛行船)」·「경중화(鏡中花)」 등의 작품을 발표한 작가다. 한편 김필수의 「경세종(警世鐘)」, 이상춘(李常春)의 「서해풍파(西海風波)」·「박연폭포(朴淵瀑布)」, 신채호(申采浩)의 「을지문덕(乙支文德)」·「꿈하늘」, 그리고 그 밖에 많은 미해명(未解明)의 작가와 작품을 들 수 있다.

4. 신소설의 문학사적 의의

신소설은 분명 '이야기 책'인 고대소설에서 해탈하여, 근대소설적인 제일보를 내디딘 개화기의 새로운 소설양식이다. 흔히들 신소설을 가리켜 과도기적인 소설이라는 용어를 쓰나, 이것은 잠정적이거나 일시적이란 뜻이 아니라, 한국의 소설문학이 동양적인 전통에서 벗어나 서구적인 소설양식으로 변모해 가는 전환기에 있어서의 교량적인 구실의 뜻으로 해석함이 옳을 것이다.

문학의 표현 매체인 문장에 있어서, 일상용어에 의한 언문일치의 구어체를 시도하고, 근대소설의 중요한 요소의 하나인 소설의 허구성에 관심을 기울이고, 아울러 이야기를 들려주는 재미 위주의 고대소설적인 오락성 이외에, 삶이나 예술에 대한 어떤 목적의식을 가지고 작품을 창작하여, 그 속에 근대화의 정지작업(整地作業)이 될 자유와 평등과 인간의 존엄성에 대한 이념을 담고, 그것이 자주독립·신교육·자유결혼·계급타

70 「치악산」 상하권의 각각 다른 작자 관계에 대하여는 이인직 연구 「치악산」 항목을 참조.

파 등의 구체적인 주제의식으로 작품 속에 구현되게 하였다는 것은 이 땅의 소설사에 있어서 하나의 차원을 달리한 획기적인 진전이라고 하지 않을 수 없다. 확실히 신소설 작가는 창조자로서의 소설가를 의식하여 양반 아류에서 소설을 천시하여 좋이 작자를 밝히기를 꺼려하던 것을 뚜렷이 이름 석 자를 내세워, 소설가의 예술적인 명예를 복귀하게 하였고, 소설을 패사(稗史)나 음담패설의 고루한 관념에서 구출하여, 예술의 권내로 이끌어 들였고, 아울러 소설의 독자를 고대소설의 규방 부녀자에서 개화기 신학문의 각광을 받은 지식층으로 끌어올리는 선구자의 구실을 하였다. 신소설로써 비로소 한국소설은 근대소설의 대오(隊伍)에 낄 수 있는 최초의 자격을 부여받을 수 있었던 것이며, 이것은 곧 세계문학의 일환으로서의 한국문학이 지향할 수 있는 시점에 설 수 있는 계기가 마련되었다고도 해석할 수 있는 문학사적인 의의를 지니는 것이다. 신소설, 그것은 곧 한국소설의 근대소설적인 시발점의 표징이라 하겠다.

Ⅱ. 개화기의 번역소설

1. 신소설과 외국문학의 영향

모방이 창작의 시발점이라는 말이 있듯이, 번역 또한 창작의 측면적인 자극제의 구실을 하는 때가 적지 않다. 이질적인 외국문학이 동화 섭취되어 자국문학에 주체적인 반응이 일어날 때, 우리는 모방이나 이식의 단계를 넘어, 영향이라는 대등적인 어휘를 쓰게 된다.

표현 매체인 언어가 전연 다른 외국문학을 도입할 때는 그 원어에 의한 직접적인 소화가 가장 이상적인 방법이겠지만, 그 초기에 있어서는 그 사이에 가로 놓인 언어장벽을 해소하는 잠정적인 방법으로 번역의 단계를 거칠 수밖에 없는 것이 각국 문학이 겪어야만 하는 공통적인 과정이다. 언어는 물론 풍속·습관을 비롯한 문물제도가 전혀 다른 서구문학에 처음 접한 개화기의 한국 신문학 형성과정에 있어서도 이러한 역사적인 사실은 예외가 될 수는 없었다.

이 땅의 신문학이 서구문학의 영향 하에 생성된 근대문학인만큼, 번역을 통한 서구문학의 흡수는 또한 신문학의 초창기에 있어서 불가피한, 아니 오히려 수용태세로서의 필연적인 과정이기도 했다. 그러한 결과는 계몽적인 역사서나 전기문학(傳記文學)의 번역 소개, 번안소설의 제작, 그리고 정통적인 문학작품의 번역 등 다각도적인 현상으로 나타났으니, 그 구체적인 실증을 들어보면 대략 다음과 같다.

2. 역사서(歷史書)와 전기(傳記)

서구문화 영향하의 근대화 과정에 있어서, 그 초기에는 문예작품보다 정치적인 면이 윤색된 역사서나 위인의 전기 같은 것이 앞장을 질러 번역 소개된 것은 비단 한국의 경우뿐만 아니라, 중국이나 일본의 경우도 거의 동일한 경로를 더듬고 있음을 볼 수 있다.[1] 말하자면 이 시기의 시대적인 욕구가 순수문학 작품보다 계몽적인 서책(書冊)의 선행이 더 절실하게 요망되었으며, 한편 독자의 관심도 또한 문학작품에 의한 예술적인 음미보다는 선진 제국에 대한 지식욕에 더 경도되어 있었던 탓이라고 하겠다. 이러한 관계로 광무·융희 연간에 역술(譯述) 편저로 출간된 역사서나 전기물은 상당한 수에 달한다.

역사에 연관되는 것으로는 1897년에 발간된 「태서신사(泰西新史)」을 비롯하여, 1899년의 「미국독립사(美國獨立史)」(황성신문사(皇城新聞社) 번간(繙刊)), 1900년의 「법국혁신전사(法國革新戰史)」(황성신문사(皇城新聞社) 번간(繙刊))·「애급근세사(埃及近世史)」(동상(同上)), 1906년의 「월남망국사(越南亡國史)」(현채(玄采) 역)·「법란서신사(法蘭西新史)」(동상(同上))·「파란말년사(波蘭末年史)」(재간(再刊)), 1907년의 「의태리독립사(意太利獨立史)」, 1908년의 「나파륜전사(拿破崙戰史)」(유문상(劉文相) 역)·「영법로토제국(英法露土諸國) 가리미아전사(哥利米亞戰史)」(유길준(兪吉濬) 역)·「보로토국(普魯土國) 후례두익대왕칠년사(厚禮斗益大王七年史)」(동상(同上)), 이 밖에 「아국략사(俄國略史)」·「비율빈전사(比律賓戰史)」·「라마사(羅馬史)」·「보법전기(普法戰記)」 등을 들

1 「월남망국사(越南亡國史)」는 월남 망명객 소남자(巢南子)의 원저(原著)를 중국 양계초(梁啓超)가 찬(纂)한 것을 다시 한국의 현채(玄采)가 역(譯)하였고, 일본의 「서국입지편(西國立志編)」은 영국 스마일스의 원저 「자조론(自助論)」(*self help*)을 일인(日人) 중촌정직(中村正直)이 역편(譯編)한 것이다. 한편 한국에서 번역 소개된 역사나 전기물은 중국이나 일본에서 번역 출간된 것이 중역되어 나온 것이 많다.

수 있다.

전기로는 1907년 대한매일신보사에서 간행한 「라란부인전」을 비롯하여 「비사맥전(比斯麥傳)」(황윤덕(黃潤德) 역), 1908년의 「피득대제(彼得大帝)」(김연창(金寅昶) 역)·「까퓌일트전」·「이태리건국삼걸전(伊太利建國三傑傳)」, 1911년의 「부란극림전(富蘭克林傳)」(이시후(李始厚) 편), 이 밖에 「법황나파륜전(法皇拿巴倫傳)」·「흉아리(匈亞利) 애국자(愛國者) 갈소사전(葛蘇士傳)」·「화성돈전(華盛頓傳)」(이해조 역)·「내이손전(鼐爾遜傳)」등이 있다.[2]

실지에 있어서 이같은 역사서나 전기물들은 번역 또는 번안된 정치소설류와 더불어 혼류되어, 개화기 젊은이들의 신지식 계발에 중요한 영양소의 구실을 하였던 것이다.

3. 번역소설

개화기에 번역된 소설은 대부분 초역(抄譯)이 아니면 경개 소개에 멈춘 정도고, 완역된 작품은 극히 드물다. 문학작품으로서 맨 처음 번역 출간된 것은 1895년 기일(奇一) 박사[3](J. S. Gale)에 의하여 2권으로 역간된 존 버니언(John Bunyan) 원저 「천로역정(天路歷程, *The Pilgrim's Progress*)」[4]이다. 한국의 근대화 과정이 기독교와 불가분의 관계를 지니고 있는 사적 배경을 생각할 때, 기독교 문학의 대표작의 하나인 「천로역정」이 맨 처음 완역 출간되었다는 사실은 우연한 일이 아니라고 보아진다. 다음으로 1907년에는 「서사건국지」, 1908년에는 「철세계(鐵世界)」·「애국정신(愛國

---

2 하동호(河東鎬), 「신소설연구초(新小說硏究草)」, 《세대(世代)》 1966년 12월호.

3 기일(奇一) 박사는 1897년 「한영자전(韓英字典)」을 편찬 출간하였다.

4 「천로역정(天路歷程)」의 원명은 「이 세(世)에서 내세(來世)에의 순례(巡禮)」[*The Pilgrim's Progress from this World to That which is to come*]다. 이 작품은 1920년 원두우(元杜宇) 부인(Mrs. H. G. Underwood)에 의하여 다시 번역 간행된 바 있다.

精神)」·「라빈손(羅賓孫) 표류기(漂流記)」·「경국미담(經國美談)」 등이 번역 출간되었다.

「서사건국지」는 쉴러(Friedrich von Shiller)의 원작 희곡 「빌헬름 텔」(*Wilhelm Tell*)을 중국 광동(廣東)의 정철관공(鄭哲貫公)이 소설체로 의역한 것을 박은식(朴殷植)이 다시 중국본(中國本)을 대본으로 하여 역술한 것으로, 표지에 '정치소설(政治小說)'이라는 표제가 덧붙어 있으며, 국운이 존망지추(存亡之秋)에 놓인 구한국 말엽에 많은 독자에게 애독되어, 우국의 염(念)과 비분강개의 정을 자아내게 한 작품이다.[5] 「철세계」는 불란서의 과학 모험소설가인 쥘 베른[6](Jules Verne)의 원작을 1908년 신소설 작가 이해조의 역술로 출간한 것으로, 상상에 의한 과학세계를 그린 작품이다.[7] 「애국정신」은 불란서의 애미아랍(愛彌兒拉)의 원작을 이채우(李採雨)가 역술한 것으로, 역시 '정치소설'이라는 표제가 붙어 있으며, 1870년 보불(普佛)전쟁에서 패전한 불란서인의 희생과 불굴의 용기로 재기한 이야기를 적은 작품이다. 「라빈손 표류기」는 디포(Daniel Defoe)의 소설 「로빈슨 크루소」[8]를 김찬(金欑)이 역술한 것이며, 「경국미담」은 일본 개화기에 민주적 경향을 구가한 정치소설인 시야용계(矢野龍溪)의 원작이었던 「경국미담」을 번역한 작품이다.

한편 개화초기에 윤치호(尹致昊)는 「이솝 이야기」를 추려 번역하여 '이색우언(伊索寓言)'이라는 제목으로 내놓았고, 최남선(崔南善)은 스위프트(Jonathan

---

5 「서사건국지(瑞士建國誌)」는 광무 11년(1907) 8월 대한매일신보사(大韓每日申報社)에서 출간되었다.

6 쥘 베른은 불란서 19세기 후반기의 작가로, 그는 「신설(新說) 팔십일(八十日) 세계일주(世界一周)」·「월세계(月世界) 일주(一周)」 등 많은 과학소설을 발표하였다.

7 김태준(金台俊)의 「조선소설사(朝鮮小說史)」(1939년 학예사(學藝社) 판(版) 제246면)에는 「철세계(鐵世界)」를 미국인 가이위니(迦爾威尼)의 작이라고 전거(典據)의 제시도 없이 단정하였으므로, 이 오류가 후인의 무비판적인 추종을 가져오게 하였다.

8 「로빈슨 크루소」의 원명은 *The Life and Strange Surprising Adventures of Robinson Crusoe* 다.

Swift)의 원작 「걸리버 여행기(旅行記)」(Gulliver's Travels)를 번역하여 1908년 《소년(少年)》지(誌)에 '거인국(巨人國) 표류기(漂流記)'란 이름으로 발표하고, 후에 '껄리바 유람기'[9]로 제목을 바꾸어 단행본을 발간하였다. 최남선은 이 무렵 호메르(Homer)의 「일리아드」(Iliad)를 비롯하여, 밀턴 · 셰익스피어 · 괴테 · 유고 · 톨스토이 · 트루게네프 · 안데르센 등 서구작가의 작품을 초역(抄譯) 또는 줄거리를 따서 《소년》 및 《청춘》지에 소개하는 한편, 라미 부인[10]의 「불쌍한 동무」를 번역 출간하였으며, 이광수는 스토우 부인[11]의 원작 「엉클 톰스 캐빈」(*Uncle Tom's Cabin*)을 번역하여 「껌둥이의 설음」이라는 제목으로 단행본을 내놓았다.

이 밖에 홍명희(洪命憙)는 1914년 빅토르 유고(Victor-Marie Hugo)의 원작 「레 미제라블」(*Les Miserables*)을 초역(抄譯)하여, '너참 불상타'라는 제목으로 《청춘》지에 발표[12]하였는데, 이 「레 미제라블」은 1918년에 민태원(閔泰瑗) 번역인 '애사(哀史)'[13]의 제목으로 《매일신보》에 연재된 바 있고, 다시 1922년에는 홍난파(洪蘭坡)[14]의 번역으로 역시 '애사(哀史)'라는 제목하에 단행본 출간을 보게 되었다. 또한 톨스토이 원작 「부활(復活)」은 《청춘》[15]지에 '갱생(更生)'이라는 제목으로 소개되었으나, 1918년에는 '가츄사 애화(哀話) 해당화(海棠花)'라는 표제로 박현환(朴賢煥)의 초역(抄譯)에 의하여 단행본으로 출간되었다.

9 「껄리바 유람기」는 최남선이 경영한 신문관(新文館)에서 '십전소설(十錢小說)'이라는 얇은 책자의 하나로 발간되었다.

10 라미 부인은 영국의 여류소설가 Marie Louise de la Ramée인 듯하다.

11 스토우 부인은 미국의 여류소설가 Mrs. Harriet Elizabeth Beecher Stowe이다.

12 《청춘(靑春)》 창간호, 1914년 10월 1일 발행.

13 민태원(閔泰瑗) 의 「애사(哀史)」는 1918년 7월 28일부터 1919년 2월 8일까지 《매일신보》에 연재되었다.

14 홍난파(洪蘭坡)의 본명은 홍영후(洪永厚)로, 그는 시·소설 등의 문학작품을 발표하였으나, 주되는 업적은 음악의 작곡에 있었다. 홍난파의 「애사(哀史)」는 1922년 6월 15일 박문서관(博文書館)에서 발행되었다.

15 1914년 11월 1일 발행 《청춘》 제2호에 발표되었다.

이상 기미(己未) 이전까지에 번역된 작가들에 대하여 대충 훑어보았으나, 이밖에도 많은 작품들이 일부 또는 스토리가 추려져 발표되었으리라고 생각된다.

4. 번안소설

번안소설이란 외국작품에서 그 스토리만 따오고 장면과 인물은 바꾸어, 한국을 무대로 하고 한국인을 등장인물로 하여 개작한 소설을 말한다. 따라서 정확한 의미의 번역도 아니고, 그렇다고 모방이나 영향이라고도 볼 수 없고, 좀 더 혹평을 한다면, 외국작품의 표절권 내에 속한다고 해석할 수도 있는, 말하자면 번역도 창작도 아닌 기형적인 작품이다. 그러나 외국작품의 도입초기인 개화기에는 외국문학 소화의 한 방편으로 이런 수단도 불가피하다고 관용할 수도 있으나, 신문학 60년의 세월이 흐른 오늘날 현재에 있어서도 이러한 번안소설이 범람하고, 그것도 이름 있는 작가에 의하여 버젓이 쓰여지고 있다면, 이것은 자국문학에 대한 모독이요, 작가 자신 스스로에 대한 자살행위이요, 문학사의 역행적인 현상이라고 보지 않을 수 없겠다.

개화기에 있어서 가장 많이 알려진 번안소설은 「설중매」와 「장한몽(長恨夢)」이요, 그 밖에 「재봉춘(再逢春)」·「쌍옥루(雙玉淚)」·「불여귀(不如歸)」·「정부원(貞婦怨)」·「해왕성(海王星)」 등의 작품을 들 수 있다.[16]

「설중매(雪中梅)」는 일본의 개화기 작가 말광철장(末廣鐵腸)의 원작 「설중매」를 구연학(具然學)[17]이 번안하여, 1908년 출간한 작품이다.[18] 이 작품

---

16 이상협(李相協)의 「눈물」, 조일재(趙一齋)의 「국(菊)의 향(香)」·「단장록(斷腸錄)」·「비봉담(飛鳳潭)」 등의 작품도 창작물이 아닌 번안소설의 색채가 농후함을 발견할 수 있다.

17 지금까지의 여러 문학사를 비롯하여 개화기 이후의 각종 문헌에서 「설중매」를 이인직의 창작소설로

은 원작에도 '정치소설(政治小說)'이라는 명(銘)이 붙어 있지만, 구연학의 번안본에도 그 표지에 '정치소설(政治小說) 설중매(雪中梅)'라고 뚜렷이 표시되어 있듯이, 개화기의 정치풍토를 그린 작품이다. 다만 원작은 일본 명치유신(明治維新)[19] 이후 입헌정치 실시 직전의 정치 분위기를 그린 데 비하여, 번안본은 이것을 개화기의 '독립협회(獨立協會)' 운동으로 대치하여 놓고, 무대는 동경을 서울로, 인물은 원작의 심랑(沈郞)을 이태순으로 바꾸어, 한국의 당시 현실에 맞게 개작한 데 지나지 않으며, 장면 묘사나 대화 등이 원작 그대로 번역된 대목도 적지 않다.[20]

「재봉춘(再逢春)」은 일본 작가의 원작 「상부련(想夫憐)」[21]을 하몽(何夢) 이상협(李相協)이 번안하여 1912년에 발간한 작품으로, 연극으로서 무대에 상연되기도 한 작품이다.[22] 「쌍옥루(雙玉淚)」는 일본의 개화기 작가 국지유방(菊池幽芳)의 작 「기지죄(己之罪)」를 조일재(趙一齋)[23]가 번안한 작품으로, 《매일신보》에 연재 발표되었다.[24]

「장한몽(長恨夢)」은 번안작품 중에서는 가장 인기가 높았던 작품으로, 1913년부터 1915년까지 《매일신보》에 연재 발표되었다.[25] 이 작품은 일

다룬 오류가 무비판적으로 거듭되었다.

18 「설중매」는 융희 2년(1908) 5월 회동서관(匯東書館)에서 초판본이 발간되었다.

19 '명치유신(明治維新)'이란 1868년에 이루어진 일본의 근대적인 제도의 개혁을 말한다. 그 후 일본은 1889년에 민주적인 헌법을 제정하고, 익년인 1890년에 제1회 국회를 소집하였다.

20 졸고, 「설중매」, 《사상계》 1955년 10월호.

21 1912년 9월 25일자 《매일신보》 참조.

22 1912년 윤백남(尹白南)이 창설한 극단 '문수성(文秀星)'에 의하여 상연되었다.

23 조일재(趙一齋)는 본명을 조중환(趙重桓)이라 하며, 이 시기 번안작가의 제1인자로 극단 문수성(文秀星)에도 관계를 가졌다.

24 「쌍옥루(雙玉淚)」는 전편·중편·하편으로 나뉘어졌으며, 1912년 7월 17일부터 1913년 2월 3일까지 《매일신보》에 연재되었다.

25 「장한몽(長恨夢)」은 1913년 5월 13일부터 동년(同年) 10월 1일까지 《매일신보》에 연재되었으며, 그것이 너무도 인기 절정이었으므로, 다시 「속편(續篇) 장한몽(長恨夢)」이 1915년 5월 25일부터 동년 12월 26일까지 《매일신보》에 계속 연재되었다.

본 작가 미기홍엽(尾崎紅葉)의 원작 「금색야차(金色夜叉)」[26]를 번안한 것으로, 애정과 금력이 엇갈린 삼각연애의 치열한 각축을 스토리로 다룬 「장한몽」은 남녀 주인공인 이수일(李守一), 심순애(沈順愛)의 이름과 함께 오래도록 많은 독자의 심금을 울렸으며, 이 땅의 신문연재 애정소설에도 적지 않은 영향을 미친 작품이다. 오늘날도 이 작품의 클라이막스 장면은 "대동강변(大同江邊) 부벽루(浮碧樓)에 산보(散步)하는"으로 시작되는 그 주제가와 더불어 촌극의 레퍼토리 목록에 오를 정도로 값싼 눈물을 자아내는 작품이기도 하다.

「불여귀(不如歸)」는 일본 작가 덕부노화(德富蘆花)의 원작 「불여귀(不如歸)」를 1912년 조일재가 번안한 것으로, 이 또한 무대에 상연된 작품이다.[27] 「정부원(貞婦怨)」은 서양소설[28]을 일본 개화기 작가 흑암루향(黑岩淚香)이 「사소주(捨小舟)」로 번역한 것을 하몽(何夢) 이상협(李相協)이 다시 번안한 작품이며, 「해왕성(海王星)」은 뒤마(Dumas Père)의 원작인 「몬테크리스토 백작」(*Le Comte de Monte-Cristo*)을 역시 이상협이 번안하여 《매일신보》에 연재[29]한 작품으로, 개작자는 연재 예고에서 '번안'[30]이라는 것을 분명히 밝히고 있음이 발견된다.

이상 개화기부터 을미 이전까지 발표된 번안소설을 일별하였으나, 이밖에도 적지 않은 번안물이 있으며, 또한 현재까지 창작소설로 문학사에서 다룬 작품 속에도 그 원류를 거슬러 올라가면, 의외로 번안소설이 끼

26 「금색야차(金色夜叉)」는 1897년 1월부터 1899년 1월까지 일본 《독매신문(讀賣新聞)》에 연재되고, 다시 1903년 1월부터 《신소설》 지상에 신속편(新續篇)이 연재되다가, 작자의 사거로 말미암아 중단 미완이던 것을 작자의 문생인 작가 소율풍엽(小栗風葉)이 완결하였다.

27 「불여귀(不如歸)」도 극단 문수성에 의하여 연극으로 상연되었다. 또한 이 작품에서는 작자 조일재(趙一齋)도 연기자로서 무대에 섰다.

28 1914년 10월 28일자 《매일신보》 참조.

29 「해왕성(海王星)」은 1916년 2월 10일부터 1917년 3월 31일까지 《매일신보》에 연재되었다.

30 1916년 1월 18일자 《매일신보》 참조.

어있을지도 모른다는 한가닥의 의구도 없지 않다.

끝으로, 번안이란 어디까지나 외국문학을 도입하는 초기과정에 있어서의 어쩔 수 없는 기형적인 도입방편에 불과한 것이지, 정상적인 문학양식이라고는 절대로 볼 수 없는 만큼, 번안작품에 대한 가치평가란 그 근본에서부터 있을 수 없는 일이라 하겠다.

따라서 그야말로 어쩔 수 없이 취해진 이 잠정적이요, 과도기적인 외래문학의 수용방편인 번안이란, 우리 문학이 어느 정도의 객관적인 수준을 지니고 있고, 또한 세계문학의 일환으로서의 도약단계에 놓인 문학사적인 현시점에선 완전히 불식되어야 할 방편이라는 것을 굳이 강조하고 싶다. 번안소설이라는 항목을 삽입하지 않을 수 없는 것조차, 문학사 정리에선 불가피한 것이지만, 사실에 있어 문학사의 오점은 될지언정 장점으로 다루어질 수는 영원히 없는 일이기 때문이다.

5. 몇 가지 문제

서구문학 영향하의 근대문학적인 신문학이 이 땅에 형성된 지 이미 반세기여(半世紀餘), 그러나 우리에겐 아직도 번역문학의 필요성이 절실하게 요청되고 있는 실정이 그대로 가로 놓여 있다. 사실에 있어서, 본격적인 번역이 시작된 것은 8 · 15 이후, 더 엄격하게 말하면 6 · 25 이후라고 함이 더 옳을지도 모를 일이다.

문화란 물과 같아서, 수준이 높은 곳에서 낮은 곳으로 흐른다고 한다. 하물며 정신문화의 정수요, 인생과 예술의 가장 구체적인 표상인 문학에 있어서랴. 스스로 문화 내지 문학의 후진성을 훈장처럼 자랑삼고 나설 것까지는 없지만, 눈에 비치는 현실을 은폐하거나 과장할 필요는 없는 일이다. 언제든지 사실은 있는 그대로 사실이요, 또한 진실이기도 한 것이다. 내 것을 정당하게 평가하고, 그 전통의 터전 위에 주체성을 확립하고, 남의 좋은 것은 서슴지 않고 받아들이는 자존과 겸양의 평행선은 이 땅 문학이 지향할 바의 지표요 이상이다.

우리는 모든 작가나 독자에게 외국어를 모국어처럼 이해하고 구사할 수 있는 소양을 갖추기를 강요하거나 기대할 수도 없는 일이요, 그것은 또한 가능할 수 있는 일도 아니다. 그러므로 우리는 외국문학의 우수한 작품은 고전에서부터 현대에 이르기까지 가능한 한 모두 번역되기를 바라고, 또 그렇게 노력해야만 하겠다. 뿐만 아니라, 자기문학의 우수한 작품을 외국어로 번역 소개하여, 명실 공히 세계문학의 일환으로서의 구체적인 교류의 실천 단계에 첫발을 들여놓아야 할 시점에 바야흐로 우리 문학은 놓여 있다는 엄연한 현실을 우리는 절감하지 않을 수 없다.

또한 이러한 관점에서의 정신적인 무장과, 그것을 실천에 옮기려는 적극적인 행동의 자세는 그대로 우리 창작문학의 좀 더 참신하고도 진취적인 추진력의 원동력이 될 수도 있을 일이다. 아무튼 각국어간(各國語間)의 언어의 장벽이 완전히 무너지지 않는 한, 그리고 모국어가 영향을 줄 수 있는 영토가 확대되지 않는 한, 이 땅 문학에 있어서의 번역의 필요성은 받아들이는 경우든 내보내는 경우든 간에 숙명적으로 영원히 존속될지도 모를 일이다.

제2부

신소설작가와 작품

Ⅰ. 이인직 연구

Ⅱ. 이해조 연구

Ⅲ. 최찬식 연구

Ⅳ. 안국선 연구

Ⅰ. 이인직 연구(李人直 硏究)

1. 작가 이인직(李人稙)

(1) 이인직의 생애

이인직의 작품 연구에 대한 배경적인 조건이 될 그의 생사연대를 비롯한 그의 생애에 대하여는 지금까지 정확한 고증을 제시한 이는 별로 없었기 때문에 그가 언제 나서 언제 죽었고 구체적인 작품활동은 어떻게 하였으며 사회적인 위치로는 어떤 경우에 처하여 있었던가 하는 점에 대하여 소상히 밝혀지지 못하고 막연하고 개괄적인 추정의 역(域)을 벗어나지 못하였다.

이제 지금까지 발표된 이인직의 경력에 연관되는 사항을 적출하여 보면 다음과 같다.

> 광무구년(光武九年)에 이인직(李人稙)이 「혈루(血淚)」를 출판(出版)하여 신소설(新小說)의 효시(嚆矢)를 짓고 「귀성(鬼聲)」·「치악산(雉岳山)」·「은세계(銀世界)」 등(等) 허다(許多)한 작품(作品)을 내었으며[1]

1 최남선(崔南善), 「고사통(古事通)」, 삼중당서점(三中堂書店), 1943, 246면.

「고사통(古事通)」에서 이인직의 작품에 대하여 이같이 단편적인 언급을 하였음에 불과한 육당(六堂) 최남선(崔南善)의 이 대목 이야기는, 저자가 이인직과 연대적으로 비교적 가까운 시대에 놓이고 또한 육당 자신이 을사조약을 전후한 시기에 일본에 유학하고 있었을 뿐만 아니라, 초창기의 신문학에 직접 개척자의 일원으로 선봉에 섰으며 그후 사학의 원로로 되어 있는 관계로 이 한마디는 후학의 많은 소론(所論)에 정오(正誤)를 가리지 않고 그대로 습용되었다. 「혈(血)의 누(淚)」의 발표연대가 광무 10년(1906)임에도 불구하고 그것까지도 광무 9년(1905) 그대로의 오류를 고스란히 거듭하는 결과를 가져오게 하였다.

한편 육당은 그의 구술에 의하면 사실에 있어서 이인직을 면대할 기회는 전연 없었고 추측컨대 연세가 10여 년 연장이었던 것 같다고 하였으나, 뒤에서 상론하겠지만 필자가 고증한 바에 의하면 30년 가까운 차이를 가지고 있음에 놀라지 않을 수 없다.

> 국초(菊初) 이인직씨(李人稙氏)가 삼십여세(三十餘歲)에 일본(日本)에 유학(留學)하야 정치(政治) 법률(法律)을 전공(專攻)하고 돌아와서 원래(元來)부터 문학(文學) 혁명(革命)에 뜻을 두었든 그는 환국(還國)한 후(後) 즉시 1909년(年) 일면(一面)「귀(鬼)의 성(聲)」·「치악산(雉岳山)」·「혈(血)의 누(淚)」 등(等)의 소설(小說)을 쓰며……(중략)……국초(菊初)는《만세보(萬歲報)》 기자(記者)로부터《대한신문(大韓新聞)》 사장(社長)이 되었다가 내종에는 경학원(經學院) 사성(司成)으로써 몰(沒)하였지마는 정치생활(政治生活)에 득의(得意)치 못한 그는 꾸준히 문예생활(文藝生活)에 분투(奮鬪)하였다. 그리하여 신소설(新小說)의 창작(創作)에도 노력(努力)하게 되었다.[2]

위에 인용한 김태준(金台俊)의 「조선소설사(朝鮮小說史)」는 1930년《동아일보(東亞日報)》에 연재되고 1933년에 단행본으로 간행되어 차종(此種) 서적의 거의 초기의 저서로서 이미 20여 년의 성상(星霜)이 흘렀기 때문에 그 이후에 나타난 신문학 관계의 논문이나 저서는 이 소론(所論)에 맹목적으로 추종하는 경향도 없지 않아 1909년 신소설 「귀(鬼)의 성(聲)」·「치악산」·「혈(血)의 누(淚)」 등이 한꺼번에 쏟아져 나온 것같이 혼동하여 기술된 연대의 착오가 그대로 시인되고 또한 이 부분이 아무 판단 없이 그대로 인용되는 경우도 적지 않았다.

그런데 신소설(新小說)을 말함에 있어 누구보다도 먼저 이인직(李人稙)을 말하지 않을 수 없다. 왜 그러냐 하면 이인직(李人稙)은 근세(近世) 문화혁명(文化革命)의 한 쟁쟁(錚錚)한 분자(分子)이었었고 또 우리 문학운동(文學運動)의 선구자(先驅者)이었기 때문이다. 호(號)를 국초(菊初)라 하여 일즉이 일본(日本)에 가서 유학(留學)을 하였고 돌아와서는 곧 신문화운동(新文化運動)에 가담(加擔)하여 《만세보(萬歲報)》 기자(記者) 《대한신문(大韓新聞)》 사장(社長) 등으로 있으면서 혹(或)은 정치적(政治的) 논설(論說)도 쓰고 혹(或)은 계몽적(啓蒙的)인 지상(紙上) 강의(講義)도 하였으나 그러나 그의 천재(天才)와 또 그의 사업(事業)은 그것보다 도리어 문예방면(文藝方面)에 있었던 것이다. 그리하여 그는 비로소 조선(朝鮮)에 신문예(新文藝) 사조(思潮)를 수입(輸入)하여 과거(過去)의 이야기 책 식(式)의 소설(小說)을 타파(打破)하고 새로운 문예사조(文藝思潮)에 의(依)한 신소설(新小說)을 쓰기 시작(始作)하였다.[3]

2 김태준(金台俊), 「조선소설사(朝鮮小說史)」, 학예사(學藝社), 1939, 174면.
3 조윤제(趙潤濟), 「국문학사(國文學史)」, 동방문화사(東邦文化社), 1949, 443면.

신문예(新文藝) 운동(運動)의 개척자(開拓者) 신소설(新小說)의 선구자(先驅者)는 국초(菊初) 이인직(李人稙)이다. 개화운동(開化運動)이 발발(勃勃)히 전개(展開)될 때 일본(日本)에 건너가서 정치(政治) 법률(法律)을 전공(專攻)하고 돌아와서는 신소설(新小說) 창작(創作)에 부심(腐心)하는 한편에 신극운동(新劇運動)에도 착목(着目)하여 이 방면(方面)의 업적(業蹟)도 대서특필(大書特筆)할 바 있거니와 특(特)히 소설(小說)에 있어서는 광무십년(光武十年)(1906)에 「혈(血)의 누(淚)」를 출판(出版)하여 신소설(新小說)의 효시(嚆矢)를 짓고 계속(繼續)해서 「귀(鬼)의 성(聲)」·「치악산(雉岳山)」·「은세계(銀世界)」 등(等) 허다(許多)한 작품(作品)을 발표(發表)하였다.

이인직(李人稙)의 호(號)는 국초(菊初), 일본서 환국후(還國後)는 《만세보(萬歲報)》 기자(記者)로 있다가 《대한신문(大韓新聞)》 사장(社長)이 되고 나중에는 경학원(經學院) 사성(司成)으로서 몰(沒)하였다.[4]

갑오이후(甲午以後)의 교육(敎育) 언론(言論) 학술(學術) 연구(硏究)의 보급(普及)과 발전(發展)은 우리나라의 새로운 문학(文學)의 보금자리가 되었던 것이니 이러한 정세(情勢)밑에 울연(蔚然)히 새로운 문학(文學) 창건(創建)을 맡고 나타난 사람이 국초(菊初) 이인직(萬歲報)이다.

그는 일본(日本) 유학(留學)으로부터 돌아온 후(後) 서력(西歷) 1909년경(年頃)부터 「귀(鬼)의 성(聲)」·「치악산(雉岳山)」·「혈(血)의 누(淚)」 등(等)의 소설(小說)을 쓰며 한편 「설중매(雪中梅)」·「은세계(銀世界)」·「김옥균사건(金玉均事件)」 등(等)을 각색(脚色)하여 연출(演出)하였다.[5]

4 김사엽(金思燁), 「국문학사(國文學史)」, 521면.

5 우리어문학회, 「국문학사(國文學史)」, 수로사(秀路社), 1948, 164면.

이상 인용한 조윤제(趙潤濟) 박사의 「국문학사(國文學史)」, 김사엽(金思燁)」 국문학사(國文學史)」 및 우리어문학회의 「국문학사(國文學史)」는 모두 전게한 「조선소설사(朝鮮小說史)」에서 초출(抄出)한 부분의 부연의 역(域)을 그리 많이 넘지 못한 것이 엿보인다.

신소설(新小說)의 최초(最初)의 작품(作品)으로 믿어지는 1905년(年)(광무 9년(年)) 간(刊) 이인직(李人稙)의 「혈(血)의 누(淚)」를……[6]

국초(菊初) 이인직(李人稙)이 광무구년(光武九年)(1905)에 「혈(血)의 누(淚)」를 출판(出版)한 것이 신소설(新小說)의 효시(嚆矢)이며 융희이년(隆熙二年)(1908) 9월(月)에 발행(發行)된 동인작(同人作)인 「치악산(雉岳山)」의 표지(表紙)에는 '연극소설(演劇小說)'이라고 적혀 있다.[7]

위에 인용한 고정옥(高晶玉) 씨의 「국어국문학요강(國語國文學要講)」과 우리어문학회간(刊)」 「국문학개론(國文學概論)」은 앞에서 이야기한 육당의 「고사통(古事通)」에 나타난 연대의 그릇된 재록에 불과함을 알 수 있게 한다.

신소설(新小說) 작가중(作家中)의 먼저 손꼽는 사람은 이인직(李人稙)이다. 호(號)는 국초(菊初)요 강원도(江原道) 강릉(江陵) 출생(出生)으로 광무십년경(光武十年頃)에 연세(年歲)가 사십(四十)에 가까웠다 하니(최찬식씨담(崔瓚植氏談)) 명치(明治) 이, 삼년경(二, 三年頃)에 탄생한 이일 듯하다. 개화운동(開化運動) 관계(關係)로 동경(東京)에 망명(亡命)한 일도 있고 그곳에서 수학(修學)하였다는 말도 있으나 자세

6 고정옥(高晶玉), 「국어국문학요강(國語國文學要講)」, 대학출판사(大學出版社), 1949, 436면.
7 우리어문학회, 「국문학개론(國文學概論)」, 일성당서점(一成堂書店), 1949, 244면.

(仔細)치 않고 좌우간(左右間) 그가 광무말년(光武末年)에 귀경(歸京)하여《만세보(萬歲報)》의 주필(主筆)로서 기자생활(記者生活)을 시작하면서 소설(小說) 창작(創作)에 붓을 든 것은 사실(事實)이다.[8]

임화(林和)의 「신문학사(新文學史)」는 1939년부터 1940년까지 102회 (전(前) 43, 중(中) 11, 속편(續篇) 48)《조선일보(朝鮮日報)》에 연재하고 후에 다시《인문평론(人文評論)》(제2권 10호[1940] 제3권 1, 2, 3호[1941])에 계속 발표된 것으로 신소설에 대하여 가장 많은 지면을 할애하였을 뿐만 아니라 또한 구체적인 해명을 시도한 방대한 논문으로서 다른 누구보다도 신소설의 사적 정리에 힘을 기울인 것이나, 그도 또한 작가의 연대에 대한 적확한 고증은 이루지 못하였으며 심지어 작품 발표의 연대 고증상의 순서 착오는 이인직 작품의 예술적 가치판단에 본의아닌 오류를 범하게 하였다. 이 문제에 대하여는 김하명(金河明) 씨의 소론(所論)에서 이미 그 일부는 밝혀진 바 있거니와[9] 후항에서 논급할 작정이다.

1905년(年)에 이인직(李人稙)의 「혈(血)의 누(淚)」가 박문사(博文社)에서 간행(刊行)되었다. 그 전(前)에도 이해조(李海朝)의 신소설적(新小說的)인 작품(作品)들이 신문(新聞)에 발표(發表)된 것이 있으나 세간(世間)의 주목(注目)을 끌게 된 것은 「혈(血)의 누(淚)」가 처음으로서 나는 「혈(血)의 누(淚)」의 간행(刊行)을 갖고 신소설(新小說)의 기원(紀元)으로 보는 동시에 우리 신문학사(新文學史)의 기원(紀元)의 첫 페이지에 기록(記錄)할 구체적(具體的)인 신문학(新文學) 출발(出發)의 신호

■

8 임화(林和), 「속신문학사(續新文學史)」 제(第)8회(回).

9 김하명(金河明), 「신소설과 혈(血)의 누(淚)와 이인직」, 《문학(文學)》(《백민(白民)》 개제(改題)) 제(第)22호(號).

(信號)라고 생각한다.[10]

위에 인용한 백철(白鐵) 교수의 「신문학사조사(新文學思潮史)」는 이 땅의 신문학을 종관(縱貫)하여 정리한 최초의 저서로 개화기 문학에 대하여도 개괄적인 검토는 하였으나 작자 및 작품의 연대에 대하여는 집필의 방향이 사조 중심이었으니만큼 별로 언급됨이 없다.

이인직(李人稙)은 호(號)를 국초(菊初)라 하여 일본(日本) 유학(留學)에서 귀국(歸國)한 다음 《만세보(萬歲報)》 기자(記者)를 거쳐 《대한신문(大韓新聞)》의 사장(社長)을 역임(歷任)하면서 「혈(血)의 누(淚)」를 비롯해서 「귀(鬼)의 성(聲)」·「치악산(雉岳山)」·「은세계(銀世界)」 등(等)의 신소설(新小說)을 발표(發表)하는 일방(一方) 한국(韓國) 최초(最初)의 신극(新劇) 극장(劇場)인 원각사(圓覺社)의 창립(創立)에 진력(盡力)했으며 몸소 무대(無臺) 위에서 배우(俳優) 노릇까지 한(최남선(崔南善) 증언(證言)) 다방면(多方面)의 신문화(新文化) 개척자(開拓者)의 한 사람이었다. 사망(死亡) 당시(當時)의 그의 공직(公職)은 경학원(經學院) 사성(司成)이었지만 개화(開化) 운동(運動)의 모든 선구자(先驅者)들이 보두 정치(政治)에 투족(投足)했으나 그는 오로지 문화계(文化界)에서만 그의 전생애(全生涯)를 바쳤다.[11]

《현대문학(現代文學)》지(誌)에 연재했던 조연현(趙演鉉) 씨의 「한국현대문학사(韓國現代文學史)」도 뒤에 인용한 처소에서 엿볼 수 있듯이 최남선·김태준 제씨의 기발표 소론의 역(域)을 넘지 못하였다. 특히 이인직

10 백철(白鐵), 「신문학사조사(新文學思潮史)」, 민중서관(民衆書館), 1953, 21면.

11 조연현(趙演鉉), 「한국현대문학사(韓國現代文學史)」, 《현대문학(現代文學)》 1권(卷) 8호(號).

과 정치는 무관한 것처럼 기록한 데 대하여는 뒤의 해당 항목에서 상세히 고증되겠기에 여기서는 더 언급하지 않는다.

한편 안종화(安鍾和) 씨의 「신극사(新劇史)이야기」에 담긴 구절은 학술서나 연구논문이라기보다는 신극 초창기의 편편상(片片想)을 추억을 더듬어서 《평화신문(平和新聞)》에 '예원비문(藝苑秘聞)'의 제목 아래 평이한 문장으로 82회(1953~1954)에 긍(亘)하여 연재하였던 것을 「신극사(新劇史)이야기」로 개제하여 단행본으로 간행한 것이기에 학적(學的) 고증의 대상으로 하기에는 미비한 점이 없지 않으나 차종(此種)의 서적이 희소한만큼 참고로 이에 인용하는 바이다.

> 백남(白南) 청년이 이인직(李人稙)과 알게 된 동기는 은좌(銀座)에 있는 조선루(朝鮮樓) 때문이다. 조선루란 이인직(李人稙)의 아내가 경영하던 한국식 요정(料亭)이다. 백남(白南) 청년은 일본(日本) 유학생활(留學生活) 8년(年)에 고국의 음식이 그리웠던 터이다. 그래서 소문 듣기에 동포가 경영하는 '조선루(朝鮮樓)'가 있다는 말을 듣고 그곳을 찾았던 것이 인연이 되어서 자연 이인직(李人稙)과 사괴이게 되었다. 두사람은 친근해졌고 그것은 이인직(李人稙)으로서도 문학을 좋아하는 청년이었기 까닭에 차츰 글벗이 되고 말았다 ……(중략)…… 하여튼 이러한 지우(知友)를 갖게 된 백남(白南) 청년은 이인직(李人稙)과 더불어 상야(上野) 광소로(廣小路) 다방(茶房)에서 자주 만나 또한 피차에 문학과 연극을 논하는 사이가 되었다.[12]

여기서 주목할 바는 이인직의 아내가 요정을 경영하였다는 일이다. 아

12 안종화(安鍾和), 「신극사(新劇史)이야기」, 진문사(進文社), 1955, 182면.

내가 요정을 하던 장사를 하던 작가 자신에게야 무슨 관계가 있으랴마는 그러나 작가 이인직의 인간적인 배경을 엿보는 데 하나의 방증이 되지 않는 바도 아니다. 국초가 일본여자와 동서(同棲)하고 귀국 후에도 역시 같은 가정생활을 지속하였다는 것은 육당 · 윤백남 · 이상협 등 제씨의 구술에서도 공통되는 바이다. 「신극사이야기」 속의 이 구절은 국초와 백남의 교우관계에 대하여 허황한 과장이 없지 않다.

첫째로 1910년 백남의 연령이 23세였고 국초가 환국한 것이 로일(露日)전쟁을 전후한 무렵이니 그때만 하여도 백남의 나이는 16, 7세에 불과하였는데, 그때 이미 40이 훨씬 넘은 국초와의 관계가 그렇게 평교(平交)가 되었다고 생각하기 곤란한 점이며, 더욱이 20미만의 홍안의 소년 백남이 국초와 더불어 50여 년 전 옛날에 상야(上野) 광소로(廣小路) 다방에서 문학과 연극을 논의하였다는 것은 어느 모로 보나 신빙키 어려운 문제이다.

왜 지엽적인 사소한 이런 문제를 가지고 하찮은 논란을 전개하느냐고 할지 모르나 불과 몇 십 년도 안 되는 개화기의 일이라 할지라도 작가나 작품에 대하여 밝혀 놓은 서책(書冊)이 희소하기 때문에 하등의 정확한 고증적 근거에 의하지 않은 회상적 촌감(寸感)같은 것도 후학에게는 하나의 역사적인 사실로 확인되어 부지불식간에 오류가 정당화되어 인용되기 쉬운 우려가 없지 않기 때문이다.

사실 육당이나 백남의 구술에 의하면 국초의 아내가 상야(上野) 광소로(廣小路)에서 요정을 하였다는 이야기는 있어도 은좌(銀座) 운운의 이야기는 듣지 못하였으며, 특히 육당은 앞에서도 한번 언급한 바와 같이 국초를 직접 만나지는 못하였다 하였고, 백남은 안씨(安氏)의 「예원비문(藝苑秘聞)」이 신문에 연재되기 이전인 부산 피난 시에 필자가 국초에 대한 사적을 물었을 때 극히 희미한 인상의 이야기를 하였고, 특히 국초의 문학작품에 대하여는 동경의 《도신문(都新聞)》이라는 3류신문에 국초가 좀 관계한 일이 있어 동경 천초(淺草)의 신파극(新派劇)과 더불어 그것이 다분히 국초의 작품에 영향을 주었으리라는 정도로 대수롭지 않게 이야기하였으며(이 점은 육당도 거의 같은 견해였음) 연극도 백남 자신이 문수성(文秀星)을 창립하였을 때가 참말 극다운 극이었다고까지 말한 바 있으니 백남과 국초의 관계는 이 이상의 것이 없었을 것으로 보아진다.

그러나 이렇게 국초의 생활이나 작품에 대하여 구두로 얼마만큼 이야기하는 사람들도 전게한 여러 논문이나 서책의 경우와 마찬가지로 누구하나 국초의 연대에 대하여는 정확한 자료를 제공하지 못하고 있어 결국 한국 최초의 신소설 작가 이인직은 유랑 끝에 그대로 아무도 모르게 객사해 버린 결과밖에 되지 못하고 말았다.

국초 이인직은 고종 등극 2년 전인 1862년 임술(壬戌) 음력 7월 27에 출생하여 1916년 11월 25일 (병진(丙辰)년 음 11월 1일) 55세를 일기로 세상을 떠났다. 광무 8년(1904) 6월에 작성된 「국민학계(國民學契) 취지(趣旨) 급(及) 규칙(規則)」[13]에 의거하면 '이인직 임술(壬戌) 칠월이십칠일(七月卄七日) 음죽(陰竹)'으로 되어 있어 오랫동안 미지에 속하였던 국초의 출생연대가 밝혀졌으며 같은 계부(契簿)에 기재된 이해조의 출생연대가 현존의 호적과 상부함에 비추어 볼 때 신빙할 수 있는 근거인 동시에 후술할 국초 사거(死去) 기사와도 또한 부합되는 것으로 보아 확정적인 단정을 내릴 수 있게 한다. 한편 이인직이 어디 출신이냐 하는 것이 문제로 남는데 임화(林和)는 전게한 「신문학사」속에서,

> 이해조(李海朝) 같은 작가는 신소설(新小說) 시대(時代)에 있어 이인직(李人稙)과 어깨를 견줄 대작가(大作家)로 여러 가지 점(點)에서 이인직(李人稙)의 도달(到達) 수준(水準)에 육박(肉迫)하고 특(特)히 경성

---

13 안기선(安箕善) 씨(氏) 소장(所藏).

어(京城語)의 구사(驅使)에 있어서는 강원도인(江原道人) 이인직(李人稙)보다 능숙(能熟)하고 정교(精巧)한데가 있으나[14]

같은 강릉인(江陵人)인 이인직(李人稙)이 「은세계(銀世界)」를 쓸제 그 인물(人物)을 '모델' 삼았음이 또한 분명(分明)하다.[15]

이와 같이 수삼처(數三處)에서 국초가 강원도인이라는 것을 내세우고 강릉 출생이라고까지 밝히고 있으나 확증을 잡을 근거는 제시하지 않았고, 다만 당시에 아직 생존하였던 신소설 작가 최찬식의 구술 그대로를 전적 신뢰한 것 같으며, 광무 10년에 이미 40을 훨씬 넘은 국초를 40에 가깝다고 본 최씨(崔氏)의 구술도 그대로 믿기는 곤란하니 임화의 이 소론은 확신할 대상으로는 되지 못하는 것 같다.

한편 안종화씨는 「예원비문」에서,

그는 (이인직(李人稙) : 인용자) 젊은 시절에 신장이 컸고 피부색이 검은 장삿꾼 타입의 인물로서 일견 남에게 좋은 인상을 주지 못하는 편이었으나 외양과는 반대로 붓대는 섬세하였다. 그의 출생지는 강원도(江原道)이다.[16]

라고 하여 국초(菊初)가 강원도 출생임을 이야기하였을 뿐만 아니라 국초(菊初)의 젊은 시절의 인상까지 자기가 직접 본 양으로 기록하고 있으나, 연령으로 40세 내외의 차이가 있는 국초의 인상을 그것도 사거(死去)할

■

14 임화(林和), 「속신문학사(續新文學史)」, 제(第)9회(回).

15 같은 글, 제(第)28회(回).

16 안종화(安鍾和), 「신극사(新劇史)이야기」, 182면.

무렵이 아니고 젊은 시절의 이야기를 하니 믿어지지 않는 소론인 것 같다. 필자가 소장하고 있는 국초의 사진을 보면 모닝코트에 나비넥타이로 차린 인상이 장사꾼 타입이 아니라 소위 당대의 유지 신사의 풍채 좋은 인상을 그대로 나타내니 안씨(安氏)의 소저(所著)에서의 이 부분의 논거는 학적 대상으로는 신빙하기 대단히 곤란할 것으로 생각된다.

그런데 전기한 바 「국민문계(國民文契) 취지(趣旨) 급(及) 규칙(規則)」에는 출생지에 해당되는 난에 '음죽(陰竹)'이라 하였으니 음죽(陰竹)은 경기도 안성에 있는 지명으로 그것이 이인직의 본적인지 출생지인지 단정을 내리기는 좀 주저되나 같은 명부에 기재된 다른 사람의 경우를 참작할 제, 출생지나 본적 중의 어느 하나에 해당되는 것은 거의 틀림이 없는 사실이다.

다음 국초가 갑오후(甲午後)에 일본으로 망명하여 간 후 정통적인 교육은 받지 못한 것 같다 함은 육당·백남 양씨(兩氏)의 공통되는 구술이며 이것을 좀 더 구체적으로 방증하여 주는 것이 일인(日人)의 기록 속에 발견된다.

아무리 여름 밤이라고는 하지만 보통 방문(訪問)으로서는 너무 늦다고 생각되는 열시경(頃)에 돌연(突然) 한사람의 손님이 남산(南山) 각하(脚下)의 관사(官舍)의 문(門)을 두드리고(실(實)은 초인종(招人鐘)을 눌러서) 저자(著者)에게 면회(面會)를 청(請)하였다.

명함(名啣)을 본즉 이인직(李人稙)이라고 하였다. 이 사나이는 십오년(十五年) 이전(以前)에 조중응(趙重應)과 함께 일본(日本)에 망명(亡命)하여 연학후(研學後) 귀한(歸韓)하여서는 성래(性來) 능문(能文)의 남자(男子)로서 저술(著述)도 하고 신문(新聞)의 주재(主裁)도 하고 있었으며 농상(農相) 조중응(趙重應)과는 무이(無二)의 친우(親友)이며 더욱이 수상(首相) 이완용(李完用)의 신임(信任)을 받아 그때 그 비서역

(秘書役)을 하고 있었다.

명치삼십넌(明治三十年) 전후(前後)에 판원퇴조(板垣退助) 성향(星享) 등(等)이 고문(顧問)이 되어 송본군평(松本君平)이 주간(主幹)으로 신전(神田)에 동경정치학교(東京政治學校)를 창립(創立)한 일이 있었다.

그때 저자(著者)는 열국(列國) 정치제도(政治制度)와 국제법(國際法)의 강의(講義)를 담당(擔當)하고 있었는데 이 이인직(李人稙)은 조중응(趙重應)과 함께 청강생(聽講生) 속에 있었다는 관계(關係)로 저자(著者)가 경성(京城)에 간 때부터 양인(兩人)은 저자(著者)를 구사(舊師)라던가 현사(賢師)라고 부르며 선생(先生)으로 대접(待接)하여 주었기 때문에 저자(著者)는 그들에게 초대(招待)도 받았고 그들을 부르기도 하여 소위(所謂) 시주징축(詩酒徵逐)의 교제(交際)를 계속(繼續)하여 왔다. 이 때문에 저자(著者)는 사생활(私生活)에 특별(特別)의 유쾌(愉快)함을 느꼈을 뿐만 아니라 공무상(公務上)에도 적잖은 편의(便宜)를 얻었다.[17]

「명치외교비화(明治外交秘話)」의 저자 소송록(小松綠)은 한말 통감부시대의 외사국장(外事局長)으로 1906년 초에 부임한 이래 한일합방에 시종 전초적인 역할을 하였거니와, 그의 기록에서 밝혀지는 것은 국초가 일본에서 계통 있는 교육은 받지 못하고 정치학교의 청강생으로 수학하였다는 사실 및 한말의 내외 정국(政局)의 다난한 시기에 첨단적인 정국에 직접 가담한 사실 등이나 이 정치문제는 뒤의 항목에서 예증하려고 한다.

전기한 소송록(小松綠)의 합방 당시를 기준한 기록 속에서 15년 전이라고 한 것을 보면 국초가 도일한 것은 갑오(甲午) 직후인 듯하나, 다음에

17 소송록(小松綠), 「명치외교비화(明治外交秘話)」, 천창서방(千倉書房), 1936, 동경(東京), 441면.

인용하는 신문기사의 내용에서 보면 망명이 아니라 1900년 구 한국정부의 관비 유학생으로 동경에 파견되었다고 하니 망명과 파견의 차이 및 연대의 저어(齟齬)는 좀 더 고려하여 볼 문제라고 생각한다.

> 명치(明治) 삼십삼년(三十三年) 이월(二月) 구(舊) 한국정부(韓國政府)의 관비(官費) 유학생(留學生)으로 동경(東京)에 파견(派遣)되어 동경정치학교(東京政治學校)에 입학(入學)하고 삼십육년(三十六年) 칠월(七月)에 졸업(卒業)하자 일로전쟁(日露戰爭)을 당하야 육군성(陸軍省) 한어(韓語) 통역(通譯)에 임명(任命)되고 제일군(第一軍) 사령부(司令部)에 부속되어 종군(從軍)하였더라.
>
> 그후 삼십구년(三十九年)에는 《국민신보(國民新報)》의 주필(主筆)이 되며 《만세보(萬歲報)》의 주필(主筆)을 거쳐 《대한신문(大韓新聞)》 사장(社長)이 되었다가 그후에 선릉참봉(宣陵參奉) 중추원(中樞院) 부찬의(副贊議)를 지내였고 사십사년(四十四年) 칠월(七月)에는 경학원(經學院) 사성(司成)에 취직(就職)하야 이래 동원(同院)에 진력(盡力)하았더라.[18]

이상에서 보는 바와 같이 이인직은 1903년 수업 후 일군(日軍) 통역관으로 있었으며, 1906년 《국민신보(國民新報)》 주필을 거쳐 《만세보》의 주필로 옮겼고, 다시 《대한신문(大韓新聞)》 사장으로 취임 후는 이완용의 비서역을 하였고 선릉참봉(宣陵參奉)까지 지냈다.

국초는 합방 직전인 1910년 봄에 다시 일본을 다녀온 사실이 발견되는데 그때의 용무 여하는 확실치 않다. 다만 그의 입경(入京)이 신문 잡보란(雜報欄)에 보도되었으며 대한신문사 사원들과 일진회(一進會) 관계자들이

18 《매일신보》 제3358호(1916. 11. 28일자(日字)).

출영한 사실이 나타나 당시 그의 정치적인 귀추에 주목하고 있었던 사실이 짐작되는 정도이다.

> 이씨입성(李氏入城) 일본(日本)에 체류(滯留)하던 이인직씨(李人稙氏)난 작(昨)일 부산(釜山) 열차(列車)로 입성(入城)하였다더라.[19]

> 영자(迎者)형자(者) 대한신문사장(大韓新聞社長) 이인직씨(李人稙氏)가 재작일(再昨日) 하오(下午) 팔시(八時) 남대문역(南大門驛)에 도착(到着)하앗난대 해사(該社) 임원(任員) 일동(一同)은 제등(提燈) 완영(歡迎)하엿고 일진회원(壹進會員) 유학주(兪鶴柱) 최인기(崔麟基) 등 기명(幾名)은 이씨(李氏)의 동정(動靜)을 형찰(察)코저 해역(該驛)에 전왕(前往)하엿다더라.[20]

그러나 박종화(朴鍾和) 씨의 「여명기(黎明期)의 한국(韓國) 근대문화(近代文化)」중 합방 직전의 언론지 발췌에 나타난 「일필만롱(一筆漫弄)」에 의하면,

> 이완용군(李完用君) 들어보소 구통감(舊統監)은 귀거(歸去)하고 신통감(新統監)이 출래(出來)하니 하등(何等) 우구(憂懼) 탱중(撑中)하야 분주(奔走) 운동(運動)한다 하니 여욕미충(餘慾未充) 그러한가 송구영신(送舊迎新) 그러한가 군(君)의 사(事)도 가련(可憐)이요.[21]

로 이완용의 거동을 우롱한 구절이 있는가 하면 그 뒤에 이인직에 대하

---

19 《대한매일신보(大韓每日申報)》 제1336호(융희 4. 3. 15일자(日字)).

20 《대한매일신보(大韓每日申報)》 제1338호(융희 4. 3. 17일자(日字)).

21 박종화(朴鍾和), 「여명기(黎明期)의 한국(韓國) 근대문화(近代文化)」, 《현대문학(現代文學)》 제10, 12호.

여 풍속적인 조소를 퍼부은 구절이 나타난다.

> 이인직군(李人稙君) 들어보소 연극(演劇) 개량(改良)한다 하고 일본(日本)까지 건너가서 여러 달을 유련(留連)타가 근일(近日)에야 왔다 하니 무삼 연극(演劇) 배와 왔나 연극(演劇) 개량(改良) 그만두고 동분서주(東奔西走) 출역(出役)하는 군(君)의 원상(願狀) 볼작시면 연극(演劇)보다 자미(滋味) 있네 군(君)의 사(事)도 가탄(可歎)이요.[22]

이것은 전게한 도일(渡日) 신문기사와 상부되는 것으로, 그는 1910년 초에 외형(外形) 연극 개량을 표방하고 한일관계가 합방문제를 앞에 놓고 미묘하게 돌아가던 시기에 내적으로 여하한 사명을 띠고 일본으로 왕래하였는지 확실한 내용은 미상이나, 아무튼 그가 한국 말엽에 재차 일본에 다녀온 사실을 알 수 있게 하는 동시에 초기의 연극운동에 관심이 적지 않았던 것만은 짐작되고 남음이 있게 한다.

한편 이상협(李相協) 씨의 구술에 의하면 합방 후 이씨(李氏)가 매일신보사(每日申報社)에 근무하고 있을 시기에 국초도 한동안 동사(同社)에 빈객(賓客)으로 약간의 관계를 가지고 있었으나 그것도 오래 계속되지는 않았다고 한다.

국초는 1911년 7월 31일부로 경학원(經學院) 사성(司成)에 임명되었다. 경학원은 1911년 6월 15일부 조선총독부령(朝鮮總督府令) 제 73호로 이전의 성균관에 설립되었으며, 경학원 규정에 의하면 경학원은 조선총독의 감독에 속하여 경학을 강구(講究)하여 풍교덕화(風教德化)를 비보(裨補)함을 목적으로 하는 기관으로 되어 있다.

---

22 같은 글.

합방 이후 총독 정치가 본래의 성균관을 경학원으로 개편하여 장중(掌中)에 넣은 이후 최초의 부서 임명으로 대제학에 박제순(朴齊純) 자작(子爵), 부제학에 이용직(李容稙) 자작(子爵) 및 박제빈(朴齊斌) 남작(男爵)이 각각 임명된 속에 끼워 이인직은 다음 자리로 초대 사성(司成)에 임명되었으니, 전기한 제씨가 합방의 공훈으로 사작(賜爵)의 은전을 입었음에도 불구하고 국초는 홀로 아무의 수작(受爵)도 없이 사성(司成) 한자리로 보상이 그쳤던 모양이다.

그는 사성의 직에 있으면서 《경학원잡지(經學院雜誌)》의 편찬 겸 발행인이 되었으며,[23] 당시의 그의 주소는 경성(京城) 욱정(旭町) 일정목(一丁目) 229의 10으로 되어 있고, 말년에는 뒤에 인용하는 기사 내용과 같이 원남동(苑南洞)으로 옮기었다.

국초는 경학원 사성 재직중 1913년 10월에는 전북, 1914년 6월에는 함북 일대, 1915년 10월에는 함남 관내를 각각 순회하여 유림(儒林)의 정황 및 지방 강사의 순회 상황을 시찰하였으며, 1914년 4월에는 경학원 직원 및 동원(同院) 각도 강사 그리고 당시의 경성고등보통학교(京城高等普通學校) 교유(教諭) 고교형(高橋亨) 등과 함께 동경 대정박람회(大正博覽會) 참관(參觀)과 그 밖의 명소 시찰의 목적으로 출장 명령을 받아 일본으로 건너갔으니 이것은 그로서 제3차의 도일이 되는 셈이다.

국초는 문학뿐만 아니라 연극 · 정치 · 언론 등 개화 계몽 전반에 호(互)하여 관심을 가져 《소년한반도(少年韓半島)》[24]에는 사회학에 대한 논문까지 연재하였음이 발견된다.

23 《경학원잡지(經學院雜誌)》 제1호(1913. 13. 12 발행).

24 《소년한반도(少年韓半島)》 제3호(광무 11. 1. 1 발행).

사회학(社會學)

사회(社會)의 정의(定義)

사회(社會)의 정의(定義)라 하난 것은 전회(前回)에 사회(社會)란 것은 다소(多少) 항구(恒久)한 관계(關係)에 공(共)히 생활(生活)하난 제인(諸人)의 일단체(一團體)라 정의(定義)한다난 설(說)에 기비(已備)한 설명(說明)이 유(有)한 고(故)로 차(此) 순서(順序)에 불입(不入)하노라.

이상 예증한 바와 같이 복잡다난한 생애를 밟은 신소설 작가 이인직은 경학원 사성 재직 중에 1916년 11월 25일 신경통으로 총독부 의원에 입원 가료중 별세하였으니 당시의 신문기사를 초출하면 다음과 같다.

이인직(李人稙) 별세(別世)

조선의 첫 소설가

경학원(經學院) 사성(司成) 이인직씨(李人稙氏)는 신경통(神經痛)으로 십일월(十日月) 이십일일(二十一日)부터 총독부(總督府) 의원(醫院)에 입원(入院)하야 치료중(治療中)이던바 마침내 이십오일(二十五日) 밤 십일시(十一時)에 영면(永眠)하였난대 향년(享年)이 오십오세(五十五歲)이더라.(중략(中略))

동씨(同氏)의 장의(葬儀)

동씨(同氏)의 장의(葬儀)난 금(今) 이십팔일(二十八日) 오후(午後) 두시에 원남동(苑南洞) 자택(自宅)에서 출관(出棺)하야 오후(午後) 세시반에 마포(麻浦) 화장장(火葬場)에서 천리교식(天理敎式)으로 장식(葬式)을 거행(擧行)할 터이라더라.[25]

또한 그의 장의(葬儀)에 대한 후일의 신문 보도를 보면 다음과 같다.

이인직(李人稙)의 장의(葬儀)

천리교식의 장의

경학원 사성 이인직(李人稙)씨의 장의난 본원 이십팔(二十八)일에 고양군 용강면 아현화장장(高揚郡 龍江面 阿峴火葬場)에서 거행하얏난대 장의의 제반 의식은 동씨의 평일 신앙하던바 천리교(天理敎)식으로 행하얏난대 당일 참회한 인원은 경학원 부제학 박제빈남(朴齊斌男)이하 경학원 직원 일동과 천리교 신도 다수와 이완용백(李完用伯) 조중응자(趙重應子) 유성준(兪星濬) 제씨와 총독부의 다수한 관리가 호종하얏으며 씨의 평일 공로를 위로하기 위하야 당국에서는 상여금이라난 명목으로 사백오십원(四百五十圓)의 금액을 하부하얏고 대제학 자작 김윤식(金允植)씨난 부제학 자작 이용직(李容稙)씨를 대리로 명하야 일반 직원을 대동하고 제전을 행하얏더라.[26]

이와 같이 신소설 작가 이인직은 종래의 막연한 추측처럼 유랑 끝에 객사로 비참한 말로를 가져온 것이 아니라, 당시의 최고 시설을 가진 총독부 의원에서 최후의 숨을 거두고 그의 신앙의 표징인 천리교식(天理敎式) 장의(葬儀)로 이완용 · 조중응 등 한말 고관이요, 합방 후의 수작자(授爵者)들을 위시하여 총독부의 고관들에게 호종(護從)되어 당국에서 주는 450원의 고액의 공로금을 받고 한줌의 재로 화하였으니 지금까지의 추측과는 너무도 거리가 멀다 하겠다.

그러나 신소설의 대표작가 이인직은 자기가 개척한 신소설에서 일단 비약한 현대소설의 첫 작품인 춘원의 「무정」이 《매일신보》에 연재되기 2개월 전 자기 작품보다 한층 새로운 현대소설 작품을 보지 못하고 세상

25 《매일신보》, 제3358호(1916. 11. 28일자(日字)).

26 《매일신보》, 제3362호(1916. 12. 2일자(日字)).

을 떠났음은 지극히 애석한 일이라고 하지 않을 수 없겠다.

(2) 한말정국(韓末政局)과 이인직

이인직은 한말정부(韓末政府)의 농상(農相)인 조중응과 무이(無二)의 친우였다. 1911년 1월 25일 조중응이 자기의 근영(近影)을 이인직에게 탁(托)하여 당시의 총독부 외사국장(外事局長)인 소송록(小松綠)에게 진정(進呈)한 사진 이면에는,

> 대정삼년(大正參年) 일월(一月) 이십오일(二十五日) 탁(托) 이인직씨(李人稙氏) 사정(謝呈)
>
> 이씨여아구유수학어소송선생지동창우의고야(李氏與我俱有受學於小松先生之同窓友誼故也).[27]

라는 조중응의 수서(手書)가 기록되어 있는 것으로 보아도 저간의 사실을 짐작할 수 있다.

한편 전항에서 기술한 바와 같이 소송록(小松綠)은 그의 저서에서 이인직을 동경정치학교 청강생이라 하였으나 그의 다른 저서에서는,

> 명치삼십년(明治三十年) 전후(前後)라고 생각하는대 내가 성향(星享) 송본군평(松本君平)등이 창립(創立)한 신전(神田)의 동경정치학교(東京政治學校)에서 열국(列國) 정치제도(政治制度)의 강의(講義)를 한 일이 있다. 그 무렵에 조중응(趙重應)과 이인직(李人稙)은 과외생(科外生)으

27 소송록(小松綠), 「조선병합지이면(朝鮮併合之裏面)」, 중외신론사(中外新論社), 1920, 동경(東京).

로서 그 강의록(講義錄)을 강습(講習)하고 있었다는 관계(關係)로 하여 내가 명치삼십구년(明治三十九年) 초(初)에 이등(伊藤) 통감(統監)과 함께 경성(京城)에 온 이래(以來)……28

운운하여 이인직과 조중응의 동학(同學) 사실을 다시 밝혔으며, 여기에 있어서 이인직이 청강생이 되었든 과외생으로 강의록을 공부하였든 간에 아무튼 정치학 공부를 한 것만은 사실이어서 이러한 실증은 그가 문학작품을 쓰거나 문학운동을 하기 위하여 본격적인 문학공부를 하였다는 사실은 없다는 것을 말하여 주는 것이며, 개화기의 이 땅 유학생의 대부분이 그러하였듯이 정치법률을 공부하여 자주독립으로 국권을 바로잡고 민중을 개화 계몽하겠다는 공통적인 의식에서 이인직 자신도 별로 벗어남이 없었다는 것을 알 수 있게 한다.

이같이 그의 연학(研學)한 부문이 정치계통이요, 그의 친분있는 교우의 한 사람이 정치 고관 조중응이었다는 기본적인 조건은 그에게 문학작품을 발표하면서도 정치에 대한 관심이나 욕망을 떼어 버리지는 못하게 하여 결국에는 한말의 매국내각의 수상인 이완용의 비서역까지 맡게 하였고, 뿐만 아니라 한일합방이라는 조국 매도의 비분하고도 비합법적인 굴욕사(屈辱史)에 선봉적인 역할을 손수 맡게 하였던 것이다.

필자(筆者)가 병합(併合) 담판(談判)을 열 기회(機會)를 붓잡을 자신(自信)이 있다고 사내통감(寺內統監)에게 대답(對答)한 것은 무슨 터무니없는 한 때의 농담은 아니었다.

실(實)은 당사자(當事者)인 한국정부(韓國政府)의 중심세력(中心勢力)

28 같은 책, 124면.

이었던 수상(首相) 이완용(李完用)과 농상(農相) 조중응(趙重應)을 간접(間接) 직접(直接)으로 설복(說服)시킬 희망이 있었기 때문이다.

조중응(趙重應)과는 직접(直接) 말할 수 있었지만 이완용(李完用)은 일본(日本)말을 모르므로 그 심복(心腹)인 이인직(李人稙)을 통(通)하여 기초 이야기를 할 작정이었다.

그렇지만 무더워 견딜 수 없는 한여름에 이런 힘든 이야기를 끄집어 낼 계제도 못되어 처박아 놓고 있는 참에 갑자기 이인직(李人稙)이 찾아왔으므로 저자(著者)는 우물속에 고기가 제깐으로 뛰어들어온 것만 같은 생각이 들었다.[29]

이것은 1920년 국치 합방의 조인이 이루어지기 불과 3주일 전인 8월 4일 이인직이 소송록(小松綠)의 남산 아래 관저로 찾아간 날 밤의 일이다. 한일합방의 총원수(總元帥)는 이등박문(伊藤博文)의 뒤를 이은 사내통감(寺內統監)이요, 그 전초적인 총책임을 진 자가 소송록(小松綠)이었으니 이날 밤의 이인직의 행동은 그대로 이완용과 사내(寺內)의 면담과 같은 의의를 갖는 중대사요, 합방 조인 자체를 촉급(促急)시킨 슬프고도 기막힌 역사적 사실이었다.

한편 다른 저서에서 소송록(小松綠)은 이날 밤의 돌발사에 흔연하여 다음과 같이 기술하고 있다.

만나본즉 이인직(李人稙)은 전에 없이 침울(沈鬱)한 모습으로 입을 열었다. 면식이래(面識以來) 사년(四年)이나 되는 지금까지 아직 감히 허탈하게 이야기한 일이 없는 정도의 일대(一大) 중대사(重大事)에 대

29 소송록(小松綠), 「명치외교필화(明治外交秘話)」, 442면.

하여 고충(苦衷)을 호소하고 하교(下敎)를 받기 위하여 군이 야밤중에 들어와서 괴로움을 끼친다는 사유(事由)를 유창(流暢)하지는 못하나 알기 쉬운 일본말로서 이야기하기 시작하였다.

자기의 내방(來訪)이 순연(純然)한 자기(自己)의 의사(意思)에서 나온 것이지 이완용(李完用)이나 조중응(趙重應)과 타합(打合)한 결과(結果)가 아니라는 것, 오늘밤의 대화(對話)는 이 자리에 한(限)한 밀담(密談)으로서 사내통감(寺內統監)의 귀에까지 전하게 하고 싶지는 않다는 등 그는 위선(爲先) 특별(特別)히 주의(注意)를 했다.

그러나 그가 서두에서 일대(一大) 중대사(重大事)라고 말하였고 이(李) 조(趙) 양상(兩相) 급(及) 사내통감(寺內統監)에게까지 언급(言及)하는 것으로 미루어 나는 그가 당면(當面)의 병합문제(倂合問題)에 대하여 이(李) 조(趙) 양대신(兩大臣)의 뜻을 받아서 소위(所謂) 자상한 임무(任務)를 띠고 온 것을 깨달았다.

그러므로 나는 그를 통(通)하여 이수상(李首相)과 대담(對談)하는 기분(氣分)으로 응답(應答)하였다. 이 대화(對話)는 결국 병합(倂合) 담판(談判)의 단서(端緖)를 연 것이었다. 마치 대전전(大戰前)의 척후전(斥候戰)이라고도 말할 수 있는 것이었다. 내가 이 일장(一場)의 사담(私談)을 상세(詳細)히 서술(敍述)하고자 한 까닭은 이 때문이다.

그는 양미간에 찬 빛을 띠우면서 위선 근본문제부터 말하기 시작하였다.

"이등(伊藤) 전통감(前統監)은 합이빈(哈爾賓)에서 조선인(朝鮮人) 때문에 암살(暗殺)되었고 그때 이어 일진회(一進會)가 합방론(合邦論)을 제창(提唱)하고 또한 일본(日本)에서도 병합설(倂合說)이 대단(大端)하여졌다는 사정(事情) 등(等)을 합(合)쳐보면 오늘날 무엇인가 대변혁(大變革)이 일어나지 않으면 안되리라고 저희들은 깨달았기 때문에 최근(最近) 저는 이수상(李首相)을 만나서 빨리 거취(去就)의 각오(覺悟)

를 결(決)하시도록 근고(勤告)해 보았습니다.

이천만(二千萬)의 조선(朝鮮)사람과 함게 쓰러질 것인가, 그렇지 않으면 육천만(六千萬)의 일본인(日本人)과 함께 나아갈 것인가, 이 두 길밖에 따로 수상(首相)의 취(取)할 길은 없습니다. 만약(萬若) 수상(首相)의 힘이 도저(到底)히 시국(時局) 해결(解決)의 책임(責任)을 감당(堪當)할 수 없으시다면 왈가왈부(曰可曰否) 시비(是非)를 따질 필요(必要)도 없습니다. 차라리 치욕(恥辱)을 고국(故國)에서 헤벌리기보다는 이미 한국(韓國)을 떠나서 일신(一身)의 책임(責任)을 끝마친 이학균(李學均)을 본받아서 일한(日韓) 어느 쪽의 법권(法權)도 미치지 못하는 상해(上海)에라도 은둔(隱遁)하는 길밖에 없을 것입니다. 어느 쪽 길로 나가시겠느냐고 물었습니다.

이수상(李首相)은 잠간 침음(沈吟)하다가 서서(徐徐)히 말하시기를 실(實)은 구랍(舊臘) 흉한(凶漢)에게 피습(被襲)된 칼의 상처가 아직 완전히 쾌유(快癒)치 못하였으므로 한동안 한가(閑暇)한 곳에서 정양(靜養)하려고 생각하여 내부대신(內部大臣) 박제순(朴齊純)에게 수상(首相)의 직(職)을 양보(讓步)하려고 상의(相議)하였으나 좀처럼 응낙(應諾)하지 않았고, 농상공부대신(農商工部大臣) 조중응(趙重應)에게 부탁(付託)하여 보았으나 그도 또한 자기는 수상(首相)의 그릇이 되지 못한다고 사퇴(辭退)하였다. 그러므로 자기(自己)가 만일 물러가면 내각(內閣)은 와해(瓦解)할 길밖에 없다. 오적(五賊) 또는 칠흉(七兇)이라고 불리울 정도의 친일파(親日派)의 현내각(現內閣)이 와해(瓦解)된다면 현내각(現內閣) 이상(以上)의 친일파(親日派) 내각(內閣)이 새로 될 수 있을 것인가 참으로 통심(痛心)할 일이라고 대답하셨습니다. 이수상(李首相)의 경우는 참으로 가엾고 동정해야 할 경우가 아니겠습니까."

나는 이와 같은 이인직(李人稙)의 말을 듣고서 이것은 참 좋은 문제를 가져온 것이라고 내심(內心) 기뻐하였다. 이 문제(問題)를 추구(推

究)하여 가노라면 이수상(李首相)의 병합(倂合)에 대한 의향(意向)이 저절로 판명(判明)될 것이라고 생각하였기 때문이다. (중략(中略))

나는 유달리 하하 웃으면서 손수 비-루를 닮아서 그에게 권(勸)하고 나도 마셨다. 넓은 응접실(應接室)에는 단 둘뿐 다른 누구도 있지 않았다.

이인직은 나의 간절(懇切)한 말을 듣고서 약간 안도(安堵)의 느낌을 가지는 모습으로 곧 그의 말을 다음 문제(問題)로 옮겼다.[30]

이인직은 소송록(小松綠)에게 대하여 개인적인 의견으로 합방의 방향에 대한 문의를 제시하였으나 일개의 비서역과 일국의 외교 행정을 손수 책임진 외교 전문가와의 각축은 이미 비중을 잃어, 이인직의 내방이 단순한 개인적인 의사가 아니라 이완용에 대한 척후전(斥候戰)으로 찰지(察知)한 소송록은 슬며시 쾌재를 부르고 병합 담판의 단서가 개시된 것으로 간주하고 한국정부의 내적 의도까지 속속들이 탐지하고 있었으나, 이날 밤의 소송(小松)의 앞에 쪼그리고 앉은 옹졸한 이인직은 인간 이인직이 아니라 이완용의 투영으로서 한국과 일본 양측대표의 비대등적인 담판을 그대로 반영한 셈이니, 40여 년 후의 오늘날에 생각하여도 마치 어린아이의 불장난과도 같아 간담을 서늘케 하는 바 없지 않다.

이날 밤 이들의 대화는 한일 양국의 역사적인 사실에서부터 현실적인 국가와 민족의 착잡한 문제에까지 광범위하게 담론을 벌어졌고 심지어는 왕실의 처우문제에까지 화제가 파급되었으니 일본측으로 보면 제기가 지난하리라는 합방 담판의 관문이 저절로 개방된 셈으로 되었다. 자정 가까이까지 지속된 그들의 이야기는 한국의 닥쳐올 운명을 반 이상 좌우하고

30 소송록(小松綠), 「조선병합의 이면(朝鮮併合の裏面)」, 125면.

재론의 기회까지 상약(相約)하였다.

이인직(李人稙)은 나의 말하는 의도(意圖)를 깨닫고 선악(善惡)을 불구(不拘)하고 한번 보고(報告)하러 오겠다는 말을 남기고 십이시(十二時) 조금 전(前)에 돌아갔다.

이인직(李人稙)의 전후(前後)의 이야기로 미루어 나는 우리쪽의 병합조건(倂合條件)이 상대(相對)편의 예상(豫想)하고 있는 것보다 훨신 관대(寬大)한 것이라고 생각되어 저윽 쾌감(快感)을 금(禁)치 못하였다.

나는 그가 돌아가자 곧 그와 나의 대화(對話)를 필기(筆記)하였다. 이튿날 아침 그것을 정서(淨書)하여 사내통감(寺內統監)에게 보였다. 이인직도 아마 같은 날에 이수상(李首相)에게 시종(始終) 전부를 고(告)하였을 것이라고 생각되었다.

그러나 그는 이(二), 삼일(三日) 지나도 보이지 않았다. 겨우 나흘째인 팔일(八日)날이 되어서야 또 밤늦게 찾아왔다. 그간 나는 다소(多少) 걱정하였기 때문에 즉시 만나 본즉 그는 전날 밤처럼 침울(沈鬱)한 얼굴을 하지 않았다.

그는 위선 너무 방문(訪問)이 잦으면 혹은 세간(世間)의 의혹(疑惑)을 받을 염려(念慮)가 있으므로 일부러 삼(三), 사일(四日) 사이를 두었다는 것을 이야기하고 다시 전날밤 담화(談話)의 대요(大要)를 이수상(李首相)에게 전(傳)하였던바 이수상(李首相)은 일일(一一)히 수긍(首肯)하실따름 각(各) 사항(事項)에 대(對)하여 가부(可否)의 의견(意見)은 가(加)하지 않었으나 다만 최후(最後)에 너무 길게 끄을면 의외(意外)의 고장(故障)이 일어날지도 모르겠으니 하로라도 빨리 시국(時局)을 결말짓는 것이 득책(得策)일 것이라고 말씀하셨기에 그것만을 특(特)히 보고(報告)하노라고 말하였다.

따라서 나는 그것은 참으로 지당(至當)한 주의(注意)이므로 조속(早

速)히 사내통감(寺內統監)에게 전(傳)하겠다는 의사(意思)를 대답(對答)하였을뿐 그 외(外)는 별로 이야기 없이 갈라졌다.31

그날 밤 이인직을 보내고 난 후 일제 원흉의 사자격인 소송록(小松綠)은 통쾌한 미소를 지었고, 이인직은 4일 후 8월 8일 다시 소송록을 방문하여 전후의 전말을 보고하여 양쪽의 의향이 거의 접근되었음을 암시받게 되었으니, 2천만의 울분을 자아내고 수많은 의사(義士)의 자결 망명을 초래한 합방은 사실상에 있어서 이인직·소송록 양인 사이에서 태반의 토대는 축조되었던 것이다.

그 후 8월 16일 이완용과 조중응은 2대의 마차에 분승하여 통감저(統監邸)를 방문하였고, 18일에는 일본정부에서 조건 승인의 반전(返電)이 왔고, 22일에는 한국의 어전회의에서 일부 대신의 반대에도 불구하고 융희제(隆熙帝)의 재가를 얻어 그날로 양 전권간(全權間)에 서명 조인을 하고 일주일간의 유예가 지난 29일에는 한일합방의 조서(詔書)가 발포되었으니, 이는 모두 이인직과 소송록의 전초전의 박차가 급속도의 귀결을 가져오게 한 중요한 요소가 되었던 것이다.

이에 대하여는 황의돈(黃義敦) 씨도 「위국항일의사열전(爲國抗日義士列傳)」중에서 병합 전후의 사태에 대하여 기술한 바 있다.

이 중대(重大)하고 흉험(凶險)한 한일(韓日) 양국(兩國)의 합병안(合併案)을 정식(正式)으로 제시(提示)하기는 그날이 처음이지마는 한일합병(韓日合倂)의 내의(內意)를 이완용(李完用) 조중응(趙重應)에게 전달(傳達)되기는 이미 팔월(八月) 초경(初頃)부터 있었다고 한다.

31 소송록(小松綠), 「조선병합의 이면(朝鮮併合の裏面)」, 139면.

통감부(統監府) 서기관(書記官) 국분상태랑(國分象太郎)이 사내정의(寺內正毅)의 뜻을 받고서 벌써 그 내의(內意)를 조중응(趙重應)에게 전(傳)하고 조중응(趙重應)은 그 말을 받아서 이완용(李完用)에게 전(傳)한 바가 있었고 또 이완용(李完用)의 비서(秘書) 이인직이라 하는 자(者)가 통감부(統監府) 외사과장(外事課長) 소송록(小松綠)에게서 한국합병(韓國合併)을 하려는 내용(內容)을 상세(詳細)하게 들어서 이완용(李完用)에게 전(傳)하였던 바 있었으므로 이 팔월(八月) 십육일(十六日)의 공식회견(公式會見) 이전(以前)에 벌써 간접적(間接的)으로 대체(大體)의 타합(打合)은 다 되었던 듯하다.

그러므로 일본인(日本人)의 기록(記錄)에도 이 회견(會見)은 한국(韓國)의 일대문제(一大問題)임에도 불구(不拘)하고 예상외(豫想外)로 평범(平凡)한 회견(會見)이 되었다고 놀래고서 개탄(慨歎)하였다.

미리부터 이인직 등이 왕래(往來)하면서 비밀리(秘密裡)에 교섭(交涉)하던 이면(裏面)에는 아마도 이완용(李完用) 조중응(趙重應)등을 매수(買收)하는 금전(金錢)의 거래(去來)도 있었을 것이다.[32]

이같이 신소설 작가 이인직은 정치무대의 표면에 나서서 활약하지는 않았지만, 이 땅 근대사에 있어서 가장 중요한 사적 비중을 가지는 한일합방의 이면에서 첨단적이요, 전초적인 구실을 하여 대세의 좌우되는 분기점에서 민족의 염원에 배반되는 각도로 암약을 하였으니, 그의 신문학사의 위치와 대조하여 생각할 때 통탄하기 짝이 없는 일이며, 합방 후에 그가 다른 병합의 공로자처럼 작위 훈장을 받은 것도 아니요 세인이 대체로 언제 어떻게 죽었는지도 모를 정도로 생애를 끝마친 말로를 상기할

32 황의돈(黃義敦), 「위국항일의사열전(爲國抗日義士列傳)」, 《동아일보(東亞日報)》 제1293호(1956. 6. 8 일자(日字))

때 문학면의 비중과 견주어 애석한 일면이 없지 않다.

또한 그가 합방 이후 경학원(經學院) 사성(司成) 재직시 1915년 11월 10일 왜왕(倭王) 대정천황(大正天皇)의 즉위 대례식에 제(際)하여 제진(製進)한 헌송문(獻頌文)을 보면 합방 후의 국초(菊初)의 천일적인 동정은 더욱 뚜렷하게 나타나고 있음을 알 수 있게 한다.

즉위대례식헌송문(卽位大禮式獻頌文)

복이(伏以)

황가이(皇家以)

일계상전탄부문덕(一系相傳誕敷文德)

성인지(聖人之)

대보일(大寶日)

위율수(位聿修)

예의(禮儀)

임어지진진하갈기흠유(臨御之辰晋賀曷己欽惟)

천황계하(天皇階下)

자정(姿挺)

상성(上聖)

덕육(德毓)

동궁(東宮)

비현(丕顯)

비승사해준제(丕承四海準諸)

성효(聖孝)

선계(善繼)

선술동양뢰이평화태길월(善述東洋賴以平和迨吉月)

면복지취신사령진(冕服之就新肆令辰)

욕전지재거(縟典之載擧)

의은종지량음사도삼년불언(儀殷宗之諒陰思道三年不言)

추주후지향명출치사방래하(追周后之嚮明出治四方來賀)

위정언비진거북기(爲政焉譬辰居北其)

위즉(位則)

공기정남복념신적체현관심현(恭己正南伏念臣跡滯賢關心懸)

천궐매회규곽지경(天闕每懷葵藿之傾)

일종미열어원반요첨(日縱未列於鵷班遙瞻)

봉래지(蓬萊之)

오운불자승기오변(五雲不自勝其鰲抃)

대정사년(大正四年) 십일월(十一月) 십일(十日)

경학원(經學院) 사성(司成) 이인직제(李人稙製) 진(進)[33]

한 작가의 작품을 평가할 때 작품 자체가 지니고 있는 가치에만 치중할 것인가 인간적 내지 민족적 · 국가적 면도 그 가치척도에 용훼(容喙)될 것인가 하는 문제에서 이인직의 인간 대 작품 가치문제는 앞으로 더욱 논의될 성질의 것이라고 생각된다.

(3) 신극(新劇)과 이인직

학문이거나 예술이거나 어느 분야를 막론하고 선구자의 길처럼 험난한 것은 없으며 또한 그 초창기처럼 막중한 노력에 비하여 성과의 지지(遲遲)한 것도 없을 것이다.

33 《경학원잡지(經學院雜誌)》, 제9호(1915. 12. 15 발행(發行)).

신소설의 본격적인 신개지(新開地)를 개척한 이인직은 신극(新劇) 분야에도 착상하여 이 땅에 있어서 여명기의 신극에 첫 봉화를 점화하였던 것이다. 갑오(甲午) 이전 멀리 삼국시대에까지 소급하여 연극의 원류를 더듬으면 신라의 오기(五技)를 위시한 가면극(假面劇), 여조(麗朝)에서 시작하여 조선조에까지 내려온 산대극(山臺劇), 꼭두각시극 계통의 인형극(人形劇) 및 판소리와 관련되는 오페라 형식의 창극(唱劇) 등을 들 수 있으며, 총체적으로 본 재래의 이들 연극 특히 범위를 좁혀서 창극을 낡은 극 즉 구극(舊劇)이라고 보는 데 대하여 새로운 극 즉 서양연극의 격식을 본받은 연극인 신극이 이인직의 손으로 이 땅에 이식의 제일보를 밟게 되었다는 사실은 놀라지 않을 수 없는 일이다.

그러므로 신소설이나 신극이나 또한 재래의 가사(歌詞) 시조(時調)에서 해탈한 새로운 형식의 신시(新詩)나 할 것 없이 개화의 상징적인 표현양식인 문학예술은 모두 거의 때를 같이하여 풍토상으로 극히 이질적인 이 땅에 최초로 개화를 보게 되었음을 알 수 있게 한다.

이 이인직의 신극운동에 대하여 김재철(金在哲)은 「조선연극사(朝鮮演劇史)」에서 다음과 같이 말하고 있다.

> 광무 연간(年間)에 원각사극장(圓覺社劇場)이 창립(創立)되어 1909년(年)에 최초(最初)로 이인직씨(李人稙氏)가 신극(新劇)「설중매(雪中梅)」「은세계(銀世界)」 등(等)을 상연(上演)하였으니 그것이 조선(朝鮮) 신극(新劇)에 제일보(第一步)이였다. 그 상연성적(上演成績)의 호불호(好不好)는 고사(姑捨)하고 그것을 비롯하야 반도(半島)에 처음보는 신극(新劇)이 앞으로 발전(發展)하야 나간 것을 보면 미약(微弱)한 첫소리의 공(功)이 적지 않다고 생각든다.[34]
>
> 씨(氏)는 조선극계(朝鮮劇界)에도 다대(多大)한 공헌(貢獻)을 하였으니 즉(卽) 씨(氏)가 일본(日本)에 망명(亡命)한지 십년(十年)만에 조선

(朝鮮)에 들어와서 「귀(鬼)의 성(聲)」 등(等)의 소설(小說)을 발표(發表)하고 이어서 당시(當時) 궁내대신(宮內大臣) 이용익씨(李容翊氏)의 양해(諒解)를 얻어서 고종(高宗)의 칙허(勅許)를 받아 내탕금(內帑金)으로 원각사극장(圓覺社劇場)을 건축(建築)하였다.

지금은 그 극장(劇場)이 흔적(痕蹟)도 없으나 흥화문(興化門) 못미쳐서 신문내(新門內) 예배당(禮拜堂)이 있으니 그 예배당(禮拜堂)이 바로 원각사(圓覺社)의 자리다.

극장(劇場)의 내부(內部)는 라마(羅馬)의 극장(劇場)을 본떠 지었으며 관객(觀客)은 이천명(二千名) 가량이나 수용(收容)할 수 있는 굉장(宏壯)한 극장(劇場)이었다. 씨(氏)는 원각사(圓覺社)에서 신극(新劇)을 상연(上演)하였으나 그 극장(劇場)은 일시(一時)에 구극(舊劇)의 극장(劇場)으로 변(變)하여 명기(名妓)의 가무장(歌舞場)이 되었고 광대(廣大)의 재담(才談) 등(等)이 속출(續出)하여 그때의 「춘향전(春香傳)」, 「심청전(沈淸傳)」 등(等)의 구극(舊劇)을 무태(舞台)에 상연(上演)하여 일반(一般) 관중(觀衆)앞에 연출(演出)하게 되었다.[35]

김재철은 여기에서 1909년 이인직이 원각사 극장에서 최초로 신극에 속하는 「설중매」·「은세계」 등을 상연하였음을 밝혔다. 그는 또한 그 극장건물 자체를 이인직 자신이 고종의 칙어를 받아 내탕금(內帑金)을 얻어서 직접 건축에 임한 것처럼 기술하고 있다.

그러나 육당의 다음과 같은 기록에 의하면 이 사실은 약간의 차이를 가져옴을 발견하게 된다.

---

34 김재철(金在哲), 「조선연극사(朝鮮演劇史)」, 학예사(學藝社), 1939, 173면.

35 같은 책, 168면.

한말(韓末) 고종(高宗) 황제(皇帝) 광무 6년(年)(임인(壬寅)) 추(秋)에 어극(御極) 사십년(四十年) 칭경예식(稱慶禮式)이란 것을 경성(京城)에서 거행(擧行)하기로 하고 동서양(東西洋) 체약(締約) 각국(各國)의 군주(君主)에게 초청장(招請狀)을 보내었는데 이러한 귀빈(貴賓)의 접대(接待)를 위(爲)하여 여러 가지 신식(新式) 설비(設備)를 급작히 진행(進行)할 새 그 중(中)의 하나로 봉상사(奉常寺)의 일부(一部)를 터서 시방 새문안 예배당(禮拜堂) 있는 자리에 벽돌로 둥그렇게 - 말하자면 라마(羅馬)의 '콜로세움'을 축판(縮板)한 형제(型制)의 소극장(小劇場)을 건설(建設)하고 여령(女伶) 재인(才人)을 뽑아서 예희(藝戱)를 연습(演習)케 하얏읍니다. 규모(規模)는 애루(隘陋)하지마는 무태(舞台) 층단식(層斷式) 삼방(三方) 관람석(觀覽席) 인막(引幕) 준비실(準備室)을 설비(設備)한 조선(朝鮮) 최초(最初)의 극장(劇場)이요 또 한참 시절 '론돈'의 '로얄' 희대(戱臺) '비엔나'의 왕립극장(王立劇場)에 비의(比擬)하려 한 유일(唯一)의 국립극장(國立劇場)인 것만은 사실(事實)이었습니다. 이에 관(關)한 사무(事務)를 처변(處辨)하기 위(爲)하야 협률사(協律社)라는 기관(機關)이 궁내부(宮內部) 관할하(管轄下)에 설치(設置)되어서 처음에는 칭경예식(稱慶禮式)을 위(爲)한 기생(妓生) 재인(才人) 등(等)의 예습(豫習)을 행(行)하더니 불행(不幸)히 그해 가을에 호열자(虎列剌)의 유행(流行)으로 인(因)하야 칭경예식(稱慶禮式)이 명년(明年)으로 연기(延期)되고 협률사(協律社)는 일반(一般) 오락기관(娛樂機關)으로 기생(妓生) 창우(倡優) 무동(舞童) 등(等)의 연예(演藝)를 구경시키면서 명년(明年)을 기다렸습니다. 광무칠년(光武七年)에 이르러서는 봄에 영친왕(英親王)이 두후(痘候)로 말미암아 가을로 밀린 예식(禮式)이 가을에는 농형(農形)이 근심되고 또 일아(日俄)의 풍운(風雲)이 전급(轉急)하야서 예식(禮式)을 명색(名色)만 가초는 통에 모처럼 준비(準備)한 희대(戱臺)가 소용없어지고 마니 이에 협률사(協律社)는 슬그머니 영업적(營業的) 극장(劇場)으로 화(化)하여서 이것저것을 연행(演行)하고 일변 기생(妓生) 창우(倡優)의 관리(管理) 기관(機關) 노릇을 겸(兼)하여서 찐덥지 않은 세평(世評)을 거듭하더니 광무십년(光武十年) 사월(四月)에 이르러 봉상사(奉常司) 부제조(副提調) 이모(李某)의 소론(疏論)이 있어서 칙령(勅令)으로 이를 혁파(革罷)하야 버렸습니다.

그러나 일반(一般)의 연극(演劇) 요구(要求)는 날로 높아가는데 당시(當時) 경성(京城)에는 극장(劇場)으로 사용(使用)할 만한 다른 집이 없음으로써 건물(建物)을 이용(利用)하는 연극기업자(演劇企業者)가 끊이지 않고 한말(韓末) 이래(以來)로는 이인직(李人稙)의 원각사(圓覺社) 윤백남(尹白南)의 문수성(文秀星) 등(等) 과도기적(過渡期的) 신극운동(新劇運動)이 다 여기를 보금자리로 하야 부둥깃을 기른 것은 기억(記憶)해 둘 사실(事實)입니다.[36]

이같이 고종의 등극 40년을 축하하는 칭경예식(稱慶禮式)의 행사에 필요한 시설의 하나로 1902년에 건립한 소위 당시의 국립극장이 협률사의 관할하에 있다가 후일 극장운영이 일반화될 무렵에야 신극을 상연한 원각사(圓覺社)가 되었으니 이 극장 건축에 직접 이인직이 관여하였다고는 볼 수 없는 일이다.

그가 귀국한 것은 로일(露日)의 풍운이 자못 거세어졌을 무렵에 통역관의 임무를 띠고 나온 것이 밝혀졌느니 만큼 신극 상연에 있어서 국초가 선구자적인 역할을 하였다는 것은 부인할 수 없는 사실이나 내탕금으로 극장 운운한 것은 과도한 부연인 듯하며, 원각사 창립이 1909년이라 하니 극장 건물 자체의 건립연대와는 훨씬 먼 점으로 보아도 짐작될 일이라고

36 최남선(崔南善), 「조선상직문답(朝鮮常職問答)」, 동명사(東明社), 1947, 344면.

생각된다.

이 밖에 초창기의 신극 내지 신파극에 대하여 다소라도 언급된 기록을 추려보면 다음과 같다.

> 이인직씨(李人稙氏)가……(중략(中略))…… 「설중매」 「은세계」 「김옥균사건(金玉均事件)」을 각색(脚色)하야 신극창설(新劇創設)의 포부(抱負)로써 원각사(圓覺社)에다가 비로소 무태(舞台)의 도구(道具)를 배치(排置)하고 면막(面幕)을 느려놓고 연출(演出)하기 시작(始作)하였다. 조선에서 오날에 말하는 바의 극(劇)다운 형식(形式)의 무태(舞台)에 오르게 된 첫 기록이다.[37]

> 이인직(李人稙)의 전기적(傳奇的) 사실(事實) 그 중(中) 흥미(興味)있는 것은 그가 조선(朝鮮)에 있어 새로운 연극(演劇)을 수입(輸入) 내지(乃至) 창건(創建)한 일인자(一人者)이었다는 점(點)이다.
>
> 조선(朝鮮)에는 신극(新劇)이 수입(輸入)되기 전(前) 소위(所謂) 창극(唱劇) 위주(爲主)의 극인(劇人)들로 된 협률사(協律社)란 것이 있었으나 신연극(新演劇)의 막(幕)이 열리기는 원각사(圓覺社)(현재흥화문전(現在興化門前))의 무태(舞台)에서 있었는데 그 무태(舞台)에 각본(脚本)을 제공(提供)하고 연출(演出)을 지도(指導)한 사람이 이인직(李人稙)이다.[38]

> 이인직(李人稙)은 백남(白南)보다 일직 귀국해서 원각사(圓覺社)에서 연극 시연(試演)을 한번 가진 적이 있었으나 그다지 서울안에 알려진

37 김태준(金台俊), 「조선소설사(朝鮮小說史)」, 174면.
38 임화(林和), 「속신문학사(續新文學史)」 제8회.

정도는 아니었다. 이인직(李人稙)의 연극 시험은 자작(自作)인 신소설(新小說)을 소개하는 정도였고 다시 그 모임의 명단(名單)조차 희미한 결과가 된 행사에 불과했다.[39]

위에 인용한 바와 같이 김태준·임화 등의 이인직의 연극 운동에 대한 기술은 전기한 김재철의 소론과 거의 궤를 같이하는 것이며, 안종화가 이인직의 연극 시연이 자작의 신소설을 소개하는 정도의 시연에 불과하였다는 이야기는 백남이 이인직의 연극운동에 대하여 당시 명치말년(明治末年)의 일본은 소위 신파극의 단계를 넘어 본격적인 근대극 운동에 자극되어 입센의 작품이 상연되던 때인데, 국초는 아직도 일본 천초(淺草)에서 상연되던 신파극 아류를 이곳에다가 시연하여 봄에 불과하다는 구술과 상부되는 점이다.

그러나 앞에서도 말한 바와 같이 초창기의 선구적인 역할이라는 것은 지난한 것이어서 근대적인 신극이 상연될 수 있는 객관적인 여건이라고는 하나도 구비되어 있지 않은 이 땅에서, 더욱이 중인(衆人)의 홍소를 받아가면서 서양적인 냄새를 풍기는 최초의 신극 시연을 감행하였다는 것은 그 성과의 여하는 막론하고 한국 연극사에 획기적인 새로운 한 페이지를 장식한 것이라고 보지 않을 수 없을 것이다.

(4) 신소설과 이인직

국초(菊初) 이인직이 개화기 문화의 여러 분야에 걸쳐 활약하였고 또한 정치면에까지도 적잖은 관련을 가졌지만, 역시 국초(菊初)와 가장 불가분

■

39 안종화(安鍾和), 「연극사(演劇史)이야기」, 182면.

의 관계에 있는 것은 신소설이어서 신소설하면 의례히 이인직을 꼽게 되고 이인직하면 신소설을 연상케 할 정도로 되어 있음은 그 누구도 부인하지 못할 문학사적인 엄연한 사실로 되어 있다. 지금까지 이인직의 신소설에 대하여 작품계보를 따져서 논한 것은 오직 임화(林和) 한 사람뿐인데 그도 또한 추측적인 독단에 치우친 경향이 없지 않다.

> 그것이 전술(前述)한 바와 같이 처녀작(處女作) 「치악산(雉岳山)」이요 그 다음 작품(作品)이 아마 융희이년(隆熙二年) 시월(十月)로 간행연월(刊行年月)이 되어 있는 「은세계(銀世界)」일 것이며 그 다음이 「혈(血)의 누(淚)」 후(後)에 「모란봉(牧丹峰)」으로 개제(改題)), 그 다음이 명치사십오년(明治四十五年) 이월(二月)로 발행일자(發行日字)가 된 「귀(鬼)의 성(聲)」일 것이며 최후(最後)의 작품(作品)이 대정초년(大正初年)에 《매일신보(每日新報)》에 실렸다가 중단(中斷)된 「백로주강상촌(白露洲江上忖)」(백로주강사촌(白鷺洲江上村)의 오기(誤記)임)일 것이다.
> 그의 작품(作品)은 미완(未完)의 작품(作品)을 합(合)하여 상기(上記)한 오편(五篇)이나……[40]

여기에서 임화는 이인직의 작품 발표순에 대하여 「치악산」을 처녀작으로 인정하고 다음 「은세계」·「혈의 누」·「귀의 성」·「백로주강상촌」의 순서로 발표된 것으로 추단하였을 뿐더러 이인직의 작품이 도합 5편이라는 것까지 단정을 내렸다. 뿐만 아니라 그 발표되는 순서에 따라 점차 상승과정을 밟았다는 다음과 같은 논단을 내렸다.

40 임화(林和), 「속신문학사(續新文學史)」 제8회.

> 이인직(李人稙) 개인(個人)의 문학적(文學的) 발전(發展)의 경로(經路)로 보면 「치악산(雉岳山)」으로부터 「귀(鬼)의 성(聲)」 「혈(血)의 누(淚)」 「백로주강상촌(白露洲江上村)」 등(等)에 이르러 일관(一貫)하여 발전(發展)의 선(線)으로 걸었다. 다시 말하면 다음 작품(作品)에 올수록 그는 전대소설(前代小說)의 영향(影響)을 더 많이 탈각(脫却)하여 현대소설(現代小說)에로 접근(接近)해 온것이다.[41]

이같이 임화는 이인직의 문학적인 발전의 경로가 작품 발행순과 정비례로 일관하여 상승의 선으로 걸었다고 하였으며 다음 작품에 올수록 고대소설의 영향을 더 많이 탈각하여 현대소설로 접근해 왔다고 하면서 같은 논문 속에서 작품 발표순서로 착오를 일으켜 '주(註)40'에서 「치악산」→「은세계」→「혈의 누」→「귀의 성」→「백로주강상촌」의 순서로 되었던 것이 '주(註)41'에서는 「치악산」→「귀의 성」→「혈의 누」→「백로주강상촌」으로 되어 「은세계」의 누락은 차치하고라도 「귀의 성」과 「혈의 누」의 위치가 도치되어 있음이 발견된다. 더욱이 위의 인용문들 속에 보이듯이 「은세계」·「귀의 성」·「백로주강상촌」 등 여러 작품의 발표연대에 대하여 확정적인 자신이 없는 추정임에도 불구하고, 대담하게도 발표순과 작품 발전경로가 일치된다는 단안을 내린 것은 논리의 근본적인 모순이라고 하지 않을 수 없다.

불행히도 이인직의 작품 발표순서가 임화의 추정과는 전연 판이한 결과로 고증되는 경우에는 이인직 작품 가치 판정에 대한 임화의 논단은 근본적으로 전복될 것이 명약관화한 것이니 심히 불안한 논법이라 하지 않을 수 없겠다.

41 같은 책, 제1회.

이 경우와는 약간 다르다고 하겠지만 '이인직의 생애'의 항에서 이미 언급한 바와 같이 육당이 「고사통(古事通)」에서 「혈의 누」의 출판연대를 1905년으로 기록하였고, 김태준이 「조선소설사」에서 1909년에 「귀의 성」·「치악산」·「혈의 누」 등 이인직의 여러 작품이 같은 시기에 나온 것처럼 기록한 극히 경미한 과오가 기본적인 근거가 되어 후인에게 적지 않은 오류를 무비판하게 반복하는 결과를 가져오게 하였던 것이다.

1919년 이인직의 사망을 보도한 신문기사 속에서 그의 작품에 관련되는 부분을 초하면 다음과 같다.

> 조선 최초의 소설가
>
> 이인직(李人稙)씨는 우리 조선 문학계에 적지 아니한 공로가 있었다 할지니, 이인직(李人稙)씨의 창작한 소설이 문학상 얼마나 가치가 있난지난 지금 말할 바이 아니려니와 조선 최초의 소설가이며 소위 신소설의 원조가 됨을 확실한 사실이라.
>
> 아직 조선의 일반 사회가 소설이라는 무엇인지 알지도 못하던 명치 삼십구년(三十九年)에 이인직(李人稙)씨가 《국민신보》 주필이 되야 비로소 「백로주」(白蘆(鷺의 오기(誤記)임)州)라는 소설을 연재하였으나 이 「백로주」난 실로 이인직(李人稙)씨의 처녀작(處女作)이며 조선 신소설의 효시라 불행히 그 소설은 출판되지 아니하였고 그 다음에난 또 「혈의 루」(血의 淚)가 출판되었는바 본지에도 일시 연재되었던 「모란봉」(牧丹峰)은 그 하편이요, 계속하여 「귀의 성」(鬼의 聲) 「치악산」(雉岳山)의 각 상하편 소설이 출판되어 호평을 받았더라. 그러한즉 이인직(李人稙)씨는 우리 조선 문학계에 공로가 많은 사람이며 그의 죽음에 대하여 우리는 한 주먹의 눈물을 아끼지 못하리로다.[42]

여기에서는 이인직의 작품 발표순서에 대한 뚜렷한 연대는 밝히지 않았지만 「백로주(白鷺洲)」가 이인직의 처녀작이라는 것을 명확히 내세웠고, 그 후에 「혈의 누」·「귀의 성」·「치악산」 등이 계속 발표된 정도로 기록하였을 따름이다. 이 「백로주」의 처녀작 문제를 비롯한 상세한 내용에 대하여는 뒤에 「백로주강상촌(白鷺洲江上村)」을 논하는 항에서 구체적으로 논급하겠거니와 현재까지 알려진 한계 내에서 이인직의 작품이 발표된 연대를 살펴보면 대략 다음과 같다.

「혈의 누」는 광무 10년(1906) 7월 22일 부(附) 《만세보》 제23호에서부터 연재하여 동년 10월 10일 제 88호지(紙)에 제 50회로 끝맺은 작품이며,[43] 단행본으로는 광무 11년 (1907) 광학서관(廣學書舘)에서 초판본이 발행되었으니 이것이 상권이며 하권에 해당하는 「모란봉(牧丹峰)」은 합방후에 발표되었다.

다음 작품인 「귀의 성」도 《만세보》에 연재된 것인데, 광무 10년 (1906) 10월 10일부 제 92호에서부터 시작하여 다음해 5월 31부 제 270호에서 15장 134회로 중단되었다.[44] 단행본에서는 상권은 20장으로 분장되었으나 하권은 장의 구분이 없이 그대로 계속되어 있으며, 하권의 가장 오랜 초판 연대는 융희 2년(중앙서관판(中央書舘版))이나 이 연대를 앞서는 상권의 초판본은 아직 나타나지 않는다.

「치악산」은 신문에 연재 여부는 아직 밝혀지지 않았으며 상권의 가장 오랜 초판 연대가 융희 2년(유일서관판(唯一書舘版))으로 되어 있으며 하권의 초판은 상권 연대보다 훨씬 뒤떨어진다. 「치악산」의 작자에 대하여는 상하 양권 다 이인직인 것으로 지금까지 믿어져 왔으나 사실은 그런 것이 아니다. 이 작자에 대한 고증은 '작품론 「치악산」'의 항에서 상론하

42 《매일신보》 제2084호(1916. 11. 28일자(日字)).
43 김하명(金河明), 「신소설과 혈(血)의 누(淚)와 이인직」.
44 같은 책.

기로 하겠다.

「은세계(銀世界)」도 또한 신문의 연재 여부는 아직 알 길이 없으나 융희 2년(1908)의 '동문사'판이 가장 오래된 것으로 상권만으로 되어 있으며, 하권의 유무는 확언하기는 곤란하나 대략 상권만으로 끝난 것이 아닌가 추정된다.

다음 「혈의 누」의 하권에 해당되는 「모란봉(牧丹峰)」은 1913년 2월 5일부 《매일신보》 제2194호에서부터 동년 6월 3일부 제2292호까지에 계속적으로 연재되다가(65회) 작자의 사정으로 중단된 작품이니 작자가 세상을 떠나기 3년 전이요 국초(菊初)의 최종 작품으로 되는 셈이다. 이 작품도 그 항에서 상론하겠다.

이 밖에 1912년 3월 1일부 《매일신보》 제 1909호에 발표된 단편 소설 「빈선랑(貧鮮郞)의 일미인(日美人)」이 있다.

이상과 같이 단편 「빈선랑의 일미인」과 미완의 작품인 「백로주강상촌」 및 「모란봉」을 제외하고 나면 이인직의 작품계보는 대략 「혈의 누」·「귀의 성」·「치악산」·「은세계」의 순으로 되는 것이기에 전기한 바와 같은 임화의 국초 작품에 대한 가치 판정은 근본적으로 전복되어 발전적이라는 그의 소론이 역행되는 결과를 가져오는 연대적 고증으로 나타남을 알 수 있게 한다.

한편 「설중매」를 이인직의 작으로 다루는 착오를 거듭하는 경향이 적지 않으니 여기에 그 경위를 밝히고자 한다. 김태준은 「조선소설사」에서,

> 1909년(年)……(중략(中略))…… 「설중매(雪中梅)」「은세계(銀世界)」「김옥균사건(金玉均事件)」을 각색(脚色)하여[45]

45 金台俊(김태준), 「조선소설사(朝鮮小說史)」, 174면.

라 하였고, 김재철은 「조선연극사」에서,

> 1909년(年)에 최초(最初)로 이인직씨(李人稙氏)가 신극(新劇)「설중매(雪中梅)」「은세계(銀世界)」 등(等)을 상연(上演)하였으니…[46]

라고 기록하였다. 이것이 오늘날까지 「설중매」 작자에 대한 착오를 일으키게 하는 중요한 원인이 되고 있으나, 전기 인용한 두 저서 중 전자는 「설중매」를 각색하였음을 운위한 것이요, 후자는 다시 무대에 상연한 사실만을 기록했을 따름이지 저작 운운에 대하여는 일언반구의 언급도 없는 것으로서 원작과 번역과 각색과 상연은 전연 혼동할 수 없는 각기 독립된 부문이라는 것은 여기서 새삼스럽게 췌론할 필요도 없는 일이다.

그러나 그 후의 소저(所著)로 고○왕(高○王)은 「국어국문학요강(國語國文學要講)」에서 이인직 작품으로 「혈의 누」(1905) · 「은세계」(1908) · 「설중매」(1908) · 「치악산」(1912)[47] 등을 열거하여 「설중매」를 연대까지 밝혀서 국초의 작으로 해 놓았고, 안종화씨는 「신극사이야기」에서,

> 이인직은 후일 국내에 돌아와서 신체(新體)의 소설을 지어내어 국초(菊初)로 알리워진 작가이다. 그의 손에서 「치악산(雉岳山)」· 「설중매(雪中梅)」· 「은세계(銀世界)」· 「귀(鬼)의 성(聲)」 등(等)의 일종(一種) 정치소설(政治小說)에 가까운 저술(著述)을 보였던 것이다.[48]

라 하였고, 조연현(趙演鉉) 씨는 《현대문학》에 연재중인 「한국현대문학사

---

46 김재철(金在哲), 「조선연극사(朝鮮演劇史)」, 173면.

47 고○왕(高○王), 「국어국문학요강(國語國文學要講)」, 443면.

48 안종화(安鍾和), 「신극사(新劇史)이야기」, 182면.

(韓國現代文學史)」에서,

……이해조(李海朝)의 「자유종(自由鍾)」과 이인직(李人稙)의 「설중매(雪中梅)」가 그 대표적(代表的)인 것으로 볼 수 있다.[49]

라고 하였으며, 백철(白鐵) 교수는 「신문학사조사(新文學思潮史)」에서,

신소설(新小說)의 대표적(代表的)인 작가(作家) 이인직(李人稙)은 그의 「설중매(雪中梅)」라는 작품에서[50]

……자주독립(自主獨立)을 창조했으니 여기에 이인직(李人稙)의 정치소설(政治小說)에서 「설중매(雪中梅)」(융희2년(隆熙二年))가 있다.[51]

고 하여 3자 다 「설중매」를 이인직의 소작(所作)으로 아무의 전거도 없이 인정하고 있음이 발견된다.

그러나 「설중매」는 구연학(具然學)의 작이요, 창작소설이 아닌 일본 개화기소설의 번안작품임이 밝혀졌으니, 이는 졸고 「설중매」[52]에서 이미 상론한 바이요 또한 이인직 작품의 권외에 속하는 것이므로 여기서는 이 이상 더 언급하지 않기로 하겠다.

이인직의 작품 세계에 나타난 주제를 일별하면 「혈의 누」는 자주의식의 각성 · 신교육사상의 고취 및 신결혼관을 내세웠으며, 「귀의 성」은 축

49 조연현(趙演鉉), 「한국현대문학사(韓國現代文學史)」, 《현대문학(現代文學)》 1권 8호.

50 백철(白鐵), 「신문학사조사(新文學思潮史)」, 28면.

51 같은 책, 29면.

52 졸고(拙稿), 「설중매」, 《사상계(思想界)》(1955. 10월호).

첩과 시앗싸움에서 노출되는 양반계급의 부패정치에 대한 이면폭로 · 상인비복(常人婢僕) 등의 자기신분에 대한 자각에 따르는 반발의식 등을 취급했으며, 「치악산」은 계모를 중심으로 고부간의 갈등 · 신학문에 영향된 신구사조의 대립 · 미신 타파 · 새로운 결혼관 등 다각도의 내용을 지녔으며, 「은세계」는 가렴주구를 항다반(恒茶飯)으로 자행하는 양반 관료의 학정에 대한 양민들의 반항 의식, 신문학을 토대로 한 정치개혁 등이 그 중추적인 요소를 이루고 있어 이것을 종합하여 보면, 개화 계몽기의 표징인 자주의식 · 신학문 · 신결혼관 등 현실적인 문제가 이인직 작품의 거의 공통적인 주제로 되고 있음을 알 수 있게 한다.

특히 「혈의 누」의 하편인 「모란봉」에서 현대적인 삼각애정 관계를 최초로 등장시킨 것이라든지 「혈의 누」나 「치악산」이나 「은세계」에서 작품인물로 하여금 해외유학을 강행하게 하였을 뿐더러, 「은세계」에서 새로운 현대의식에 자각한 주인공이 죽음을 무릅쓰고 끝까지 위정자의 불의에 항거하게 한 참신하고도 진취적인 주제는 이인직이 최초로 개척한 신개지(新開地)라고 하지 않을 수 없겠다.

한편, 단편 「빈선랑의 일미인」은 한국인 남편과 일인 아내의 빈궁한 가정에서 벌어지는 단편적인 사건을 그린 것으로, 이인직의 말년의 생활을 방불시키는 바 없지 않아 그의 사적 생활의 단면을 엿볼 수 있게 하는 점에서 암시적인 작품이라고 할 수도 있을 것으로 보아진다.

국초는 그의 작품 속에 등장되는 인물을 다루는 데 있어서 개화기를 대표하는 시대적 인물의 성격을 묘출하려고 노력하였다. 물론 그것이 시기를 반영하는 하나의 전형적인 인간 타입으로 완전히 구현되는 경역에까지 도달된 것은 아니라 할지라도 재래의 고대소설에서 볼 수 있는 천편일률적인 유형에서는 현격한 거리를 가진 정도로 탈피하였다.

즉 「귀의 성」에서의 강동지(姜同知)는 외형적으로 양반에 아부하면서도 그것은 관료에게 무조건으로 약탈당한 재물의 만회책을 위한 수단에 불과하였고, 종국에 가서는 평소의 양반에 대한 적개심과 딸의 피살에 대한 보복심이 겹쳐서 철두철미한 적극적인 행동을 감행하고야 말았으니, 이것은 새로운 개화사조의 영향을 받은 피지배층의 개성적 자각이 싹터가는 개화기의 현실적인 반영이었던 것이다.

> 네가 걸핏하면 양반이니 염소반이니 하며 너는 고소대 같이 높은 사람이 되고 내 딸은 상년이라 그년 그년 그까진년 남의 첩년 강동지의 딸년 죽일년 살릴년 하며 너혼자 세상에 다시 없난 깨끗한 양반의 녀편네인 체하던 년이 그렇게 쉽게 몸을 허락한단 말이냐.
>
> (귀(鬼)의 성(聲))

평소에는 호랑이같이 두렵게만 생각하던 사대부의 내실에 대하여 그 이상 견딜 수 없는 인종(忍從)의 절정에 다다르자 물불을 가리지 않고 덤벼드는 이 장면의 강동지는 한말 사회의 양민의 심중에 공통되는 분노의 표징으로서 이 한마디의 외침은 그대로 강동지의 성격을 현현(顯現)하는 것이다.

「은세계」의 최병도(崔秉道)도 작중인물의 설정 각도에 있어서 「혈의 누」의 강동지와 거의 궤를 같이하는 것이나 강동지의 반항의식은 딸의 피살로 말마암아 폭발의 도화선이 되었으나, 최병도의 경우는 처음부터 새로운 시대사조에 기반을 둔 정치개혁을 꿈꾸는 주체의식이 뚜렷하였기 때문에 시종 양반 관료에 대한 결사적인 반항이 지속되었고 목숨이 끊어지는 순간까지도 굴하지 않았던 만큼 일층 적극성을 띠고 있다.

> 순사도난 소귀신　　　　공방비장은 쵸란이
> 호방비장은 구렁이　　　회계비장은 갈강쇠
> 예방비장은 노랑수건　　별실마마난 계집망난이

별방비장은 소경불안당　　수청기생은 불여우

(은세계(銀世界))

감영(監營)에 연관이 있는 인간에게는 모조리 이러한 별명이 떠돌 만큼 부패한 사회에서 감영에 잡혀가 물고령이 내림에도 불구하고 감사를 면접하여,

무죄한 백성을 무슨 까닭으로 잡아왔으며 형문을 쳐서 반년이나 가두어 두난 것은 무슨 일이며 상처가 아물만 하면 잡아드려서 중장하난 것은 왼일이며 오날 물고랄 시키랴난 일은 무슨 죄이온잇가.

죄 없는 사람 하나를 형벌하난 것은 만승 천자라도 삼가서 아니 하난 일이요 또 못하난 일이올시다. 만일 생이 나라에 죄를 짓고 죽을진대 나라 법에 죽난 것이요 순사도의 손에난 죽난 것은 아니올시다마난 지금 순사도께서 생을 죽이시난 것은 생이 사형에 죽난 것이요 법에 죽난 것은 아니오니 순사도가 무죄한 사람을 죽이시면 나라에 죄를 지으시난 것이올시다. (은세계(銀世界))

이리하여 최병도는 개화의 여명을 보고 시대조류에 적응된 정치 개혁을 부르짖다가 쓰러지는 희생자의 전형적인 인물로 최후를 마치게 된다.

이 밖에 외국유학을 떠나는 「혈의 누」의 김관일(金寬一)·옥련(玉蓮)·구완서(具完書), 「치악산」의 백돌이, 「은세계」의 김정수·옥남(玉男)·옥순(玉順) 등은 모두 경장후(更張後)의 개화인들의 동경이요 이상이던 외국유학을 실천에 옮기었으나, 출발할 때의 포부는 신학문을 공부하여 자주적인 국가를 재건하고 몽매한 대중을 계몽하고, 특히 낙후된 여성의 지도계발과 동등한 권리의 향유에 전력을 다하겠다고 맹서는 하였으나 유학

을 마치고 돌아온 후에는 이렇다 할 구체적인 성과를 올린 일이 없이 거의 전부가 희미한 결과를 가져왔으니, 이것은 개화기의 시대적인 염원이 이같은 작중인물을 통하여 실천의 단계에 올랐으나 뚜렷한 개성을 지닌 전형적 인물을 구상화까지에는 이르지 못하고 한갓 관념적인 구호에 머무른 결과를 가져오고 말았다.

한편 「치악산」의 홍참의(洪參議)나 「귀의 성」의 김승지(金丞知)같은 조선조 봉건사회의 타성에 젖은 양반과 이 양반을 상전으로 섬기는 비복들, 말하자면 「귀의 성」의 점순(點順) · 자근돌, 치악산의 옥단 · 고두쇠 · 검홍 같은 인물들은 모두 선과 악의 어느 하나의 유형에 속하는 인물들로서 고대소설의 경우와 그리 먼 거리에 있지 않다.

다만 「치악산」의 이판서(李判書)나 「혈의 누」의 최노인(崔老人)같이 누습(陋習)에 젖은 양반이면서도 새로운 시대사조에 동조적인 태도로 편승의 경향을 보이는 인물이 있는가 하면, 「귀의 성」의 점순(點順)이나 「치악산」의 옥단(玉丹)같이 상전에 대한 충성으로 여하한 악덕이라도 아무 판단 없이 저지르면서도 시대의 격렬한 풍조는 이들에게도 무심치 않아 자기들의 조상들은 비복의 천역(賤役)을 그대로 자족 내지 체념하여 왔지만 새로운 시대의 그들은 세습적인 신분관계에서 해탈하려는 욕구가 움터 상진의 앞잡이로 주저 없이 저지르는 악행을 대상으로 천역을 벗어나는 속량(贖良)의 조건을 제시한 것은 고대소설의 차종(此種) 유형에서 하나의 색다른 진전을 보인 것이라고 하지 않을 수 없겠다.

이인직은 등장인물의 성격, 심리 및 대상의 모습을 구체적으로 표현하려는 데 첫 시험을 기도한 작가이다.

> 우짜 쓴 벙거지 쓰고 감장 홀태 바지 저고리 입고 가죽 주머니 미이고 문 밖에 와서 안중문을 기웃기웃 하며 편지 받아 드려가오 편지 받아 드려가오 두 세 번 소리 하난 것은 우편 군사라. (혈의 누)

별안간에 사창문이 왈칵 열리더니 여편네 하나이 뛰어 들어오며 이것이 왼일이오 소리를 지르난대 나이 사십이 될락말락하고 얼골은 버레 먹은 삼잎같이 앙상하게 생겼난대 어찌보면 남에게 인정도 있어 보이고 어찌보면 고생 주머니로 생겼다 할 만도 한 사람이라.

너른 속것에 치마 하나만 두르고 때가 닥지닥지 앉은 까막발에 버선도 아니 신고 불코 염체하고 방 한가운데로 들어온다. 새벽녘 찬바람이 방고래 빠진 곳으로 들이치더니 가난이 똑똑 듯난 등피 없난 석유 등불이 툭 꺼졌더라. (귀의 성)

헛잠 자든 남순이난 머리를 각죽각죽하며 일어 앉었고 헛가슴알이 앓던 옥단이난 누어서 부비댁이 치든 머리를 쓰다듬지도 아니하고 가슴을 웅킈어 쥐고 웃목에 들어섰고 단잠을 깨서 일어나난 검홍이난 무슨 영문인지 모르고 겁이 나서 벌벌 떨고 마루에 섰고 나무 끝에 앉인 새같이 조심으로 세월을 보내든 이씨부인은 밤중에 야단나난 소리를 듣고 안방으로 건너오며 아니나난 생각이 없다. (치악산)

처음 것은 작품 「혈의 누」에서 미국에서 보내온 옥련의 편지를 배달하러 온 우체부와 그 우체부를 맞는 고장팔의 어머니를 그린 것이요, 다음 것은 「귀의 성」에서 자다가 뛰어나온 박참봉(朴參奉) 마누라의 모습이요, 끝에 것은 「치악산」에서 홍참의(洪參議) 집안의 우글거리는 인물들의 군상을 표현한 것으로 '우'자를 써 붙인 모자를 쓰고 홀태바지를 입은 우체부의 모습이나, 자는 밤중에 사람소리를 듣고 놀라 뛰어나온 박참봉 마누라의 가난에 쪼들린 꾀죄죄한 꼴이나, 또한 홍참의 집에서 고부의 갈등이 절정에 달하였을 때 며느리를 처치하려는 날 밤 모의에 한속이 되어 있는 홍참의 딸 남순 시비 옥단과 처단만을 바라고 불안에 차 있는 며느리 이씨 부인과 그를 싸고도는 몸종 검홍 등의 모습이 제가끔 두드러지게 나타나 있다.

잠만 들면 옥련이를 만나 보고 잠을 깨면 옥련이가 간곳 없으니 밤낮 없이 잠만 들면 좋으련마난 생각이 간절할때난 잠들기도 어려우니 잠못자난 심병이라 달 밝고 서리 찬 가을밤에 귀뚜라미 소리 그윽한대 때때로 부난 바람 떨어지난 나뭇잎을 끌어다가 적적한 나그네 창을 툭툭치난대 잠 못들어 번열증 나서 혼자 앉어 담배만 먹다가 헛바눌이 돈아서 담배도 못먹고 마암을 붙이랴고 「서상기」(西廂記)를 보다가 화증이 나서 책을 집어던지고 모으로 툭 쓰러지더니 오분 동안이 못되야 다시 벌떡 일어나서 체경(體鏡)을 앞에다 놓고 드려다 본다.

(모란봉)

이것은 작품 「모란봉」 속의 상항(桑港)호텔에서 구완서(具完書)가 이제 고국으로 돌아가는 약혼자 옥련을 잊을 수 없어 번민하는 장면을 그린 것으로서 안절부절하는 구완서의 심리상태가 그대로 행동으로 나타남을 볼 수 있다. 한편 그는 환경이 빚어내는 분위기나 사건 장면의 묘사에도 섬세한 필치를 보이고 있으니 다음에 그 예를 들어보기로 하겠다.

"내몸 하나난 능지처참을 하더래도 우리 거북이나 살려주오."
하난 목소리가 끊어지기 전에 그목에 칼이 푹 들어가면서 춘천집이 빼드러졌다. 칼끝은 춘천집의 목에 꽂히고 칼자루난 구레나룻난 놈의 손에 있난대 그놈이 그칼을 도로 빼여 들드니 잠들어 자난 어린아해를 내려놓고 머리위에서부터 나라치니 살도 연하고 뼈도 연한 세 살 먹은 어린 아해라 결 좋은 장작 쪼개지듯이 머리에서부터 허리까지 칼이 내려 갔더라. 구레나룻난 자가 춘천집이 설 질렀을가 염려하야 숨떨어진 춘천집을 두세번 겁푸 찌르더니 두 송장을 끌어다가 사태난 깊은 골에 집어 떨어트리난대 춘천집 모자의 송장이 사태 밤에서 내려 굴러 들어가며 적적한 산가온데 은같은 달빛뿐인대 그밤 그달빛은 인간에 제일 처량한 빛이러라. (귀의 성)

빠르던 기차가 차차 천천히 가다가 딱 멈추면서 반동되어 뒤로 물러나나 섰던 옥련이가 너머지며 손으로 서생의 다리를 짚으니 공교히 서생다리의 신경맥을 짚은지라 그때 서생은 창밖만 보고 앉었다가 입을 딱 버리면서 깜짝 놀라 돌아다 보니 옥련이가 무심중에 일본말로 실례이라 하나 그 서생은 일본말을 모르난고로 알아 듣지난 못하나 외양으로 가엾이 하난줄로 알고 그대답은 없이 좋은 얼골 빛으로 딴 말을 한다. (혈의 누)

고두쇠와 교군꾼은 어대로 갔난지 소식이 없난대 이씨 부인이 기다리다 못하여 교군 밖으로 나서 보니 첩첩한 산중에 물소리난 그윽하고 낙낙장송 휘여진 가지난 이리 벋고 저리 벋어서 이솔가지 저솔가지가 서로 깍지 끼듯 되었난대 그 산속에서난 해 그림자를 얻어 볼락말락하고 머루 다래 덤불은 이리 얽히고 저리 얽혀서 그때난 낙엽된 후 이언마난 산골은 머루 다래 덤불로 거밀 장식을 하야 봉한 듯이 숩풀천지라 그 덤불 속에서 범이 기침을 하고 나오난 듯 하고 머리위에 솔 그림자 속에서는 귀신이 수파람을 불고 내려오난 듯 한 대이 산중에 사람이라고난 나 하나뿐이라. (치악산)

옥련이가 침대에 내려서 구씨를 인도하야 테블 앞 교의(椅子)에 앉게 하고 옥련이난 그 마진편 교의에 걸터 앉으며 손으로 초인종(招人鍾)을 썩 눌러서 뽀이를 부르더니 커피차와 부란데와 과자를 갖초아 놓난다. (모란봉)

위에서 그 예를 보는 바와 같이 「귀의 성」에서의 춘천집 길순이와 그 아들 거북이가 최가에서 학살을 당하는 장면은 소름이 끼칠 정도로 현장의 모습이 역연히 떠오르며, 「혈의 누」에서 옥련이가 구완서를 처음 알게 되는 장면은 질주하는 차중에서 현대식 교제가 처음으로 신소설에 등장되는 장면으로서 미소를 금치 못하게 한다.

그 다음의 「치악산」 중에서 며느리 이씨 부인이 혼자 유기되어 어쩔 바를 모르고 아연하여 있는 장면도 첩첩한 심산유곡의 자연묘사가 어느 정도의 실감을 자아내게 한다. 작품 「모란봉」에서도 옥련과 구완서가 상항(桑港)호텔에서 서로 만나 의자에 앉아 초인종을 눌러 보이를 부르고 커피와 브랜디를 청하여 놓고 담화하는 장면은 당시의 한국 현실로서는 도저히 상상할 수도 없는 장면으로 요새의 신문소설의 한 장면을 방불 시키는 바 없지 않다.

김동인도 「귀의 성」을 논하는 마당에서 이인직의 묘법(描法)에 언급하여,

> 이와 같은 간단한 묘법(描法)으로 심리(心理)와 성격(性格)을 그려나간 작가(作者)의 수완(手腕)은 삼탄(三嘆)할 가치(價値)가 있다. 당시(當時)의 모든 작가(作家)들이 하렬(下劣)한 열정(熱情)을 토(吐)할 동안에 이 작가(作家)만은 사실(寫實)이라 하는데 뿌리를 두고 참사랑의 일면(一面)을 우리에게 보여 주었다. 다른 작가(作家)들은 이상적(理想的) 허수아비를 그리려 할 때에 이 작가(作家)는 현실적(現實的) 사랑을 그리려 하였다.[53]

고 하여 찬탄을 금치 못하였다.

53 김동인(金東仁), '한국근대소설고(韓國近代小說考)', 「춘원연구(春園研究)」, 신구문화사(新丘文化社), 1956, 180면.

이인직의 작품은 그 주제의 현실성과 언문일치의 문장에 의한 성격 및 장면의 사실적인 묘사에 주력하였음에도 불구하고 그 구성에 있어서의 우연성의 개재와 권선징악을 목적으로 하는 고대소설의 아류적인 요소의 잔재는 작품에 대한 박력을 멸소시키는 경우가 적지 않다.

그의 작품 속에서는 어느 것을 막론하고 꿈(夢)이 개재되지 않는 경우가 거의 없으며, 이 꿈은 또한 사건의 해결을 위한 보조적인 역할을 하는 것으로서 「귀의 성」에서 춘천 강동지가 꿈을 보고 딸의 신변을 걱정하여 마누라 동반으로 상경하는 것이라든지, 「혈의 누」에서 최노인이 남가일몽(南柯一夢)을 보고 딸을 만난다든지, 「치악산」에서 최치운이 자기가 살해한 이씨 부인이 몽중에 나타남을 보고 심리의 변화를 가져온다든지 하는 것은 다 꿈에 의한 우연성의 개재로서 사건의 진전을 꾀하는 경우다.

또한 권선징악적인 요소로서는 「귀의 성」의 강동지나 「은세계」의 최병도처럼 뚜렷한 성격을 가지고 철두철미 반항으로 시종하는 인물도 있으나, 태반의 작중인물은 선과 악의 어느 한쪽에 가담하게 되어 선하면 행복된 결과를 가져오고 악하면 불행한 결과를 맞게 되는 것이니 「치악산」에서 홍참의 부인의 개과천선, 「귀의 성」에서 김승지의 회오 · 점순의 피살 등은 이러한 예에 속하는 것으로서 이같은 권선징악적인 작가의식은 대개의 작품을 해피 엔드로 이끌어가는 결과를 가져오게 하기 쉬운 것이다.

이인직의 작품 전부를 통하여 보면 개화기의 시대의식을 현실적 면에서 포착하여 가장 적극적이요 참신한 주제를 내세운 것은 「은세계」이며, 인물의 성격이나 사건 묘사에 짜임새를 갖게 한 작품은 「귀의 성」이나, 주제의 우위성은 「은세계」에 있고, 소설로서의 제조건을 비교적 갖춘 것은 역시 「귀의 성」이라고 할 수 있겠다.

2. 이인직의 작품세계

(1)혈(血)의 누(淚)」

① 이본(異本)에 대하여

청일전쟁을 무대로 하여 시작되는 「혈의 누」는 현재까지 밝혀진 한에서는 이인직의 최초의 장편이며, 신소설 전반에 있어서도 거의 초기작품이라고 할 수 있는 위치에 놓이는 소설이다. 「혈의 누」는 그 판본에 따라 작품 전체의 줄거리로 보아서는 별로 큰 차이는 없지만 문장의 서술에 있어서 서로 다른 점을 발견하게 되므로 이하 그 일부만을 비교 대조하여 참고로 삼을까 한다. 먼저 이 작품이 시작되는 첫머리를 보면 다음과 같은 차이를 발견 할 수 있다.

> 혈(血)의 누(淚)
>
> 일청전쟁(日淸戰爭)의 총쇼리ᄂᆞᆫ 평양일경(平壤一境)이 ᄯᅥᄂᆞ가ᄂᆞᆫ듯ᄒᆞ더니 그 총쇼리가 긋치ᄆᆡ 청인(淸人)의 패(敗)한 군사(軍士)ᄂᆞᆫ 추풍(秋風)에 낙엽(落葉)갓치 흣터지고 일본군사(日本軍士)ᄂᆞᆫ 물미듯 서북(西北)으로 향(向)ᄒᆞ야 가니 그 뒤ᄂᆞᆫ 산(山)과 들에 사람 죽은 송장ᄲᅮᆫ이라……
>
> — 《만세보》 제 23호

> 혈루(血淚)
>
> 일청전쟁의 총소리난 평양일경이 떠나가난듯 하더니 그 총소리가 끝이매 사람의 자취난 끊어지고 산과 들에 비린 띠글뿐이라.
>
> 평양성의 모란봉에 떨어지난 저녁빛은 누엿누엿 넘어가난대 저해빛을 부뜰어매고싶은 마음에 부뜰어매지난 못하고 숨이 턱에 단듯이 갈팡질팡하난 한 부인이 나이 삼십이 되락말락하고 얼골은 분을 따고

넌듯이 휜 얼골이나 인정없이 뜨겁게 내리쪼이난 가을볕에 얼골이 익어서 선 앵도빛이 되고 걸음거리난 허둥지둥 하난대 옷은 흘러내려서 젖가슴이 다 드러나고 치마짜락은 땅에 질질 끌려서 걸음을 걷난대로 치마가 밟히니 그 부인은 아무리 급한 걸음거리를 하더래도 멀리 가지도 못하고 허둥거리기만 한다……

—광무 11년 3월 17일 발행 광학서포판(廣學書舖版)

일청전쟁 총소리에 평양성이 떠나가는듯 하더니 그 총소리가 뚝 끝이매 인적은 끊어지고 모란봉만 높았는데 적적한 비인 산중에 날라들고 날아가는 가마귀 소리뿐이라. 장사는 목을 잃고 산 비탈에 가루눕고 영웅도 철환 맞어 구학에 굴럿는대 후리쳐 지내가는 회오리 바람결에 비린 띠끌 이러나서 공중으로 회회 돌아나가다가 나무 우뚝우뚝 서고 천년 고묘 덩그렇게 뵈이는 기자릉 앞으로 몰려가더니 바람은 스러지고 띠끌은 슬슬 내려앉는데 풍상 많이 겪은 허연 빗돌만 우뚝섰다. 석양은 묘묘한대 푸른 풀 욱어지고 비탈길 희미한 산모롱에 한부인이 갈팡질팡 하는대 나이삼십이 될락말락하고 얼굴은 분을 따고 넣은 듯이 허나 인정없이 뜨겁게 내리 쪼이는 가을 볕에 익어서 선 앵도빛이 되고 걸음거리는 허둥지둥 하는대 옷은 흘러내려서 젖가슴이 다 드러나고 치마 짜락은 땅에 질질 끌려서 걸음을 걷는대로 치마가 밟히나 그 부인은 아무리 급한 걸음거리를 하드래도 멀리 가지도 못하고 허둥거리기만 한다……(1940년 2월 《문장(文章)》 전재분(轉載分). 정음사간(正音社刊)」국문학대계(國文學大系)」중(中)의 「혈의누」도 이를 대본으로 한 것임)

다음 이 작품의 끝나는 부분을 대조하여 보면,

그 편지 붓치던 ᄂᆞᆯ은 광무 뉵연(음녁) 칠월 십일일인ᄃᆡ 부인이 그 편지 ᄇᆞ더보던 ᄂᆞᆯ은 임인연 음녁 팔월 십오일이러라.

아ᄅᆡ권은 그녀학ᄉᆡᆼ이 고국에 도라온 후를 기다리오.

― 《만세보》 제88호

……부인이 화김에 편지를 박박 뜯어보니 옥련의 편지라

모란봉에서 지낸일부터 미국 화성돈 '호텔'에서 옥련의 부녀가 상봉하여 그 모친의 편지보던 모양까지 그린듯이 자세히 한 편지라.

그 편지 부쳤던 날은 광무 육년 음력 칠월 십일일인대 부인이 그 편지 받어 보던 날은 임인년 음력 팔월 십오일이러라.

아래권은 그 여학생이 고국에 돌아온 후를 기다리오.

― 광무 11년 3월 17일 발행 광학서포판(廣學書舖版)

……부인이 화김에 편지를 박박 뜯어보니 옥련의 편지라.

모란봉에서 지낸일부터 미국 화성돈 '호텔'에서 옥련의 부녀가 상봉하여 모친의 편지보든 모양까지 그린듯이 자세히 한 편지라.

이 편지 받어 보든 날은 임인년 음력 8월(月) 15일(日)이러라,

이 편지 부쳤든 날은 광무육년 음력 7월(月) 11일(日)이러라.

―1940년 2월 《문장(文章)》 전재분(轉載分

……부인이 화김에 편지를 박박 뜯어보니 옥련의 편지라 모란봉에서 지낸일부터 미국 화성돈 '호텔'에서 옥련의 부녀가 상봉하야 그 모친의 편지 보든 모양까지 그린듯이 자세히 한 편지러라. 그 후에 옥련의 부친은 구완서에게 옥련이를 구원하야 불상히 여겨 공부까지 시켜줌을 사례하니 구완서는 천만의 말삼이 올시다 옥련이 노중에서 만나 오날까지 친절히 지내는중 이외에 이와 같이 부녀상봉 하심을 뵈

오니 어떻다 말삼하오릿가.

(김씨) 우리 전사는 우리가 몰라서 가슴이 아프고 피눈물 나는 일을 당하였거니와 우리도 이와 같이 외국에 와서 고생하는 것은 우리도 신선한 공부를 하여 가지고 귀국하야 우리들도 문명국 사람과 같이 되기를 바라나이다. 그후 김씨는 미국 화성돈 정치대학을 마치고 구완서는 법률과를 졸업하고 옥련이는 경제과를 마치고 귀국하니 김씨 내외는 옥련이를 부뜰고 기쁨을 이기지 못하야 통곡이 되고 통곡이 지나 기쁨이 되어 전에 모란봉에서 지내든 생각을 다시 하니 때는 늦인봄에 피는 꽃경치가 화려하여 가히 한번 볼만한 때이었다. 무정한 바람은 꽃가지를 후리치니 낙화는 유접이요 유접은 낙화같이 펄펄 날리다가 모란봉에 은빛같이 깔아놓은 사이에 옥련과 구완서는 신식 결혼을 마치고 안락한 가정을 이루었더라. (표지는 「설중매(雪中梅)」로 되었으나 제1면 소제목에는 '비극 신소설 추월색 전(全)'으로 되어 있고, 본문 내용은 「혈의 누」의 경개 그대로 되어 있음. 무슨 영문인지 판권란이 붙어 있지 않아 발행연대 미상이며, 구식 4호 활자를 사용한 옛날 조판으로 인쇄는 해방 후 새로 한 것 같음).

이와 같이 각각 다른 본들이 경개만은 거의 동일하나 《만세보》 연재분과 초판본 사이에는 불과 반개년 미만의 기간이었음에도 불구하고 그 첫머리만 하여도 손을 대인 흔적이 엿보이며 《문장(文章)》지(誌)에 전재되었던 것은 그 대본을 밝히지 않았으므로 어느 것을 저본(底本)으로 택하였는지 미상이나 초간본보다 문장에 수식이 더 가해진 것으로 미루어 작자는 후일 "정정운운한" 기록에 비추어 볼 때 혹 융희 후의 정정본(1921년 11월 10일 「모란봉(牧丹峰)」으로 개제(改題) 출간된 동양서원판(東洋書院版))에 의한 것이 아닌가 하는 느낌이 없지 않다.

한편 「설중매」 표지 속에 담긴, 「설중매」도 「추월색」도 아닌 「혈의 누」

는 근래의 판은 아닌 것이 확인되어 지형 조강한 곳에 차이나는 활자호수도 나타나고 또한 첫머리는 초판본과 같으나 중간은 극히 사소한 차이가 있고 끝은 터무니없게도 초판본이나 《문장(文章)》 게재본에 없는 옥련과 구완서가 귀국한 후에 신식 결혼으로 단란한 가정을 이루었다는 것을 사족으로 첨가하고 있다. 이 글의 대본으로는 광학서포(廣學書舖) 초간본을 택하였다.

② 작품의 흐름

이제 「혈의 누」의 흐름을 살펴보면, 일청전쟁(淸日戰爭)의 총소리가 평양 일경이 떠나가는 듯하다가 멈추니, 시내에는 사람의 그림자가 하나 없이 고요하고, 산과 들에 피비린 티끌만 싸였는데, 황혼이 스며드는 모란봉에는 삼십이 될락 말락한 부인 하나가, 기진맥진하여 갈피를 잡지 못하고, 젖가슴을 다 드러낸 채로 치맛자락을 땅에 끌면서, 급한 걸음걸이로 허둥거리기만 하고 있다.

이 젊은 부인은 난리통에 피난을 갔다가 가족 세 식구가 서로 이산되어 딸 옥련이와 남편을 찾느라고 딸의 이름을 부르면서 방향 없이 헤매고 있으나, 해가 저물어 어두운 밤이 되어도 찾을 길이 없어, 언덕 밑에서 갑자기 나타나는 괴한에게 봉변을 당하려다가 일본 보초병의 총성에 경우 위기를 면하고, 계엄(戒嚴) 중의 총소리를 듣고 모여든 헌병에게 이끌려서 평양성 북문 안에 있는 헌병부까지 가게 된다.

이날은 마침 평양 성내에서 싸움이 결말나던 날이므로 청인(淸人)들의 작폐에 견디다 못하여, 산골로 피난 갔던 사람들이 일병(日兵)은 어떠한가하고 의혹에 찼던 때라, 성중에는 울음천지요, 성 밖에는 송장 천지요, 산에는 피난군 천지였으나 석양판에는 사람의 그림자가 보이지 않고 삼엄할 뿐이었다.

부인의 남편 김관일은 29세로 평양에서도 돈 잘 쓰기로 유명한 사람인데 그도 가족과 갈라진 후 각방으로 찾아 헤매다가 하는 수 없이 집에 돌아왔으나, 그 부인이 헌병에게 붙잡혀 간 줄은 모르고, 혼자서 잠을 이루지 못하고, 밤새도록 여러 가지 궁리를 하다가 부인이나 딸 옥련의 생각을 너무 구구히 할 것이 아니라, 나라의 큰일을 해야 하겠다고 결단을 내리어 문명한 남의 나라 구경도 하고 공부 잘한 후에 내나라 사업을 할 작정으로 날 밝기를 기다려서 평양성을 떠나 만리타국으로 향한다.

일본군 헌병부에서 그 이튿날 제집으로 돌아온 부인은 집안을 살펴보았으나 남편도 소식 없고 옥련도 간 곳 없고, 남편이 외국 가느라고 떠날 때에 벽장 속 세간을 어수선하게 해 놓은 것을 모르고 의혹에 찼다가 혹 남편이 다녀간 것이나 아닌가하고 어렴풋한 기대 속에 열흘 보름을 경황없이 처량한 마음으로 지내고 있다.

그러나 끝끝내 딸과 남편의 소식이 알길 없이 됨을 깨달은 부인은 죽기를 결심하고 방안 벽에다 유서를 써놓은 다음 구월 보름달 밤 대동강가로 나가,

달아물어보자 너난널리보리로다
낭군이소식없고 옥련이간곳없다
이세상에있으면 집찾어왔으련만
일거무소식하니 북망객됨이로다
이몸이혼자살면 일평생근심이오
이몸이죽었으면 이근심모르리라
십오년부부정과 일곱해모녀정이
어느때있었던지 지금날꿈같도다
꿈같은이내평생 오날날뿐이로다
푸르고깊은물은 갈길이저기로다

이러한 탄식을 마치며, 치마를 걷어잡고 이를 악물고 두 눈을 딱 감으면서 물에 뛰어내렸다.

그때 마침 강가에 매여 있던 뱃속에서 뱃사공과 평양성내에 사는 고장팔이 단둘이서, 달밤에 밤윷을 놀다가 물위에서 이상한 소리가 들리기에 급히 뛰어내려서 허덕거리는 부인을 구출하게 된다.

그후 부산에서 찾아온 친정아버지 최노인에게, 외국으로 공부하러 가고자 하는 사위에게 학비를 주어서 가게 하였다는 이야기를 듣고 비로소 남편의 소식을 알게 된 부인은 딸 옥련의 생사만을 궁금하게 생각하고 남편 돌아오기를 기다리면서 외롭게 살아간다.

일곱살난 옥련은 모란봉에서 부모의 간 곳을 모르고 어머니를 부르면서 발을 동동 구르다가 난데없는 철환에 왼편 다리를 맞아 하룻밤을 산에서 신음하다가 적십자 간호수에게 발견되어 야전병원으로 실어 보내니, 삼주일의 치료로 완쾌는 되었으나 갈 곳이 없는 아해라, 병원에서 통변을 시켜서 옥련의 집까지 가보게 하였지만, 그때는 이미 옥련의 모친이 대동강에 빠져 죽으려고 나간 후라 벽상에 써서 붙인 유서를 보고 통변은 옥련을 불쌍히 여겨서 야전병원으로 도로 데리고 간다.

마침 군의(軍醫) 정상소좌(井上少佐)가 옥련의 정상을 가엽게 여겨 통변을 시켜 옥련의 뜻을 물은 다음 자식이 없는 그가 수양딸로 할 것을 말하고 귀국하는 전상병(戰傷兵)에게 부탁하여 인천에서 어용선(御用船)을 태워 일본 대판(大阪) 자기집으로 보내게 된다.

나흘만에 대판(大阪) 항구에서 윤선을 내린 옥련은 인력거를 타고 병정을 따라 정상(井上)군의의 집에 가서 귀여움을 받으며 자라는 동안에 일본말도 배우고 일본글인 '가나(假名)'도 배우는데 반년도 못되어 일본말을 놀랄 만큼 잘하게 되었기에 남에게 칭찬 받으면서 기쁘게 지내게 된다.

그러나 하루는 대판매일신문(大阪每日新聞) 호외(號外)에서 요동반도(遼東半島) 함락 기사와 함께 정상(井上)군의의 전사(戰死)를 알리는 보도를 접한 후부터는 집안 공기가 전연 달라져 세월이 흐르는 사이에, 정상부인은 재가(再嫁)를 하는 데에 옥련이가 지장이 되는 것을 성가시게 여기게까지 된다.

옥련이가 눈칫밥을 먹고 자라는 사이에 심상소학교(尋常小學校) 4년을 우등생으로 졸업하게 되자, 남의 칭찬은 자자하였으나, 졸업장을 타가지고 돌아온 옥련에게 "이제는 공부 다 하였으니 어미를 먹여 살려라…… 네 운수난 좋았으나 내 운수만 글렀다. 너 하나 공부 시키려고 허구한 세월에 이 고생을 하고 있다"는 부인의 말을 듣는 순간 겨우 소학교 졸업한 제 힘으로 정상(井上)부인을 공양할 수도 없고, 정상(井上)부인의 힘을 또 입으면서 공부하기도 싫고 하여 결국 이 세상을 버릴 생각으로 그날 밤에 물에 빠져 죽을 차로 대판(大阪) 항구로 나갔다가, 사람이 많아 고요한 자리를 찾아 왔다 갔다 하며 머뭇거리는 사이에, 수상한 눈치가 순검(巡檢)에게 알려져 집까지 데려다주게 된다.

그날 밤 두 차례나 자살을 하려다가 이루지 못한 11세의 옥련은 다시 집으로 들어갈 수도 없어 이튿날 대판(大阪) 정거장에 나가서, 남의 집에 가서 심부름이라도 할 결심을 하고, 있는 돈 20전을 털어서 자목까지의 차표를 사가지고 마침 들어온 동경행 열차를 탄다.

옥련이는 삼등차 속에서 앉을 자리를 얻지 못하고 망설이다가 등 뒤에서 웬 서생(書生)이 조선말로 중얼거리는 것을 듣고 돌아다보니 17~18세가량 되는 소년이었다.

옥련이가 다시 조선말로 혼잣소리를 한 것이 연분이 되어서 그들은 서로 자기의 과거와 지금 형편을 이야기하게 되었으니 그 소년은 일본말도 영어도 한마디 모르나 미국유학을 가는 구완서였다.

옥련이가 자목역에서 인사하고 내린 뒤에 구완서는 가방을 들고 좇아나가 역전 여인숙에서 상의한 끝에 학비를 나누어서 함께 공부할 목적으로 그길로 횡빈(橫濱)까지 가서 화륜선을 타니, 삼주일만에 미국 상항(桑

港)에 도착하게 되었다.

그들은 이곳에서 청국(淸國) 개혁당(改革黨)에 유명한 강유위(康有爲)를 만나 명함에 적은 소개장을 받아가지고 화성돈(華盛頓)에 가서, 청인(淸人)학도와 함께 5년 동안 공부를 하여 옥련이는 고등소학교를 우등생으로 졸업하게 된다.

그때 옥련의 우수한 재질을 칭찬하는 기사가, 옥련의 기구한 과거에 대한 자세한 사적과 함께 화성돈신문(華盛頓新聞)에 게재되었으니, 옥련의 졸업을 가장 축하한 것은 구완서요 옥련의 사적을 지상에서 읽고 가장 놀란 것은 미국 온 지 십년되는 옥련의 부(父) 김관일이었다.

하루는 신문에 '지나간 열사흔 날 황색신문 잡보에 한국여학생 김옥련이가 아무 학교 졸업 우등생이라는 기사가 있기로 그 유하난 호텔을 알고자하야 이에 광고 하오니 누구시던지 옥련의 유하난 호텔을 이 고백인에게 알려주시면 상당한 금으로 십유(十留)을 앙정할사, 한국 평안도 평양인 김관일 고백'이라는 광고가 났기에 호텔 뽀이에게 이 소식을 들은 옥련은 뽀이를 데리고 그 부친 있는 처소를 찾아가니, 서로 얼굴도 알아보지 못하게 변한 십년 풍상(風霜)의 추억 속에 감격에 찬 부녀의 해후가 이루어진다.

옥련이는 구완서에게서 배워서, 한글 볼줄도 아는지라, 평양에서 부친에게 보내온 모친의 편지를 보고는 뼈가 녹는듯하고 몸이 쓰러지는듯하여 그리운 마음에 날아가고 싶은 마음까지 생기게 된다.

옥련의 지난 일에 대한 상세한 이야기를 들은 김관일은 옥련이를 데리고 구완서가 유하는 처소를 찾아가서 딸의 은인과 서로 한자리에서 만나게 된다.

구완서는 미국에 온지 2년 만에 중학교에 입학하여 내년에는 졸업하게 되어 있다.

구완서와 옥련이는 김관일 앞에서 자유로이 혼인 언론을 하여 약혼을 정하고 공부를 힘써하여 귀국한 뒤에는 구씨의 목적은, 우리나라를 문명한 강국으로 만들려는 데 있었고, 옥련이는 우리나라 부인의 지식을 넓혀서 남자에게 압제받지 말고 남자와 동등한 권리를 찾게 하며 또한 부인도 나라에 유익한 백성이 되고 사회상에 명예 있는 사람이 되도록 교육할 마음이었다.

옥련은 이러한 사연을 적어 '평안남도 평양부 북문내 김관일 실내'로 어머니에게 편지를 하였으니 그 편지 부쳤던 날은 광무육년(光武六年) 음력 7월 11일이요, 그 편지 받아보던 날은 임인년(壬寅年) 8월 15일이었다.

③「혈의 누」의 주제 의식

「혈의 누」의 주제는 청일전쟁의 틈바구니에서 절실하게 느껴지는 자주의식의 각성, 신문학의 섭취에 따르는 정치개혁 및 자유결혼 · 조혼폐지 · 재가허용을 내포한 신결혼관 등이 그 중추적인 것으로 이루어지고 있다.

청일전쟁은 한국에 있어서 수세기에 걸친 주종간계를 가지고 있던 청조(淸朝)와 태서(泰西)의 선진문화를 가장 먼저 도입한 신흥 일본이 최후의 각축을 결하는 분수령이었을 뿐더러 동양에 있어서의 영도적인 패권을 장악하려는 전투전이었고 이 자웅(雌雄)을 결하는 대규모의 전쟁이 한국을 무대로 한 해륙(海陸)에서 벌어졌느니 만큼, 당시 보수파에 속하는 위정자들은 대개 청국 쪽에 가담했고 개화파에 연관되는 신진들은 내심 일본에 가담되었지만 객관적으로 본 한국정부의 귀추나 일반민중의 동태는 중립적인 애매한 자리에 놓이지 않을 수 없었으니, 그 격심한 전란 속에서 이 땅의 백성은 고래싸움에 새우등 터지는 격으로 온갖 고초를 겪지 않을 수 없는 처지에 놓이게 되었다.

따라서 일반민중의 청일 양국 병정의 폭행에 대한 적개심은 날로 고조되었고 자주적인 역량의 부족을 가일층 통감하게 만들었다. 이러한 민심의 동향은「혈의 누」속에서 지문의 서술 및 김관일이라는 인간을 통하여 뚜렷이 나타나고 있다.

그날은 평양성에서 싸홈 결말나던 날이오 성중의 사람이 진저리 내던 청인이 그림자도 없이 다 쫓겨 나가던 날이요 철환은 공중에서 우박 쏟아지듯하고 총소리난 평양성 근처가 두두려 빠지고 사람 하나도 아니 남을듯 하던 날이요 평양사람이 일병 들어온다는 소문을 듣고 일병은 어떠한지 임진란리에 평양 싸홈 이야기하며 별공론이 다 나고 별 염려 다 하든 그 일병이 장마통에 검은 구름 떠들어 오듯 성내성외에 빈큼 없이 들어와 백이던 날이라.

본래 평양성중 사는 사람들이 청인의 작폐에 견디지 못하여 산골로 피난 간 사람이 많더니 산중에서는 청인 군사를 만나면 호랑이 본 것 같고 원수 만난 것 같다. 어찌하여 그렇게 감정이 사나우냐 할지경이면 청인의 군사가 산에 가서 젊은 부녀를 보면 겁탈하고 돈이 있으면 뺏어가고 제게 쓸데 없는 물건이라도 놀부의 심사 같이 작난하니 산에 피란 갔던 사람이 평양성으로 도로 피란 온 사람도 많이 있었더라.

이와 같이 평양 성중(城中) 사람들이 청인의 폭행에 견디다 못하여 산중으로 피난 갔다가 그 산속에서 또한 청인군사에게 부녀자는 겁탈을 당하고 재물은 있는 대로 모조리 약탈을 당하게 되므로 산에서도 견디지 못하여 다시 성중으로 돌아오지 않을 수 없는 실정에 놓였다. 따라서 민중들은 청인 군사를 원수같이 여기고 그들에 대한 감정은 사나워져서 적개심이 하늘에 닿을 듯 하였으나 아무 힘도 가지지 못한 그들은 어찌 할 바를 모르고 이제는 청인의 패배로 교체하여 입성하는 일본군인에게 대하여 임진란 당시의 옛이야기를 들추어내고 불안과 공포에 싸이고 있다.

이러한 현실은 김관일의 머리를 통하여서 다시 되풀이되고 있다.

김씨는 혼자 빈집에 있어서 밤새도록 별 생각이 다 난다. 북문 밖 너른 들에 철환 맞어 죽은 송장과 죽으려고 숨 넘어가는 반송장들은 제각각 제나라를 위하여 전쟁에 나가서 죽은 장수와 군사들이라 죽어도 제 직분이어니와 업드려지고 곱드러져서 봄바람에 떨어진 꽃과 같이 간곳마다 발에 밟히고 눈에 걸리는 피난꾼들은 나라의 운수런가 제 팔자 기박하여 평양 백성 되았던가 땅도 조선 땅이요 사람도 조선 사람이라 새우 싸홈에 고래등 터지듯이 우리나라 사람들이 남의 나라 싸홈에 이렇게 참혹한 일을 당하는가…… 무죄히 죄를 받난것도 우리나라 사람이라 이것은 하날이 지으신 일이런가 사람이 지은 일이런가 아마도 사람의 일은 사람이 짓난 것이라 우리나라 사람이 제몸만 위하고 제욕심만 채우려하고 남은 죽던지 살던지 나라가 망하던지 흥하던지 정 벼슬만 잘하여 제살만 찌우면 제일로 아는 사람들이라…… 오냐 죽은 사람은 할 일 없다 살아 있는 사람들이나 이후에 이러한 일을 당하지 아니하게 하는 것이 제일이라 제정신 제가 차려서 우리나라도 남의 나라와 같이 밝은 세상되고 강한 나라 되어 백성된 우리들이 목숨도 보전하고 재물도 보존하고 각도 선화당과 각 고을 동헌 우에 아귀 귀신같은 산 염나대왕과 산 터주도 못오게 하고 범같고 곰같은 타국사람들이 우리나라에 와서 감히 싸홈할 생각도 아니하도록 한후이라야 사람도 사람인듯 싶고 살아도 산듯 싶고 재물 있어도 제 재물인듯 하리로라.

처량하다 이 밤이여 평양 백성은 어대가서 사생중에 들었으며 아귀같은 염라대왕은 어느 구석에 백였으며 우리 처자는 어떻게 되었는고.

김관일은 이러한 전란에 휩싸인 민중의 고난을 단순히 청병의 말단적인 폭행에 말미암은 것으로 보지 않고 이같은 역경을 겪지 않을 수 없는 근본적인 원인과 그의 원대한 타개책에 상도(想到)하여 통절히 개탄하고 있다.

즉 김관일은 자기가 목격한 현실을 피상적인 감정에서가 아니라 객관적으로 냉정히 판단하여 청병이나 일병이 전사하는 것은 다 각각 자기 조국을 위하여 국민의 의무를 다하고 응당 죽을 자리에서 죽는 것이지만, 그 사이에 끼여서 아무런 거룩한 의무나 목적의 대상이 없이 개죽음으로 간 곳마다 발에 밟힐 정도로 무리죽음이 터지는 조선사람의 억울한 입장을 안타까워하는 동시에 그것이 또한 자기 땅 안에 남의 나라 군사를 끌어들여 남의 싸움판에서 애매한 동포의 처참한 살상이 아무 의의없이 참혹하게 벌어짐을 가슴 아프게 탄식하고 있다.

이것은 갑오(甲午) 당년(當年)과 오늘날의 현실이 꼭 같은 것은 아니지만, 양대 사조의 본거(本據)를 차지하고 있는 미·소 양국이 직접 교전은 하지 않지만 그 첨단적인 각축의 무대로 하필 한국을 택하여 수많은 무리죽음이 터지게 한 역사적인 비극과 일맥상통하는 느낌을 주지 않는 바도 아니다.

그뿐만 아니라 김관일은 이왕 자기 세대에 당한 남의 싸움터로서의 불운한 곤경은 체관(諦觀)하지만 일후에는 이런 일을 다시 당하지 않게 해야 하겠다고 심각한 경고를 발하였으나, 그러한 사태는 그 후 얼마 안되어 로일(露日)의 각축으로 반복되었고 오늘날 또다시 우리의 현실 앞에 처절하게 되풀이 되고 있으니, 김관일의 염원은 근대개화의 싹이 터진 이후 이 땅 겨레의 보편적이요 공통되는 희구였다고 보아질 수도 있는 일이다.

또한 그는 그와 같은 민족적인 불행이 되풀이되지 않기 위하여 제 정신 제가 차려서 우리나라도 남의 나라와 같이 밝은 세상 되고 강한 나라 되어 백성 된 우리들이 목숨도 보전하고 재물도 보전해야 하겠다고 절규한 나머지 처자의 생사도 단념하고 외국유학까지 떠났으나, 김관일의 자주의식의 애타는 염원은 오늘날도 아직 이루어지지 못하고 현실은 가일층 종속적이요 피동적인 구렁텅이로만 굴러 떨어지고 있으니, 한국의 자주적인 독자성은 그 후 반세기가 지나도 아직 「혈의 누」 속에 담긴 김관일의 갈망조차 풀지 못하고 있는 셈이 된다.

범 같고 곰 같은 타국 사람들이 우리나라에 와서 감히 싸움할 생각도 아니하도록 한 후라야 우리 겨레는 사람도 사람인 듯싶고 살아도 산 듯싶고 재물 있어도 제 재물인 듯 하겠다는 뼈에 사무치는 김관일의 부르짖음은 오늘날의 전란에 비추어 이 나라가 완전 자주독립을 쟁취할 때까지 강력한 구호가 될 수 있을뿐더러 입지적으로 불우한 운명에 놓인 이 겨레의 영원한 지표이기도 할 것이다.

또한 당시 젊은 세대에 속하였던 김관일만이 자주의식에 대하여 이같은 불타는 생각을 가졌던 것이 아니라 김관일의 장인 최씨 노인도 딸의 집에 찾아와서 전란의 참혹한 정상을 보고 하인 막동에게 하는 말이,

> ……막동아 너 같은 무식한 놈더러 쓸데없는 말같지마는 이후에는 자손 보전하고 싶은 생각 있거던 나라를 위하여라. 우리나라가 강하였더면 이 난리가 아니났을 것이다. 세상고생 다 시키고 길러내인 내 딸 자식 나 젊고 무병 하건마는 난리에 죽었고나 역질 홍역 다 시키고 잔주접 다 떨어놓은 외손녀도 난리중에 죽었구나

나라가 강하고 자주적인 능력이 충분하였으면 이러한 난리의 피해를 입지 않았을 것을 국력이 약하므로 이 꼴이 되었으니 나라를 위하라고 설교하는 낡은 세대에 속하는 노인의 부르짖음에서 그대로 자주의식의 확립과 그 밑받침이 되는 자주적인 실력의 배양이 온 겨레의 공통적인 염원이었다는 것을 일층 명료하게 나타내고 있다.

신소설에 있어서 신학문의 섭취를 고취하는 문제는 거의 보편적인 주제로 되어 있으나 그것이 가장 투철하고 강력하게 표현된 것은 「은세계」와 「혈의 누」의 경우라고 할 수 있겠다. 그러나 「은세계」에서는 그 주인공되는 최병도(崔秉道)의 외국유학은 관찰사의 학정으로 중도에서 좌절되

고 오로지 자녀들만이 망부의 유훈을 따라 실천에 옮겨졌지만, 「혈의 누」에서는 주동인물 김관일 자신이 초지를 관철하여 온갖 난조건을 무릅쓰고 해외유학을 떠났을 뿐만 아니라 우연한 계기였지만 딸 옥련이도 젊은 청년 구완서를 따라 미국유학을 가게 되었으니, 광무 · 융희 년간은 신학문하면 의례히 해외 선진제국의 유학을 거의 유행처럼 염두에 두게 된 시기였느니 만큼 초기의 신소설에 있어서 신학문의 주제를 가장 적극적으로 다룬 것이 「혈의 누」라고 할 수 있을 것이다.

김관일은 청일전쟁 피난 중에 정분이 지극한 아내와 딸을 잃어버리고 그 생사 여부도 잘 알아보지 못한 채로 외국유학을 떠났다는 것은 사건구성에 있어서 우연성이 적잖이 개재되었지만 처자의 생사보다는 국사의 막중함을 내세우고 갖은 난관을 무릅쓰고 초지를 관철하였으며 그것이 일개인의 출세나 영달을 목표로 한 것이 아니고 어디까지나 자주적인 국권을 회복하고 정치를 혁신하겠다는 데 그 핵심이 있었느니 만큼 이는 당시 개화인으로서의 애국애족에 불타는 적극적인 실천인의 표징이라고 하지 않을 수 없겠다.

또한 김관일이 부산에 있는 처가를 찾아가서 장인 최노인에게 외국으로 공부하러 갈 의사와 목적을 토로하였을 때 최씨가 학비를 차려주고 극력 성원한 것은 김관일 자체의 신학문에 대한 적극성에 아울러 구시대에 속하는 최노인도 자기 자신은 신학문 공부를 할 수 없으나 신문화에 대한 반대가 치열한 그 무렵에 사위의 유학을 적극 후원하였다는 것은 「치악산」에 있어서 백돌의 장인 이판서가 사위를 격려하여 일본으로 보내는 경우와 흡사하여 신학문의 호흡에 대한 주제의 강력한 표현을 일층 북돋우고 있다.

한편 구완서와 옥련의 신학문에 대한 관점을 살펴보면,

(서생) 그러면 우리 둘이 미국으로 건너가서 공부나 하고 있다가

너의 부모 소식을 듣거든 네 먼저 고국으로 가게 하여 주마.

(옥련) ……

(서생) 오냐 학비는 염려 말어라 우리들이 나라의 백성 되었다가 공부도 못하고 야만을 면치 못하면 살아서 쓸데 있느냐 너는 일청전쟁을 너 혼자 당한듯이 알고 있나보다마는 우리나라 사람이 누가 당하지 아니한 일이냐, 제곳에 아니 나고 제눈에 못보았다고 태평성세로 아는 사람들은 밥벌레라, 사람이 밥벌레가 되여 세상을 모르고 지내면 몇해 후에는 우리나라에서 일청전쟁 같은 난리를 또 당할 것이라 하로 바삐 공부하여 우리나라의 부인 교육은 네가 맡아 문명길을 열어 주어라.

이것은 차에서 처음 만나 내려온 두 젊은 남녀가 이국땅인 일본 대판(大阪) 근처의 자목 정거장 앞 여인숙에서 주고받은 대화인데, 이 또한 기묘하게 우연적인 장면이지만 여기에서 구완서는 옥련에게 함께 미국에 건너가서 자기 학비를 나누어 쓰면서 같이 공부할 것을 권유하며 신학문을 공부하여 야만을 깨치고 세상모르고 사는 밥벌레가 되지 말고 하루바삐 공부를 하여 청일전쟁 같은 괴로운 난리를 다시는 당하지 말고 옥련이는 여자인 것만큼 우리나라의 부인교육을 맡아서 문명길을 열어줄 것을 설득시키고 있으니, 17세의 소년 구완서로는 비할 바 없는 용단이요 이에 고스라니 응낙하여 함께 미국으로 떠나는 11세의 소녀 옥련 또한 당돌할 정도로 대담한 결단이나, 아무튼 신학문에 최고 최대의 열정을 품고 있는 그들의 심정은 수긍하기에 인색하지 않을 것이다.

또한 그들이 미국 워싱턴에서 공부하고 있는 도중에 장차의 목표에 대하여 구체적으로 궁리하고 있는 장면을 지문의 서술 속에서 보면 다음과 같다.

구씨의 목적은 공부를 힘써하여 귀국한 뒤에 우리나라를 독일국 같이 연방도를 삼으되 일본과 만주를 한데 합하여 문명한 강국을 만들고자 하는 '비사맥'같은 마음이요 옥련이는 공부를 힘써 하여 귀국한 뒤에 우리나라 부인의 지식을 널려서 남자에게 압제 받지 말고 남자와 동등 권리를 찾게하며 또 부인도 나라에 유익한 백성이 되고 사회상에 명예있는 사람이 되도록 교육할 마음이라.

즉 구완서는 환국한 뒤에 우리나라를 당시의 독일 정치가 비스마르크의 정책을 본받아 주도권은 우리나라가 잡고 일본과 만주를 합한 연방체로 만들어 문명한 강국을 만들겠다는 의사를 가진 것인데, 독일국체(獨逸國體)에 대한 사실(史實)의 고증은 어떻든지 그때 이미 동양의 영도권을 장악할 단계에 들어선 일본과 아울러 광대무변한 만주벌판까지 연방제 속에 집어넣겠다고 한 위대한 구상은 가상하다 하지 않을 수 없다.

한편 옥련이는 귀국하여 부인의 지식을 넓혀서 남녀동등권을 주장 실천하고 종래의 완고한 누습을 벗어나서 부인도 같은 자격으로 국가와 사회에 보람 있는 일꾼이 될 것을 각오하고 있으니 그들의 이상은 충천(衝天)의 의기를 가지었음을 짐작하게 한다.

그러나 「혈의 누」에 있어서도 「은세계」의 경우와 마찬가지로 여자의 신학문에 대한 열의나 미래에 대한 지표는 소극적인 점을 면할 수 없었으니 옥련이 워싱턴 호텔에서 구완서를 보내고 홀로 생각에 잠긴 장면에서의 독백을 보면 알 수 있다.

내가 일본 대판 있을때에 심상소학교 졸업하던 날은 하루밤에 두 번을 죽을려고 하였더니 오늘 또 어떠한 팔자 사나운 일이나 없을런지 내가 죽기가 싫어서 죽지아니한 것도 아니요 공부하고자 이곳에 온것도 아니라…… 우리 부모는 세상에 살아있는지 부모의 사랑도 모르니 혈혈한 몸이 살아 있은들 무엇 하리오……

그는 이 같은 소녀의 애상적인 신세타령을 하였을 뿐만 아니라 자기 아버지 김관일을 미국에서 처음 만났을 때에도 그러한 심정을 토로하고 있다.

아버지 나는 내일이라도 우리집으로 보내주시오 날개가 돋쳤으면 지금이라도 날아가서 우리 어머니 얼굴을 보고 우리 어머니 한을 풀어드리고 싶소.

이렇게 숨김없는 마음속을 토하는 자리에서 자기가 미국으로 온 것이 공부하려고 온 것이 주목적이 아니라 우연한 연분으로 구완서를 만나서 따라오게 된 것이요 부모를 만나고 싶은 생각이 신학문 공부나 그 뒤의 나라 일을 할 것보다 더 중대한 일인 것처럼 고백하고 있으니, 부인을 깨우쳐 남녀동등을 실천하겠다는 대목과 작품으로서 논리적인 모순을 노정하고 있을 뿐만 아니라 「은세계」에서 누나 옥순이가 동생인 옥남이보다 공부나 미래의 국가사에 대하여 소극적인 반면에 고국에 있는 정신이상된 어머니만을 그리고 귀국에 조바심하는 점과 흡사한 경우로, 여성은 역시 원대한 포부나 이상에 대하여는 소극적이요 피동적이면서 신변사에만 급급하고 있음을 두 작품이 다 같이 나타내고 있다.

「혈의 누」에 나타나는 새로운 결혼관의 특색은 과부의 재가를 불허하는 악습을 고치고 조혼을 폐지하고 인간의 의사를 존중하는 자유결혼의 실천을 강조하는 점이다. 특히 재가문제에 대하여는 일본의 경우를 들어서 암유하고 있다.

조선풍속 같으면 청상과부가 시집가지 아니하는 것을 가장 잘난 일로 일평생을 근심중으로 지내나 그러한 도덕상에 죄가 되는 악한 풍속은 문명한 나라에는 없는 고로 젊어서 과부가 되면 시집가는 것은 천하 만고에 부끄러운 일이 아니라 정상부인이 어진 남편을 얻어 시집을 간다.

이것은 청일전쟁에 출정한 정상군의(井上軍醫)의 미망인이 재혼할 의사를 표시한 것이 옳다는 것을 강조한 대목으로, 조선에서는 청상과부라도 불경이부의 절개를 지키어 남편이 죽은 후까지도 일부종사하는 것이 철칙이요 그래야만 또한 열녀라고 불리는 종래의 풍습은 도덕상으로 죄가 되는 악한 폐습이므로 과부가 시집가는 것이 문명국에서 실천하고 있는 올바른 일이니 천하만국에 부끄러운 악습은 고쳐야 한다는 것을 비유하여 내세우고 있다.

또한 정상부인(井上夫人) 자신도,

이애 옥련아 내가 젊은 터에 평생을 혼자 살수 없고 시집을 가려하는대 너를 거두어줄 사람이 없으니 그것이 불쌍한 일이로구나……

이같이 풍습이나 환경에 구애될 것 없이 다시 시집을 가는 것이 개화된 나라에서는 정당한 일로 되어 있는 것을 몸소 자신이 강조하고 있음을 실증으로 제시하고 있다. 사실에 있어서 갑오개혁의 중추기관으로 설치한 군국기무처(軍國機務處)에서 208건에 달하는 개혁조항을 내세운 속에는 부인의 재가는 귀천 없이 그 자유에 맡긴다는 항목이 엄연히 있으면서 오랫동안 절어버린 관습은 일조일석에 고쳐지지 않는 것이었으므로 여기서는 굳이 선진 일본의 경우를 예시하여 내세웠던 것이다.

조혼의 폐지문제에 대하여서도 앞의 군국기무처에서 이미 의정한 바였으나 그 실천은 오직 요원한 때에 구완서는 이에 대한 자기의 주견을 발표하였다.

내가 우리나라에 있을 때에 우리 부모가 내 나이 열두서너살부터 장가를 드리려 하는것을 내가 마다 하였다. 우리나라 사람들이 조혼하는 것이 옳은 일이 아니라 나는 언제든지 공부하여 학문 지식이 넉넉한 후에 아내도 학문 있는 사람을 구하여 장가 들겠다. 학문도 없고 지식도 없고 입에서 젖내가 모락모락 나는것을 장가드리면 짐승의 자웅같이 아무것도 모르고 음양 배합의 낙만 알 것이라 그런고로 우리나라 사람들이 짐승같이 제몸이나 알고 제계집 제새끼나 알고 나라를 위하기는 고사하고 나라 재물을 도적질하여 먹으려고 눈이 벌거케 뒤집혀서 돌아단기는 것이다.어려서 학문을 배우지 못한 연고라 이같은 문명한 세상에 나서 나라에 유익하고 만리 타국에 와서 쇠공이를 갈아 바늘 맨드난 성의를 가지고 공부하여 남과같은 학문과 남과같은 지식이 나날이 달라가는 이때에 장가를 들어서 색계상에 정신을 허비하면 유지한 대장부가 아니라, 이애 옥련아 그렇지 아니하냐.

구완서는 옥련에게 대하여 조혼이 생리적으로 나쁠 뿐만 아니라 젊어서 공부하여 학문 지식을 넓힐 시기에 지장을 주는 것이요, 어린 배필이 만나면 짐승처럼 몽매한 성생활을 하기 쉬울 뿐더러 제 계집 제 자식이나 제 생활에 부대껴서 나라 일을 할 수 없으므로 어린 시절에는 전력하여 국가에 유익하고 나라에 명예 있는 일을 해야 할 것을 주장하였다. 그는 자신의 주관을 옥련과 자기와의 관계에서 솔선하여 실천에 옮기었다. 이러한 구완서의 조혼 폐지론은 한걸음 더 나아가서 이번에는 충분히 학문을 닦고 성장한 뒤에 본인들의 의사를 존중하는 자유결혼의 주장으로 발전되었다. 따라서 그의 혼인에 대한 너무나 투철한 주장은 자리를 같이한 김관일을 오히려 무색하게 만들 정도였다.

(구) 이애 옥련아 어 실체하였구 남의 집 처녀더러 또 '해라' 하였

구나 우리가 입으로 조선말은 하더래도 마음에는 서양문명한 풍속이 젖었으니 우리는 혼인을 하여도 서양사람과 같이 부모의 명령을 쫓을 것이 아니라 우리가 서로 부부될 마음이 있으면 서로 직접하여 말하난 것이 옳은 일이다. 그러나 우선 말부터 영어로 수작하자. 조선말로 하면 입에 익은 말로 외짝 '해라'하기 불안하다.

구완서는 옥련의 아버지 김관일과 같이 앉은 자리에서 너무나 대담할 정도로 옥련에게 자기의 의사를 태연하게 표현하였으므로 사실은 과거사에 대한 경로를 듣고 난 김관일이 딸과의 혼약을 제의하고자 하는 생각까지도 오히려 무색할 정도로 되었다. 이같은 구완서의 지나친 대담성은 이 장면을 부자연하게 만드는 면도 없지 않았으나 김관일도 결국 자유결혼을 찬성하는 의사표시를 하게 된다.

김관일은 딸이 혼인 언론을 하다가 서양풍속으로 직접 언론하자 하난 서슬에 옥련의 혼인 언약에 좌지우지할 권리가 없이 가만히 앉었더라. 옥련이는 아무리 조선계집아해이나 학문도 있고 개명한 생각도 있고 동서양으로 단기면서 문견이 높은지라 서슴지 아니하고 혼인 인론 대답을 하는대 구씨의 소칭이 있으니 그 소청인즉 옥련이가 구씨와 같이 몇해든지 공부를 더 힘써 하여 학문이 유여한 후에 고국에 돌아가서 결혼하고 옥련이는 조선 부인 교육을 맡아 하기를 청하는 유지한 말이라. 옥련이가 구씨의 권하는 말을 듣고 조선 부인 교육할 마음이 간절하여 구씨와 혼인 언약을 맺으니……

여기에서 하나 주목할 것은 일본 차중(車中)에서 만나 서로 의사가 통하여 미국까지 가서 5년간이나 같은 분위기에서 학비를 나누어 쓰며 공부를 한 성장기에 있는 젊은 남녀가 애정이라는 것은 하나도 느끼는 흔적이 없이 마치 어른들끼리 자녀의 혼사를 상의하듯이 16세의 한창 피어나는 옥련과 20세를 갓 지난 피 끓는 구완서가 하등의 연모에 대한 충격을 느끼지 않고 태연히 사무적이다시피 혼담을 진행하는 것은 너무나 관념적이라 하겠다. 이러한 점은 아직 새로운 자유결혼에 연관을 갖지 못한 사회적인 환경의 탓도 있겠으나 작자 자신의 자유로운 애정의 교류 같은 현실면에 접하지 못하였다는 증좌도 될 것이 아닐까 생각된다.

④ 「혈의 누」와 「모란봉」의 관계

신소설 「혈의 누」는 광무 10년(1906) 《만세보》 지상에 연재 발표되었고 단행본으로는 광무 11년(1907) 3월 17일 광학서포(廣學書舖)(김상만책사)에서 그 초판이 발간되었다 함은 기술(旣述)한 바이거니와 이 광학서포판(廣學書舖版)은 표지에 '혈의루 신소설', '新小說 血淚'라고 적혀 있을 뿐만 아니라 내용 제1면에서도 역시 '혈루(血淚)'라고 다시 제목을 내세운 다음 본문이 시작되었다. 따라서 「혈(血)의 누(淚)」가 옳고 「혈루(血淚)」는 오류라고 지적한 것은 지나친 일방적인 속단이며[54] 기실 이렇게 지적하는 당사자는 신문에 연재된 작품만 보고 단행본은 보지 못한 데 기인한 것이 아닐까 하는 생각도 없지 않다.

그런데 이 광학서포판은 말미에 "아래권은 그 여학생이 고국에 돌아온 후를 기다리오" 하는 부기(附記)에 해당되는 구절이 적혀 있을 뿐만 아니라 (《만세보》 연재분에도 이같은 부기가 있음을 김하명 씨가 밝혔음)[55] 최종에 "상편종(上編終)"이라고 하여 '하편'이 계속될 것을 예고하여 이 책은 '상편(上篇)'만임을 확연히 기록하고 있다. 그러나 지금까지 「혈의 누」에 대하여 언급된 허다한 논평을 살펴보면 상, 하편에 대한 이야기는 거의 없

■

54 김하명(金河明), 「신소설과 혈(血)의 누(淚)와 이인직」

55 같은 글.

으며 임화도 "……'혈(血)의 누(淚)' 후(後)에 '모란봉(牧丹峰)'으로 개제(改題)"[56]의 한마디를 남겼을 뿐 「모란봉」에 대하여는 전혀 언급하지 않았다.

한편 「혈의 누」에 대하여는 그 발표연대 고증에 있어서 출간된 관계서적을 거의 전부 열거하여 엄밀한 검토로 절단(截斷)을 내린 김하명 씨도 "…… 후에 하권(下卷)이 계속(繼續)될 것을 예고(豫告)하였든 것이지만 끝내 나오지 않고 말았다"[57]고 하여 「혈의 누」의 하권에 해당되는 작품은 다시 독자 앞에 각광을 보이지 못한 것으로 아무 거리낌 없이 단정을 내리었으며, 고전문학 전반을 망라한 '텍스트'적 요소를 지니고 간행된 「국문학대계(國文學大系)」 속의 「혈의 누」[58]에서도 그 해제 속에 이에 대한 이야기는 조금도 언급되어 있지 않다. 또한 「혈의 누」는 단권으로 끝난 소설이요 그것이 후일 일명 「모란봉」으로 되었다는 정도의 것이 거의 일반적인 통설처럼 되어 왔다.

그러나 실지로 조사한 바에 의하면 이상의 여러 견해와는 전혀 다른 「혈의 누」의 하편(下篇) 즉 제 2부작에 해단되는 「모란봉」이 작자 자신의 이 경위를 밝힌 서문과 함께 연재된 것이 발견되었으니 다른 「혈의 누」에 대한 종래의 해석에 새로운 각도를 제시하는 문제로 되게 되었다.

> ……다음에는 모란봉(牧丹峰)이라 하는 신소설을 계재하압는데 이 소설은 조선의 소설가로 유명한 리인직씨가 교모한 의량을 다하여 혈루(血淚) 한편으로 맨든 것인데 곧 옥련의 17세이후(歲以後)사적을 서술한 것이요 또한 상편되는 혈루와 독립되는 성질이 있으니 그 진진 취미난 매일 아침에 본보를 고대치 못하리라.[59]

56 임화(林和), 「속신문학사(續新文學史)」 제8회.

57 김하명(金河明), 앞의 글.

58 정음사(正音社) 간(刊), 「국문학대계(國文學大系)」 중 「혈(血)의 누(淚)」

이것은 「모란봉」을 연재하기 위하여 신문에 게재한 예고문인데, 하편인 「모란봉」은 상편에 해당되는 「혈루(血淚)」와 독립된 성질을 가질 수도 있다는 것을 말하고 있다.

뿐만 아니라 「모란봉」을 연재할 때의 그 서문(「모란봉」의 항에서 인용됨)에서 작자는 「혈루(血淚)」를 「모란봉」으로 개제(改題)하고 그 하편을 연재하게 되는 경위를 밝혔을 뿐더러 그 상하편이 각각 독립한 성질을 가져 상편은 옥련의 7세부터 17세까지의 사적 즉 《만세보》에 연재되었던 대목을 말하였고, 하편은 「모란봉」이요 상편에 해당되는 「혈루(血淚)」와 하편에 해당되는 「모란봉」을 합쳐서 「모란봉」 상하편으로 다루고 있는 의도를 알 수 있게 상세히 진술하였다.

그러나 필자는 「혈의 누」가 신소설의 가장 초기에 신문지상에 「혈의 누」라는 제목으로 연재되었고 또한 그것이 단행본으로 출간되어 국문학사를 비롯한 대다수의 신문학 관계서적에서 「모란봉」의 부제가 없이 그대로 「혈의 누」로 다루어지고 있는 실정에 조감(照鑑)하고 아울러 「모란봉」 또한 하편의 신문연재에서 처음으로 개제 명명된 제목인 것만큼 작자가 거듭 내세우는 양편의 독립성을 살리고 그 발표된 제목의 시간적인 차이에 중점을 두는 동시에 약간의 혼돈 같은 것을 막기 위하여 편의상 상편 「혈의 누」, 하편 「모란봉」으로 구분하여 다루어 보고자 한다. 따라서 「모란봉」에 대하여 좀 더 구체적인 것은 다음 그 작품을 검토하는 자리에서 세세히 상론하기로 하겠다.

⑤ 시대적 배경과 「혈의 누」

「혈의 누」는 청일전쟁이 던진 직접적인 파문이 옥련의 일가를 이산되게

■

59 《매일신보》 제2193호(1913. 2. 4일자).

만들었고 이로 말미암아 나이 어린 옥련의 기구한 운명이 끝까지 사건을 계속 발전시켜 허다한 굴곡 속에 종국까지 이끌고 갔기에 독자로부터 「옥련전(玉蓮傳)」이라고까지 불린 작품이다.

이 작품은 청일전쟁이라는 동양에서 근대에 드물게 보는 대규모의 전란 속에서 직접 참전국이 아닌 한국 백성이 청일양국 사이에 끼인 간난을 뼈저리게 느낄 수 있게 하며, 치밀한 구성의 짜임새와 장면의 생생한 묘사가 독자를 박력 있게 이끌고 나아가고 있다.

그러나 김관일이 신문학의 필요성과 국가의 강력한 자주성을 절규하고 돌연 처자의 생사도 개념치 않고 하룻밤 사이에 결의하여 용약 해외로 출발하는 것은 어떤 면으로 보아 전연 수긍되지 않는 바도 아니나, 사건 진전에 하등의 복선도 없어 적잖이 부자연한 감을 주며 옥련이가 대판(大阪)에서 동경으로 가는 차중에서 구완서를 만나 중얼거리는 조선말이 연유되어 평생 처음 보는 남녀가 함께 당일로 미국으로 떠나게 되는 일 같은 것은 너무나 우연적인 사건 전개라고 하지 않을 수 없다.

더욱이 미국에 가서 5년간이나 같은 처소에 머물며 학비를 나누어 쓰고 공부를 하면서 구완서와 옥련은 서로 애정을 느꼈다는 흔적은 하나도 없을 뿐더러 오히려 옥련이가 구완서를 행하여 새삼스럽게,

> (옥) 그대는 부인이 계신줄로 알았더니 미국에 오실 때 십칠세라 하였으니 조선같이 혼인을 일즉하는 나라에서 어찌하여 그때까지 장가를 아니드르셨오.

하고 아닌 밤중에 홍두깨 내미는 격으로 질문을 하고 있으니, 이것은 도저히 상상조차 할 수 없는 부자연성을 느끼게 하여 작품에 대한 실감을 훨씬 삭감시키고 있다.

또한 꿈 장면이 수삼차나 거듭되고 옥련과 옥련 모의 자살미수가 3차

나 반복하여 조작되는 것은 「귀의 성」에서 춘천집의 수차에 걸친 자살미수나 「은세계(銀世界)」에 있어서의 옥순의 자살미수의 경우와 궤를 같이 하는 것으로 각 등장인물의 그 이상 더 견딜 수 없는 절박한 심정을 표현하려는 작자의 계획적인 의도로 짐작되는 바 없지 않으나, 신소설 각 작품을 통한 유형적인 자살미수로 되어 엽기적인 호기심마저도 유발하지 못할 정도로 남용하는 결과밖에 가져오지 못하고 말았다.

따라서 이와 같은 부자연한 장면의 반복과 사건 진행에 있어서의 필연성의 결여는 자연 작중인물의 뚜렷한 성격을 그려내지 못하게 만들었고, 굴곡이 많은 기구한 운명의 연장으로 구성에 있어서의 줄거리를 이어나가는데 불과한 작품을 만드는 결과를 가져오게 하였다. 그러나 자유의식을 강조하고 주요 등장인물의 거의 전부가 신교육 신학문을 적극 찬성하고 솔선 실천하는 면에서 현실에 입각한 주제면의 참신성이 문장의 새로운 묘사와 더불어 초기의 신소설로서의 이 작품을 고대소설과 준별할 수 있는 새로운 소설의 중요한 자리를 차지하게 하였던 것이다.

끝으로 이 작품 속에서 청일전쟁을 통하여 작자의 머릿속에 반영된 청일 양국, 즉 작자의 주관이라고도 할 수 있는 한 부분을 추려 보기로 하겠다.

> 난데 없는 철환 한 개가 넘어오더니 옥련의 왼편 다리에 백혀 너머져서 그 날밤을 그 산에서 목숨이 붙어 있었더니 그 이튿날 일본 적십자 간호수가 보고 야전병원으로 실어보내니 군의가 본즉 중상은 아니라 철환이 다리를 뚫고 나갔는데 군의의 말이 만일 청인의 철환을 맞었으면 독한 약이 섞인지라 맞은후에 하로밤을 지났으며 독기가 몸에 많이 퍼졌을터이나 옥련이 맞은 철환은 일인의 철환이라.

이것으로서 당시의 한말 정국이 처한 미묘한 국제 풍운 속에서 작자 이인직의 의거하는 바, 정치적인 단면을 적으나마 측정할 수 있는 것으로 그의 후기의 생활면을 예고하는 대목이라고도 할 수 있을 것 같다.

(2)「모란봉(牧丹峰)」

① 「모란봉」의 성격

「모란봉」은 1913년(대정(大正) 2년) 2월 5일부 《매일신보》 제2194호에서부터 게재되어 동년 6월 3일 제2292호까지에 단속적으로 연재된 작품으로 현재까지 밝혀진 한에서는 이인직의 최후의 작품에 해당되는 소설이다. 이 「모란봉」과 「혈의 누」의 관계에 대하여는 「혈의 누」의 항에서 이미 천명한 바이지만, 「모란봉」이 《매일신보》에 게재될 때의 서문에 해당되는 작자 이인직의 이에 대한 경위를 해명한 전문을 인용하여 저간의 사정을 좀더 구체적으로 밝히고자 한다.

牧丹峰

모란봉

국초(菊初) 이인직(李人稙)

차소설(此小說)은 낭년(曩年)에 강호(江湖) 애독자(愛讀者)의 환영(歡迎)을 득(得)하든 옥련(玉蓮)의 사적(事蹟)인대 금(今)에 기전편(其全篇)을 정정(訂正)하고 차(且) 혈루(血淚)라 하난 제목(題目)이 비관(悲觀)에 근(近)함을 혐피(嫌避)하야 모란봉(牧丹峰)이라 개제(改題)하고 하편(下篇)을 저술(著述)하야 옥련(玉蓮)의 말로(末路)를 알고자 하시던 제씨(諸氏)의 일람(一覽)을 공(供)하압난데 차(此) 모란봉(牧丹峰)이 비록 상하편(上下篇)이나 양편(兩篇)이 공(共)히 독립(獨立)한 성질(性質)이 유(有)하야 상편(上篇)은 옥련(玉蓮)의 7세(歲)부터 세간(世間) 풍상(風霜)을 열(閱)하던 사실(事實)로 조직(組織)하앗난데 기하편(其下篇)이 무(無)하야도 무방(無妨)하며 하편(下篇)은 옥련(玉蓮)의 17세(歲) 이후(以後) 사적(事蹟)을 술(述)한 것인데 기상편(其上篇)이 무(無)하더래도 또한 무방(無妨)한 고로 자(玆)에 기하편(其下篇)을 게재(揭載)하오니 혹(或) 상편(上篇)을 열람(閱覽)코자 하시난 인씨(人氏)난 경성(京城) 중부(中部) 철물교(鐵物橋) 동양서원(東洋書院)에 청구(請求)하시압.[60]

따라서 「모란봉」은 「혈의 누」의 하편에 해당되는 작품이며, 작자가 상편인 「혈의 누」의 끝머리에서 "아래권은 그 여학생이 고국에 돌아온 후를 기다리오"하고 하편이 계속될 것을 약속한 바를 실천한 것이요, 여주인공 옥련으로 보면 상편 「혈의 누」의 끝난 후 즉 17세 이후의 사적을 엮은 작품으로 상항(桑港)에서 약혼자인 구완서와 이별하여 부녀 동반 고국으로 돌아온 후 전개되는 제반 사건이 평양과 서울을 무대로 하여 엮어지고 있다.

그러나 이 작품은 연재 도중 65회에서 작자의 사정으로 아깝게도 중단되었으니 1913년 (대정(大正) 2년) 《매일신보》 제 2322호에서 "모란봉은 저작자의 사세에 인하야 부득이 기간 중지한바……"라고 다음 소설의 게재예고 속에 적혀 있음이 나타난다. 따라서 「모란봉」의 결말을 보지 못하고 중단되었던 부분까지 만을 가지고 이 작품의 가치를 판단하지 않을 수 없게 된 것은 심히 유감된 일이며, 더욱이 이것이 이인직의 최종 작품이라고 거의 단정할 수 있는 작품의 계보적인 조건과 연결시켜 볼 때 그 전 작품을 평가하는 마당에 있어서도 최후 작품의 비중을 정확히 다룰 수 없어 일층 애석한 감을 금치 못하는 바이다.

그런데 「모란봉」은 65회 연재되는 사이에 무려 4개월이나 소요될 정도

60 《매일신보》, 제2194호(1913. 2. 5일자).

로 매일 연속되지 못하고 격일 또는 수삼일의 단속이 거듭되었으니 작자로서는 무슨 특수한 사정이 있었던 것 같다.

여기서 굳이 억측을 가할 수 있다면 「모란봉」이 연재된 이후 얼마 되지 않은 동년 5월 13일부터 《매일신보》에는 조일재(趙一齋)의 「장한몽(長恨夢)」(일본작자 미기홍엽(尾崎紅葉)의 「금색야차(金色夜叉)」를 번안 개작한 것임)이 게재되어 1면과 4면에 2편의 소설을 동시 연재를 하였으나, 주지하는 바와 같이 「금색야차」는 1897년 (명치(明治) 30년) 1월부터 1899년 1월까지 계속되어 일본 《독매신문(讀賣新聞)》에 연재되고 그 후 1903년 1월 《신소설(新小說)》 지상에 신속편(新續編)을 발표하다가 완결되기 전에 작자가 사거하였으므로 신문에 연재중은 물론 그 후 계속하여 그야말로 낙양의 지가(紙價)를 올릴 정도로 열광적인 환영을 받던 작품이다. 이것이 수년 후에 우리나라에서도 조일재(趙一齋)의 손에 의하여 '장한몽(長恨夢)'이란 제목으로 번안되어 이수일 심순애의 대동강변 운운하는 구절은 인구에 회자되던 작품이었던 것만큼 이러한 작품과의 동시 연재는 독자에게서 오는 반향이 또한 중단을 불가피하게 한 요소의 하나가 되지 않았을까 하는 부질없는 억측이 서지 않는 바도 아니나, 이것도 어떤 구체적인 사실(史實)의 확증이 없는 한 확연히 내세울 수 있는 이야깃거리는 되지 못하리라고 생각된다.

또한 전기한 바와 같이 작자의 서문 말미에 "혹(或) 상편(上篇)을 열람(閱覽)코자 하시난 인씨(人氏)난 경성(京城) 중부(中部) 철물교(鐵物橋) 동양서원(東洋書院)에 청구(請求)하시압" 하고 상편의 출간처를 밝히었으니, 「모란봉」이 연재될 무렵에 발간된 동양서원판(東洋書院版) 「혈(血)의 누(淚)」(혹은 「모란봉」 상편)는 작자가 서문에서 "금(今)에 기(其) 전편(全篇)을 정정(訂正)하고……" 운운한 정정본으로도 생각되기에 앞의 「혈의 누」의 항에서 언급한 《문장》지(誌) 연재분은 이 정정본이 그 저본이 되지 않았는가 하는 실마리를 더듬게 하는 동시에 《문장》지에 게재된 것이 광무 11

년 초간 광학서포판과 비하여 내용이 좀 더 윤색되어 있는 점에 비추어 이러한 추단을 더 확정시키는 방증이 되기도 한다.

또한 「모란봉」 즉 「혈의 누」의 하편이 신문에 연재 발표된 사실 및 내용에 대하여는 지금까지 국문학사나 국문학개론은 물론 신문학 관계 저서나 논문에서도 누구하나 일언반구 언급한 바 없어 「모란봉」은 단순히 「혈의 누」의 개제로 알려져 있을 정도였으므로 지금까지 다루어졌던 이인직의 작품 속에 독립된 새로운 작품 「모란봉」 한 편이 더 첨가되는 셈이다.

② 작품의 흐름

「모란봉」의 흐름을 이야기 하려면 자연 상편 「혈의 누」의 내용을 언급하지 않을 수 없겠지만, 다행히 「모란봉」 첫머리에 옥련이 풍상 많은 과거의 추억을 더듬는 대목이 있으므로 「혈의 누」를 보지 못하고 직접 「모란봉」을 대하는 사람에게는 전편의 윤곽이 짐작될 수 있으며 이는 또한 작자가 서문에서 말한바 "차(此) 〈모란봉(牧丹峰)〉이 비록 상하편(上下篇)이나 양편(兩篇)이 공(共)히 독립(獨立)한 성질(性質)이 유(有)하여……하편(下篇)은 옥련(玉蓮)의 17세 이후(歲以後) 사적(事蹟)을 술(述)한 것인데 기상편(其上篇)이 무(無)하더래도 또한 무방(無妨)한 고로……" 하고 표명한 의도를 엿볼 수 있게 한다.

「모란봉」은 그 첫머리가 샌프란시스코(桑港)의 시가 묘사로서 시작된다.

열요(熱鬧) 하기로 유명한 샹푸란시쓰고(桑港)에 야소교당 쇠북 소래난 세간진루(世間塵累)가 조곰도 없이 맑고 한가하고 고요하고 그윽한대 여음(餘音)이 바람을 따라 흩어져 나가다가 수천미돌(數千米突) 밖에 나지막한 산을 은은(隱隱)히 울리며 스러지고 산아래 공원(公園) 속에 가목무림(佳木武林) 푸른 빛만 보인다.

천기청명(天氣晴明)한 일요일에 공원에 산보(散步)하러 모여드난 신사(紳士)와 부인은 한가한 겨를을 타서 한가히 놀러온 사람들이라 그 사람 모인 공원은 다시 열요장 되야 복잡한 사회현상(社會現相)이 또한 이가온대에 보이난대 유심한 사진가(寫眞家)가 전 사람의 자최 비밀히 감초인것(전인종적비밀장(前人踪跡秘密藏))을 후인(後人)l에게 전하려고 사진 기계를 가지고 단이면서 이리저리 들러보다가 취미(趣味)있난 진상(眞狀)을 가려서 백히고 백히난대 열요한 사람들은 간단(間斷)없이 활동(活動)이라

드뭇드뭇한 나모 틈에 허연 돌란간(石欄干)이 보이난대 그 돌란간 아래 돌연못(석지(石池))이 있고 돌연못 가온대 사자형(獅子形)섬이 있고, 사자 등우에 금부어(金鮒魚) 걱구루 서서 수정가루 같은 물을 뿜어 올려서, 서늘한 기운을 드리엿난대 공원의 구경꾼은 못가에 몰려가서 돌란간에 의지하고 노난 고기를 내려다 본다.

이에 계속하여 옥련은 상항(桑港) 시가 안에 있는 공원의 돌난간에 기대어 연못을 내려다보면서 철모르는 7세의 어린이로부터 연약한 17세의 소녀로 성장하기까지의 파란 많은 기구한 운명에 싸였던 과거의 회포에 대한 추억에 잠기게 되는 이는 전기(前記)한 바와 같이 상편 즉 「혈의 누」의 줄거리를 알리는 것이 되는 동시에 작자가 서문에서 스스로 주장하는 상편과 독립된 「모란봉」으로서의 옥련의 과거에 대한 서술로도 되는 것이다.

인간에 회포 많은 옥련(玉蓮)이가 또한 그 못가온대 고기 노난 것을 내려다 보다가 제 그림자를 보고 홀연히 감동되난 일이 있었더라.

모란봉 밑에서 총을 맞고 누었던 옥련이가 여기 와서 잇난가

간호수(看護手) 들것 우에 담겨서 야전병원(野戰病院)에 들어가던 옥련이가 여기와서 잇난가

정상군의(井上軍醫) 아버지 손에 재생인(再生人)되던 옥련이가 와서

잇난가

구완서(具完書)의 은혜를 입어 화성돈(華盛頓)에 유학(留學)하던 옥련이가 여기 와서 잇난가

반갑다 옥련의 그림자를 옥련이가 보아도 참 반갑다

나난 물우에 선 옥련이오 너난 물아래 걱구로선 옥련이라 내가 너더러 물어볼 일이 있다

네가 형체가 잇난 물건 (有形物)이냐 형체가 있을진대 내눈에 보이난 네가 무엇이냐.

이몸이 이물가를 떠날진대 네 형체가 소멸하고 이몸이 이세상을 버릴진대 한(限)많고 사렷증(思慮症)많던 내마암도 또한 소멸할 것이니 영혼불멸(靈魂不滅)이라 하얏으나 알수 없난 것은 사람의 일이로다.

때는 갑진년(甲辰年)(1904) 가을, 구완서는 약혼자 옥련과 장인 김관일 부녀(父女)가 고국으로 돌아가는 것을 전송하기 위하여 서중(暑中) 휴가를 이용하여 상항(桑港)까지 동행한 길이었다.

내일은 부녀가 상항을 떠나게 되므로 그들은 공원 안을 산보하면서 이별의 정을 아끼는 동시에 미래에 대한 약속을 다시 한 번 다짐을 받게 된다.

처음에 김관일의 마음에는 옥련이를 몇 해 동안만 공부를 더 시켜서 조선 부인 사회 중에 우등될만한 학문이 성취된 후에 데리고 가려 하였으나 일로전쟁(日露戰爭)이 일어나서 평양 성중에서 일본 기병과 로서아 기병이 서로 접전이 있었다는 신문을 본 후에 옥련이가 십년 전 청일전쟁 날 때에 허다한 공상을 지내던 생각이 나서 그 모친을 생각하는 마음이 더욱 간절하여 공부에 마음이 없고 낙심한 사람같이 조석으로 먼 산만 바라보고 앉았다가 그 부친을 보면 고향에 돌아가기를 재촉하거늘, 김관일이 그 모양을 보고 또한 고향에 돌아갈 마음이 생겼으나 그러나 그때, 옥련이가 사범학교 일년생으로 재학 중이기에 추기시험이나 치르고

가는 것이 좋을 줄로 꼬이고 달래다가 추가시험을 치른 후에 떠나가는 길이었다.

구완서는 김관일의 강권하는 말을 저버리지 못하여 옥련이와 부부되기로 세 사람이 솥발같이 늘어 앉아서 반석같이 굳은 언약을 맺었는데, 김관일의 말은 옥련이 떠나기 전에 성례하는 것이 가하다고 하나 구완서의 말은 자기가 십년만 공부를 더하고 조선에 돌아간 후에 결혼하겠다 하는 고로, 필경 구완서의 말을 좇아서 십년간 서로 대년(待年)하기로 언약하였다.

공원 휴게소에서 구완서에게 10년 후의 혼인 이행을 다시 다짐을 받고 난 김관일은 딸을 데리고 여사(旅舍)로 돌아온다.

그러나 옥련은 10년 동안 그리던 어머니를 만나고 싶어 애태웠으나, 막상 고국으로 떠나는 마당에서는 구완서에 대한 의리에 얽힌 애정을 이기지 못하여, 밤새도록 한잠도 이루지 못하고 고민하던 때에, 마침 노크 소리에 놀라 제정신을 차리고, 찾아온 구완서와 만나, 초인종을 눌러 뽀이를 부르고, 커피차와 부란데와 과자를 청하여 놓고 서로 마주 앉아 석별의 정을 나눈다.

구완서가 돌아간 뒤에도 옥련은 혼자 새어가는 밤을 안타까워하며, 고민을 하나 이튿날 아침에는 약혼자 구완서를 이국(異國)에 남겨 놓고, 아버지를 따라 육만 리의 귀국항로에 오르게 된다.

한편 평양에서는 이성(異性) 동명(同名)이요 비슷한 나이의 김옥련(金玉蓮)과 장옥련(張玉蓮) 둘이 한꺼번에 나타나 그 혼동으로 말미암아 사건은 더욱 복잡하게 전개된다.

장옥련(張玉蓮)의 부친 장치중(張致中)은 부부간의 금실이 지극히 좋았으나 옥련의 생모인 본처 안씨(安氏)를 물리치고 평양 기생 롱선을 첩으로 정하여 초당(草堂)에 맞아 들였으므로, 평온하던 집안에는 풍파가 일기 시작한다.

롱선은 본부인에 대한 투기 끝에 실제(實弟)인 팔난봉 동생과 공모하여 안씨부인에 대한 외인(外人) 통간(通姦)을 조작하여 장씨에게 오인(誤認)시켰으므로 안씨는 분개한 나머지 어느 날 밤 딸 옥련이 잠든 새를 타서 대동강에 나가 투신자살을 하였으니 그때는 갑진년(甲辰年) 8월이었다.

어머니의 유서를 보고 피눈물을 흘리며 날을 보내던 장옥련도 대동강물에 나가 빠져 죽을 것을 결심하고 캄캄한 밤중에 집을 나섰으나 무인지경에서 갈피를 잡을 수 없이 방황하다가 장승에 부딪쳐 몸뚱이를 다치고 실신하게 된다.

이때 김관일의 부인 김옥련 모(母)는 남편과 딸이 미국을 떠나면서 화성돈(華盛頓)과 상항(桑港)에서 한 전보는 영문(英文)이므로 야소교당(耶蘇教堂)에 가서 물어 알았고 일본(日本) 대판(大阪) 마관(馬關)에서 한 전보는 일문(日文)아는 사람에게 물어 알았고 부산(釜山) 인천(仁川) 진남포(鎭南浦)에서 보낸 전보는 자기도 알아보아 전후 8차의 전보를 받고 '진남포 하륙 구월 초이일 평양 도달 김'의 최종 전보를 들고 10년 만에 만날 남편과 딸의 귀국을 조바심을 하며 기다리고 있는 날이었다. 이 자리에 정신 이상이 된 장옥련이 우연히 나타나서 대문간에서부터 어머니를 부르면서 실신한 어조로 두서없이 아버지가 작첩(作妾)하여 자기를 학대하던 이야기를 장광설로 늘어놓으니, 김옥련 모(母)는 넋 없이 듣고 있다가 옥련이라고 하니 자기의 친딸인줄만 알고 같이 붙잡고 통곡하다가 아버지가 어머니를 박살한다는 말에 소름이 끼쳐 밖을 내다보는데, 웬 신사가 젊은 여자를 데리고 들어오는 것을 보고 "음 나를 박살하러 오는 것이지, 계집까지 다려 오셨서……" 하고 부엌 뒷문으로 빠져 달아나 죽을 작정으로 대동강으로 나간다.

최부인은 그때 마침 서일순(徐一淳)이라는 청년에게 구출되어 광녀(狂女) 장옥련의 턱없는 넋두리에 의하여 오해를 가지게 된 사실을 깨닫고 부부(夫婦) 모녀(母女) 10년 만의 애끓던 정을 회고하며 감격에 찬 해후를 이루게 된다.

그 후 평양 시민의 김관일 귀국에 대한 환영회 석상에서 최씨부인은 전일 자살을 계획했을 때 구출하여준 서일순을 만나게 되었고, 삼부지(三不知)의 별명을 가지고 팔체(八體)의 행세를 하는 21세의 총각 서씨(徐氏)는 초인상에서부터 김옥련에 대한 흠모를 금할 길 없어 서씨와 옥련의 혼인 문제를 중심으로 사건은 더욱 복잡해진다.

얼굴은 관옥(冠玉)같고 눈은 샛별 같고, 입살은 주사(朱砂)를 바른 것같고 키는 크도 작도 아니한 미남자 서일순은 서울에서 수월전(數月前)부터 구경차로 평양에 와서 묵고 있는 젊은이였다.

옥련이에 대한 연모의 정을 이기지 못하여 오매불망하던 끝에 서일순은 수단 방법을 가리지 않게 되었다.

서일순은 자기가 유숙하고 있는 집 주인 최여정(崔汝正)에게 심정을 토로하고, 최씨의 행랑채에 사는 꾀 많은 여인 서숙자(徐淑子)와 의남매를 맺고, 음력 3월 20일을 서일순의 생일이라고 거짓 정하고, 김관일의 가족 3인을 초청하여 유성기를 틀어 놓고 정원을 산보하면서 옥련의 호의를 사기에 전력을 다 한다.

뿐만 아니라 그날 밤 한창 연석이 벌어지고 있을 때, 허첨지(許僉知)를 시켜서 김관일의 집에 방화하여 전소(全燒)케 하였다.

이러한 전후 관계를 모르고 의류 침구 하나 없이 노두(路頭)에 방황하게 된 김관일의 가족은 서일순의 호의를 받아 최여정(崔汝正)의 집, 즉 서일순이 거쳐하는 곳으로 옮기게 된다.

이곳에서 숙자는 좋은 기회를 타서 총참모의 역으로 서일순과 옥련의 혼담을 정식으로 제기하여 옥련모 최씨 부인의 승낙을 받으나 김관일은 난처하여 어쩔 바를 모르고 이국(異國)에 홀로 남은 구완서를 생각하여 적극 반대한다.

그 후 서숙자는 경성(京城) 삼청동(三淸洞)에 있는 구(具)과부(구완서의 고모) 집을 찾아가서 돈을 흥청하게 쓰며, 구과부의 곤란한 생계에 후의를 베풀고, 다시 구과부를 다리 놓아 구완서의 부(父) 구직산과 그 부인에게 후의(厚意)를 베풀어, 구(具)직산댁(宅)에 초대까지 받게 되어 오찬이 벌어지는데, 서숙자의 심중에는 무슨 모계(謀計)가 꿈틀거리고 있는지 아무도 아는 이가 없었다.

이러한 사이에 서숙자는 어떻게 구완서의 양친을 삶았는지 구완서의 모(母)는 아들과 옥련과의 파혼 통지를 낼 것을 남편에게 조르고, 구직산도 서숙자의 계교에 귀가 수그러져, 서숙자를 수양딸로 삼고 숙자가 시키는 대로 할 계제에까지 이르렀다.

한편 최여정은 서일순의 밀명을 받고 3개월 체재 예정으로 미국으로 향발할 차(次), 화륜선을 타려고 인천 부두에 머물고 있으니 그가 구완서를 만나 이룰 계책은 무엇인지 그것도 추측할 길 없이 적잖은 숙제를 남긴 대로 「모란봉」은 이에서 중단되었다.

③ 「모란봉」의 주제와 작중인물의 성격

상편 「혈의 누」에 있어서는 신학문의 섭취에 의한 국권의 자주적인 확립이 가장 중추적인 주제로 되어 있지만, 하편인 「모란봉」에 와서는 남녀 애정 및 혼인문제가 전편에 긍(亘)하여 주류를 이루고 있다. 특히 이것이 정식 결혼을 전제로 한 삼각관계의 애정문제를 전개시킨 것이 그 가장 주목할 만한 점이다.

미국에 있는 구완서는 장인 김관일과의 대화에서 자유결혼에 대한 자기 의사를 명확하게 표명하고 있다.

(김) ……네가 내 사위 되기로 허락한 것으로 내가 내자식을 믿난 마암이 생긴다. 그러나 너난 시하(侍下) 사람이라 네 마암으로 정한 혼인을 너의 부모가 혹 허락지 아니 하시면 그때 네 생각은 어떠하겠느냐.

(구) 우리 부모가 나를 대단히 귀해 하시난 터이라 내가 만일 정당(正當)치 못한 일을 할 지경이면 부모가 금하시려니와 정당한 일에난 내 말을 많이 좇치시난 터이니 혼인 파약 시키실리난 만무하니 염려 마르시오.

(김) 그러하겠지 그러나 부모가 만일 파약을 하라 하실 지경이면 너난 어떻게 조치할 터이냐.

(구) 지금 옥연이가 조선에 돌아 가난 터이니 우리 부모도 옥연의 범절이 어떠한 소문도 들으실 터이요 사람을 보내서 선을 볼 지경이면 더욱 자세히 아르실 터이니 부족히 녀기실 리가 없으니 파약할 지경에 갈 리가 만무 하외다.

(김) 만일 너의 부모께서 옥연이를 합의치 아니하게 녀기실 지경이면 네가 어찌 할터이냐.

(구) 부모가 잘못 하시난 일을 간하다가 아니 들으실 지경이면 내 마음대로 하지요.

(김) 네마음대로 하면 어떻게……

(구) 자유결혼(自由結婚) 하지요.

이것은 상항(桑港) 공원에 있는 휴게소에서 김관일이 딸 옥련을 데리고 고국으로 떠나려는 직전 학업의 성취를 기다려 10년 후 귀국한 뒤에 혼인성례하겠다는 구완서에게 다시 한 번 최후의 다짐을 받는 장면인데, 이 자리에서 구완서는 확고부동한 자기의 자유결혼에 대한 의사를 토로하여 장인 김관일의 기우를 일소시키고 딸의 혼인에 대한 확신을 가지게 하였다.

그러나 구완서가 결혼문제 자체에 대하여는 이와 같이 확고한 태도를 가졌지만 그 혼인이 전적으로 애정에 연유된 불가피한 귀결이었던가 하는 것이 다시 한 번 검토되어야 할 문제이다. 왜냐하면 근대소설에 있어서 사랑이나 자유연애라는 것은 가장 광범위하게 취급된 주제요 특히 삼각연애

관계라는 것은 이러한 주제 속에 흔히 심각한 사건을 전개시켰고, 또한 이러한 사건의 기복은 어느 주제보다도 가장 큰 진폭으로 박력 있게 독자를 매혹시켰을 뿐더러 이 애정문제의 취급되는 각도에 따라 작품 자체가 지니는 가치의 비중이 측정되는 계기가 불선(不尠)하였기 때문이다.

더욱이 우리나라의 근대적인 요소를 띤 소설에 있어서 그 초기 작품에 취급된 삼각애정이 내적 조건인 사랑의 치열한 각축이 주점으로 되었는지 관습이나 의리에 따르는 외적 여건이 더 중요한 자리를 차지하였는지 하는 작품 속에 나타난 비중을 시대적인 발전과정에서 더듬어 보는 것도 전연 무의미한 일은 아니라고 생각되기 때문이기도 하다. 이러한 각도에서 「모란봉」 속의 구완서가 가지고 있는 혼인관에서 위선 애정의 주체성을 살펴보기로 하겠다.

이애 옥련아 허허허, 또 실수 하였구, 남의 집 처녀더라 이애 허 허 허, 오냐 입에 익은 말로 아즉 수수하게 그대로 지내자.

내가 네게 한문 가라치던 선생이요 언문 가라치던 선생이요 조선말 복습(復習)시키던 선생이라 네가 나더러 선생님 선생님 부르던 터이요 나난 너를 손아래 누이같이 알고 지냈더니 재작년 칠월에 나난 너의 아버지 권고 하시난 말을 듣고 너난 너의 아버지 명령(命令)을 들어서 우리가 혼인 언약을 맺엇난대 그후로부터 네가 나를 보면 부끄러운 마암도 있는 모양이오 체면 차리난 기색도 있어서 종적이 점점 저어하야 졌으니 도로혀 애석한 일이라 나난 그마암 저마암 없이 이전같이 허물 없고 다정한 동모로 알고 있다. 이애 옥련아 그렇지 아니하냐 허허허.

이것은 구완서가 공원에서 김관일과 전기한 혼인의 담판을 하고 난 그날 밤 호텔 안의 옥련이 묵고 있는 방에 찾아 들어가서 한 말인데, 지극히 사무적이요 기계적인 대화로 다정스럽고 서로 아끼는 이성의 애정이란 거의 발견하기 힘들 지경이다. 굳이 애정에 연관되는 바를 찾아내라면 글 가르치던 사제 간의 애정이나 남매간의 애정, 기껏해야 우정을 발견한 정도에 그칠 뿐더러 그것도 극히 미온적인 애정의 역을 벗어나지 못했다. 그것이 이역인 화려한 미국에서 학비를 나누어 쓰며 10년간이나 같은 분위기 속에서 공부를 하고 다시 본인의 주동적인 의사와 김관일의 합의를 얻어 약혼자로서 2년의 세월이 흐른 후에도 겨우 이 정도의 거리에 있으니 구완서는 이성을 모르거나 고의로 회피하는 수도승이 아니면 목석이란 말이 될 것이다.

그뿐만 아니라 「혈의 누」 상편에서는 약혼 직전 김관일 앞에서 젊은 남녀끼리 말을 주 받는 자리에서 구완서는 "우리가 입으로 조선말을 하더라도 마음에는 서양 문명한 풍속이 젖었으니 우리는 혼인을 하여도 서양 사람과 같이 부모의 명령을 좇일 것이 아니라 우리가 서로 부부될 마음이 있으면 서로 직접 말하여 하난 것이 옳은 일이다"라고 옥련에게 수작을 하여 옆에 앉아 있는 김관일 편에서 오히려 무색해질 정도로 만들어 놓고, 이제 와서는 "재작년 칠월에 나난 너의 아버지 권고 하시난 말을 듣고 너난 너의 아버지 명령을 들어서 우리가 혼인 언약을 맺었난대" 운운 하였으니, 이 대목은 사건 진행에 대한 일관성이 결여된 작자의 미흡한 점이거나 그렇지 않으면 구완서를 이성의 애정에 대하여 위선자로 만드는 결과밖에 되지 않는 것 같다.

그것이 또한 버젓이 약혼은 하여 놓고 약혼자를 태연히 고국으로 보내면서 10년 후에 여자의 나이 30이 될 무렵에 성례를 하자고 허세를 떨고 아무리 여자편에서 생모가 보고 싶어 귀국을 갈망한다 할지라도 같이 체미(滯美)할 것을 한 번도 강권하지 못하는 남자라면 구완서는 비단 애정 문제뿐만 아니라 인간성 전체가 우유부단한 약골로, 이러한 주체의 나약한 성격으로 어떻게 부모 몰래 도주하여 미국유학을 떠났으며 일면식도 없는 소녀를 차중에서 만나는 대로 노자와 학비를 대어주어 미국으로 동행할 수 있었을 것인가 하는 것이 적잖이 의심된다.

물론 구완서는 신학문의 섭취에만 골몰하여 혼인문제 같은 것은 그리 중대시 않을 정도로 대국적 관점으로 세사를 판단하는 비범한 인물로 볼 수 없는 바는 아니지만 그러자면 등장인물에 대한 성격의 일관성이 전연 무시되는 결과를 가져오게 되므로 이는 구완서가 실질상의 현실적인 인물이라기보다는 개화기의 이상적인 개화인을 상징하는 관념상의 인물을 이상화하여 작품 속에 설정하였다고 간주하는 것이 무난하다는 결과를 가져오게 된다.

한편, 옥련은 공원에서 돌아온 날 저녁 홀로 여관방에서 미국을 떠남에 즈음하여 새삼스럽게 닥쳐오는 구완서에게 대한 그리움을 더듬게 된다.

> 내가 어머니를 만나보면 그날 그시에 죽더래도 한이 없을 것 같더니 미국을 떠나며 생각하니 구완서 구완서(具完書)의 은혜를 갚지 못하고 죽으면 그한도 풀리지 못할 일이로다.
>
> 위엄 있고도 온화하며 다정하고도 말 없난 구완서(具完書)가 내게 대한 태도이라 동생같이 사랑하며 내빈(來賓) 같이 공경하며 자식 같이 가라치면서 항상 나를 칭찬하난 말이 옥련(玉蓮)이난 그윽(幽)하고 한가(閑)하고 곧(貞)고 고요(靜)한 계집아해이라 조선부인 사회에서 법받을 만한 사람이 되리라 하얏난대 내가 만일 조선에 돌아가서 그러한 위인이 못될 지경이면 무슨 낯으로 구완서(具完書)를 다시 보리오.

이러한 생각에 잠기다가 구완서가 자기 방문을 노크하고 들어와서 적잖은 이야기를 나누고 간 뒤에도 옥련의 생각은 그칠 바를 모르고 계속된다.

세상 사람의 부부간 깊은 정리(情理)난 어떠한 것인지 나 같은 미가녀(未嫁女)의 알수 없난 일이나 대체 부부간 정의(情誼)난 남녀간 치정(痴情)으로 생긴 정이어니와 나난 구완서(具完書)에게 의리(義理)로 생긴 것이요 교분(交分)으로 생긴 정이요 품행(品行)을 서로 알고 인격(人格)을 서로 알고 심지(心地)가 서로 같은 것으로 부지중(不知中)에 정이 들고 부지중에 정이 깊었으니 유별한 남녀간에 넓고 조촐한 정이라 그렇게 정든 사람을 떼쳐놓고 혼자 가난 내 마음이야……

여기에 나타난 것을 보면 옥련은 구완서를 그리면서도 생명을 구하여 주고 공부를 시켜준 은인의 역(域)을 벗어나지 못하였고, 약혼한 상대자로 생각할 때에도 의리로 생긴 정이요 그것이 인격을 이해하고 심리가 서로 맞아 정이 들었다 하더라도 구완서가 생각하는 경지보다는 애정에 한걸음 더 들어갔다고는 하지만 현대적인 이성간의 사랑의 핵심에는 다 다르지 못하고 아직도 생경한 형식적인 의리가 더 많은 분야를 차지하고 있었음을 발견할 수 있다. 그것이 또한 「혈의 누」 상편에서 말하기를 미국에 온 지 이미 5년의 세월이 흘렀고, 같은 환경에서 학비를 나누어 쓰며 공부하는 처지에서 옥련이가 구완서를 향하여 갑자기 "그대는 부인이 계실줄로 알았너니 미국(美國)에 오실 때 17세라 하셨으니 조선 같이 혼인을 일즉하는 나라에서 어찌하여 그때까지 장가를 아니 드르셨오"하고 조작적인 요외(料外)의 질문을 할 경우와 대조하여 보면 결국 이들의 혼인은 애정보다 의리가 선행하였다고 볼 수 있을 것이요, 아무리 미국사회에서 공부하는 그들이라 할지라도 개화 초기에 있는 한국사회의 배경적인 조건이 이들 등장인물을 제약하지 않을 수 없었던 것이요, 한걸음 더 나아가서는 작자의 관념적인 이상화한 인물의 설정이 선행하여 이러한 결과를 가져오고야 말았다는 결론을 다시 한 번 재확인시키는 것으로 되고 만다.

그런데 옥련은 혼인에 있어서 재래의 한국가정에서의 여성의 예속성을 부인하고 남자나 여자나 할 것 없이 각기 자기 행복을 위하여 결혼해야 한다는 이성 결합에 있어서의 대등동격의 주체성을 내세웠으니, 그때까지 한국여자는 자기를 희생하고 남편이나 자식을 위하여 사는 것이 종국의 목적인 것처럼 인습화되었던 사회에 이러한 제의는 하나의 선풍이라고 하지 않을 수 없다.

> 남자난 장가들고 여자난 시집 가난 것이 각기 자기 행복(自己幸福)을 위하난 일이지 누가 안해를 위하야 장가드는 사람이 있으며 남편을 위하야 시집가난 사람이 있으리까.
>
> 남편된 사람이 안해를 사랑하는 것도 자기 가정(自己家庭)의 즐거운 마암에서 나간 것이요 안해된 사람이 남편을 사랑하는 것도 가정의 즐거운 마암에서 나간 것이니 그것은 사람이 각히 행복을 구하난 분자(分子)의 단합(團合)이 완전할 뿐이라 이런 말을 어머니께서 알아들으실지 모르겠읍니다마는 실상 알아듣기 어려운 말도 아니 올시다.
>
> 어머니가 서일순씨로 사위를 삼으시면 은혜난 갚지 못하고 사위덕은 많이 보시리라 그 은혜 갚을 생각은 없고 그 덕을 볼 생각이 있거든 나더러 서일순씨에게로 시집가라고 말삼하시오.

여기에서 옥련은 은혜를 갚기 위하여 어머니의 생명을 구출하여 준 서일순(徐一淳)이와 결혼할 수는 없다고 하였는데, 이것은 구완서와의 경우에는 단순한 애정이 약혼의 동기가 된 것이 아니요 의리에 끌리거나 은혜를 갚겠다는 심정이 없지 않았던 만큼 똑같이 적용될 성질의 것이다. 아무튼 자기 행복을 추구하는 것 특히 한국여성으로서 남성과 대등한 입장에서 자기 행복의 주체성에 입각하여 혼인문제를 생각하고 그것을 어머니에게 설복시키는 대목은 근대적인 결혼관의 주장이 작품 속에 구체화된 장면이라고 하지 않을 수 없다. 그러나 이와 같은 새로운 자유 결혼관에 대하여 완고한 옥련 모나 구완서의 양친은 서숙자(徐淑子)의 간교에 영향받은 바도 있지만 이를 극력 반대하고 있으니 여기에는 혼인에 대한 신구세대의 견해의 차이가 표면화되었음을 나타내고 있다.

……지금 세상에난 자유결혼인지 무엇인지 우리 자라날 때난 들어 보지도 못하던 말이 있읍니다마는 내 사위 감은 내 눈에 들고 내 마암에 드난 사람이 아니면 옥련이를 시집보내고 싶은 생각은 없오…… 가령 옥련의 마암에난 미국 있을 때에 정한 혼처가 제 마암에 든다 칩시다. 그러나 어미 마암에 드지 아니할 지경이면 어찌 그어미 마암을 거슬리고 제 마암대로만 하겠다고 고집 부릴 수가 있오.

이것은 옥련 모가 서숙자에게 향하여 자기 딸의 자유결혼을 반대하고 부모의 마음에 드는 혼처를 택하여 종전대로 당사자보다 부모 위주의 혼인을 하겠다고 자기 생각을 토로하는 대목으로서 낡은 세대와 새로운 세대 간의 대립되는 상극면을 엿보게 한다.

그러면 여기에 근본적인 중대한 문제가 하나 남게 된다. 그것은 구완서와 옥련과 서일순의 삼각관계이다. 이 작품의 후반에서 표연히 나타난 혼인의 제3의 적 서일순은 그 진지성은 어떻든지 멋 떨어진 20대의 청년이요 목적을 위하여서는 수단 방법을 가리지 않는 호협의 쾌남아다.

서일순(徐一淳)의 자(字)난 이문(二文)이요 별명은 삼부지(三不知)요 행세난 팔체(八體)라 삼부지라 하난 것은 세가지 알수 없난 일이 있다난 말인데 한가지난 서씨의 나히 이십일세가 되앗난대 장가난 무슨 지조가 있어서 아니 드난지 알수 없난 일이요 돈은 썩잘 쓰난대 재산은 얼마나 가진 사람인지 알수 없난 일이요. 풍채난 무한이 있난대 평양기생 하나 상관 아니 하난 것이 알수 없난 일이라 팔체라 하난것은 여덟가지 잘하난 것이 있난체 한다난 말인대 글구나 하난체 글씨줄이나 쓰난체 묵화(墨畵)도 좀 치난체 갖은 음율도 잘하난체 말 잘하난체 신학문도 좀 있난체 의협심(義俠心)도 있난체 개화한체 그러한 팔체중에 입내 난다 내힐뿐 아니라 말은 참 잘하난 변사(辯士)이라 본래 의주 사람으로 삼년전에 그 부친이 죽은 후에 경성(京城)으로 이사하야 사난대 수월 전에 구경차로 평양에 와서 두류 하난 터이라.

얼굴은 관옥(冠玉)같고 눈은 새별같고 입살은 주사(朱砂)를 바른 것 같고 키난 크고 작도아니한 미남자(美男子)라 양복은 몇 벌이나 가졌으며 조선옷은 몇 벌이나 가지고 다니난지 며칠도리로 복색을 변하난대 무슨 옷을 입던지 그사람의 몸에난 그옷을 입은 것이 맵시가 더 나난 것 같이 보이난터이라.

작자는 이 작품 속에서 이러한 서일순을 직접으로 옥련과 대결시키지 않고 서숙자라는 간부(奸婦)의 계교를 중매로 하여 기생 오입도 모르는 숫총각으로서의 정식 청혼을 진행시키고 있다. 이것이 「모란봉」을 주종공모(主從共謀)의 구소설적 아류로 역행시키는 최대의 결함이다.

뿐만 아니라 작자는 냉정한 객관적인 위치에서 작중인물을 다루지 않고 한쪽으로 구완서 편에 기울어지는 동정을 노출시키고 있다. 돈 잘 쓰고 풍채 좋고 절개를 지키고 거기에다 묵화도 흉내 내고 의협심도 있고 말 잘하는 멋쟁이 미남자 서일순을 내세워 놓고 그가 옥련이를 첫눈에 사랑하게 되자 잠을 이루지 못하고 번민하며 꿈속에 환상을 그리다 못하여 초지관철을 위하여 옥련의 집에 방화까지 하게 하고 옥련의 가족으로 하여금 자기 신세를 지게까지 만드는, 즉 사랑을 위하여서는 물불을 가리지 않는 젊은이를 하필 왜 간악한 여인 서숙자의 손에서 놀게 만드는 것인가.

좀 더 본인끼리의 생사를 두려워하지 않는 치열한 대결이 있어야 할 것이었다. 구완서의 남산골 샌님 같은 미미한 성격에 비하면 여러 가지 좋은 조건을 구비하면서 그 위에다 모르는 것도 아는 체하는 서일순은 훨씬 개화 초기에 있을 수 있는 인물형이다. 10년간이나 거의 한 방에서 그것도 아무 지기 친척도 없는 이역에서 단 둘이 지내면서 혈기 왕성한 젊은 그들끼리 손목 한번 쥐어 보지 못하고 서양 사람들의 항다반으로 하는 키스나 포옹 한번 하지 못하고 이제 다시 10년 후에 성례할 요원한 앞날을 위하여 상항(桑港) 부두에서 고이 옥련을 전송하는 구완서는 덜된 성인군자가 아니면 육체적인 불구자에 틀림없음에 비하여, 서일순은 확실히 구식 양반투의 탕유객이 아니라 개화 초기의 모던보이라고 하여도 과언이 아닐 것이다.

④ 작품 구성의 방식

「모란봉」이 작중인물의 성격에 있어서 일관성이 결여되었다 함은 이미 지적한 바이지만 작품 구성에 있어서의 우연성도 허다히 노정된다. 특히 비슷한 연갑의 김옥련과 장옥련을 우연히 등장시켜 삽화적인 조작으로 사건을 전개시킨 것은 설화나 야담 이전의 이야기들이다.

평양은 하나이다 옥련이난 둘이라 하나난 김옥련이요 하나난 장옥련이라.

김옥련의 집은 평양 북문 안이요 장옥련의 집은 평양 남문 밖이라 김옥련이난 열일곱살이요 장옥련은 열여섯살인대 얼굴은 김옥련이 더 어엽뿐지 장옥련이가 더 어엽분지 만일 인물 조사하난 시험관이 있어서 비교를 붙일 지경이면 누구를 장원내고 누구를 조사내기가 어려울 터이라 공평된 눈으로 쌍장원을 냈으면 좋을만한 미녀자(美女子)들이라.

아침 안개 희미한대 봄바람에 소리없이 떨어지난 두견화(杜鵑花)같은 것은 장옥련의 태도이요 동각(東閣)에 싸히고 사창(紗窓)에 달 돋난대 반쯤 피인 매화(梅花)같은 것은 김옥련의 태도이라 조물이 사람을 낼때에 특별한 사정이 있난 인간에게 특별한 형용을 부여(賦與)하난일 있던지 김옥련 장옥련은 특별한 자색(姿色)을 쓰고난 여자이라.

금을 보면 금이 보배이요 옥을 보면 옥이 보배라 김옥련이를 보면 김옥련이가 일색이요 장옥련이를 보면 장옥련이가 미인이라 아람다온 외양은 빛은 같으나 팔자난 같은 일이 조금도 없었더라.

김옥련이난 어렸을 때에 그 부모를 떠나서 고생을 많이 하얏난대 장옥련은 부모 슬하에서 금옥같이 사랑을 받고 자랐더라 김옥련이난 다시 운수가 틔여서 그 부친을 만나 귀애함을 받으면서 또 그 어머니를 만나보려고 태평양을 건너오난대 장옥련은 액운이 들어서 그 부친에게 미움을 받난 중에 또 그 어머니를 이별 하얏더라.

이러한 장옥련의 돌연한 출현과 장옥련가(張玉蓮家)의 축첩(蓄妾) 사실을 중심한 가정 내분(內紛)은 이 작품의 주류와는 하등의 관계도 없이 전광석화식으로 한 장면만을 꾸며대는 역할을 하였지만, 신기성 외에는 하등의 효과도 나타내지 못하여 이 장면을 굳이 삽입한 작자의 의도를 추측하기조차 힘들다.

미국에 갔던 김옥련이 집으로 돌아오는 그날 그 시간에 미쳐 광인이 된 장옥련이 평양 성중 수만호 속에서 하필 김옥련 집으로 찾아드는 것도 기괴하거니와 광인 소녀의 넋두리에 도취된 김옥련의 생모가 남편이 딸을 동반하여 대문에 들어서는 것을 보고 첩을 데리고 자기를 때려죽이러 들어온다고 착각하고 대동강으로 죽으러 부엌 뒷문으로 덮어놓고 뛰어나가니, 광증의 전염이란 이렇게 기막힌 것인가 싶다. 비단 이때뿐만 아니라 대동강 자살사건은 이 한 편 속에서만도 세 차례나 거듭되니 「혈의 누」 상편까지 합치면 도합 6차의 자살 또는 미수사건이 벌어진다. 더욱이 장옥련 가에서 첩 롱선이 본처 안씨에 대한 질투로 간계를 꾸미는 것은 「귀의 성」에서 본처와 하녀 점순의 계교장면과 유사하며 통간 흉계의 다음과 같은 대목은 「치악산」에서 계시모(繼媤母)가 시비(侍婢)와 공모하여 며느리의 통간을 조작하는 장면과 거의 일치된다.

……문을 살짝 열고 나가니 장씨가 뒤를 따라 나선다.

농선이가 앞에 서서 자최 소리 없이 안방 뒷문 밖으로 돌아가다가 깜짝 놀라서 에그머니 소리를 나즈막하게 지르난대 담안 오동나무 아래 웬 떡거머리 총각 하나이 섰다가 담을 훌쩍 뛰어 넘어 간다.

근심 많은 안씨부인은 마침 잠 못이루어 담배를 먹고 앉앗다가 뒤곁에 무슨 인기척이 있난 것을 듣고 문을 열고 내다보니 눈에 보이난 것은 없고 소름이 쫙쫙 끼치난대 겁결에 문을 닫고 생각하니 이상한 인기척이라.

결국 이러한 사실의 종합은 이인직의 작품은 그 주제에 있어 약간의 차이는 있지만 거의 대동소이한 결말을 가져온다는 귀납점을 발견하게 하는 동시에 이 테두리를 넘어서 더 기발한 작품이 나오기도 어렵다는 연역이 가능하기도 한 것이다.

그러나 「모란봉」에 있어서 인물이나 장면의 묘사에는 상당히 노력한 흔적을 남기고 있으니 한두 군데 인용하면 다음과 같다.

……담배 설합을 열더니 녹녹하게 취긴 서초 한대를 똑 떼여서 은수복 놓은 긴 담배대를 집어 들고 막담으려다가 창밖에서 사람의 발자최 소리가 나난듯 한것을 듣고 손에 들었던 담배를 설합에 얼른 집어넣고 담배대난 한편에 슬적 치어 놓고 방바닥에 펼쳐 놓인 서상기난 책상 옆에서 책장우에 정제히 놓고 가방에 네힌 향수를 끄내더니

옷깃에도 드러 붓고 얼굴에도 바르고 머리우에도 흩흘 뿌리고 손수건에도 드러붓더니 향수병은 집어넣고 금강석 물부리에 여송연 한개를 끼여 붓쳐 물고 정제히 앉았난대 창밖에 인기적이 뚝 끊어지고 아모 소식 없난지라 서일순이가 의심이 나서 또 혼자 말이라.

이것은 서일순이 옥련의 환상을 그리면서 방안에 도사리고 앉아서 초조한 심정으로 서숙자에게서 들려올 소식을 기다리면서 어쩔 바를 모르는 장면을 그린 것인데 서일순의 표정이나 거동을 눈으로 보는 것 같이 방불한 바가 있다.

다음은 장옥련이 광증을 내고 김옥련의 집 대문으로 들어설 때 뜰 안에 전개된 모습을 그린 장면인데, 우리는 여기서 기미(己未) 이후《창조(創造)》발간을 전후한 때 문장의 사실성을 내세우고 빈틈없는 묘사를 솔선 시도한 몇몇 작가의 문장을 대하는 것 같은 인상이 없지 않으니 이인직의 작가적 재질을 과도기적인 배경의 제약과 결부시켜 생각하면 적잖은 감탄을 기울이지 않을 수 없다.

새끼달린 암캐가 안마루 밑에서 앞 뒤 다리를 쭉 뻣고 모로 두러누워서 네마리 새끼를 젓먹이며 잠이 들었다가 장옥련의 소리를 듣고 두 귀를 쫑곳하며 고개를 번쩍들고 내다 보다가 와락 뛰여 나오난 서슬에 젓꼭지를 물었던 강아지난 젓꼭지 문 채로 달려나오다 장작뭇에 걸지듯이 세마리난 자빠지고 한마리난 업드러져서 뜰 아래에 늘비하게 구럿난대 어미개난 새끼가 어떻게 되얏던지 돌아보지도 아니하고 목덜미에 털이 엉크러져 일어나며 엉성한 이빠리로 옥련이를 물듯이 웅 소리를 하며 달려드난대 김관일의 부인과 고장팔의 모가 보선바닥으로 뛰어나려 가더니 장팔의 모난 집신짝으로 개를 때리고 부인은 장옥련이를 부뜰고 창황이 날뛴다.

⑤ 「모란봉」의 위치

지금까지 조사한 바를 종합하여 보면 신소설 「모란봉」은 이인직의 최종 작품으로 위선 단정 지을 수밖에 없다. 이 작품은 상편인 「혈의 누」가 《만세보》 지상에 발표된 지 7년 후에 《매일신보》에 그 하편으로 「모란봉」이라는 개제 하에 연재되었다 함은 전술한 바이지만 작자의 불가피한 사정으로 미완성고(稿)로 중단되었기 때문에 작품전체에 대한 검토를 가할 수 없음은 거듭 유감된 일이다.

하편(下篇) 「모란봉」은 상편 「혈의 누」에 비하여 주제의 빈곤을 느끼는 반면에 사건은 일층 복잡화되어졌음을 발견할 수 있다.

따라서 장옥련의 돌발적인 출현을 비롯하여 구성이 엽기성을 내포하고 아울러 사건 진전의 필연성이 결여되었기 때문에 작품이 주는 박력이 퍽이나 희박하여졌다. 특히 애정문제 하나만을 이끌고 나간 「모란봉」은 상편 「혈의 누」에 있어서의 강력한 자주의식의 각성, 신학문 섭취에 따르는 정치개혁 등 개화사조의 적극적인 의식을 거의 망각케 하였을 뿐더러 모처럼 다루어진 애정문제도 간교의 매개를 삽입한 구소설조의 유형을 벗어나지 못하였기 때문에 거의 새로운 진전을 보이지 못하고 말았다.

물론 이 작품이 미완성으로 끝났기 때문에 그 대단원을 소홀히 추단할 수는 없시만 65회라는 적지 않은 양에 나타난 내용을 정밀히 검토하여 볼 때 옥련의 애정이 최후로 구완서와 서일순의 어느 쪽에 기울어지든 간교의 매개가 삽입되는 한 현대적인 사랑의 직접 대결은 없을 것이요, 옥련이가 구완서에게로 돌아가게 되면 동양적인 일반 윤리로 보아 정당화된 길이요, 서일순에게로 돌아간댔자 현재까지의 구완서의 애정에 대한 미온적인 태도로 보아 구완서에게 그리 큰 충격은 있을 상 싶지 않으나 옥련의 걸어온 과정에 비추어 그러한 경우는 예측되지 않고, 만약 옥련이 불의의 경우를 당하여 불가피하게 서일순의 만족을 채우게 된다면 작자가 항용하는 자살로 비극의 종결을 마치는 가능성도 있을 것이다.

그러나 외국유학을 하고 돌아온 이상형의 인물들이 「치악산」의 백돌이나 「은세계」의 옥남남매가 귀국한 후 또 신통한 일들을 하지 않고 지내는, 즉 이인직 작품의 구호적인 해외유학의 유형에 비추어 볼 때, 「모란봉」에서도 청일전쟁 당시 처자의 생사조차 관심에 두지 않고 원대한 포부를 가지고 해외로 갔던 김관일 자신도 10년간의 미국유학을 마치고 돌아와서 자기집이 소실된 후 서일순이 체류하는 최여정(崔汝正)의 집 한간에서 무위도식하고 있으니 구완서가 유학을 마치고 돌아온다손 치더라도 별로 신통한 일은 하지 못하리라는 것을 가히 예측할 수도 있는 일이다. 따라서 「모란봉」은 설령 이 작품이 종결되었다 할지라도 상편 「혈의 누」보다 우위에 놓일 수는 없으며, 「혈의 누」는 하편 「모란봉」 속편이 없는 속에서 그 참신한 주제가 더 빛날 수 있는 작품이 될 것이다.

「모란봉」은 우리의 신소설을 창작작품과 번안작품의 두 가지로 대별할 때 후기 번안작품이 왕성하던 시기에 연재된 작품으로 정식 결혼을 전제로 한 미혼남녀의 삼각애정 관계를 취급하였다는 점에서 근대적인 자유연애의 각성이 싹트기 시작한 사회 배경적인 조건과 결부하여 생각할 때 주제에 대한 하나의 의의를 제시하는 바 없지 않다.

끝으로 전술한 바와 같이 「모란봉」이 연재되고 있는 도중에 이수일과 심순애의 끓는 젊은 사랑을 절규케 하고 이에 금력을 배경으로 하는 김중배를 등장시켜 불꽃 튀는 자유연애의 찬란한 무대가 전개되는 「장한몽(長恨夢)」이 같은 지면에 연재되었으니 당시 독자의 구미의 방향은 짐작하고도 남음이 있지 않을까 생각된다.

(3) 「귀(鬼)의 성(聲)」

① 소설 「귀의 성」

신소설에 있어서 「귀의 성」처럼 열광적으로 애독되었던 작품은 없을 뿐더러 박력 있는 필치로써 독자의 심금을 울리고 절찬을 받은 작품도 드물 것이다. 이러한 결과는 여러 서사(書肆)에서 전후하여 경쟁적으로 같은 작품을 출판하게 만들었고, '신소설'하면 의례히 그 첫 예로서 「귀의 성」을 들게 되었을 뿐만 아니라 거개의 문학사나 신문학 관계 서적에 있어서도 개화기 문학을 논하는 대목에서는 우선적으로 「귀의 성」을 다루는 실정에까지 놓이게 되었다.

진정한 의미에 있어서의 한국 단편소설의 제1단계적 완성자인 김동인도,

> 한국(韓國) 근대소설(近代小說)의 원조(元祖)의 영관(榮冠)은 이인직(李人稙)의 「귀(鬼)의 성(聲)」에 돌아갈 밖에는 없다. 당시의 많은 작가(作家)들이 모두 작중(作中) 주인공(主人公)을 재자가인(才子佳人)으로 하고 사건(事件)을 선인(善人) 피해(被害)에 두고 결말(結末)도 악인필망(惡人必亡)을 도모할때 이 작가(作家)뿐은 「귀(鬼)의 성(聲)」으로서 학대 받은 한 가련한 여성(女性)의 일대(一代)를 우리에게 보여주었다 ……(중략)…… 여하(如何)턴 이 「귀(鬼)의 성(聲)」 뿐으로도 이 작가(作家)를 조선(朝鮮) 근대(近代) 소설가(小說家)의 조(祖)라고 서슴지 않고 명언(明言)할 수 있다.[61]

고 하여 「귀의 성」을 한국 근대소설의 원조로 내세웠고, 그 작가인 이인직을 한국 근대소설가의 조(祖)라고 극구 칭찬하였을 정도이다.

「귀의 성」은 상하 양편으로 되어 있으며, 광무 10년(1906) 10월부터 동(同) 11년 5월까지 《만세보》 지상에 연재되었다 함은 전술한 바로서 필자가 이 글의 대본으로 한 것은 융희 2년(1908) 7월 25일 중앙서관(中央書舘)

61 김동인, 「한국근대소설고」, 182면.

발행의 초판본이다. 상편은 20장(제 15장 결(缺))의 장회(章回)로 나누어졌고, 하편은 분장이 없이 통편으로 되어 있다.

「귀의 성」의 초판연대에 관하여는 김하명 씨[62]도 《만세보》 지상의 발매 광고로 미루어 이 소설이 신문에 연재 중에 이미 출판되었던 것이라고 하였을 뿐 초판본에 접하였다는 기술은 없고, 임화도 「귀의 성」의 발행연대에 관하여 참고 자료(參考資料)를 하나 들어둔다.

> 「귀의 성」 상권(上卷) 초판(初版)이 명치(明治) 45년(年)에 나왔음은 먼저도 말한 바와 같거니와 경성(京城) 남부(南部) 동현(銅峴)에 있는 박문서관(博文書館)이란 서점(書店)에서 융희 2년(年) 4월(月)에 발행(發行)한 서적목록(書籍目錄)에 당시(當時) 조선(朝鮮) 독서계(讀書界)를 풍미(風靡)하던 「월남망국사(越南亡國史)」·「서사건국지(瑞士建國誌)」·「금수회의록(禽獸會議錄)」·「애국부인전(愛國婦人傳)」 등(等)과 더불어 이인직의 소설로 「귀의 성」과 「혈의 누」가 기재(記載)되어 있다. 광고(廣告)만 났다가 책(冊)은 명치(明治) 45년(年)에 났는지 혹(或)은 융희 2년에 났던 책(冊)이 있는지 알 수 없는 일이다.[63]

라고 하여 명치연대 이전의 초판본을 보지 못한 듯 하니 현재까지 발견된 것으로는 융희 2년 7월 간행의 중앙서관(中央書館) 초판본이 가장 오랜 것으로 된다.

② 작품의 흐름

우선 이 작품의 흐름을 살펴보면, 춘천(春川) 남내면(南內面) 솔개동네

62 김하영, 「신소설과 혈의 누와 이인직」.
63 임화, 「속신문학사」 제17회.

(松峴)에 사는 강동지(姜同知)의 무남독녀 길순(吉順)(춘천집)이는 어머니가 절대 반대함에도 불구하고 아버지의 독단으로 당시 춘천군수로 내려온 서울 양반 김승지의 혹하는 바에 따라 그 첩(妾)이 되었다.

그러나 얼마 아니되어 김승지는 서울 본처의 시기로 애첩을 버려둔 채 내직(內職)으로 옮겨가게 되었으므로 길순이는 열아홉의 꽃다운 나이로 뱃속에서 꿈틀거리는 임신 9개월의 어린애 태동(胎動)을 낙으로 삼아 김승지의 소식만을 기다려 시름겨운 세월을 보내고, 강동지 내외는 딸의 정상(情狀)에 사뭇 미안함을 느끼고 지낸다.

추야장(秋夜長) 달밝은 밤에 건넌방에 홀로 누운 길순의 수심은 절정에 달하였고 안방에서 잠자던 동지 마누라는 딸이 꿈을 꾸다가 가위에 눌린 듯한 발악 소리에 깜짝 놀라 건넌방 창문 앞으로 드나들다가 결국에는 남편의 무모(無謀)로 딸의 신세를 망친 화풀이를 늘어놓아 불도 없는 방 안에서 바가지를 긁는다. 강동지는 시침을 뚝 따고 능글맞게 마누라의 푸념을 받아넘긴다.

결국 마누라의 앙칼진 포달에 이기지 못한 강동지는 김승지에게서 길순이를 데리고 서울로 올라오라는 기별이 왔다고 거짓말을 꾸며 대여 그 자리를 모면하였으나 그 진상을 모르는 모녀가 서울 행장을 차리고 기쁨에 넘쳐있는 것을 보자, 거짓말 잘하는 강동지도 어찌 하는 수 없이 다음 다음날 새벽에 딸을 데리고 단패 교군과 말 한 필에 나누어 타고 백구십리 서울길을 떠난다.

사흘 안에 서울에 도착한 강동지 일행은 아무 통지도 없이 김승지 집으로 들어가니 아닌 밤중에 홍두깨격으로 불의의 손을 맞는 하인청에서는 중문깐에 교군을 머무르게 하고 안중문으로 들어가는 것을 제지하니 춘천집이 왔다는 소식을 들은 김승지 부인은 안채에서 고함을 치며 사랑에 있는 김승지가 들으라는 듯이 계집종을 들볶는다.

중문간 교군 속에서 별생각이 다 일어나 죽은 듯이 앉아있던 길순이는 중문간 안팎에서 벌어지는 정경에 모기소리같이 흐느껴 울기 시작한다.

사랑방에 찾아 들어간 강동지에게 난처한 기색으로 얼마동안 계동 박참봉댁에 가서 부녀가 머물러 주기를 간청하고 사랑을 나와 중문 안에 들어서는 김승지는 그리던 길순이를 선뜻 만나보고 싶은 생각도 간절하나 헛기침 두세 번을 하고 교군에 옷자락을 스치며 지나가니 교군속의 춘천집은 기가 막혀서 목놓아 울고, 이 소리를 들은 김승지는 애처로운 마음에 뼈가 녹는 듯 하였으나 안마당에 가득찬 사람을 보니 수치한 생각에 얼굴에 모닥불을 담아 부은 것 같았고, 집안에 들어가서는 앙탈을 부리는 본부인의 노기(怒氣)를 가라앉히느라고 어쩔 줄을 모른다.

박참봉댁에 옮겨진 길순이는 밤새 잠을 이루지 못하고 고민하다가 죽기로 결심하고 몰래 대문으로 나와 만삭된 배를 어루만지면서 계동 궁담 밑 우물에 빠져 죽으려는 순간 샛골 순포막의 순경 호각소리로 투신 직전에 구출된다.

한성병원(漢城病院)에 입원하여 동태(動胎)된 몸이 완쾌되어 퇴원한 길순이는 아버지가 춘천으로 내려간 후 박참봉이 주선한 도동 남관 왕묘 동편에 있는 집에 들어가 동짓달 초하룻날 아들을 안산(安産)했으니 그 이름은 거북이었다.

그러나 본처의 투기에, 아울러 자기의 전정(前程)이 막연함을 느낀 춘천집은 아들을 남겨두고 전기철도(電氣鐵道)에 치어죽을 작정으로 경성창고회사 앞에 나아가 철길에 드러누웠으나 지나가는 인력거가 걸려 뒤집어지는 통에 그 속에 타고 있던 김승지댁에서 본부인 서슬에 쫓겨나온 침모를 만나 서로 의지하고 살아가게 된다.

그러나 본처와 모의를 하고 춘천집으로 찾아온 여비(女婢) 점순(點順)의 눈웃음을 띤 간교에 넘어간 춘천집은 점순이와 동거하게 되니 점순이는 김승지 본처에게서 속량(贖良)을 시켜주고 많은 금액을 보수로 받을 것을 밀약하고 춘천집 모자를 살해할 기회만을 노리는 동안에 양순한 침모도 그 꾀에 휩쓸려 들어간다.

그 후 1년이 지난 후 점순은 가진 재산으로 춘천집의 호의를 사고 본남편 자근돌이를 박차고 최(崔)가라는 정부(情夫)와 결탁하여, 마치 침모가 춘천집 모자를 죽인 것처럼 꾸며서 죄상을 침모에게 전가시킬 계획을 하였으나 침모가 그 모친의 충고로 단념을 하게 되자, 발설을 두려워, 본처의 독촉에도 불구하고 살해계획을 일단 중지하고 다음 해 봄을 기다리게 된다. (이상 상권)

어느덧 복숭아꽃이 피는 봄철이 돌아오자 점순은 거북이를 업고 돌아다니며 춘천집의 호감을 사는 한편 하루빨리 모자를 살해하려고 정부(情夫) 최(崔)가와 계교를 꾸민다.

하루는 구레나룻 최가를 김승지의 사촌동생 강동나리라고 속여 길순이 있는 집으로 이끌어 들였다.

최가가 김승지께서 자기집에 왔다가 급병이 들어 유언을 하시는데 아저씨 말씀에 두 분 아지머니나 한번 다시 보고 죽으면 좋겠다고 하시기에 삼청동 아지머니는 급한 성미로 당장에 두패 교군을 질러서 떠났으니, 춘천 아지머니도 가실 터이면 곧 떠나자고 하기에 순박한 시골 상인(常人)의 딸로 태어나 세상 물정을 모르고 자란 춘천집은 영감이 임종에 자기를 보고 싶어 한다는 말을 듣고 구레나룻이 억지로 권하는 대로 거북이를 업고 대기하였던 교군을 타고 구레나룻을 따라 길을 나선다.

점순이는 춘천집이 서방질하던 젊은 놈을 차고 도망했다고 소문을 내고 돌아다니며 자기들의 흉모를 은폐하기에 광분한다.

춘천집을 실은 교군이 서빙고(西氷庫) 강을 건널 때는 이미 긴 봄날도 저물어졌으나 때마침 음력 3월 15일 보름달이 초롱같이 비침으로 달빛에 의지하여 가는데 교군꾼이 주막으로 들어가며 교군을 내려놓으니 구레나룻은 거북이를 들쳐 업고 자기 처가까지만 가자고 춘천집을 재촉하나, 큰길은 제쳐놓고 무인지경 오솔길로만 들어가니 춘천집은 의심을 내면서도 따라가다가 산비탈에 주저앉는다.

춘천집이 자기를 데리고 어디로 가느냐고 물은즉 구레나룻은 "오냐 더 갈 것 없다 이만하여도 깊숙하게 잘 끌고 왔다"고 하면서 춘천집이 "내 몸 하나는 능지처참을 당하더라도 우리 거북이나 살려주오"하는 애걸의 목소리가 끊어지기 전에 춘천집 목에 칼이 꽂히고, 세 살 먹은 거북이도 머리위에서부터 내리치니 장작 쪼개지듯이 갈라졌다.

구레나룻은 두 송장을 끌어다가 사태난 깊은 곳에 집어 떨어뜨리는데 깊은 산속에 달빛만 교교하다.

한편 춘천 강동지는 초저녁부터 꿈자리가 뒤숭숭하여 날이 밝자마자 마누라와 동반하여 서울 딸집을 찾았으나 딸과 외손자의 종적은 묘연하기에, 하룻밤을 그 집에서 새는 중에 살해사건을 짐작하였고 길순의 비녀와 가락지에서 확실한 단서를 얻어가지고 점순이와 최가에 대한 복수에 이를 갈고 있다.

그날 밤으로 강동지는 박참봉을 찾아가 상의한 다음 마침 한강 건너 봉은사에 휴양차로 갔던 김승지에게서 춘천집과 거북의 송장을 보았다는 전갈이 온 것을 알고 강동지 부처(夫妻)는 광주 정선능 골짜기에 들어가 두 송장을 발견하고 매장한 다음, 일로 복수의 길로 떠난다.

그러나 이미 최가와 점순이는 김승지 본처에게서 속량(贖良) 문서를 만들어 받고, 돈을 탄 다음 경부선열차로 대전을 거쳐 부산으로 달아나는 도중 도난을 당하여 무일푼이 되어 부산 초량에서 김승지 부인에게 이 사연을 편지로 연락을 하였으므로 점순이와 최가의 거처를 알아낸 강동지는 부산으로 직행하여 범어사(梵魚寺) 승(僧)으로 가장하여 동래 깊은 골에서 밤중에 최가를 죽이고, 점순이마저 그 집에서 죽인 다음 그 길로 서울로 올라와서 김승지 부인을 처단하고 전부터 관계있는 김승지와 침모의 배필됨을 바란다는 글쪽을 남겨 놓고, 다시 부산을 거쳐 배로 해삼위(海參威)로 들어갔는데 그 뒤의 소식은 알 길이 없다는 것으로 끝난다.

③ 주제와 인물

「귀의 성」은 그 주제가 참신하다거나 사건 내용이 특이하다거나 한 점은 별로 없다. 그러면서도 이 작품이 박력있게 독자를 이끌어 가면서 독자의 심중에 강한 충격을 일으키고 절실한 공명을 환기시키는 것은 사건 진행의 빠른 템포와 내용의 비극성과 아울러 묘사에 노력한 문장의 사실성에 있다.

「귀의 성」의 주제를 한마디로 말하면서 본처와 시앗의 질투 갈등이 빚어낸 가정비극이라 하겠다. 그러기에 이 소설은 하편 끝머리에서,

> 김승지의 침모가 강동지 내외 간곳을 찾으려 하다가 못찾고 춘천집 모자의 묘를 춘천 삼학산에서 면례를 하난대 신영강으로 청용을 삼고 남내면 솔개동내로 향을 삼았더라. 그뫼 쓴 후에 삼학산 깊은 곳에 춘삼월 꽃필 때가 되면 이상한 새소리가 나난대 그 새난 밤에 우난새라 무심히 듣난 사람은 무슨 소린지 모르지마는 유심히 들으면 너무 영절스럽게 우니 말쟁이가 그 소리를 듣고 춘천집의 원혼이 새가 되았나 하난대 이상하게 우난 소리라.
>
> 시얐 되지마라 시얐 시얐 시얐 되지마라 시얐 시얐
>
> 시얐새난 슬프게 우난대 춘천 근처에 시얏된 사람들은 분을 되빡같이 바르고 꽃 떨어지난 봄바람에 시얐새 구경을 하러 삼학산으로 올라가니 새난 죽었난지 다시 우난 소리 없고 적적한 푸른 산에 풀이 우거진 둥그런 무덤 하나 있고 그 옆에난 조그마한 애총 하나 뿐이더라.

이것으로 그 대미(大尾)를 이룬 점으로 보아도 작자의 의도를 가히 짐작할 수 있을 것이다. 그러므로 여기에는 개화사조나 신문화 운동이 작품의 주류를 이루는 데는 거의 없고 다만 일부종사의 구각을 깨뜨리는 재혼관이나 미신타파의 암유나 사건의 진전과정에서 기차 · 전차 · 전보 · 지폐 등

현대적 문물을 이용하여 새로운 감각을 자극하는 어휘가 산견되는 점이 간접적으로 개화사조가 근대문명에 연관되어질 수 있는 점이라 하겠다.

그러나 양반 김승지 일가와 향읍 상인 강동지 가정의 내면적인 폭로로 강동지 및 침모 등이 지니고 있는 양반에 대한 반발의식 및 점순이나 최가 등의 천역들이 속량을 애원하고 자유를 갈구하는 점이 두드러질 수 있어 「귀의 성」을 재래의 유형적인 가정비극에 머무르게 하지 않고 개화의 각광을 받은 근대소설의 일우를 차지하게 하는 가장 중요한 계기를 만들고 있다. 또한 이로 말미암아 강동지의 호탕하면서도 복수에 찬 항거적인 기질이나 김승지의 호색으로 몰락해가는 탕유 양반의 대표적인 성격이 그려질 수 있었던 것이며, 속량과 돈을 위해서는 수단 방법을 가리지 않고 살인을 감행하는 점순의 후천적인 간계와 잔학성이 작품을 이끌고 나갈 수 있었던 것이다.

> 강동지가 성품은 강하고 힘은 장사이라 하날에서 떨어지는 벼락도 무섭지 아니하고 삼학산에서 내려오는 범도 무섭지 아니하나 겁나는 것은 양반과 돈이라.
>
> 양반과 돈을 무서워 하면 피하야 달아나는 것이 아니라 어린아해 젖꼭지 따르듯 따른다. 따르난 모양은 한가지나 따르난 마음은 두가지라. 양반을 보면 대포로 놓아서 뭇질러 죽여 씨를 없애고 싶은 마음이 있으면서 거죽으로 따르고 돈을 보면 어미 애비보다 반갑고 계집 자식보다 귀애하난 마음이 있어서 속으로 따른다.
>
> 그렇게 따르난 돈을 이전 시절에 남 부럽지 아니하게 가졌더니 춘천부사인지 군수인지 쉽게 말하려면 인피 베끼난 불한당들이 번갈아 내려오난대 이놈이 가면 살겠다 싶으나 오난놈 마다 그놈이 그놈이라 강동지의 돈은 양반의 창자 속으로 다 들어가고 강동지난 피천 대푼 없이 외자 술이나 먹고 집에 들어와서 화풀이로 세월을 보내더니 서

울 김승지가 춘천군수로 내려와서 지방 정치에난 눈이 컴컴하나 어여 뿐 계집 있다난 소문에난 귀가 밝은 사람이라.

이것은 강동지의 성격과 양반의 학정을 서술한 대목이지만 양반을 보면 겁을 집어먹고 무서워하면서도 대포로 쏘아 죽이고 싶은 적개심은 언제나 강동지의 마음 한구석에 잠재하고 있다.

따라서 강동지가 이제 새삼스레 양반을 따르는 것은 진정 내심이 아니고 외형에 불과하며 지방 관속으로 말미암아 남부럽지 않게 가졌던 가재(家財)를 파산당한 보복으로 양반의 학정에 굴종하지도 않을 뿐더러 등관(登官) 입신의 길이 막힌 상민으로 돈은 유일한 무기이기에 은근히 가재의 복구책도 기도하려던 것이다. 그러므로 그가 신임(新任)한 춘천군수 서울 양반을 사위로 삼고 딸을 첩으로 준 것은 이러한 그의 양반관의 발로로서 그는 마누라의 반대를 억누르고 외딸을 희생시켜 가면서도 자기 목적을 달하기 위하여 수단을 가리지 않았던 것이다.

이러한 강동지의 내심은 그 마누라와의 대화 속에서 더욱 구체적으로 나타난다.

자식이라고난 그것 하나 뿐인대 금옥같이 길렀다가 지금 와서 저러한 신세가 되니 그것이 뉘탓이요.

초록은 제빛이 좋다고 사위를 보거든 같은 상사람끼리 혼인 하난 것이 좋지 양반 사위 좋다고 할 빌어먹을 년이 있나 내마음대로 할것 같으면 가난한 집 지차 자식이든지 그렇지 아니하면 부모도 없고 사람만 착실한 아해를 골라서 다릴사위를 삼아서 평생을 다리고 있으려 하얐더니 그 소원이 쓸데 없고 사위 없는 딸 하나만 다리고 있게 되얐소.

여보 영감 양반 사위를 보려고 남을 입도 못버리게 하고 풍을 칠때에난 그 혼인만 하면 하날에서 은이나 금이나 쏟아지는 것 같고 길순이난 신선이나 되난듯 하더니 사위덕을 얼마나 보았오.

우리가 백척간두에 꼭 죽을 지경에 김승지 영감이 춘천군수로 내려와서 우리 길순이를 첩으로 달라하니 참 용꿈 꾸엇지 내가 전에난 풍헌 하나만 보아도 설설 기였더니 춘천군수 사위 본 후에난 내가 읍내를 들어가면 동지님 동지님 하고 어데를 가던지 육회 접시 술잔이 떠날 때가 없었네.

그영감이 비서승으로 갈려 들어가지 말고 춘천군수로 몇해만 더 있었더면 우리가 수날번하였네, 여편네들은 아무것도 모르면서 집안에서 방정을 떨고 있으니 될 것도 아니되야 잠자코 가마니만 있게 그 양반 덕에 우리가 또 수날때 있느니.

이같이 초록동색의 상사람끼리 혼인하자는 마누라의 주장을 무시하고 양반 사위 본 덕으로 허울 좋은 껍데기 동지 행세를 하여 향반에게 눌리기는커녕 우대를 받는데 자족하고 앞으로도 돈푼이나 착실히 장만할 무슨 큰 수 날 것을 기대하고 있다.

"목소리난 갈범 같고 눈은 봉의 눈같고 귀난 누가 보던지 쳐다보게 큰 귀"로 나이 50이나 되어도 "춘천 바닥에서 씨름판에 판막던" 기골 장대한 거인 강동지도 더부살이 양반 행세를 할 때는 호인형이었고 서울로 데리고 간 딸을 내던지고 홀로 춘천으로 돌아갈 때도 대범하였으나, 일단 딸의 살해 사건을 알자 여비 점순에 대한 복수심에 아울러 "인피베끼난 불한당" 양반에 대한 적개심이 폭발한 그는 계동 박참봉을 찾아가서 노기충천한 어조로,

이주먹 아래 몇년 몇놈이 뒤여질지 모르겠구 박참봉부터 당장 더운 죽음을 아니 하려거든 어름 어름 하지말고 바른대로 말하오.

하면서 양반을 모두 적으로 알았을 뿐만 아니라 부산에 내려가서 점순이와 최가를 처단한 다음 다시 서울로 올라가서 김승지 부인방에 밤중에 침입하여 고의로 정조를 강요하여 승낙을 받고나서,

네가 결핏하면 양반이니 염소반이니 하며 너는 고소대 같이 높은 사람이 되고 내딸은 상년이라 그년 그년 그까진년 남의 첩년 강동지의 딸년 죽일년 하며 너혼자 세상에 다시 없는 깨끗한 양반의 녀편네인체 하던 년이 그렇게 쉽게 몸을 허락한단 말이야.

하고 다시 일도양단하니 이는 강동지의 양반에 대한 최후의 화풀이였다. 그 후 강동지는 마누라를 데리고 해로(海路)로 해삼위(海參威)로 떠나 종적을 감추었으니 이것은 당시 사회체제에서 헤어날 수 없는 하층계급 강동지의 어쩔 수 없는 망명이었다.

다만 이 작품 속에서 처음에는 강동지가 무지막지한 무식꾼처럼 취급되었다가 끝에 가서는 비록 가장(假裝)이라 할지라도 양복입은 신사로 꾸며졌고, 어느 정도의 식견이 있는 듯이 다루어지고 있으면서도 그 진전되는 경과가 밝혀지지 않았음은 성격의 일관성에 결핍된 바 없지 않으나 그런 대로 강동지는 한말의 부패된 사회상에 있어서 천민급의 반발을 표현한 대표적 성격이라고 하지 않을 수 없다.

여기에 비하면 김승지는 무능력하고 주색에 빠져 헤어날 줄 모르는 우유부단의 양반층을 대표하는 좋은 대조의 성격이라고 하겠다. "사람은 쇠천 한 푼짜리 못되더라도 조선서 지체 좋고 벼슬 하고 세도 출입이나 하고 대문만 큼직하면 그 집에 사람이 들락날락 하는" 그런 인간으로 가문덕에 벼슬이나 얻어하고 정치야 어떻게 되던 오불관언(吾不關焉)으로 "계집이라면 사족을 못 쓰는 못나고 빙충맞은" 그 따위 위인이다.

여염집 딸이건 침모건 닥치는 대로 나꿔 버리는 위인으로 그 통에 가

정도 기울어졌고 집안에는 불화만 가져오니 그 부인의 입을 빌어 김승지의 호색은 비복간에까지 퍼진다.

……선대감 살으셨을 때난 재물도 참 많더라마는 선대감 돌아가신 후에 영감께서 계집에게 죄 듸밀고 무엇 있난줄 아나냐, 내포서 올라오난 추수섬하고 황해도 연안서 오는 추수외에 무엇 있다더냐, 내가 잠자코만 있으면 며칠 못 되여서 춘천 집에게로 죄 듸밀고 무엇 남을줄 아나냐 그 원수의 침모년도 영감의 돈 냄새를 맡고 달려붙은 것이다.

이렇게 계집이라면 집안꼴이야 어떻게 되던 사족을 못쓰는 양반이 자기의 저지른 일에 대하여는 책임을 질 줄 모르니 춘천에서 애첩을 내버려두고 도주하다시피 서울로 올라올 때도 그러하거니와, 강동지가 딸을 데리고 올라왔을 때에는 강동지에게 분명한 태도를 취하지 못하고 춘천집을 보고 싶은 생각은 간절하면서도 본처의 등쌀에 이기지 못하여 기를 펴지 못한다.

응 춘천집이 올라왔어 그래 어대 있나. 아 교군이 이밖에 왔나, 미리 통지나 있고 들어왔으면 좋았을 것을…… 그것 참 아니 되얏네 기왕 그렇게 되얏으니 자네가 이길로 그 교군을 다리고 계동 박참봉 집을 찾어 가서 내말로 춘천집을 맡아 두라 하게.

이같이 옹졸한 모습이나 강동지 앞에서 제 책임을 회피하고 슬쩍 발을 빼는 꼴이나 또한 그 뒤에 본처가 들볶는 판에 어쩔 줄을 몰라,

어데 내가 춘천집이 왔난지 무엇이 왔난지 알수가 있나, 나더러 누가 말을 하여야 알지, 이애 그것이 춘천집이냐, 내가 오란말 없이 우

애 왔단 말이냐, 내가 다려올것 같으면 내가 춘천서 올라올 때에 다리고 왔지 두고 올리가 있나. 춘천 있을 때에 내가 싫어서 내어버린 계집인대 우애 내집을 왔단말이냐. 작은돌아 네가 나가서 어서 그 교군을 쫓아 보내고 들어오너라, 여보 마누라도 딱한 사람이요 자세히 아지도 못하고 헷푸념을 그리 하구려.

우물쭈물하여 결단을 못짓고 당황하는 꼴은 무골충(無骨蟲) 같은 능력 없는 양반의 좋은 표본이다. 이것이 끝머리에 가서는 춘천집이 죽고 본처가 살해당한 후 이번에는 침모와 동서(同棲)하니 또한 가관이다. 이러한 장면은 「치악산」에 있어서 홍참의가 그렇게 집안이 복잡한 가운데서도 송도집을 차고 들어와서 집안의 갈등을 일층 조장시키는 장면과도 흡사하며 무력하고 결단력 없고 호색함은 몰락과정에 있는 김빠진 양반의 거의 공통적인 특징인 듯 싶다.

이 작품의 주인공 춘천집은 "춘천 솔개구석에서 양반(兩班) 무서운 줄만 알던 백성의 딸이요 비록 상사람이나 사족부녀가 따르지 못할 행실이 있던 계집"이며, 갖은 고난을 겪으면서도 일언반구의 불평도 하지 않았고, 그 아버지 강동지에게도 많이 속았으나 자식이 부모를 믿는 마음에 의심도 없이 시키는 대로 하는 순진하고 소박한 여인이다. 그녀는 자기 신변에 닥치는 온갖 공포와 위험을 불우한 운명으로 돌리고 끈기 있는 인내로 버텼으나 급기야 2차에 걸쳐 자살을 기도하다가 그것조차 미수로 돌아갔기에 그녀도 또한 운명으로 돌리고 지내다가 결국에는 비명으로 살해를 당한다. 인간의 일생을 좌우하는 혼인에 자기 의사를 반영시키지 못하고 아버지 명에 복종하여 뜻 없는 양반의 첩이 되었다가 그것마저 미진한 대로 슬픈 최후를 마치었으니 순진하고 약한 여인의 학대받는 슬픈 일대기로서 춘천집의 괴로운 심정은 다음 한두 구절에서도 엿볼 수 있다.

내가 왔단 말을 들으면 영감이 오작 반가와 하랴 춘천 군수로 있을 때에 하로 한시만 나를 못보면 실성한 사람 같드니 그동안에 날 보고 싶어 어찌 살앗누, 영감은 날더러 올러오라고 노자 보낸지가 오랬을 터이지마난 필경 우리 아버지가 돈을 다쓰시고 나를 속인 것이야, 영감이 글도 잘 하난대 우애 언문은 그렇게 서투르던지 편지를 하면 아버지게만 하고 내게만 아니하니, 내가 우리 아버지게 속은 것이야 어찌 되얏든지 이제난 서울로 올러왔으니 아모 걱정 없지, 집도 크고 좋아라 나 있을 방은 어댁구.

이것은 춘천집이 김승지댁 중문간에 놓인 교군 속에서 자기의 미래를 점치고 있는 대목으로서 아직 세속에 물들지 않은 춘천집의 면모를 더듬을 수 있다. 특히 우물에 투신하려다가 순검에게 구출되어 한성병원에 입원하고 있을 때에는,

오냐, 죽지말고 참아 보자. 천리가 있으면 죄 없난 길순이가 만삭한 배를 끌고 우물 귀신 되려난 것을 굽어보고 도와주지 아니할 이치가 없을 것이다.

이같이 운명에 기탁하는 재생의 독백을 하다가 그 후 해산하고 나서 얼마 아니되어 다시 전차자살을 결심한 직전에는,

내가 김승지의 첩 되던 날이 죽을 날 받아 놓은 것이요, 서울로 오든날이 죽으러 오던 날이라, 하날이 정하야 주신 팔자요 귀신이 인도한 길이라, 하로 한시라도 갈길 아니 가고 이세상에 있난고로 하날이 미워하고 귀신이 시기하야 죽기보다 더한 고생을 지여주난 것이라. 고생도 진저리가 나거니와 하날이 명하신 팔자를 어기려 하면 되겠나냐.

이 또한 모든 일을 천명과 팔자 소관으로 돌리고 운명에 순종하는 태도를 나타내었으니 이것은 시골 소박한 부녀자의 공통되는 심리라고도 할 수 있겠다.

이와 반대로 김승지의 본처는 시앗 싸움에 살기를 띠고 눈에 쌍심지를 돋우고 발악을 하니 춘천집 교군이 왔다는 소식을 듣자마자,

금단아 사랑에 가서 영감 엿주어라 밤낮으로 기다리시는 춘천집이 왔읍니다고 엿주어라, 요박살을 하여 놓을 년 우애 나가지 아니하고 알진알진 하나냐 요년 이리 오너라, 내가 조년부터 처죽이야 속이 시원 하겠다. 옥련아. 점순아.

하고 계집종을 못살게 들볶으니 이 짧은 대화 속에서도 본처의 성격은 거의 묘출되었다. 더욱이 점순이가 춘천집의 아들 거북이를 업고 김승지 본부인 집으로 갔을 때 천진난만한 철없는 어린애를 보고 본처가 하는 말이,

이애 점순아 네 등에 업힌 아해가 누구냐, 그것이 춘천집의 자식이냐, 에그 그년의 자식을 생으로 부등부등 뜯어 먹었으면 좋겠다. 네 그년의 자식을 이리 다리고 오너라, 목아지나 비틀어 죽여 버리자.

이 대화 속에서는 독기가 서리고 있어 전율을 느낄 정도의 흉악하고 무지한 성격이 노골적으로 나타나 있다. 그뿐만 아니라 김승지와 침모와의 관계를 의심하여 침모더러,

춘천집을 자네집에 두고 영감이 자네 집에 가시거든 뚜쟁이 노릇을 하여 먹잔 작정인가 춘천집과 벼개 동서가 되야서 셋 부치 개피떡 같이 밤낮으로 셋이 한테 들어붙어 있으려난 작정인가.

소위 양반댁 본실로서 이 이상의 무지와 악독성을 나타낼 수는 없을 정도의 묘미있는 함축된 대화이다.

노비 점순의 성격은 이 작품에 있어서 비복의 속량과 관련시켜 검토해야 할 문제이다.

이마난 숙붙고 얼골빛은 파르족족하고 눈은 가슴치레한 계집이 나은 스물이 되얏거나 말거나 하얏난대……

엉성한 바구니 속에 빨간 고기 하얀 두부 파란 파를 요리조리 겻드려서 옥색 저구리에 빨간 팔배래 받아 입은 팔끔치에 흠척 끼고 흔들거리고 들어오던 점순이가 대문깐에서 뒤를 할긋할긋 돌아다보더니 허리침 속에서 열쇠를 꺼내서 겉으로 잠갔던 행낭방 문을 덜걱 열고 쑥 드려다 보니……

본래 잘웃난 눈웃음을 한번 다시 웃으면서

이것으로 점순의 용모와 동작이 거의 방불되는 바 없지 않으나 좀 더 구체적인 그의 심리나 성격이나 또는 모의에 대한 간계도 다른 대목에서 확연될 수 있다.

누가 마님을 싫어서 죽고 싶다 하난 말삼이 오니까, 아낙에 들어왔다가 마님께서 저렇게 근심 하시난 것을 보면 쇤네난 아무 경황이 없읍니다. 오날밤 일지라도 춘천마나님이 죽고 없으면 쇤네난 냉수만 먹고 살아도 살이 찌겠읍니다. 마님께서 쇤네 말삼대로 하시면 아모 걱정이 없으실터이지마난……

이것은 맨 처음 본처에서 모계(謀計)의 암시를 주는 장면이요, 다음은 거북이를 안고 알아듣지도 못하는 한둙맞이 어린애에게 하는 소리다.

> 이애 오날은 내덕에 살았지 이후에 내손에 죽더래도 원통한것 없나니라, 너난 죽을 때에 너의 어머니와 한날 한시에 죽어라 허허허.

이상 인용한 구절에서 보는 바와 같이 못생긴 꼴에 잘 웃는 눈웃음과 경박한 행동에 아울러 여우같은 간계가 날듯한 선천적 요소를 다분히 가진데다가 본부인의 간단없는 사주는 악행에 더욱 박차를 가하였고, 더욱이 속량으로 비천한 노비의 신분을 벗어나 자유로운 인간으로서 돈을 마음대로 쓸 수 있고 마음 맞는 정부와 좋은 곳에 가서 생활할 수 있다는 조건이 살인이라는 최후의 악행을 범하게 하는 직접적인 동기가 된다.

정부 최가가 살해 범행 전에 공로에 대한 보수를 물었을 때 점순은 싱긋 웃으며 최가의 얼굴을 말끄러미 보다가,

> 내가 거북애기를 젖먹였다고 그 공로로 속량하여 주고 최서방의 이름으로 황해도 연안 있난 전장 마름차지까지 내여 놓았다오 그전장은 내손에 한번 들어오면 내것 되고 말걸……

하여 속량되어 토지의 권리까지 생길 것을 말하였으며, 그 후 성사가 된 후에 실지로 속량 문서를 만들어 가지고 자유로운 몸이 되어 정부와 함께 부산으로 도피하였으니, 점순의 살해 음모는 고대소설이나 다른 신소설에서 볼 수 있는 노비가 주인에 충성하여 노주 공모하는 일반적 유형 외에 속량문제가 퍽 중요한 비중을 차지하였다는 것이 특이한 점이다.

이것은 신소설 「치악산」에서 김씨부인과 노비 옥단이가 공모하여 전처 소생의 며느리 이씨부인을 간음으로 훼조하여 살해하려는 경우와 유사하

여 「치악산」의 경우에는 노비가 주인에게 절대 충성한다는 조건이 속량 문제와 거의 같은 비중을 차지하였는데, 「귀의 성」에서는 속량문제가 중점적이요 우위에 놓였다는 것이 더욱 주목할 점이다. 따라서 「귀의 성」에서는 강동지의 양반에 대한 반발의식이나 점순의 속량문제가 주제 속에 중요한 복선으로 되어 있을 뿐만 아니라 침모도 점순에 대하여 김승지부인을 비방하여 천민으로서의 간접적인 반항을 표출하고 있다.

> 김승지의 부인쯤 되면 우리같은 상년은 생으로 회를 쳐서 먹어도 관계치 아니할 줄 안다던가. 자네댁 마님이 이런 소리 들으시면 교군 타고 내집에 와서 별 야단 칠줄아네, 요새같이 법률 세상에 내가 잘못한 일만 없으면 아모것도 겁나난 것 없네, 김승지댁 숙부인도 말고 하날에서 나려온 천사 부인이라도 남의집 와서 야단만 쳐보라게, 나난 순포막에 가서 우리집에 미친 녀편네 왔으니 끌어내어 달라고 망신 좀 시켜 보겠네, 미닫이 살 하나만 분질러보라 하게 재판하야 손해를 받게.

법률과 재판의 배경 앞에 김승지 부인과 자기 자신을 동격으로 내세운 침모의 이 한마디는 갑오경장 후의 계급타파·개성존중의 개화의식이 「귀의 성」에 있어서 직접적인 주제는 되지 못하였을지라도 몰락해가는 양반가정 김승지의 일가를 폭로함으로써 상민의 반발이 방적(傍的)으로 표현된 복선적 효과로서 「귀의 성」을 재래의 일률적인 가정비극에 머무르지 않게 한 가장 중요한 핵심이라고 보아야 할 것이다.

④ 결말처리와 묘사

「귀의 성」은 그 구성에 있어서 약간의 비약이나 우연성이 개재되지 않은 것은 아니지만 대체로 치밀하게 짜여진 작품이며 사건을 꾸며나간 허

구성이나 진행의 템포가 후반에 가서 다소 이완되기는 하였지만 끝까지 박력있게 이끌고 나가 평범한 주제임에도 불구하고 읽은 후에 여운이 남는 것은 종래의 인과보은이나 권선징악적인 일반률에서 벗어나려고 노력한 결과인 것이다.

첫째로 「귀의 성」은 해피 엔드가 아니다. 주요한 등장인물의 대부분은 죽었거나 그 종적을 알 길이 없게 되고 그 결과가 거의 전부 비극적인 분위기로 끝났다. 특히 작자는 대화의 묘미를 살려서 성격을 나타내려고 했고 사실성에 대하여 의식적이건 무의식적이건 그것은 별문제로 하고 사실적인 묘사에 애를 쓴 흔적이 역력하다.

> 행전 노리에 편지를 집어지르고 저고리 고름에 갓모 차고 철대 부러진 제량갓을 등에 질머지은 듯이 제쳐 쓰고 이마에 석양(夕陽)을 이고 곰방담배대 물고 활개짓하며 한양 종남산 바라보고 한걸음에 뛰여 갈듯이 달아나난것은 김승지의 편지 가지고 가난 보행 삯군이라.

이것은 봉은사에서 김승지가 계동 박참봉에게 급보를 보내는 보행꾼의 차림인데, 행전을 띠고 갓을 제쳐 쓰고 날듯이 달아나는 경쾌한 모습이 눈에 선하다.

인물의 성격을 나타내는 데 있어서도 전항에서 이미 수처에 인용된 바와 같이 남용할 정도의 대화로서 김승지 · 김승지부인 · 점순 등의 특징을 살렸으며, 인물의 인상을 구체적으로 그려내기에 힘썼다. 점순의 모습을 "이마난 숙붙고 얼골 빛은 파로족족하고 눈은 가슴치레"하다고 한 것이라든지, 최가의 모습을 "키난 크도 작도 아니하고 몸집 통통하고 어깨 떡 벌어지고 눈이 두리두리하고 구레나루 수선스럽게 난 모양" 운운한 것은 현대소설의 묘사법에까지 비할 바는 아니겠지만 그 성격을 가히 연상시키기에 족하다.

더욱이 문장을 다루는 데 있어서 센텐스의 말미에 '러라'·'더라'식의 고대소설식 어투가 남아서 아직 구태가 가시지 않은 점이 없지 않으나, 한글 최초의 문법서가 겨우 나온 당시의 실정에 비추어 볼 때 새로운 표현에 경탄하지 않을 수 없다.

위선 장면묘사의 예를 한둘 들어보면,

너른 속것에 치마 하나만 두루고 때가 닥지닥지 앉은 까막발에 버선도 아니신고 불고 염체하고 방 한가온대로 들어온다. 새벽녘 찬바람이 방고래 빠진 곳으로 들이치드니 가난이 똑똑듯난 등피없난 석유 등불이 툭 꺼졌더라.

아래 목에난 젊은것들 세상이라 팔단 용때장 밑에서 전후 점백이 비둘기 한쌍 노듯하고 웃목에난 늙은이 모듬이라 어물전 좌판우에 바싹 마른 새우 세마리를 느러놓은 것 같이 꼬부리고 누엇더라.

전자는 박참봉집 방안의 형편과 마누라의 모습을 그린 것이요, 후자는 춘천집이 살해당한 후 주인 없는 집에 점순이 최가 노파 및 강동지 내외의 자는 모양을 그린 장면이다. 박참봉 마누라의 꾀죄죄한 꼴도 연상되거니와 궁핍한 살림살이도 한두 줄로 남김없이 그려졌다. 더욱이 춘천집에서 사지를 웅크리고 되는대로 뒹굴고 있는 늙은이의 엉성한 모습은 그대로 시각적인 감각을 준다.

다음은 강동지와 최가가 동래 범어서 길목에서 서로 붙잡고 격투하는 장면인데, 그 싸움의 진행되는 과정이 역연하여 현대소설에 비하여도 이 대목은 손색이 없는 장면일 것 같다.

강동지가 선듯 달려들어 최가의 손에든 몽둥이를 쑥 뺏어서 획 집어내던지고 지팽이 끝으로 최가의 가슴을 지르니 최가가 지팽이 끝을 턱 붓들며 무슨 소리를 막 냅드러 할 지음에 강동지가 지팽이를 와락 잡아다니난대 칼이 쏙 빠지며 최가의 손에난 칼집만 있고 강동지의 손에난 서리같은 칼날이 달빛에 번쩍거린다.

최가가 제뚝심만 밑고 칼자루를 들고 칼을 막으려 드난대 강동지난 오른손에 칼을 높이 들고 섰고 최가는 두손으로 칼집을 쥐고 섰다. 강동지가 소리를 버리 지르며 칼로 내리치니 최가가 몸을 슬적 비키면서 칼집으로 내려오난 칼을 받난다.

본래 강동지의 칼이 뼘 좁은 지팽이 칼이라 내리치난 심도 장사의 근력이요 올리받난 심도 장사의 근력이라 칼도 부러지고 칼집도 부러지니 최가가 부러진 칼집을 던지고 와락 달려들며 강동지 멱살을 웅키어쥐난대 강동지가 부러진 칼토막을 내던지며 무쇠같은 주먹으로 최가의 팔둑을 내리치니 강동지의 옷깃이 문정 떨어지며 멱살 쥐던 최가의 팔이 부러지난듯 하야 감히 다시 대적할 생의를 못하고 겁결에 달아난다.

좀 장황한 인용이었으나 이 싸움 장면은 마치 영화 스크린을 연상시킬 정도로 구체적인 묘사를 하고 있다.

이 밖에도 「귀의 성」에 있어서는 자연묘사나 인물 또는 장면묘사가 절실한 실감을 자아내는 대목이 불문하나 강동지 집안의 밤장면의 하나를 인용하고 끝내려 한다.

강동지 집 안방이 굴속 같이 어두었난대 강동지난 그렇게 어둔 방에서 담뱃대를 찾으려고 방안을 더듬더듬 더듬다가 담뱃대는 아니 잡히고 마누라의 몸둥이에 손이 닿더라.

판수가 계집을 만지듯이 마누라의 머리에서부터 더듬어 내려 오더

니 중늙은이도 젊은 마음이 나던지 담배대난 아니 찾고 마누라를 들
어뉘우려하니

이러한 약간 관능적인 묘사는 다른 장면에도 나오는 데가 있으며, 특히 작자는 이 작품에서 역사적인 묘사로 인생의 측면을 예리하게 풍자한 데가 있어 독자로 하여금 모르는 사이에 입가에 미소가 스쳐감을 느끼게 하고 있다.

⑤ 「귀의 성」의 소설사적 위치

끝으로 「귀의 성」의 문학사적 위치에 대하여 간단히 논급하고자 한다. 「귀의 성」은 「치악산」과 더불어 신소설 중에서 방대한 양을 가진 장편의 하나로 「혈의 누」의 뒤를 이어 발표된 가장 초기에 속하는 작품의 하나이며, 이인직의 저작 중에서 「은세계」와 더불어 수작의 한자리를 차지하는 작품이다.

물론 이러한 논단은 현대소설적인 관점을 기준으로 하여 따져본다면 우습기 짝이 없는 이야기겠지만 우리 문학사의 역사적인 흐름 속에 「귀의 성」이 차지하는 시대적인 위치를 중심으로 하여 논할 때에 그러하다는 이야기이다.

"숙종대왕 즉위초에" 운운으로 어느 때 어디서 누가 무엇을 했다든가, '각설(却說)'식 서두로 시작되는 고대소설의 천편일률적인 테두리에서 벗어나 "깊은 밤 지는 달이 춘천 삼학산 그림자를 끌어다가 남내면 솔개동내 강동지집 건넌방 서창에 들었더라"의 자연묘사로서 시작된 「귀의 성」은 그 첫줄에서부터 새로운 맛이 당시의 독자를 매혹하였음에 틀림없다. 이러한 점이 낡은 것에 대한 새롭다는 뜻으로 구소설에 대하여 신소설의 새로운 이름이 자연발생적으로 명명되게 된 하나의 계기도 되었을 것이다.

서구에 있어서의 중세문학을 대표하는 로맨스와 근대문학을 대표하는

근대소설의 문학사적인 특징을 만일 우리 문학사에 적용시킬 수 있다면 줄거리 중심으로 상상의 세계에까지 퍼져나가는 고대소설은 로맨스에 해당될 것이요, 갑오경장 후의 근대적인 각성된 인물성격을 적으나마 표현 묘사하기에 노력한 신소설은 근대소설의 일익에 담겨지지 않을 수 없겠으니 이러한 관점으로 본다면 신소설은 종래의 문학사가 막연히 고대소설과 현대소설의 중간단계에 놓은 신소설의 위치는 훨씬 현대소설에 접근되는 면에서 그 전초적인 역으로 다루어져야 할 것이다.

이러한 면에서 신소설 「귀의 성」은 그 주제의 참신성을 발견할 수 없다손 치더라도 그 밑에 저류로 흐르는 경장(更張) 후의 몰락해가는 양반계층의 무력한 면을 가정 내의 갈등을 매개로 하여 폭로하는 동시에, 귀족 지배급의 가렴주구에 견디다 못해 반발하는 피지배계급의 모습을 돈에 대한 욕망에서 또는 속량에 대한 갈구를 통하여 새로운 세대적인 요소를 지닌 인간상으로 소극적이나마 그려냈다는 점이 장면이나 사건의 묘사에 노력한 점과 아울러 신소설이 근대소설의 산하에 들어갈 수 있게 한 가장 뚜렷한 거점이라고 하겠다. 특히 재래의 고대소설이 고진감래·권선징악을 내세우기 위하여 사건을 해피 엔드로 끌고 갔는데, 「귀의 성」에서 작자는 끝까지 객관적인 위치에서 냉정하게 사건을 다루어 참상에 빠지는 인물을 가는대로 내버리고 하등의 설교도 하지 않았다.

이러한 결과는 일면 복수심이 조장된 살인극의 연속을 만들어 엽기적인 탐정극의 기분을 자아내는 면도 없지 않았으며, 또한 해몽 장면이 다섯 번이나 거듭되어 그것이 작품 내용을 이루는 사건과 결부되고 우연성의 삽입으로 사건의 해결을 연속시킨 장면도 없지 않아 「귀의 성」의 근대소설적인 체재를 약화시키는 조건들이 되었다.

그러나 작중인물의 성격을 내세우고 구체적인 묘사에 애를 썼으며, 빠른 템포 속에 냉정하게 비극을 엮어나간 점 등은 개화기문학의 대표가 신소설이요, 신소설의 수작 중의 한자리에 「귀의 성」이 차지하게 한 데 결정적인 역할을 하였던 것이다. 「귀의 성」으로서 비로소 짜임새를 가진 미약하나마 근대소설의 면모를 최초로 우리 신문학사상에 보여 주었다고 한다면 너무나 과도한 속단이 될 것인가.

(4) 「치악산(雉岳山)」

① 「치악산」의 작자

「치악산」은 상하(上下) 양편(兩篇)이 다 이인직의 저작으로 알려져 왔다. 그런데 현재까지 나타난 것으로는 융희2년 9월 20일 유일서관(唯一書館)의 초판본 상편이 가장 오랜 판으로, 이에 나타난 바에 의하면 상편 저술자는 이인직으로 되어 있으나 융희년간 발행의 초간본 하편은 아직 나타나지 않았다.

즉 1918년간(年刊) 보문관판(寶文舘版)에 의하면 상권은 이인직의 작으로 되어 있고, 하권은 아속생(啞俗生)의 작으로 되어 있으며, 1934년간(刊) 영창서관판(永昌書舘版)(상하합본)에 의하면 역시 상권은 고(故) 이인직 선생작이라 하였고, 하권은 '아속생(啞俗生)'작으로 되어 있기 때문이다. 아속생이란 신소설 작가 김교제(金教濟)의 호로 그는 「목단화(牧丹花)」·「지장보살(地藏菩薩)」·「현미경(顯微鏡)」 등의 작품을 쓴 작가이다.

국초 이인직이 상하 양편을 다 저작하였으나 출판 사정으로 하권만이 김교제의 명(名)으로 출간되었는지 또한 상권만 이인직이 쓰고 하권은 김교제가 썼는지 지금까지 그 경위를 명확히 밝힐 길이 없었다. 이 점에 대하여 임화도 융희년간의 초판본은 상·하 양권 다 보지 못하고 전기한 영창서관간(永昌書舘刊) 상·하권 합본판만 본듯 싶어 「인문평론(人文評論)」 제3권 제3호, 「신문학사(新文學史)」논문 후부에 「치악산」 상·하(초판)를 구득한다는 광고를 내고 있으며 「속신문학사(續新文學史)」에서도 다음과 같이 기록하고 있다.

……끝으로 일언(一言)할것은 어떻게 된 일인지 「치악산(雉岳山)」의 상권(上卷)과 하권(下卷)의 저자(著者)가 다른 점(點)이다. 현재(現在) 영창서관(永昌書舘) 발행(發行)의 「치악산(雉岳山)」을 보면 상(上), 하(下) 합본(合本)인데 상편(上篇) 서두(序頭)에는 '고이인직선생작(故李人稙先生作)'이라 하였고 하편(下篇) 서두(序頭)에는 '아속생 啞俗生'이라 하였다. 아속(啞俗)이란 김교제(金敎濟)란 신소설(新小說) 작자(作者)의 호(號)다. 이것은 분명(分明)히 상편(上篇)으로 중단(中斷)되었던 것을 김교제(金敎濟) 씨(氏)가 속필(續筆)한것일 것이다. 서명(署名)뿐만 아니라 문장(文章)도 다른것 같고 사건(事件)도 상편(上篇)에 비(比)하여 홀홀히 끝막은 점(點)이 분명(分明)하다. 어찌해서 중단(中斷)이 되었는지 그것은 현재(現在) 알 수 없다.[64]

이같이 그도 상편만이 이인직의 작으로 중단되었다고 추단을 내리고 있다.

이제 이 작자 문제에 대한 방증이 될 기록을 더듬어 보면 다음과 같다.

"현미경(顯微鏡)
비행선(飛行船)
우(右) 이책(二冊)은 향일(向日) 목단화(牧丹花) 치악산(雉岳山) 하(下)를 저(著)하야 강호(江湖)의 대갈채(大喝采)를 박(博)하던 김교제군(金敎濟君)의 탁의(托意)한 소저(所著)라"[65]

치악산(雉岳山) 전일책(全一冊) 국판(菊版) 320혈(頁)
정가(定價) 70전(錢)

64 임화, 「속신문학사」.

65 《매일신보》 제2084호(1912.9.25일자).

200혈(頁)

국초(菊初) 이인직(李人稙) 상권(上卷) 사십전(四十錢)

분권(分卷)120면(面)

아속(啞俗) 김교제(金敎濟) 하권(下卷) 삼십전(三十錢)

이 소설은 「귀의 성」의 자매편(姉妹篇)으로 강호(江湖)에 정평(定評)이 있난 것이라 국초(菊初) 이인직씨(李人稙氏)의 비밀(秘密)한 상상(想像)과 곡진(曲盡)한 필법(筆法)으로 전반부(前半部) 사실(事實) 전개(展開)가 서술(敍述)되고 아속(啞俗) 김교제씨(金敎濟氏)의 명쾌(明快)한 판단(判斷)과 교묘(巧妙)한 조직(組織)으로 후반부(後半部) 사실(事實) 결합(結合)이 기록(記錄)된 이 「치악산」 일편(一篇)은 만천하(滿天下)의 상탄중(賞嘆中)으로 그 성가(聲價)를 뽐내나니 그 대체(大體)난 조선(朝鮮) 가정사회(家庭社會)에 가장 큰 폐풍(弊風)인 고부(姑婦) 관계(關係)를 개선(改善)하랴 함이라.66

위의 두 가지의 인용에서 보이는 바와 같이 「치악산」은 상권만이 이인직의 작이며 하권은 아속(啞俗) 김교제(金敎濟)의 작인 것이 판명된다. 그러나 이 한 편의 작품이 무슨 연고로 상·하권이 각각 다른 작가에 의하여 쓰여졌는가 하는 이면의 의문은 아직 밝힐 단서가 발견되지 않음이 적이 유감되는 점이다.

② 작품의 흐름

작품의 흐름을 살펴보면, 강원도 원주 경내에 있는 치악산 기슭에서

66 《매일신보》 제2113호(1912.10.30일부).

제일 크고 이름난 마을인 단구역말 홍참의(洪參議) 집에서는 서울 이판서(李判書)의 무남독녀요 홍참의의 며느리인 20세 전후의 이씨부인(李氏夫人)과 친정에서 데리고 온 몸종 검홍이가 짙어가는 가을밤 오동나무 사이에 비친 달그림자를 안고 창밖의 툇마루에 앉아, 후실(後室) 시어머니 김씨와 그 소생인 열한 살 난 외딸 남순의 모녀가 개화한 며느리를 못살게 구박하는 데 대한 시름겨운 신세타령을 하고 있다.

검홍이가 마님 김씨를 나무라는 끝에 여우같은 남순이를 귀신이나 잡아가라고 욕을 퍼붓는 판에, 때마침 이 장면을 엿들은 남순이가 자기 어머니에게 고자질하여 모녀가 격분한 나머지, 사랑방에서 누워자는 홍참의를 불러들이고, 남녀 하인들이 모여든 속에서 김씨 마님의 화풀이가 벌어져 일대 수라장을 이룬 이래, 시어머니의 며느리에 대한 증오심은 일층 박차를 가한다.

전취(前娶) 소생인 아들 홍철식(아명(兒名) 백돌)은 7세에 생모를 여의고, 8세에 현 계모가 들어왔으나 그 이전 철식의 나이 4, 5세 되던 때 강원(江原) 감사(監司)로 있던 이판서가 홍참의와 더불어, 자기 딸과 철식이와의 혼약을 내정하고, 그후 10년 만에 갑오경장(甲午更張)이 지난 뒤 열네살 되던 해에, 동갑끼리 혼례가 성립되어 이미 5, 6년의 세월이 흘러갔다.

백돌이와 이씨부인과의 내외간 정분은 유달리 좋았으나, 백돌이는 첫째로 계모의 학대를 감당할 수 없어 그것을 피하기 위하여, 둘째로 개화된 신학문을 공부할 목적으로, 아내의 격려 속에 부부끼리만 성공후의 재봉(再逢)을 약속하고 양친 몰래 본가를 탈출하여 서울 처가를 찾은 후 개화사상에 적극 찬성하고 신교육을 극력 장려하는 장인 이판서의 후원으로 치행하여 일본 동경으로 유학을 떠난다.

감쪽같이 아들의 실종을 깨달은 홍참의는 대경실색하나 계모는 오히려 시원한 생각을 품는 사이에 홍참의는 하인 고두쇠를 서울로 보내어 아들이 일본으로 떠났다는 소식을 듣자, 보수성(保守性)에 쩔어 개화풍(開化風)

을 절대 반대하는 그는 소위 개화꾼인 사돈 이판서의 사주(使嗾)로 아들이 도일(渡日)한 것이라 단정한 다음 고두쇠를 수차 사돈댁에 파송하여 항의하고 아들을 소환하여 귀가시킬 것을 강요하나 이판서는 마이동풍격으로 흘려버리고 만다.

백돌이 떠난 후 계모는 여비(女婢) 옥단(玉丹)과 결탁하여 며느리를 처치할 모의에 주야골몰하는데 때마침 송도(松都)의 이름난 난봉꾼이요 오입장인 최치운(崔致雲)이 미모의 이씨부인에 욕정을 품고 남편 부재시라 기회만을 노리고 있다는 소식을 옥단(玉丹)에게서 듣고, 성사 후에 최(崔)가에게서 큰 보수를 받을 생각에 광분하고 있는 옥단의 내심은 모르고, 주노(主奴)가 합모(合謀)하여 며느리의 간음 사실을 실지로 현장을 꾸며서 홍참의에게 목격시키고 홍참의의 오인을 확정시킨 다음 양주(兩主) 합의하에 며느리를 처단하게 된다.

며느리에게 비상을 먹여 독살하자는 홍참의의 주장에 대하여 죽은 후 귀신이 되어 성가시게 굴 이씨부인의 원혼이 겁이 난 김씨마님은 관대한 생색을 내면서 며느리를 치악산 깊은 골에 내어버려 호랑이밥이나 되게 할 계획이나 옥단은 최치운 및 남편 고두쇠와 짜고 마님 몰래 자기 욕심을 채울 궁리를 한다.

서울 친정으로만 돌려보내는 줄 알고 한마디의 변명도 반항도 없이 교군꾼에 이끌리어 가는 며느리는, 치악산의 유곡심처에서 교군채로 유기(遺棄)되어 방황하는 중 대기하고 있던 미지의 인간 최치운을 만나 구원을 애걸했으나 최가의 욕정에 찬 심중을 알자 순종하는 척 하다가 최후단계에 이르자 결사적인 반항을 하고 있을 때, 돌연히 장포수가 나타나 총성과 더불어 최가는 절명하고 위기일발에서 구출된다.

그러나 심산(深山) 속에서 노모(老母)와 외로이 사는 장포수가 아내로 맞을 의사를 가지고, 모자가 공론하는 것을 엿들은 이씨부인은 도주하다가 다시 발각되었으나 저녁 어두움 속에 절벽에 떨어졌고, 장포수는 호랑이에게 물려서 머리와 팔만 남게 된다.

이때 우연히도 금강산 백운사(白雲寺) 노승(老僧) 수월당(水月堂)이 부인이 빠진 구렁텅이에 닿았기에 하룻밤 동안의 의구심이 가신 이씨부인은 수월당을 따라 금강산에 들어가 머리를 깎고 승도(僧道)에 입적하여 여승(女僧) 수은(水恩)이 되었으나 절색의 미모는 요승(妖僧)의 질시하는 바 되어 파문을 당하고 거지 행색으로 산중에 방황하게 되었다.

한편 시비(侍婢) 검홍은 교군꾼에게서 이씨부인에 대한 전후 이야기를 듣고 부인을 찾아 치악산에 들어가 마침 장포수 모친을 만나 그간 사정을 듣고 다시 부인을 찾아 산속을 헤매다가 도모지 종적을 알 길이 없으므로 서울 이판서댁으로 올라가 그동안의 경위를 전고한다.

그 후 검홍이는 배선달의 배행(陪行)으로 두패 교군을 타고 치악산으로 들어가 장포수 모친을 데리고 서울로 올라간 다음, 상투를 꼭지고 남복(男服)으로 가장한 후 배선달을 따라 다시 부인을 찾아 떠난다.

홍참의 집에서는 그 며느리를 없애버린 후는 불안만 계속되고 옥단이는 최치운의 피살로 태산같이 믿던 보수가 헛되이 돌아가고, 김씨마님의 속량(贖良)시켜 준다던 일도 흐지부지 되어 불평이 적잖았다.

그뿐만 아니라 정월(正月) 초하룻날 밤 이후 김씨마님 모녀 및 옥단에게는 도깨비불과 귀신 울음소리만 나타나기에 복숭아나무 가지를 꺾어들고 얼큰한 술기운에 귀신을 쫓느라고 나간 고두쇠가 벽력같은 소리를 지르고 덜미에 시퍼렇게 멍이 들어 피를 토하고 죽은 일이 생겼으니 이는 다 검홍의 지휘를 받은 장사패의 소치였다.

그러나 그것을 모르는 김씨부인 모녀와 옥단에게는 꿈을 꾸어도 이씨부인의 귀신만 보이니 굿을 하여도 아무 소용없어 주노(主奴)가 마주 앉아서 귀신 없앨 공론만 하고 있다.

홍참의집 부근에 도깨비불과 귀신 울음소리가 끊일 사이 없다는 소문을 듣고 서울 무학현 사신선왕 홍제원 해수관음 등을 비롯하여 전국의 무당 판수가 떼를 지어 단구역말로 몰려들어 홍참의 집에서는 주야로 굿을 하고 경을 읽고 재를 올려 살풀이가 끊일 사이 없으나, 밤마다 계속되는 귀곡성(鬼哭聲)에는 아무런 효력도 없다.

이때에 축귀(逐鬼)에 유명하다는 여보살이 나타나 치성을 드리려고 옥단이를 데리고 치악산으로 들어가 산중 초막에서 배선달과 남장한 검홍이를 상면시킨 다음 옥단이를 처단하니 여보살은 이씨부인의 유모 화개동마마의 변장이었다.

한편 홍참의는 집안의 불상사가 모두 자기 아내 김씨부인의 조작임을 깨닫고 심정이 산란하여 치악산을 거쳐 우물에 빠진 여승(女僧)을 구출한 다음 송도(松都)까지 이르러 우연한 기회에 최치운의 처(妻) 송도집을 만나 그 여인을 첩으로 맞이하여 귀가한 후 김씨부인의 죄과를 책(責)하여 친정으로 보내고 송도집을 정실(正室)로 삼아 본댁으로 데려온다.

그러나 남순과 송도집 사이에 불화가 계속되는 중 김씨부인의 계책으로 송도집을 처치한다는 것이 밤중에 잘못되어 남순이가 납치되어 치악산 속으로 끌려가 의외로 우물에서 구출된 여승 이씨부인과 만나 올케시누이 사이에 증오에 찬 상봉이 벌어지나 이씨부인은 남순의 전죄를 용서하고 때마침 딸을 찾아 치악산에 들어온 아버지 이판서를 따라 남순을 데리고 함께 상경하니 이판서댁에서는 10년 만에 모녀 상봉의 희열에 잠기게 된다.

그후 얼마 되지 않아 일본 유학을 마친 홍철식이 돌아온다는 편지와 전보가 연거푸 오고 온 집안이 기다리는 중에 철식은 조도전학교(早稻田學校)를 졸업하고 귀국하게 된다.

그러나 자기 처에 대한 계모의 처사를 이미 알고 있는 그는 죽은 처가에 들를 면목이 없다고 생각되어 남대문 정거장에 내리자 곧 원주(原州) 본가로 내려가 얼마후 부자가 상의하여 기울어진 가산을 처리하고 서울로 이사를 한다.

서대문 밖 평동에 사돈댁이 이사를 했다는 소문을 들은 이판서는 돌연 홍참의댁을 찾아가 인사 연후에 복잡한 과거의 일은 폐일언하고 상처한 철식의 후취문제를 끄집어내어 처세로 자기 질녀(姪女)를 중신할 것을 제의한다.

혼인 택일까지 상약한 후에 혼례식을 거행하고 초야에 보니 오른편 귀속에 붉은 사마귀가 있는 것이 틀림없이 본처 이씨부인임을 그제야 깨닫고 홍철식은 놀라는 한편 기쁨에 차 부부의 눈물겨운 해후를 얻었고 홍철식은 가평군수로 서임(敍任)되어 임지(任地)로 도임하였고 부인은 수태(受胎)를 하였다.

시가에서 축출당한 후 딸 남순을 찾아 정처없이 다니던 김씨부인이 마침 가평(加平)고을에 들러 우연히도 홍군수(洪郡守)와 계모의 모자(母子) 상봉, 남순과 생모(生母)의 모녀상봉을 이루어 홍군수 부부는 자식된 도리를 잘하고 계모는 자기의 허물을 깨닫고 구습을 쾌히 고쳐서 어버이의 대의(大義)를 잘하여 자애지정(慈愛至情)이 뚝뚝 떨어지게 잘 살았다는 이야기이다.

③ 「치악산」의 특징

신소설 「치악산」은 계모를 중심으로 한 가정비극에 개화사조의 신구대립이 함께 얽혀진 작품으로서 그 주제로는 계모를 둘러싼 고부간의 갈등, 갑오경장 이후의 신구사조의 대립, 신교육사상의 고취, 미신타파 및 희미하나마 노복 등 하층계급의 반발의식 등이 취급되었다.

계모문제의 비극성은 가부장제의 대가족제도에서 벗어나지 못한 한국가정에 있어서 항다반사로 가정불화의 화근이 되어 있는 문제로 이미 문학작품의 주제로서 고대소설 이후 거의 유형화된 자료다. 계모라면 의례히 악의 권화(權化)로서 클로즈업되었지 언제 한번 선의 상징으로 표현된 적은 없어 이러한 계모형의 유형화된 전통성은 오늘날의 사회현실에서도 아직 시정되지 못하고 있을 뿐더러, 이러한 현실은 현대소설에도 단편적이나마 그 타성이 삽입되어지고 있다.

문학이 역사와 전통의 기반에서 완전히 해탈할 수 없고 소설이 사회적 환경이나 현실생활을 초탈하여 창조될 수는 없는 것이지만 그렇다고 현실의 전부가 그대로 작품의 주제가 될 수 있다는 제약은 될 수 없을 것이다. 즉 계모문제가 현재까지도 지속되고 있는 신랄한 이 땅의 현실이 면서도 이제는 작품의 주제가 될 수 있는 문학적 가치는 이미 상실되었다고 보는 것이 옳지 않은가 하는 이야기다. 왜냐하면 계모문제를 주제로 한 작품으로는 고대소설에도 이미 「장화홍련전(薔花紅蓮傳)」을 비롯하여 「정을선전(鄭乙善傳)」·「콩쥐팥쥐」 등에 나타난 한 가정 내에 있어서의 미묘한 혈연관계로 얽혀진 비극 즉 전처소생과 계모와의 불화는 거의 상식화될 정도로 일상생활에서 느끼고 또한 문학작품에도 허다히 반영되어 왔기 때문이다.

그런데 「치악산」에서는 이것이 단순히 계모와 전실 소생의 문제에 머무르지 않고 그것이 다시 전실 며느리와 계시모의 이중성을 띠우고 거기에 또한 계시모의 소생인 혈연을 달리한 시누이가 개재하여 사건이 좀 더 복잡화된 점이다.

그러나 이같은 복잡성도 작품의 주제로서는 별로 신기한 점은 될 수 없으나 이 작품에서는 개화된 며느리와 보수적 시어머니 사이의 신구사조의 관념적인 대립이 시어머니의 며느리에 대한 증오와 갈등에 일층 박차를 가한다는 문제가 한갓 특수한 점으로 나타난다. 즉 전실 소생의 아들이나 자부(子婦)에 대한 계모의 증오감은 작자의 선입감에 지나지 않을 정도이지만 개화된 며느리에 대한 시어머니의 증오감은 계모 자신의 입을 통하여 구체적으로 표백되고 있다.

백돌이 자랄때에 계모가 백돌이를 미워하던 마암이 일년 삼백육십

일에 날마다 달마다 해마다 모인 것이 치악산같이 쌓였을터이나 무형무적한 사람의 마암이라 남의 눈에 보이지난 아니 하였더라 백돌이 장가든 후에난 그 계모가 백돌이를 미워하던 마암으로 백돌의 안해에게 예물주듯 옮겨 주엇더라.

이같이 계모가 백돌이나 며느리를 미워하는 일은 그 원인이 어디에 있는지 밝혀지지 않고 계모니까 의례히 전실 자식은 미워하겠거니 하는 상식화된 작자의 선입관밖에 엿보이지 않는다. 오히려 백돌이와 계모의 관계는 백돌이의 순진무구한 성격 때문에 더 완화될 수 있었다.

백돌이가 자랄때에 고생도 많이 하였으나 작난 몹시 하기로 유명한 아희라 고생이 되난지 무엇이 되난지 모르고 자라난 중에 도로혀 그 계모가 성이 가시여 못견딜 때도 많이 있었더라.

이같이 천진난만한 백돌이의 성격에서는 계모가 굳이 미워할 하등의 이유는 찾을 수 없으니 막연하고 유형화된 기성관념에 의한 작자의 주관이 선행되었을 따름이요 계모가 아들을 미워할 사실상의 근거는 희박하다. 그러나 계모의 '개화'에 대한 반감은 심하여,

에그 영감은 별 말씀을 다 하시구려 집이 망하기난 우에 망해요, 개화한 아들이 있것다 개화한 며누리 있것다 집 잘되지 망할 리가 있오. 나는 벌써 개화한 며누리 덕을 많이 보았오, 욕을 아니 먹었을까 악담을 아니 들었을까……

여보 개화한 며누리가 아니면 무슨 인기에 시어머니더러 욕하고 악담하겠오.

이같이 노골적으로 적의를 품고 나오게 되어 이러한 계모의 개화에 대한 반대의식은 아들의 도일문제를 둘러싸고 일층 가열하게 표명된다.

> 남의 외아들을 꾀야서 대강이를 깎아서 일본으로 드려보내난 그 심사가 무슨 심사란 말이요. …… 나 같으면 내집 종의 자식일지라도 제 어미 아비 모르게 대강이 깎아서 일본에난 못 보내겠오. 에그 영감께서난 오날 이때까지 요순같이 착하신 마음만 가지시고 개화속 사람들의 살어름판 같은 맹낭한 인심을 모르시고 지내시니 팔자가 좋으셨지오만 나같이 팔자 사나운 년은 참 개화속 사람들에게 서름 많이 보았오.

김씨부인의 개화에 대한 이런 반감은 아들과 며느리에 대한 갈등을 일층 조장시켜 한 가족으로 아끼려는 심정은 추호도 없이 백돌이가 떠난 후는 며느리의 결점을 꼬집어 내기에 광분하고 있다.

여기에 노비 옥단이가 부채질을 하여 모계를 꾸미고 김씨부인을 선동하니 노주(奴主) 또는 그 혈속끼리 결탁하여 악행을 모의하고 그것이 다 악의 상징으로 대표되는 일은 또한 고대소설이나 다른 신소설에도 허다한 유형으로 나타나는 일들이다. 즉 고대소설 「장화홍련전」의 계모와 장쇠의 결탁, 신소설 「귀의 성」에 있어서 본처와 노비 점순의 공모 등이 다 그러한 예로서, 이는 봉건사회 체제에 있어서 인권의 자유를 박탈당한 비복들이 견마지역(犬馬之役)으로 주인에게 충성할 것을 맹세하고 주인의 명이라면 여하한 악덕도 하등의 판단없이 실천에 옮기게 되는 사회 실정의 하나의 반영이기도 할 것이다.

그런데 「치악산」에서는 계모와 옥단 그리고 고두쇠의 삼노주(三奴主)가 공모하여 며느리의 간통 사실을 무근하게 훼조하는 점은 그 방법의 차이는 있을지라도 「장화홍련전」과 유사하여 그것이 산중에 여인을 유기하는 점에서는 양자가 거의 같은 방향으로 나아가고 있다. 따라서 전술한 바와 같이 신구의 사조적인 대립을 계모문제에 삽입시킨 면을 제외하면 종래의 계모형 가정소설에서 별로 벗어나지 못한 진부한 주제라고 하지 않을 수 없다.

다음 개화사조가 표면화하여 신구의 대립을 가져오는 것으로는 홍참의와 이판서의 경우를 들 수 있으니 작자는 지문의 서술에서,

> 그후 십년만에 혼인을 지냈난대 그때난 갑오경장 이후라 개화를 좋아하던 이판서가 풀끼가 점점 생기고 완고로 패를 차던 홍참의난 몬지가 더욱 폴삭폴삭 나난대 두 사돈끼리 뜻이 맞지 아니하나 십년 전부터 언약한 일이라 선떡 받듯이 마지못하야 지낸 혼인이라 그러나 이판서가 그 사돈에게만 마음이 불합하얏고 백돌이를 귀애하던 마암은 사위되기 전보다 십배나 더하야 그 사위를 외국에 보내 공부 시키려난 생각이 도저하던 터이라.

이같이 똑같은 세대이면서 경장을 전후하여 새로운 사조에 대하여 생각하는 각도가 판이하게 다름으로 말미암아 양극단의 대척적인 형태가 나타남을 설명하였는데, 이것이 백돌의 교육문제를 둘러싸고는 더욱 노골화하게 대립되고 있다.

위선 백돌이가 일본으로 떠나기 전에 본가에서 부자가 주고 받은 대화에서 홍참의의 개화관 및 교육관의 보수성을 엿볼 수 있게 한다.

> (홍) 이애 백돌아 너난 요새 글한자 아니읽고 우애 편편이 노나냐.
> (백) 요새는 좀 보난 책이 있읍니다.
> (홍) 응 보난책이 무엇이란 말이냐. 쓸데없는 책 보지말고 다만 한자를 보더래도 경서를 읽어라. 그래 네 소위 본다는 책은 무엇이냐.

(백) 해국도지를 얻어다 봅니다.

(홍) 이애 백돌이 집안에 못된책 얻어들이지 말고 오날부터 맹자를 읽던지 논어를 읽던지 하여라 사람이 제 마암만 단단하면 어데를 가기로 계관이 잇개나냐마는 너같이 중무소주한 것이 서울이나 자주가면 마암이 달떠서 못쓰난 법이니 다시난 서울로 가지말아 애비의 말을 아니 들으면 집이 망하난 법이라 조심하여라.

홍참의는 갑오경장이 지난 이때에도 여전히 논어 · 맹자 등 사서삼경을 읽기를 아들에게 권고하고 아들이 서울출입이 잦음으로 말미암아 개화의 시속(時俗) 물이 들 것을 염려하고 있어 아들이 읽고 있다는 신학문 계통의 해국도지(海國圖誌) 같은 새로운 서적을 못된 책이라고 일축해 버린다. 더욱이 아들이 행방이 묘연해진 후 서울에 하인 고두쇠를 보내어 백돌이가 이미 일본으로 떠났다는 소식을 듣자 홍참의의 울분은 사돈 이판서에게로 쏟아진다.

가령 철없는 아해들이 일본 가고싶다 하얐기로 소위 사돈은 낫살 먹은 것이 철없는 아해들을 꾸짖일 일이지 가사 꾸짖지는 아니할지언정 돈을 주어서 가도록 하니 아비 있난 자식을 사돈이 제마음대로 그 못된 곳으로 보낸단 말이냐. 개화한 사람은 그따위 버릇을 한단 말이냐.

아들이 일본으로 간 것은 순전히 사돈이요 개화꾼인 이판서의 꼬임인 줄 생각하고 문명한 일본은 아주 못된 곳으로 오인하고 그러한 사태의 결론은 모두 개화에다 결부시키고 있어 이러한 홍참의의 고루한 생각은 아들이 일본 공부를 마치고 귀국한 후도 변하지 않는다. 아들이 10년 만에 일본에서 돌아와서 "학도모자에 쓰메에리 양복 입고 돌아와서 그 부친

슬하에 절을 할 때" 이 모양을 본 홍참의는 인사도 받지 않고 길게 탄식을 하며 아들을 나무란다.

흥 이자식아 내 아비자식으로 저게 무슨 모양이냐, 네가 아비 모르게 도망하였을지라도 네모양까지 저리될 줄은 참 몰랐구나, 그래 머리를 깍았으니 중노릇을 하다가 왔나냐 홀때바지를 입었으니 병대를 단기다가 왔나냐, 어 놀랍고 망측한지구 저 모양하고 단기난 것이 논어에 있더냐 맹자에 있더냐, 선왕의 법복이 아니면 입지를 아니 하고 선왕의 법언이 아니면 말하지 아니하든 우리집안을 이놈아 네가 망하야노와 응.

홍참의는 부자간의 애정문제보다도 개화에 대한 증오감이 선행했고 따라서 10년이나 떨어져 있던 아들을 대하는 어버이의 태도가 얼음보다 더 찼고, 이러한 홍참의의 보수성은 자기집에서 경장 후까지도 사형(私刑)집행을 아무 거리낌 없이 훈령(訓令)하고 있는 장면과도 잘 대조된다.

사랑 앞 층계 아래에다 형구를 벌려놓고 꼭뒤가 세뼘은 되는 놈들이 세치두푼 치도곤을 턱턱 짚고 좌우로 갈라서서 섬돌 아래로 꿀려엎질은 죄인들을 개 따려 잡듯 우즉끈뚝딱 짓바수며 홍참의는 경무청 심문과장 대판에 재판소 검사 직무를 겸대 하았는지 지필을 들고 앉어서 죄인들의 공사를 받은 후에 상당하게 치죄를 하고 다시 선고를 내는대 그 선고 사유는 대전통편과 형법대전에 참고한 것도 아니요 자기 소견대로 작정한 율문이라.

고두쇠 옥단은 신사라 물론하고 리개동이는 고두쇠 종범으로 징역종신에 처하고 길동이 추월이는 교에 처할사.

이렇게 자기집 하인들에 대하여 언도를 내릴 뿐만 아니라 자기 처 김씨부인의 죄상을 들어서,

그전 며누리 죽이든 일과 이번의 송도집 동이러 보낸 죄상으로 말하면 당연히 죽여야 옳으나 육례 갖초아 장가 들고 자식 낳고 살든 생각을 하야 살려 보내는 것이니 불류 시각하고 이길로 친정으로 가되 만일 무엇이라고 방색을 하면 벽장에 있는 그비상 봉지가 그져 있으니 알아 하시라고 하여라.

이와 같이 하여 법률을 다스리는 공적 기관이 있음에도 불구하고 가정 내의 치죄를 자기 임의대로 훈령하여 집행을 명하고는 태연자약하는 보수성의 전형적인 형태의 홍참의이다.

그러나 같은 연대의 사돈 이판서는 홍참의와는 정반대로 개화에 적극 찬성하는 사람이요 자기 사위를 일본으로 보냈을 뿐더러 젊은 사람을 보기만 하면 신학문을 공부하라고 권하는 혁신적인 생각을 가진 인물로서 백돌이가 일본으로 건너간 후 고두쇠가 홍참의의 심부름으로 항의하러 왔을 때에도 고두쇠의 물음에는 아무 대답도 하지 않고 다만 고두쇠를 들으라는 듯이 자기를 찾아온 다른 사람에게 아우를 공부시킬 것을 굳이 권고하였다.

이사람 아우가 몇 살 되었나…… 어서 외국이나 보내서 공부나 시키게…… 자네 어르신네가 아니 보내시거던 몰래 도망이라도 시키지, 늙은이난 다 어서 죽어야 나라가 되지 쓸데없이 오래 살아서 젊은 사람에게까지 해가 되지 아니하여…… 똑 자네 어르신네를 두고 한 말이 아닐세. 나부터 완고하니 우리같이 나 많은 사람은 하로 바삐 죽고 없어야 나라가 아니 망하느니.

이판서는 신학문에 대한 공부의 필요를 역설했을 뿐더러 개화사조의 주동력은 젊은 세대에 전담시키고 완고한 늙은 세대는 후퇴하여야 새나라의 부흥을 기도할 방법이 생길 것이라고 소회를 말하고 있다.

그러나 그뿐만 아니라 이판서는 사회의 제반 제도에 대하여 구습을 타파할 것을 제창했을 뿐더러 그것을 또한 실천에 옮겼으니 혼인문제에 대하여도,

> 여보 영감 그런 몹쓸 습관은 좀 개혁을 하시오. 그전 완고시대에는 남의 후취를 한번 주어 놓으면 세상에 경멸을 받는고로 어떻게 하든지 남의 후취는 아니 주었거니와 나는 구습을 벽파하난 사람이니 후취가 아니라 삼취 사취라도 신랑만 합의하고 보면 곧 성례를 하겠오.

이같이 후취문제를 홍참의에게 설파하여 즉석에서 홍참의를 계몽시키고 있다.

전술한 바와 같이 신소설 「치악산」 속에서 홍참의와 이판서의 신구의 대조가 확연히 나타나 보수와 개화의 뚜렷한 두 가지의 전형을 추출할 수 있음에 비하여, 젊은 세대를 대변할 수 있는 홍철식의 태도는 의외로 애매모호한 데가 적지 않아 그는 능동적이라기보다는 피동적이요, 이판서의 적극성에 비하여서는 지나친 소극성을 나타내고 있다.

첫째로, 해외로 떠나려는 태도부터가 극히 애매하여 신학문을 공부하겠다는 굳은 의지를 발견하기보다는 계모 때문에 질식할 듯한 가정 분위기에서 무슨 방법을 쓰든지 먼저 탈출해야 하겠다는 점이 우선적으로 표현되어 있다.

> 내가 참 집에 있다가난 점점 마암만 좀쓰러지고 또 속이 상하여 견댈수가 없어 어대든지 멀즉이 가서 집안 일을 모르고 지낼 작정이요.

이왕 집을 떠날터이면 아주 멀즉이 가지 서울은 아니 가서 있겠오.

이같이 집을 떠나는 것이 불화에 찬 가정을 벗어나려는 욕망이지 공부하기 위하여 집을 떠나려는 결의로는 되지 않았다. 마누라와의 대화 속에서도 홍철식은 외국유학에서 신학문 공부를 하는 것을 심각한 의의를 띠워서는 생각하지 않은 것 같다.

개화꾼의 딸이 다른것이로구 무슨 사업을 하느니 못하느니 하난 소리가 참 제법인걸. 나도 어서 신학을 공부나 좀 하여야 마누라에게 업슨녀김을 아니보겠구…… 여보 마누라 마누라난 집에서 고생을 참고 있어 보오 나난 타국에 가서 공부나 하고 있다가 고국에 돌아오거든 그때난 어찌 하던지 미리 말할것은 아니나 마누라도 차차 기를 펴이고 살날이 있을 터이니 부대 과히 근심 마오.

결국 백돌이가 공부하겠다는 것은 집을 떠나는 일에 대한 부수 조건으로 되는 것이지 해외유학이 주동적인 의의를 가지는 본격적 임무로 생각되지는 않는 것으로 된다. 그러나 피동적인 백돌이도 신학문이나 국가관에 대해서는 피상적이나마 자기의 주관을 가지고 있어 자기 말에 대한 자기 부정을 그 자리에서 하고 있다.

우리나라 사람들이 제몸과 제부모 제처자 제집 제재물만 중히 여기고 제나라난 망하던지 흥하던지 모르난 사람들이다. 제손으로 제발등 찍듯이 우리나라 사람이 우리나라를 망하야 놓고 분하니 절통하니 남에게 천대 받기가 싫으니 먹고 살 도리가 없다니 하면서 저무도록 하난 것은 나라 망할 짓만 하니 그렇게 미련한 일이 있오. 나난 하날같이 중한 부모의 은혜를 져버리고 바다같이 깊이 정든 안해를 잊고

만리 타국에 가서 공부하려 하난 것은 나라를 위한 생각에서 나온 마암이오, 내가 타국에 간다 하면 우리 아버지께서난 필경 변으로 여기시고 못하게 하실터이니 나난 아버지 모르시게 도망질 하겠오.

그러나 근본적으로 확고한 신념 없이 떠난 외국유학은 10년 만에 공부를 마치고 돌아온 후에도 사회적으로나 국가적으로 이렇다 할 지표 있는 사업을 이룩하거나 후진에 대한 지도적 역할을 하지 못하고 고스란히 가평 군수로 부임하여 아내를 거느리고 부모를 모시어 기울어지고 불화했던 가정을 재기하는 정도로 끝이 나고 말았으니, 나라를 위하여 타국으로 간다던 관념적인 의사 표시는 그대로 관념으로만 남아 아무런 성과도 이루지 못한 채 작품이 끝난 셈으로, 결국 「치악산」의 주류는 계모를 중심한 유형적인 가정소설에 머물렀을 뿐 홍철식의 외국유학은 개화풍에 따른 신학문 절규의 한갓 삽화에 불과하였다.

④ 작품 구성과 작가의식

이 작품은 귀신과 도깨비 문제가 전편에 관류하여 사건을 진행시키고 있는 점을 간과해서는 안될 것 같다. 더욱이 하권에서는 그의 전부가 귀신을 둘러싼 이야기로 종말까지 사건을 이끌고 있다.

대체로 「치악산」은 그 구성이 굴곡 다변하고 사건이 필요 이상으로 복잡화한 데다가 엽기적인 장면이 다수히 개재되어 탐정 소설조의 우발성이 노출되는 결말을 가져온다. 뿐만 아니라 고진감래 · 권선징악의 의식은 이 작품의 최후 대단원을 이루고 있다.

귀신 문제에 있어서는 미신타파에 대한 작가의식이 선행되어 귀신이나 도깨비의 출몰은 모두 작중인물의 고의적인 조작으로 되었음이 밝혀졌고 작자는 또한 이를 지문에서 설명으로 첨가하고 있다.

……내가 만일 며누리의 토죄를 하고 약을 먹여 죽일 지경이면 고 못된년이 제가 죽을 짓한 생각은 아니 하고 내게다 원수를 맺어서 밤낮 없이 따라단길 지경이면 내게 그런 두통이 있나냐…이애 어떻게 내게 원귀 되지 아니 하게 죽일 수 없겠나냐.

이것은 김씨부인이 며느리 이씨부인을 처치하고는 싶으나 원귀가 두려워서 귀신이 되지 않게 죽일 방법을 노비 옥단에게 상의하는 장면으로 김씨부인은 끝까지 귀신의 소행을 믿고 있기 때문에 끝머리에 가서 백돌이와 해후하는 장면에서도 현실적인 상봉임에도 불구하고 귀신이 아닌가고 의혹을 품는다.

에그머니 아니다 나난 아모 상관이 없다. 원수를 갚을 생각이 있거든 옥단이 고두쇠게로 가고 내게난 덤비지 말아. 에그그 백돌아 너도 필경 죽어서 혼령이 온게다.

김씨부인뿐만 아니라 홍참의도 끝끝 귀곡성이 진짜 귀신의 소행으로 되는 것으로 믿게 되었다.

무당 판수라 하면 절대적으로 반대를 하든 홍참의가 반대는 고사하고 무당 판수라 하면 사죽을 못쓴다 하여도 과한 말은 아니다. 학문도 내 위에 사람 없고 지식도 내 앞에 누가 있으리 싶든 소견에 생각하기를 옛적 성인 말삼에도 귀신에 덕이 성하다 하셨고, 또 귀신을 공경하야 멀리하라 하였으니 이것을 이루어 볼 지경이면 귀신이 없는 것은 아니라싶어 귀신 울고 도깨비 작난하난 것을 정녕 며누리의 원혼이 모드여 그리 작폐를 하는 줄 알고 그후는 굿을 하던지 경을 읽든지 곤두를 놀든지 만두를 돌든지 모다 눈쓸어 덮어두니 이러할사록

도까비는 불꽃 일어나듯 점점 더하고 그리 많든 재산은 자라목 옴치러지듯 오날 논 팔고 내일 세간 털어 굿을 하나 굿 덕이 있을까, 경을 읽으니 경 덕이 있을가 물에 물탄이요 술에 술탄이라.

홍참의는 결국 도깨비 소동이 며느리의 원혼인 귀신의 조작인 줄만 알고 그 박멸책으로 논밭을 팔아 파산경지에 달하고야 말았다. 하인 고두쇠는 귀곡성을 듣고,

소인 고두쇠 올시다 저것 큰일 났읍니다. 건넌방 아씨께서 정녕 원귀가 되셧나봅니다. 마님께 원수를 갚난다 하나 저런탈이 있읍니까. 그러면 마님 뿐이겠읍니까. 작은 아씨께난 어떠할런지 알수 있읍니까 본래 아씨께서 철천한 한을 맺고 돌아가셔서 그 한을 이댁에 와서 푸르실 지경이면 황송한 말씀으로 이댁은 쑥밭이 될터이올시다. 그러하온즉 소인은 상전댁을 위하야 소인의 한 몸으로 그 죄를 다 받고 이댁만 성하게 할 도리가 있으나 따님께서든지 영감님께서든지 소인이 이댁의 충노인 줄이나 알아주시기 바랍니다.

이같이 이씨부인의 원귀인 줄 확신하고 술기운에 힘을 얻어 복숭아나무가지를 들고 귀신을 쫓으려고 나갔다가 그대로 급살당한다. 그러나 이런 귀신극의 총연출자가 이씨부인의 몸종 검홍인 데는 일경(一警) 않을 수 없다.

시골구석에 무식한 사람들이 귀신을 어찌 몹시 믿던지 고두쇠란 놈은 홍참의 며누리 죽은 귀신에게 죽은 줄로만 알고 왼 동내가 수군거리나 고두쇠 죽기난 귀신에게 죽은 것이 아니라 장사패의 손에 맞아 죽었난대 그날밤에 단구역말 앞들에서 울든 것은 검홍이요 정월

초하로날 밤부터 홍참의 집에서 도깨비 작란같이 하던 것은 장사패이라. 처음에 그 장사패가 검홍의 지휘만 듣고 홍참의 집에 들어가서 작란을 할때에 치악산 밑에 귀신의 불은 밤마다 보이고 들 밖에 귀신 우난 소리도 밤마다 들린다. 그 불은 장사패가 밤이면 파란물 들인 유리등에 불을 켜서 들고 감추었다 내들었다하야 단구역말 사람을 쇠기난것이라.

이와 같은 해명으로 귀신의 정체가 폭로되어 작자가 의도하는 미신 부정의 연극은 밝혀졌으나 이렇게 되는 경위가 지나치게 복잡하고 또한 일개 몸종 검홍의 지휘로는 너무나 규모가 크고 거창한 일이기에 실감이 덜하여 비현실적인 느낌을 주게 만들었다.

작품 구성에 있어서 작자가 도를 지나치게 기묘하고 복잡함을 노렸기 때문에 그 결과는 필연성이 결여되고 우연성과 비현실성을 제래하고야 말았다. 그 구체적인 예로는 며느리가 탄 교군이 치악산 깊은 곳에 방치되었을 때 돌연히 장포수가 나타나 최치운에게 겁탈을 당하려는 위기를 모면케한 일, 다시 이씨부인이 장포수 모녀가 며느리를 삼자는 공론을 함을 엿듣고 도망하여 구렁텅이에 떨어졌을 때 돌연 금강산 수월당 스님이 나타나 구출하고, 심산에서 갑자기 호랑이의 습격을 받았을 때에도 무기 없는 이씨부인은 무사하고 총을 가진 장포수가 호랑이 밥이 된 점, 홍참의가 귀신을 쫓는 푸닥거리에 가산을 탕진하고 치악산에 들어가 여승이 된 이씨부인을 구출하였을 뿐만 아니라 바람 쏘일겸 개성에 가서 하많은 집속에도 최치운의 집으로 들어가 최의 처 송도집을 첩으로 맞아가지고 오는 일들은 너무나 우연적인 사건의 연속이라고 하지 않을 수 없다.

더욱이 이씨부인이 장포수 집으로 따라가는 경우나 남순이가 치악산 산중에서 만득의 집으로 들어갔다가 도망하는 경우는 너무도 유사한 사건의 중복이며, 특히 몸종 검홍이가 남복을 가장하고 서울서부터 치악산 산중을 좌왕우래하고 화개동마마가 여승으로 변장하여 홍참의 집에 나타나고 최종 장면에 이판서가 자기딸 이씨부인을 질녀로 다시 꾸며 혼례를 재차 거행하는 장면 같은 것은 독자가 수긍할 수 없는 조작적인 장면이 되어 눈감고 아웅하는 격밖에 되지 않았다.

뿐만 아니라 작자는 제목 '치악산(雉岳山)'을 좀 더 두드러지게 할 욕망이었는지 이씨부인 · 검홍 · 옥단 · 남순 · 홍참의 · 이판서 등 등장인물의 대다수를 필연적인 연유도 없이 전부 치악산 산중으로 들락날락하게 하였으니 이것은 작자가 묘사한 치악산의 다음과 같은 장면과 대조하면 탐정 소설조의 엽기성을 노린 이외에는 하등의 효과도 나타내지 못한 것 같다.

> 중중 첩첩하고 외외 암암하야 웅장하기난 대단히 웅장한 산이라, 그산이 금강산 줄기로 내린 산이나 용두사미라 금강산은 문명한 산이요 치악산을 야만의 산이라고 이름 지을만한 터이더라. 그 산 깊은 곳에난 백주에 호랑이가 덕시글 하야 남의 고기 먹으려난 사냥 포수가 제 고기로 호랑의 밥을 삼난 일이 종종 있더라.

이렇게 험악하고 무서운 산 속에서 무기 하나 가지지 않은 20세 전의 소녀 검홍이가 아무리 상전에 대한 충성이 지극하다한들 종횡무진으로 살인극의 연출자가 될 수 있을 것이며, 또한 많은 등장인물들이 치악산 호랑이 굴 옆에서 그렇게 복잡한 사건을 계속하여 전개할 수 있었을 것인가 생각할 문제이다. 소설의 묘미가 사실 위에서는 허구성에 있다 하더라도 이같이 과도한 비현실성은 작품의 박력을 삭멸하는 이외에는 호기심에 대한 영합밖에는 되지 않을 것이다.

이와 같이 복잡한 사건의 진전도 결국 작자가 최치운의 입을 빌려서,

> 옛말로 고진감래라 하였으나 부인도 그말과 같이 고생하던 운이 다 지나고 좋은 일만 생기느라고 날같은 사람을 만났오구려.

하였고, 또한 지문에서,

> 고진감래는 고금에 정한 이치라 속담에 초년 고생은 은을 주고 바꾼다고 이씨부인이 그 남편 홍철식을 한번 이별한 후로 만고에 없난 화변을 당하야 대해의 부평초같이 떠돌아단기며 무궁한 고초를 격다가 액운은 물러가고 길운이 돌아와서 생리사별을 하야 그리고 그리든 부모동기를 서로 만나 웃음으로 세월을 보내며 그전일은 일장춘몽이 되야……

운운하여 고진감래의 운명론을 강조하였으니 이것은 작가의식의 하나의 지향이라 볼 수 있을 것이다. 작품 끝에 가서,

> 그리 변덕이 습진렁을 하고 모질기도 한이 없든 김씨부인이 자기의 허물을 깨닫기 시작을 하더니 본성인즉 총혜하든고로 구습을 쾌히 고쳐서 자선한 부인이 되야 그아들과 며누리의 영효를 받고 사난데 홍군수 부부난 자식된 도리를 극진이 하고 김씨부인도 부모될 예의를 보존하야 자애지정이 돌더라.

고진감래·권선징악에서 다시 개과천선의 해피엔드로 끝을 맞추었으니 이것이 작자의 주안점인 듯하다.

요는 「치악산」의 작중인물을 통관하건대 가정불화의 주인공이 된 계모 김씨부인은 일반 계모소설의 유형이요, 갈등의 초점이 된 며느리 이씨부인은 치악산에서 금강산 수월당을 따라 여승이 되었어도 뚜렷한 인생관

이나 목적의식이 없었기에 최치운이나 장포수나 요승에 대하여 자기의 정절을 지켰으나 남편에 대한 뚜렷한 애정의 대상으로서가 아니라 일반적인 봉건가정에서의 정절관을 넘지 못하였고, 개화한 며느리라는 설명적인 문구 외에는 이씨부인의 뚜렷한 개성을 찾아볼 수 없었으며, 남주인공 홍철식도 일본유학은 하였으나 구체적인 개성이 표현됨이 없이 작품 전반에서 공백으로 된 시간이 더 길기 때문에 작품 주류에서는 부적(副的) 인물로밖에 취급되지 않았다.

그러고 보면 신소설「치악산」에서 추출이 가능할 수 있는 인물은 홍참의의 철저한 보수성과 이판서의 경장 직후의 노세대에 속하는 개화파 선봉자의 두 전형을 약하나마 뽑아낼 수 있는 것이 이 작품의 수확이 아닐까 생각된다.

특히 여기에 하나 덧붙이고 싶은 것은 비복 옥단과 고두쇠가 자기들의 공로에 대한 대가로 굳이 속량하여 줄 조건을 제시하는 점이다.

> 이런 큰 일을 하면 마님께서 쇤네를 속량이라도 하여 주시고 단구역말 앞들에 있난 보논을 다 주시더라도 아까울 것 무엇 있읍니까…… 만일 나라를 위하야 그런 공을 이루면 이화대수장을 타고 대신을 할 것이 올시다. 쇤네같은 양반의 댁 종년은 상전을 위하야 큰 공이 있어서 속량이나 얻어 하면 일등훈장이나 대신이나 한것과 다름없겠읍니다.

이것은 옥단이가 김씨부인에게 대하여 며느리를 처치하고 나면 이러한 보상을 달라는 제안을 한 것으로서 문전옥답보다 노복의 신분을 풀어 양민으로 돌아가는 속량을 시켜 달라는 것이 가장 큰 소원이었다.

고두쇠도 또한 그 마누라 옥단더러,

내가 어데로 가려 하는것은 너를 싫어서 간다난 것이 아니라 남의 하인 노릇 하기가 싫어서 가려난 것이다.

심부름을 죽도록 하고 무엇이 겁이 나서 대낮에 들어오지 못하고 어둡기를 기다려 들어와. 생각하니 이런 놈의 신세가 있단 말이냐, 어데가서 빌어먹더래도 내마음대로 살다가 죽겠다.

이같이 하인을 벗어나서 제 의사대로 자유롭게 살 수 있는 조건을 갈망했고 마지막 급살당하기 직전에 귀신 쫓으려나갈 때에도,

조 방정 맞인 요 귀신 쫓아버리면 이번에난 우리댁 마님이 우리 내외를 속량 아니하야 줄 수난 없지 속량뿐이냐 이번에난 참 수난다.

이렇게 고함치며 속량되는 일을 생명에 견줄 정도로 갈구했으니, 이것은 노복의 신분을 천명으로 알고 운명적으로 감수하던 비천한 계급이 경장 후의 개성의 자유와 자주의식의 여파를 무의식으로나마 영향받아 자의식이 점차 싹튼 징조로서 하나의 묵과할 수 없는 하층계급의 반발의식의 자각되는 전초라고 보지 않을 수 없겠다.

이로써 「치악산」은 하나의 가정비극으로 머무르지 않고 기울어져가는 보수적 가정과 진취적인 개화풍 가정의 대조를 보여 주는 동시에 몰락해 가는 봉건계급의 노주(奴主)를 싸고도는 내면적 폭로의 일단을 제시하는 작품이라는 점이 그 지닌 바 의의라고 하겠다.

(5) 「은세계(銀世界)」

① 정치소설로서의 「은세계」

신연극과 밀접한 관계를 가지고 있는 신소설 「은세계」는 갑오경장 후

의 시대성을 반영하여 가장 혁신적이고 현실적인 주제를 취급한 작품으로, 한말 양반관료의 전제와 부패성을 척결하고, 이에 대한 강인한 반항과 투쟁을 실천하는 동시에 신학문의 토대 위에 근대적인 정치 개혁의 실현을 절규한 일종의 정치소설 계열에 속하는 소설이다.

그 첫머리는 계절에 대한 자연묘사로서 시작되었다.

> 겨울 치위 저녁 기운에 푸른 하날이 새로히 취색한듯이 더욱 푸르렀난대 해가 뚝 떨어지며 북새풍이 슬슬 부더니 먼 산 뒤에서 검은 구름이 올러온다.
>
> 구름 뒤에 구름이 일어나고 구름 엽에 구름이 일어나고 구름 밑에서 구름이 치밧쳐 올러오더니 삽시간에 그 구름이 하날을 뒤덮어서 푸른 하날은 볼 수 없고 식검은 구름 천지라 해끗해끗한 눈발이 공중으로 회회돌아 내려오난대 떨어지난 배꽃같고 날라오난 버들개지 같이 힘 없이 떨어지며 간곳 없이 스러진다.
>
> 잘든 눈발이 굵어지고 드무던 눈발이 아조 떨어지기 시작하며 공중에 갓득하게 내려오난 것이 눈뿐이요 땅에 쌓이난 것이 하얀 눈뿐이다. 쉴새 없이 내리난대 굵은 체구녁으로 하얀 떡가루 쳐서 내려오듯 솔솔 내리더니 하날밑에 땅덩어리난 하얀 흰 무리떡 덩어리 같이 되얏더라.

작품의 전개는 강원도 강릉에 있는 산두메 마을 경금 동네에 사는 사람들은 제가 부지런하여 손톱 발톱이 닳도록 땅이나 뜯어먹고 사는데, 푼돈 모아 양돈 되고 양돈 모아 쾌돈 되고 송아지 길러 큰 소 되고 박토 걸거 옥토를 만들어서 그렇게 모은 재물로 부자가 된 사람이 여럿이 있었다.

그 속에서 젊은 최본평(최병도(崔秉陶))은 내외가 억척으로 벌어서 생일이 되어도 고기 한점 아니 사먹고 모으기만 하여 몇 해 동안에 소문 없는 부자가 되었으므로 남들이 부러워하고, 이를 본받으려고 하는 사람이 많을 정도였다.

최병도는 본래 강릉 바닥에서 재사(才士)로 유명하던 사람으로 스물두 살 나던 갑신년(甲申年) 봄에 서울로 올라가서 개화당(開化黨)의 주동인물인 김옥균(金玉均)을 찾아 그를 사모하고 그 심복이 되어서 천하 형세나 우리나라 정치의 득실에 대한 이야기를 들어오던 중 그해 10월에 갑신정변이 나고 김옥균이 일본으로 망명한 후에 병도는 시골로 내려와서 재물을 모으기를 시작하였으며, 그 목적은 재물을 모와 가지고 부인과 딸 옥순이를 데리고 문명한 나라에 가서 공부를 하여 지식이 넉넉한 후에 우리나라를 붙들고 백성을 건지려는 경륜이었다.

하늘과 땅이 맞붙게 눈보라 치는 겨울밤 최병도 집에 불한당 오륙 명이 급습하여 사리문을 지키는 머슴 천쇠를 때려눕히고 사랑방 쪽으로 야단을 치며 쳐들어와 때마침 추수 셈을 하고 있는 최병도를 잡아 묶으니 이는 강릉감영(江陵監營) 장차(將差)인데 영문(營門) 비관(秘關)을 가지고 최병도를 잡으러 온 사람들이었다.

당시 중앙 관료의 매관매직(賣官賣職)을 비롯한 부패상은 극도에 달하였고, 지방 관속의 백성에 대한 가렴주구(苛斂誅求) 또한 날로 심하여, 강원 감사로 내려온 정씨는 도임 첫날부터 강원(江原) 일도(一道) 백성의 재물을 긁어들이느라고 눈이 벌개서 날뛰는 판에 영문(營門) 장차(將差)들이 각읍의 밥술이나 먹는 백성을 잡으러 댕기느라고 이십육 군 방방곡곡에 늘어섰는데, 그런 출장 한번만 나가면 위선 장차들이 수나는 자리였다.

이러한 장차(將差)가 최병도를 잡아 놓고 차사례(差使禮)를 추어내는데, 여간 돈으로는 용납이 아니되고, 결국 엽전 칠백냥(七百兩)으로 낙착이 되어, 문초하던 장교사령의 말투는 갑자기 공손하게 되었고, 결박하였던 것을 끌어놓을 뿐더러 원주 감영까지 가서도 최병도의 무죄함을 변명해 줄 계제까지에 이르렀다.

마을 사람들이 이 소문을 듣고 최병도 집 대문 앞에 모여 들끓는 속에서 삼십 넘직한 씩씩한 젊은이가 나타났으니 그는 김진사의 아들 김정수로 가재(家財)는 몰락되었으나 새 학문과 정치개혁에 대하여는 최병도와 뜻을 같이 하는 청년이었다.

김정수는 평소에 관속들의 비행에 불만이 많은 터이라 동네 백성들을 모아가지고 원주 감영 장차들을 내리패었다.

그러나 최병도 부처의 권고로 장차들을 놓아 주고, 김정수와 최병도는 서로 상의한 결과 김정수에게는 엽전 천량표를 써주어 당분간 피신하기로 하고, 최병도는 관속들 때문에 다시 소란해질 것을 염려하여, 이튿날 솔선하여 자기자신이 장차를 따라 원주 감영으로 들어갔다.

최병도에게 죄가 있다면 그의 말대로 한가지난 재물 모은 죄요 한가지난 세력 없는 죄, 그것이었다.

그러나 세력있는 양반의 부패한 압정에 반항하여 정치 개혁을 일으키려는 생각에만 골몰하던 최병도는 감사의 혹독한 형문을 받으면서도 하고 싶은 말을 다하고, 반년이나 갇혀있으면서도 돈 한 푼 줄 생각을 내지 않고 버티었다.

> 감사난 그여히 최씨의 돈을 먹은 후에 내놓으려 들다가 최씨가 돈을 아니 쓰려난줄을 알고 기가 나서 날뛰난대 대체 최병도의 마음에난 찬밥 한술이 아까운 것이 아니라 괴양이 버릇이 괘씸하다는 말과 같이 돈이 아까운 것이 아니라 백성을 못살게 구난 놈은 나라에 도적이요 백성의 원수라 그런 몹쓸 놈은 칼로 모가지랄 썩 도리고 싶은 마음뿐이요 돈 한푼이라도 먹이고 싶은 마음이 없었더라. 최씨가 마음이 그렇게 돌아갈사록 입에서 독한 말만 나오난대 그 소문이 감사의 귀로 날날이 들어가는지라.

이 결과로 감사의 직접 호령 하에 심한 문초가 거듭 계속되나 최병도는 끝끝 반항하기에 결국에는 물고령(物故令)이 내려 극악한 매에 실신하여 거의 송장이 된 채로 본가로 돌려보내게 된다.

한편 최병도 부인은 남편 소식이 궁금하여 딸 옥순이를 데리고 교군을 타고 원주 감영까지 왔다가, 형장(刑場)에서 남편의 문초받은 사연을 듣고 통곡하다가 감사의 아는 바가 되어 축출 경외(境外)의 영을 받고 유문주막까지 쫓겨나왔다가 거기서 숨이 방금 떨어져가는 최병도의 교군을 만나 부부상봉을 이룬다.

그러나 최병도는 밤중에 유언 몇 마디를 남기고 대관령 마루에서 절명하고야 말았으니 황량한 성황당 밑에서 부인과 옥순의 울음소리가 처량하였을 뿐 깊은 산 푸른 수풀 속에서는 불여귀(不如歸) 우는 소리만 구슬펐다.

임신 중이던 부인은 남편의 유언대로 대관령 꼭대기에 장사를 지내고, 달이 차서 유복자 옥남이를 해산하였으나 남편의 죽음에 대한 사무치는 원한과 산후증으로 정신 이상에 걸리고야 말았다.

옥남이는 세상에 나오자 어머니의 품에서 떨어져 유모의 손에 길러져 일곱 살 나던 해에야 처음으로 생모와 만났으나 실신한 어머니의 광증(狂症)에 어린 가슴을 태우고만 있다.

최병도의 유언한 바에 의하여 가산 정리와 유가족의 생활 및 자녀 교육의 책임을 맡은 김정수는 유산을 정성껏 관리하여 수년 동안에 몇배나 되는 큰 재물을 만들었다.

김정수는 고인의 유언대로 옥순, 옥남 남매를 미국 유학시키기 위하여 화륜선을 타고 태평양을 건너 화성돈(華盛頓)에 도착하였다. 이들 남매는 신학문 공부에 전력을 기울여 갑오경장(甲午更張)이 지난 조국에 돌아와서 정치개혁을 할 것만을 목표로 주야 분발하고 있다.

그러나 오개성상(五個星霜)이 지나는 사이에 가지고 갔던 학자금은 이미 끝났으므로 김씨(金氏)는 남매를 남겨놓고 돈 가지러 일단 귀국하였으나, 그동안 재산 관리를 맡았던 김씨(金氏)의 아들은, 강릉군수와 강원 관찰사에게 돈을 다 뜯기고, 그 복구책으로 남은 토지를 전부 팔아 장사로 한몫 보려다가 전 재산을 이미 탕진해 버린 뒤였다.

의외의 사태에 책임감을 이기지 못한 김정수는 매일 장취(長醉)로 고민하다가 독한 소주의 과음으로 죽고 말았으니 오랜 뒤에야 겨우 김씨의 부음(訃音)을 받은 남매는 학비는 고사하고 생활의 방도가 없어 철도자살을 기도하였으나 현장에서 순경에게 구출되어 미수로 돌아갔고 '조선학생결사미수'(朝鮮學生決死未遂)의 신문 기사를 본 야소교(耶蘇敎) 신자 '씨엑기－아니쓰'의 후원으로 공부를 계속하여 고등소학교(高等小學敎) 졸업장을 받게 되었다.

그 후 옥순이는 다시 사범학교를 졸업한 다음 음악학교에서 공부를 하고, 옥남이는 중학교를 마친 후에 경제학을 공부하면서 한편 사회철학을 깊이 연구하고 있었다.

그러나 일로전쟁(日露戰爭)이 끝난 후 1907년 여름 한국대개혁(韓國大改革) 고종선위(高宗禪位)의 신문보도를 본 이들은 평소 개혁당의 시조(始祖)로 김옥균을 사모하던 터이라 '씨엑기－아니쓰'씨에게서 오백류(五百留)의 여비를 구득하여 가지고 십여 년 만에 급거귀국의 도(途)에 올랐다.

이해 가을 부산에 도착하여 경부철도에 오른 이들은 토피(土皮)벗은 산 모습에 비분강개하였고 서울을 거쳐 곧 고향으로 내려갔으나 어머니의 정신 이상은 아직도 회복되지 않았었다.

그러나 옥남이가 어머니 앞에서 긴 사연을 이야기하다가 "나난 어머니 유복자 옥남이요"하는 소리가 떨어지자 본평부인은 정신을 번쩍 차려 아들딸을 기쁨과 감격 속에 맞이하였다.

본평부인은 자식 남매를 데리고 망부(亡夫)의 령(靈)을 위로하기 위하여 절간으로 불공하러 갔는데, 그 곳에서 한방의 총소리와 더불어 강원도

의병 수백 명에게 옥순 남매는 포위되었으나, 옥남이는 천연히 일어서서 학정을 고칠 수 있는 양위(讓位)의 개혁이 있음이 지당하고 의병의 불가함을 역설하는 일장의 열변을 토한 다음 "대황제폐하만세"와 "국민동포만세"를 부르니 의병은 풍우같이 달려들어 옥남이 남매를 잡아가는 것으로 끝을 맺고 있다.

② 상황과 대응

「은세계」의 주제는 봉건지배층의 정치적인 부패에 따르는 백성에 대한 가렴주고, 이에 견디다 못하여 항거하는 민중의 반항의식, 고루한 봉건체제를 혁신하기 위하여 신학문의 기반 위에 새로운 정치 개혁을 기도하려는 개화사상 등을 들 수 있겠으나 이러한 의식은 모두 김옥균(金玉均)을 영수로 하는 개화당에 연관성을 가지고 있고 그것이 종국에 가서는 고종의 양위를 정치의 가장 중대한 혁신인 것처럼 귀결 짓는 방향으로 이끌어 갔다.

첫째 관료의 부패상을 작품 속에서 예거하여 보면,

> 그때 강원 감사의 성은 정씨인데 강원 감사로 내려오던 날부터 강원 일도 백성의 재물을 긁어 들이느라고 눈이 벌개서 날뛰난 판에 영문 장차들이 각읍의 밥술이나 먹난 백성을 잡으려 단기느라고 이십륙군 방방곡곡에 느러섰난대 그런 출사 한번만 나가면 위선 장차들이 수나난 자리라……

이같이 지방감사가 도임하면 새로운 정사의 추진 계획이나 민정을 보살피려는 일보다는 우선 돈푼이나 있는 백성의 기름을 짜서 축재하려는 것이 가장 큰 급선무였다. 신임 감사가 도임하는 때마다 이번에는 좀 나을까 다음번에는 다소 편안할까 기다려도 번번이 그러한 결과만 되풀이

되기에 원주 감영에는 괴악한 동요까지 생겼다. 어린아이들이 그 노래를 부를 때마다 나이 많은 사람들이 꾸짖어서 못하게 하여도 철모르는 아이들은 계속 불렀으니 그 노래는 이러하다.

내려왔네 내려왔네
불가살이가 내려왔네
무었하러 내려왔나
소잡아먹으러 내려왔네

이 노래에서 '불가살이'라는 것은 감사를 지목하는 것인바, 작자의 설명에 의하면 "옛날에 불가살이라 하난 물건 하나이 생겨나더니 어디든지 뛰어 단기면서 쇠란 쇠난 다 집어먹었다 하난대 감사가 내려와서 강원도 돈을 짝짝 핥아 먹으려 드난고로 그 동요가 생겻다고" 하였으니 지방 관속에 대한 민심의 동향을 가히 짐작할 수 있는 일이다. 그러나 감사가 이렇게 긁어모은 재물로 자기 혼자의 뱃속만 채우려면 이 벼슬자리를 지키고 있기가 불안하기 짝이 없는 일이어서 그들은 이와 같이 악랄하게 획득한 재원(財源)으로 다시 중앙 상전의 비위를 맞추어 가며 연명책에 광분하게 된다.

진남문 밖에 익명서가 한달에 몇번식 걸려도 감사난 모르난체 하고저 할 일만 한다. 그 하난 일은 무슨 일인고 그것은 바치난 일이라.

긁기난 무엇을 긁으며 바치기난 어디로 바치난고, 강원 일도에 먹고 사난 재물을 뺏어다가 서울 있난 상전들에게 바치난 일이다.

상전이라 하면 강원 감사가 남의 집에 문서 있난 종이 아니라, 무서워하기를 상전같이 알고 믿기를 상전같이 믿고 섬기기를 상전같이 섬기난대 그 상전에게 등을 대고 만만한 사람을 죽여내난 판이라.

대체 그런 상전 섬기기난 어렵고도 쉬운터이라, 어려운 것은 무엇인고 만일 백성을 위하야 청백리 노릇만 하고 상전에게 바치난 것이 없을 지경이면 가지고 있난 인(印)꼭지를 며칠 쥐어 보지 못하고 떨어지난 터이요, 또 전정이 맥혀서 다시 벼슬이라도 얻어하야 볼 수가 없난터이라, 그런고로 그상전 섬기기가 어렵다 하난 것이라.

쉬운 것은 무엇인고, 우물 고누 첫수로 백성의 피를 긁어 바치기만 하면 고만이라…….

이러한 실정은 비단 강원 감사의 경우에만 한한 일이 아니라 훗날 옥남이가 미국에서 예전에 관찰사를 지냈다는 사람을 만나 지방관료의 학정을 규탄하였을 때 그 관찰사를 지냈다는 사람의 말이 또한 이 경우와 흡사하다.

관찰사를 공으로 얻어 하난 사람이 몇이나 되오, 처음에 할때도 돈이 들려니와 내려간 후에 쓰난 돈은 얼마나 되난지 알고 그런 소리하오. 일년에 몇번 탄신에 쓰난 돈은 얼마나 되며 그 외에난 쓰난 돈이 없난 줄로 아오, 그래 몇푼되지 못하난 월급만 가지고 되겠오, 백성의 돈을 아니 먹으면 그돈 보충을 무슨 수로 하오.

만일 관찰사로 있어서 돈 한푼 아니쓰고 배기려 들다가 벼락은 누가 맞게…….

하고 자기 변명에 겸하여 부패한 관도(官道)의 매관매직의 이면상을 밝힌 것이니 소위 고위층에 속하는 당시 관료들의 편모를 엿볼 수 있게 한다.

그러나 그뿐만 아니라 이러한 불한당 같은 감사 밑에는 또한 졸개 도적이 염주알 같이 달려서 제 실속을 채우고 있으니 돈푼이나 가진 백성은 이모저모로 약탈을 당하게 된다. 강원 감영의 아전들이 감사를 비롯한 그 졸개 속료들의 별명을 지은 것을 보면 저간의 사정을 가히 짐작할 수 있다.

순사도난 쇠귀신	공방비장은 쵸란이
호방비장은 구렁이	회계비장은 갈강쇠
례방비장은 노랑수건	별실마마난 계집망난이
병방비장은 소경불한당	수청기생은 불여우

별명은 각각 다를지라도 괴수나 졸개나 수청 기생이나 할 것 없이 불한당질 하는 그 심정은 같다는 뜻이 된다.

한편 이러한 불한당들 밑에 달려 있는 장차(將差)나 사령(使令)들은 직접 비관(秘關)을 들고 차사(差使)로 가는 현장에서 신발값이니 술값이니 하여 소위 차사례의 명목으로 이 또한 거액의 재물을 문초 끝에 강탈하니 앉은 자리에서 이중 삼중으로 털리고 욕보는 것은 백성밖에 없게 되어 이같이 극도의 박해를 받는 민중은 참다못하여 결국은 반발의식이 노출되지 않을 수 없게 된다.

장차가 최병도를 잡아 놓고 차사례를 추어내난대 염라국 사자 같은 영문 장차의 눈에 여간 최병도같은 양반은 개팔아 두양반만치도 못하고 보고 마구 다루난 판이라, 두 손목에 고랑을 잔뜩 채우고 차사례를 달라 하난대 최씨가 차사례를 아니 주려는 것이 아니라 여간 돈을 주마 하난 말은 장차의 귀에 들어가지도 아니하고 제 욕심을 다 채우려든다.

대체 영문 비관을 가지고 사람 잡으러 단기난 놈의 욕심은 남의 뫼를 파서 해골 감추고 돈 달라난 도적놈보다 몇층 더 그악한 사람들이라, 가령 남의 뫼파러 단기난 도적놈은 겁이 많지마난 영문 장차들은 겁 없난 불한당이라, 더구나 그때 강원 감영 장차들은 불한당 괴수같은 감사를 만나서 장교와 차사들은 좋은 세월을 만나 신이 나난 판이라, 말끝마다 순삿도를 내세고 말끝마나 죄인 잡으러 온 자세를 하며 장차의 신발 값을 달라하난대 말이 신발값이지 남의 재물로 있난대로 다 뺏어 먹으려드난 욕심이라, 열양을 주마 하야도 코웃음이요 백양을 주마 하야도 코웃음이요 이백양을 주마하야도 코웃음인대 그때는 엽전시절이라, 새끼 배은 큰 암소 한필을 팔아도 칠십양을 받기가 어렵고 좋은 보똘논 한마지기를 팔아도 삼사십양이 넘지 아니할 때이라.

이상은 강원 감영 장차들이 최병도를 묶어 놓고 차사례를 독촉하는 대목인데, 좀처럼의 액수로는 용납이 되지 않을 뿐더러 극악한 감사를 상전으로 모시고 있는 것을 기화로 하여 최병도의 입에서 쥐소리가 나도록 두 눈이 툭 솟도록 은근히 골병이 들도록 동여매고 죽을 욕을 보였으나, 최병도는 끝내 거부하다가 부인과 어린 딸의 정성을 생각하여 엽전 700냥을 주기로 작정하니 장차들은 욕심이 흡족하여 결박하였던 것을 끌어 놓을 뿐 아니라 맹세지거리를 더리더리 하며 말을 함부로 하던 입에서 공손한 말이 나오게까지 되어 태도가 갑자기 달라졌다.

(장교) 최서방님 아모 염려 마르시오, 우리가 영문에 가서 순삿도께 말씀만 잘 아뢰면 아모탈 없이 될터이니 걱정 마시오 들어 앉이신 순삿도께서 무엇을 아르시겠읍니까 염문하야 바친 놈들이 몹쓸놈이지요 우리가 들어가거든 호방 비장 나리께도 말씀을 잘 엿줍고 수청기생 계화더러도 말을 잘 하여서 서방님이 무사히 곧 놓여 오시게 할 터이니 우리만 믿으시오, 압다 일만 잘되게 만들터이니 호방비장 나리께 약이나 좀 쓰고 계화란 년은 옷하야 입으라고 돈백양이나 집어 주시구려, 압다 요새 그년이 뽐내난 서슬이 호사 한번 잘 시키고 그

김에 계화란년 상관이나 한번 하시구려, 촌에 사난 양반이 그런때 호강을 좀 못해보고 언제 하시겠오.

그러나 딴 구녁으로 청할 생각 마르시오, 원주 감영 놈들이란 것은 남의 것을 막 떼먹으러드난 놈들이요, 누가 무엇이라 하던지 당초에 상관을 마시오, 서방님같은 양반이 영문에 가시면 못된 놈들이 공연이 와서 지분 지분 할터이니 부대 속지 마시오.

이같이 장차는 태도를 졸지에 표변하여 말투가 달라질 뿐더러 감영에 들어가서의 유리한 방략과 뇌물 진정 순로까지를 가르쳐주는 위에 수청기생과 정분을 통할 수 있는 호강길까지 암시하니 돈 앞에 이만치 사족을 쓰지 못하는 장차패들이라면 그들이 하는 처사라곤 가히 추측하고도 남음이 있겠다.

그러나 그뿐인가 장차는 사령들을 호령하여 다시 다짐하기를,

이애 사령들아 너희들도 영문에 들어가거든 똑 내가 시키는대로 이렇게만 말하여라.

강릉 경금 사는 최본평이란 양반은 아까운 재물을 결단 냈더라, 그 어림 없난 양반이 서울가서 뉘 꾀임에 빠졌던지 지금 세상에 찡찡거리는 공시청 내시들의 노름하난 축에 가서 무엇을 얻어 먹겠다고 그런 살어름판에 들어앉어서 노름을 하얏던지 부자 득명하고 사던 재물을 죄 잃어바리고 아무것도 없다네 대체 노름 빗이 얼마나 되얏던지 내시 집에서 노름 빗을 받으려고 최본평이라난 그양반 집으로 사람을 내려 보내서 전장 문서를 죄다 뺏어가고 남은 것은 한 이십간 되난 초가집 하나와 황소 한필 뿐이라 하나 아무리 시골 양반이 만만하기로 남의 재물을 그렇게 뺏어 먹난 법이 있나냐 하면서 풍을 치고 당기여라.

하며 이제는 자기들의 직책을 거의 잊고 죄인의 명목을 가진 최병도를 차사례 덕으로 오히려 보호하는 입장이 되니 중앙 불한당과 말단 일선 불한당의 부패의 경중은 가릴 길 없어도 일국의 정사도 이만큼 되고 보면 이제 손댈 나위도 없는 부패의 절정이라고 하지 않을 수 없겠다.

이러한 결말을 지어 가지고 강릉 감영으로 장차를 따라 최병도가 들어가자 "강릉 출사 갔던 장차 현신 아뢰오" 하는 소리에 귀가 번쩍 뜨인 감사는 "형방 영리 불러라 강릉 경금 사난 최병도 잡아 드려라 빨리 거행 하여라" 하기에 감사의 말을 받아서 형방 영리가 내리는 최병도의 죄목은,

> 여보아라 최병도 분부 듣거라 너난 소위 대민 명색으로 부모에게 불효하고 형제에게 불목하니 천지간에 용납치 못할 죄라 풍화 소관에 법을 알리겠다.

하여 부모불효 형제불목의 근거 없는 죄명을 붙였으니 죄의 유무를 막론하고 백성의 생살 여부는 감사의 한손에 달린 셈으로 되었다.

이뿐만 아니라 김정수가 옥순의 남매를 공부시키느라고 5년간 미국에 체재하였다가 학비가 떨어졌기에 그 보충책으로 갑자기 귀국하여 본즉 아들에게 관리를 시키고 떠나간 재산이 전부 소비되어 파산 지경에 달하였으니 이 또한 강릉 군수와 강원 관찰사의 작폐였다.

> 그때는 갑오 이후라 관제가 변하야 각 읍원은 군수가 되고 팔도난 십삼도 관찰부가 될 때라, 어떤 부처님 같은 강릉군수가 내려왔는대 뒷줄이 튼튼치 못한고로 백성의 돈을 펼쳐놓고 뺏어 먹지난 못하나 소문 없이 갈가 먹난 재조난 신통한 사람이라, 경금 사난 김정수의 아들이 남의 돈이라고 수중에 돈천 돈만이나 조히 가지고 있다난 소문을 듣고 존문을 하야 불러드려서 일켜세고 올려세고 대접을 썩 잘

하면서 돈 몇천량만 취여달라 하니 김소년의 생각에 그 시행을 아니 하면 하날 모르난 벼락을 맞일 듯 하야 겁이 나서 강릉 원에게 돈 몇 천량을 소문 없이 주고 벙어리 냉가슴 앓듯하고 있는 중에 강릉군수 보다 존장 하래비치게 세력 있난 관찰사가 불러다가 웃으며 빰치듯이 면세좋게 뺏어 먹난 통에 김소년이 최씨집 추수 작전한 돈을 제것같이 다 써 없애고 혼자 심려가 되야 별 궁리를 다 하다가 허욕이 버썩 나서 그의 모친이 맡아 가지고 있난 최씨 집 논문서를 꺼내다가 빗을 몇만량을 얻어가지고 울진으로 장사 하러 내려가서 한번 장사에 두손 톡톡 털고 왔더라.

이와 같이 김정수의 아들이 파산 지경에 달한 것도 자기 자신의 잘못이 아니라 불한당 같은 군수와 관찰사의 뒷배를 보다가 바닥이 나게 긁은 셈이니 관속들의 부패상은 극도에 달하였고 감영이란 탐관오리의 소굴로 화하였다. 이런 현실을 작자는 재빨리 폭로하고 이에 대치될 정치개혁을 절규하였던 것이다.

「은세계」 중에 나타나는 이와 같은 관료의 학살과 부패상은 고대소설 「춘향전」의 어떤 대목과도 통하는 바가 있으니, 완판본(完版本) 「춘향전」에 있어서 사령들이 사또의 분부를 받고 춘향의 집에 다달았을 때 사령을 방안에 이끌어들여다 주반상을 내고 돈 주는 장면과 좋은 대조가 된다.

김번수며 리번수며 여러 번수 손을 잡고 제방에 앉힌후에 향단이 불러

"주반상 드려."

취토록 메긴 후에 궤문 열고 돈 단양 내여노며

"여러 번수님네 가시다가 술이나 잡수고 가옵소서 뒷말 없게 하여 주소서."

사령들이 약주를 취하야 하는 말이
"돈이란이 당치 않다 우리가 돈 바래고 네게 왔나."하며
"되려 노와라 김치수야 네가 차라 불가타마는 입수(葉數)나 다 오른냐."
돈 받아 차고 흐늘 흐늘 들어 갈제…….

이 대목은 사령 등이 「은세계」의 경우처럼 능동적이 아니고 피동적으로나마 돈 닷냥을 받는 장면이니 역시 차사례에 해당되는 뇌물의 일종이라고 볼 수 있겠으며, 변사또의 주연석에서 "금준미주천인혈(金樽美酒千人血) 옥반가효만성고(玉盤佳肴萬姓膏) 촉루락시민루락(燭淚落時民淚落) 가성고처원성고(歌聲高處怨聲高)"의 장면은 「은세계」에서의 백성의 고혈로 된 재물을 이중 삼중으로 걷어들이는 점과 상호 통하는 경우라고 보아진다.

그러므로 「춘향전」과 「은세계」가 취급한 배경적인 시대성은 비록 다르다 할지라도 고대소설에 있어서 상층 지배계급의 학정을 가장 노골적으로 표현한 것이 「춘향전」이라면 신소설에 있어서 몰락해가는 양반관료의 가렴주구에 찬 부패상을 가장 강력하게 표현한 것이 「은세계」라 할진대, 전자에서는 춘향과 이도령의 애정관계가 주되고 이 문제가 그 뒤에 따르는 부수적인 것이 되겠지만, 후자에서는 부패한 학정을 혁신하여 정치 개혁을 단행하려는 것이 주류인 만큼 그 정도의 차이는 있을지라도 「춘향전」의 제작연대를 숙종조(肅宗朝)에서 영정조(英正朝) 사이로 본다면, 한국의 정치체제는 영정조(英正朝) 이후 계속 학정과 부패정치가 그 도를 더하여 왔다는 방증이 설 수 있는 것이요, 한편 「춘향전」과 「은세계」 사이에 그 주제에 있어서 약간의 상통하는 점이 발견된다는 귀결이 지어질 수도 있다는 결말이 되기도 할 것이다.

③ 등장인물의 유형

등장인물의 성격 중에서 주인공 최병도의 성격을 작품 속에서 추려 보

면 다음과 같다.

최병도난 강릉 바닥에서 재사로 유명하던 사람이라.

갑신년 별란 나던 해에 나히 수물 두 살이 되얏난데 그해 봄에 서울로 올라가서 개화당에 유명한 김옥균을 찾어보니 본래 김옥균은 어떠한 사람을 보던지 옛날 육국 시절에 신통군이 손 대접 하듯이 너그러운 풍도가 있난 사람이라. 최병도가 김씨를 보고 심복이 되야서 김씨를 대단히 사모하는 모양이 있거날 김씨가 또한 최병도랄 사랑하고 기이하게 녀겨서 천하 형세도 말한 일이 있고 우리나라 정치 득실 도모할 일이 많이 있으나 우리 나라를 개혁할 경륜은 최병도에게 말하지 아니 하얏더라. 갑신년 사월에 변란이 나고 김씨가 일본으로 도망한 후에 최씨가 시골로 내려가서 재물 모으기를 시작하였는데 그 경영인즉 재물을 모아 가지고 그 부인과 옥순이를 다리고 문명한 나라에 가서 공부를 하야 지식이 넉넉한 후에 우리 나라를 붓들고 백성을 건지려난 경륜이다.

최병도가 동내 사람들에 재물에난 대단히 굳은 사람이라난 말을 들었으나 최병도의 마음인즉 한두 사람을 구제하자난 일이 아니요, 팔도 백성을 이 도탄에 든 것을 건지려난 경륜이 있었더라.

그러나 최병도가 큰 병통이 있느니 그 병통은 죽어도 그치지 못하난 병통이라, 만만한 사람을 보면 숨도 크게 쉬지 아니하나 지혜 좋은 사람이 양반 자세하난 것을 보던지 세력 있난 사람이 세력으로 누르려던지 하난 것을 당할 지경이면 몸을 육포랄 켠다 하더래도 지고 싶은 마음은 조곰도 없난 위인이라.

원주 감영으로 잡혀 갈때에 장차에게난 무슨 마음으로 돈을 주었던지 감영에 잡혀간 후에 감사에게 형문을 그리 몹시 맞으면서도 하고싶은 말을 낱낱이 하고 반년이나 가쳐 있어도 감사에게 돈 한푼 줄

마음이 없난지라 동내 사람이 혹 문옥하러 와 그 모양을 보고 최병도랄 불상히 녀겨서 권하난 말이 돈을 애끼지 말고 감사에게 돈을 쓰고 놓여 나갈 도리랄 하라 하난 사람도 있으나 최병도가 종시 듣지 아니 한터이라.

이상 좀 장황한 인용이었으나 최병도의 인간성이나 개화사상에 대한 주관이나 또는 재물을 구두쇠같이 악을 쓰며 모으려는 욕망, 신학문에 대한 갈구, 더욱이 권세의 압력에 대한 반항의식 등이 거의 다 나타나 있어, 이러한 그의 성격과 확고 부동한 신념은 평소 그가 불타는 적개심을 가지고 있는 관료에 대하여서는 여하히 가혹한 문초에 접할지라도 자기의 초지를 굽히지 않고 끝까지 항거를 지속하였다.

감사가 노발대발한 나머지 졸라맨 망건 편자가 끊어지며 벼락령을 내리고 물고를 시키려 해도 끝끝내 꺾이지 않고 항변하며 버티었다.

무죄한 백성을 무슨 까닭으로 잡아 왔으며 형문을 쳐서 반년이나 가두어 두난 것은 무슨 일이며 상처가 아물만 하면 잡아 드려서 중장하난 것은 왼일이며 오날 물고랄 시키랴난 일은 무슨 죄이오니까.

죄 없난 사람 하나를 죽이며 죄 없난 사람 하나를 형별하난 것은 만승천자라도 삼가서 아니 하난 일이요, 또 못하난 일이올시다. 만일 생이 나라에 죄를 짓고 죽을진대 나라 법에 죽난 것이요 순삿도의 손에난 죽난 것은 아니올시다마난 지금 순삿도게서 생을 죽이시난 것은 생이 사형에 죽난 것이요 법에 죽난 것이 아니오니 순사도가 무죄한 사람을 죽이시면 나라에 죄를 지으시난 것이올시다.…… 지금 세계에 백성 잘못 다사리는 나라난 망하지 아니한 나라가 없읍니다. 애급이라난 나라도 망하얐고 파란이라난 나라도 망하얐고 인도라난 나라도 망하였으니 우리 나라도 백성에게 포악한 정사랄 행할지경이면 망하난 것은 순삿도난 못 보시더래도 순삿도 자제난 볼터이올시다.

무죄한 백성을 죽이려고 드는 순사또의 잘못을 비난하고 국법에 의한 범죄가 아닌 자를 사혐(私嫌)으로 처형하는 불법을 규탄하는 동시에, 백성에게 대한 포학한 정사는 망국의 전조라는 것을 세계 각국의 실례를 들어서 항의하면서 끝까지 굴하지 않았다.

이러한 결과로 최병도는 결국 물고령을 받아 입을 찢기고 매가 떨어지는 대로 고개만 끄떡거리는 정도가 되어 생명이 경각에 붙었을 때에야 반송장으로 물고령이 해제되어 집으로 돌려 보내게 되었으나 대관령 마루턱에서 절명하는 지경에까지 다다라도 그의 초지는 꺾이지 않았으며, 이러한 철저한 반항의식은 그가 감영으로 떠나올 때 부인에게 한 말 속에도 나타나 있다.

> (최) 우리 나라에서난 녹피에 가로왈자같이 법을 써서 죽이고 싶은 사람이 있으면 없난 죄를 맨들어 뒤집어 씨우고 살리고 싶은 사람이 있으면 있난 죄도 베껴 주난 세상이라. 이러한 세상에 재물을 가진 백성이 있으면 그 백성 다스리난 관원이 그 재산을 뺏어 먹으려고 없난 죄를 만들어서 남을 망해놓고 재물을 뺏어 먹는 세상이니 그런 줄이나 알고 지내오.…… 요새 세상에 돈만 많이 쓰면 놓여나오난 줄은 아지마난 나라를 망하려고 지랄 버럭 버럭 쓰난놈의 턱 밑에 돈표를 써서 드리밀고 살려달라 놓아달라 그따위 청하고 싶은 마음은 없는걸 죽이거나 살리거나 제할대로 하라지.

최병도의 관료에 대한 치열한 반항의식이나 정치 개혁에 대한 일관된 신념은 돈을 쓰면 생명의 박해를 면할 수 있는 기회마저 전부 거부해 버리게 되고 그는 지조를 굽히지 않은 채로 죽어갔을 뿐더러, 유언으로서

나라를 근심하여 일하장안(日下長安)을 바라보려는 마음으로 관머리는 한양을 향하고 조상의 분묘도 있고 불쌍한 처자도 있고 나라를 같이 근심하던 자기 친구도 있는 고향으로 발을 뻗치고 대관령 고개 위에 묻히게 되었다.

이와 같은 부패 관리에 대한 반발의식은 최병도에 한한 것만이 아니라 정치 개혁에 특별한 관심을 가지지 않는 일반민중의 마음속에도 우러났으니 최병도 집에 감영 장차 불한당들이 쳐들어왔을 때 농군들이 구경하러 왔다가 장차가 못 들어오게 하는 서슬에 겁이 나서 들어가지 못하고 이웃 농군의 집에 들어앉아서 주고받는 이야기 속에서도 그 모습을 찾을 수 있다.

"본평댁 서방님이 영문에 잡혀 가신다지."

"그 양반이 무슨 죄가 있어서 잡아가누."

"죄난 무슨죄 돈 있난 것이 죄이지."

"요새 세상에 양반도 돈만 있으면 저렇게 잡혀가니 우리같은 상놈들이야 논마지기나 있으면 편히 먹고 살수 있나."

"이런놈의 세상은 얼른 망하기나 하였으면 우리같은 만만한 백성만 죽지말고 원이나 감사나 하여 나려오난 서울 양반까지 다 같이 죽난 꼴 좀 보게."

"원도 원이요 감사도 감사여니와 저런 장차부터 누가 다 때려죽여 없애버렸으면."

이 짧은 몇 마디 대화 속에서 돈만 있으면 잡혀간다는 민중의 위정자에 대한 공포심과 이러한 세상은 망하기나 했으면 좋겠다는 자포 뒤에는 원이나 감사 이전에 약탈의 직접 끄나풀이 되는 장차부터 때려 죽여 없앴으면 좋겠다는 적개심이 무의식중에 노출되고 있다.

이같은 백성들의 반발심은 최병도의 동지로 역시 정치 개혁에 뜻을 두고 있는 김정수의 소리 한마디로 마을 사람들이 최병도 집 사랑 마당에 모여 왔을 때 김정수의 말에 의하여 행동으로 점화될 수 있었으니,

(김) 이애 이동내 백성들 들어보아라. 나난 오날 민요 장두로 나서서 원주 감영 장차 몇놈을 때려 죽일 터이니 너이들이 내말을 들을터이냐.

경금 백성들이 신이나서 대답을 하난대 마당이 와글와글 한다.

(백성) 네 소인들이 내일 감영에 다 잡혀가서 죽더래도 서방님 분부 한마디만 있으면 무슨 일이던지 하라시난대로 거행하겠읍니다.

(김) 응 민요를 꾸미난 놈이 살 생각을 하여서는 못쓰는 법이다. 누구던지 죽기를 겁내난 사람이 있거든 여기 있지말고 나가고 나와같이 강원 감영에 잡혀가서 죽을 작정 하난 사람만 나서서 몽둥이 하나식 가지고 장차들을 막 패 죽여라.

그 소리 뚝 떨어지며 동내 백성들이 몽둥이난 들었던지 아니 들었던지 아우성 소리를 지르며 장차에게로 달려드난대 장차의 목숨은 당장 뭇 발길에 떠러질 모양이라.

이와 같이 백성들은 어떠한 계기만 있으면 지방관료에 대한 평소의 고조되었던 반감이 폭발되어 행동으로 옮겨져 자기의 생명을 돌보지 않고 싸울 수 있는 단계에까지 달하였다는 것은 한편에서 관리의 학정이 얼마나 가혹했는가 하는 것을 실증하는 것이요, 다른 일면으로는 굴종 내지 맹종만 하던 일반 백성의 경장 후의 자의식이 차츰 싹터 잠재했던 반항의식이 행동으로 나타날 수 있을 단계에까지 대중이 근대적인 면에서 자라났다고 볼 수 있는 논거가 될 수도 있는 일이다.

그러나 여기에서 일대 사건을 전개시키지 못한 것은 역시 갑오경장이

대중의 자각으로 이루어진 개혁이 아니고 상부에서 이루어졌을 뿐더러 그것이 대부분 형식적인 조문의 나열에 불과했던 점과 또한 그 밖에 이 개혁이 외세의 영향으로 성취되어 능동적이요 주동적인 혁신이 되지 못한 동시에 적극적인 행동의 실천이 없이 형식적인 절규에 불과했던 현실적인 배경이 또한 이 작품에서의 민중의식을 더 적극화시키지 못한 원인이 되기도 한 것이다.

④ 현실인식의 방향

주인공 최병도의 최초의 의도가 재물을 모으는 것은 해외에 가서 신학문을 닦을 목적을 위하여서였고 신학문을 공부하는 것은 정치 개혁을 이룩할 최후 목표가 있었으니만큼 최병도의 유언에 따라 그가 생전에 다 이루지 못한 것을 그의 딸 옥순이와 옥남이가 이루기 위하여 아버지의 동지 김정수를 따라 태평양을 건너 미국으로 유학을 떠나게 된다. 따라서 여기에 있어서의 미국유학은 배워서 알겠다는 문제보다는 정치 개혁이라는 실용적인 문제가 더 선행되고 있다.

미국에 가서 5년간 지낸 후에 학비관계로 김정수가 귀국하였을 때는 옥순이는 19세요 옥남이는 12세 되던 때로 그 후 다시 수년이 경과한 후 그들은 10여 년 만에 고국으로 돌아왔다. 이들 남매가 미국에 있을 때 주고받은 이야기를 살펴보면 옥남이가 옥순의 신학문에 대한 지표나 국사와 민족에 대한 현실이나, 정치 개혁에 대한 포부를 엿볼 수 있으며, 특히 옥순과 옥남의 남녀 차이에 따르는 주관의 상이점까지도 발견할 수 있다.

"이애 옥남아 너만 남자이라 이렇게 죽지말고 살았다가 남의 뽀이 노릇이라도 하고 하로 몇시간이던지 공부를 착실히 한 후에 우리 나라에 돌아가서 병든 어머니를 다시 뵙고 어머니 생전에 봉양이나 착실히 할 도리를 하여 보아라.

나난 여자이라 살아 있더래도 우리 최가의 집에 쓸데 없는 인생이니 죽으나 사나 소중한 것 없난 사람이나, 너난 아모조록 살았다가 조상의 뫼나 묵지 않게 하여라."

"여보 누님 우리나라 이천만 생명의 성쇠가 달린 나라가 결단나게 된 생각을 아니 하고 최가의 집 하나 망하난 것만 그리 대단히 아오, 내가 살았다가 우리나라 일이나 잘하야 볼도리가 있으면 뽀이 노릇은 고사하고 개노릇이라도 하겠오마난 최가의 집 뫼가 묵난 것은 꿈같소."

이것이 옥순·옥남의 남매가 김정수가 고국으로 돌아온 후 기숙하는 호텔에서 두 달 동안이나 외상밥을 먹었으나 이제는 전차삯까지 떨어지고 몸에 남은 것이라고는 금시계 하나와 금반지 하나뿐이므로 이들은 비관 끝에 철도 자살을 하려고 결심하고 철도가 내려다보이는 언덕위에서 죽으려는 직전에 주고받은 말이다. 옥순이는 공부를 착실히 하는 결과가 부모에게 효도하는 것이 가장 큰 성과로 생각되고, 옥남이는 2천만 동포를 위하는 나랏일을 중시하는 생각을 가졌으니, 이것은 젊은 그들의 주관의 차이에서 오는 결과뿐만 아니라, 남자와 여자의 사고하는 바가 다른 점에서 더 기인됨을 나타내는 대목이다.

이뿐만 아니라 그 후 옥순·옥남의 남매가 씨엑기 아니쓰씨의 후원으로 고등소학교의 졸업장을 받아들고 와서 그 졸업장을 펴놓고 남매가 마주 앉아서 서로 나눈 대화를 보면 이들의 생각하고 있는 방향은 현저한 거리를 가지고 있음을 발견할 수 있다.

"이애 옥남아 사람이 무엇을 위하야 공부를 하느냐, 우리가 외국에 와서 오래 공부만 하고 있을 수도 없난 경세가 아니냐, 어머니가 본마음을 가지고 계시더래도 자식된 도리에 여러해를 슬하에 떠나 있으면 어미 보고싶은 생각이 간절할터인데, 하물며 우리 어머니난 남 다른 병환이 들어서 생활의 낙을 모르고 살아 계시니 우리가 공부난 그만하고 고국에 돌아가서 어머니 생전에 병구원이나 하여 드리자."

"여보 누님 누님이 문명한 나라에 와서 문명한 신학문을 배왔으니 문명한 생각으로 문명한 사업을 하지 아니하면 못씁니다. 누님, 누님도 내말을 좀 자세히 들어 보시요, 사람도 부모에게 효성을 하려면 부모 앞에서 부모 봉양만 하고 들어앉었난 것이 효성이 아니라, 은혜받은 이몸이 나라의 국민의 의무를 지키고 국민의 직분을 다하난 것이 부모에게 효성이라.

우리 나라에서는 세도 재상이니 별입이니 땅별입이니 무엇이니 무엇이니 하난 사람들이 성인 같으신 임군의 총명을 옹폐하고 국권을 농락하야 나라난 망하던지 흥하던지 제욕심만 채우고 제살만 찌흐랴고 백성을 다 죽여내난 통에 우리 아버지가 그렇게 몹시 돌아가시고 우리 어머니도 그 일을 인연하야 그런 몹쓸 병환이 들으셨으니 그 원인을 생각하면 나라의 정치가 그른 곡절이라…이 나라를 붓들고 이 백성을 살리랴하면 정치를 개혁하는데 있난 것이니, 우리난 아모쪼록 공부를 많이 하고 지식을 넓혀서 아모때든지 개혁당이 되야서 나라의 사업을 하난 것이 부모에게 효성하난 것이요."

여기에서도 옥순이는 어머니를 생각하여 그 병구완할 것을 걱정하고 있어 동양적이요, 여성적인 소극성을 띠고 있는 데 비하여, 옥남이는 문명한 신학문을 배웠으면 문명한 생각으로 문명한 사업을 하자는 원칙하에 참다운 부모 효도는 국민의 의무를 다할 때 이루어지는 것이요, 재상을 비롯한 관료배들의 사욕만 채우는 결과로 백성은 도탄에 빠지고 있는 나라를 바로잡고 백성을 살리려면 정치 개혁을 하는 것이 급선무이니 자기들은 개혁당이 되어서 나라 일을 하는 것이 그대로 부모에게 효도하는 길이라는 것을 장황히 역설하고 있다.

즉, 아버지 최병도가 머릿속에 이상으로 그리고 있었던 바를 아들 옥남이는 신학문 수학에서부터 차츰 실천의 제1단계에 올리고 있으며 앞으로의 지향도 명확하게 세우고 있다. 특히 옥남이는 태황제폐하(太皇帝陛下) 선위(禪位)의 '한국대개혁' 신문기사를 보고 그것을 국사의 일대 혁신으로 생각하고 만시지탄(晩時之歎)이 불무(不無)함을 옥순에게 토로하고 있다.

……만일 우리나라가 칠십년 전에 개혁이 되어서 진보를 잘하였더면 우리나라도 세계 일등 강국이 되야 해상위에 아라사 사람이 저러한 근거지를 잡기 전에 우리 나라가 먼저 착수하얏을 것이요, 만일 오십년 전에 개혁이 되었더면 해삼위난 아라사 사람에게 양도하얏으나 청국 만주난 우리 나라 세력 범위 안에 들었을 것이요.

만일 사십년 전에 개혁이 되었으면 우리나라 육해군의 확장이 아즉 일본만 못하나 또한 당당한 문명국이 되었을것이요.

만일 삼십년 전에 개혁이 되었으면 삼십년 동안 또한 중등 강국은 되었을지라 남으로 일본과 동맹국이 되고 서으로 청국의 내버리난 유리(遺利)를 취하야 장차 대륙에 전진의 길을 열어서 불과 기년에 또한 일등강국을 기약하였을 것이요.

만일 이십년 전에 개혁이 되었으면 이십년 동안에 나라 힘이 크게 떨치지는 못하였더라도 인민의 교육 정도와 생활의 길이 크게 열려서 국가의 독립하는 힘이 유예하였을 것이요.

만일 십년전에 개혁이 되었을 지경이면 오호만의(嗚呼晩矣)라 나라일 하기가 대단히 어려운 때이라. 비록 남의 힘을 빌지 아니하고 내 힘으로 개혁을 하였더래도 백공천창(百孔千創)의 꾀매지 못할 일이 여러 가지라 그러나 개혁한지 십년만 되었드래도 족히 국가를 보전할 기초가 생겼을 터이라. 그러한즉 우리나라의 개혁 조만이 그 이해가 이러하거날 정치 개혁은 아니하고 도로혀 나라 망할짓만 하였으니 그런 원통한 일이 있오…….

이같이 옥남이는 이미 70년 전에 단행되었어야 할 정치 개혁의 늦음을 개탄하고 있으나 고종의 양위 및 김옥균의 개화당에 대한 옥남의 생각(작가의 주관)은 역사적인 사실과 약간 저어(齟齬)되는 점이 있으니 잠깐 검토해 보기로 하겠다.

어머니 그 말을 잘 알아 들으셨오. 지금 세상은 이전과 다른때요. 황제폐하께서 정치를 개혁 하셨는대 지금은 권리 있는 재상도 벼슬 팔아 먹지 못하오 관찰사 군수들도 잔학생민(殘虐生民)하던 옛 버릇을 다 바리고 관항돈 외에난 낯선 돈 한푼 먹지 못하도록 나라 법을 세워 놓은 때 올시다.

이것은 옥남이가 귀국한 후 정신이 회복된 자기 어머니에게 한 이야기인데 그는 고종의 선위에 따른 순종의 즉위를 정치의 개혁으로 보고 있다. 뿐만 아니라 옥순이와 옥남이가 융희 원년(1907) 가을에 미국에서 돌아오는 길에 경부철도를 타고 서울로 향하는 도중에서 토피벗은 산에 사태가 길길이 난 것과 그 산 밑 들 가운데 길가에 게딱지같이 납작한 집들을 보고 소리 없는 눈물을 흘리고 기막혀하다가

그러나 한가지 위로 되는 마음은 융희원년은 황제폐하께서 정치를 개혁하신 해라 다시 마음을 활발이 먹고 서울로 올라와서 하로도 쉬지 아니하고 그 길로 강릉으로 내려간다.

고 작자는 서술하여 낙담하였던 옥남이가 새 임금의 즉위로 정치가 일대

개혁이 된 것으로 알고 분발하는 모양을 그리고 있으니, 이것은 한말의 역사적인 사실과 대조하여 보면 다소 모순되는 결과를 발견하게 된다. 사실에 있어서 헤이그 밀사사건이 직접적인 근인(近因)이 되어 일본 통감부의 강권으로 고종은 본의 아닌 인책 퇴위를 당한 셈인데, 이 사실을 작자는 김옥균의 개화당에 연관되는 정치 개혁이 이때에야 성취된 것처럼 보고 있으니, 이것은 이인직의 정치적 견해의 일부가 표백된 것으로 보아질 수도 있는 대목이다.

또한 옥남이는 절간에서 자기 남매를 포위한 의병 앞에서,

"여러분 동포가 의리를 잘못 잡고 생각이 그릇 들어서 요순 같은 황제폐하 칙령을 거스리고 흉기를 가지고 산야로 출몰하여 인민의 재산을 강탈하다가 수비대 일병 사오십명만 만나면 수십명 의병이 저당치 못하고 패하여 달아나거나 그렇지 아니하면 사망 무수하니 동포의 하난 일은 국민의 생명만 없애고 국가 행정상에 해만 끼치는 일이라 무엇을 위하야 이런 일을 하시요…여보 동포들 들어보시오. 우리나라 국권을 회복할 생각이 있거든 황제폐하 통치하에서 부지런히 벌어 먹고 자식이나 잘 가르쳐서 국민의 지식이 진보될 도리만 하시오 지금 우리나라에 국리민복 될 일은 그만한 일이 다시 없오. 나는 오늘 개혁하신 황제폐하 만세나 부르고 국민 동포의 만세나 부르고 죽겠오."

하더니 옥남이가 손을 높이 들어

"대 황제폐하 만세 만세 만세

국민동포 만세 만세 만세"

하고 일장 연설을 끝마쳤으니 당시의 의병이 단순히 개화를 반대하고 수구를 지지한다는 뜻에서가 아니라 일본정부의 간섭으로 울며 겨자 먹는 식으로 고종황제의 양위가 피동적으로 강행된 데 대하여 하나의 민족적

인 적개심과 반항의식의 반영으로 처처에서 봉기된 것임에도 불구하고 작자는 이것을 개혁에 대한 절호의 계기로 보고 있다.

광무 11년(年) 7월(月) 19일(日) 대리(代理)의 조서(詔書)가 내리니 인심(人心)은 극히 험악하여져 그날 밤에 일진회(一進會)의 기관지(機關紙) 국민신문사(國民新聞社)가 부셔지고 전동(典洞)의 시위대병(侍衛隊兵)이 나와 일본인(日本人)을 습격(襲擊)하고 격분한 민중(民衆)은 이곳 저곳에서 일본인(日本人)과 충돌(衝突)하였다. 궁내부대신(宮內府大臣) 박영효(朴泳孝) 시종원(侍從院) 경(卿) 이도재(李道宰) 홍문관(弘文館) 학사(學士) 남정철(南廷哲)등은 선위(禪位) 반대(反對) 운동(運動)을 음모(陰謀)하였다 하여 경시청(警視廳)에 잡히여 갔다가 그후 영효(泳孝)는 제주도(濟州道)로 귀양 갔었다. 위와 같이 대리(代理)가 양위(讓位)로 화(化)하여 이해 8월(月) 2일(日)에는 광무 연호(年號)를 고치어 융희라 하고 동월(同月) 27일(日)에는 신황제(新皇帝)의 즉위식(卽位式)이 거행(擧行)되었는데 앞서 대리후(代理後) 4일(日)인 7월(月) 24일(日)에는 일본측(日本側) 요구(要求)에 응하여 가일층(加一層) 통감(統監)의 지휘감독(指揮監督)과 일본인(日本人) 관리(官吏)의 채용(採用)을 약속하는 7조(條)의 신협약(新協約)을 맺고 이어 불탈(不奪) 불염주의(不饜主義)의 일본(日本)은 한국(韓國)의 군대(軍隊)를 해산(解散)시킴에 성공(成功)하였다. 8월(月) 1일(日)에 군대(軍隊) 해산식(解散式)이 훈련원(訓練院)에서 거행(擧行)될새 이때 서소문내(西小門內) 병영(兵營)에 있던 시위(侍衛) 보병(步兵) 제일대대(第一大隊)는 대장(隊長) 박성환(朴性煥)이 자살(自殺)로서 무언(無言)의 명령(命令)을 내리자 곧 탄약(彈藥)을 내어 최후(最後) 의분(義憤)을 부르짖는 큰 소동을 일으키니 제이대대(第二大隊)가 이에 응하여 일본(日本) 군대(軍隊)와 한참 교전(交戰)하다가 피차(彼此)에 사상자(死傷者)를 많이 내이고 말었다.

해산(解散)을 당한 경향(京鄕)의 군인(軍人)들은 전일(前日)의 의병(義兵)과 합류(合流)하여 지방(地方) 이곳 저곳에서 소란을 일으켜 오년(五年) 동안이나 계속하였다.[67]

「국사대관(國史大觀)」에 나타난 이와 같은 사적 고증과 이 작품 속에서의 옥남의 관점(작가의 주관)을 대조하여 보면 「은세계」 속에 흐르는 핵심적인 주제의 하나인 개화당 중심의 정치 개혁과 고종의 양위를 결부시킨 작자의 의도가 어떤 방향으로 기울어졌는가가 짐작될 수 있다. 「은세계」가 정치 해설서가 아니고 문학작품인 이상 꼭 역사적인 사실에만 치중할 것은 아니겠으나 작자는 고종의 양위문제를 둘러싸고 복잡 미묘하였던 일제의 간섭에는 촌호의 암시조차 없으니 그의 정치적인 기점이 추측되는 바 없지 않다.

⑤ 삽입가요(揷入歌謠)의 의의

「은세계」는 그 구성이 「귀의 성」보다는 짜이지 못하였을 뿐만 아니라 문장에 있어서도 「귀의 성」에 미치지 못하였음은 이 작품이 가지는 문학성보다 정치성 내지 계몽성이 선행하려는 밑받침이 이러한 결과를 가져오지 않았는가 생각된다.

또한 부자의 2대를 취급하여 주인공 최병도는 중도에서 죽어버리고 어린 남매가 뒤를 이어가는 방법은 이 작품을 가족사적인 의의로 볼 수 없는 바는 아니겠으나 사건 취급에서의 통일성이 결여되어 후반을 약화시키는 동시에 정치적인 해설을 노골화시키고 말았다. 특히 아무리 망부의 유언에 따른 것이라 할지라도 정신 이상된 어머니를 남겨두고 남매가 다

67 이병도(李丙燾), 「국사대관(國史大觀)」, 백영사(白映社), 1953, 486면.

해외로 가는 장면은 후일 옥순이가 이국에서 어머니 생각만 하고 있는 장면과 대조하여 보면 필연적인 귀결을 잡아낼 수 없을 뿐더러, 10년 이상이나 실신 상태에 있던 어머니가 유학에서 돌아온 아들이 "나는 어머니 유복자 옥남이요" 하는 한마디에 약 한 첩도 쓰지 않고 즉석에서 말쑥한 정신으로 회복될 수 있다는 것은 좀 생각할 문제이며 이러한 우연성은 실감에 대한 박력을 훨씬 삭감시키는 결과를 가져온다.

그러나 「귀의 성」이나 「치악산」이 단순한 가정소설에 머무르는 데 비하여, 「은세계」는 최병도의 가정을 중심으로 한 사회성을 객관적인 면에서 다루었다는 점에서 전기한 이자(二者)가 도저히 추종할 수 없는 객관소설의 한자리를 차지하게 하였다는 것이 「은세계」가 지니는 중요한 위치로 된다. 또한 이 작품에서는 다른 신소설 작품에서 거의 유례를 볼 수 없는 「농부가(農夫歌)」·「나무꾼노래」·「동요」·「천쇠의 노래」·「상두소리」·「달고소리」 등 가요를 적절히 삽입한 것이 그 하나의 특색이라고 할 수 있겠다.

박첨지집 염려되네
지붕처마 두둑하고
베섬이나 싸엿다고
앞뒤동내 소문났네
관가력문에 들어가면
없는죄에 걸려들어
톡톡털고 거지되리
여—허 여—허 어여라 상사듸—야

우리동내 최서방님
긋기난 하지마난
그른일은 없더니라

베천이나 하난죄로
영문에 잡혀가서
형문맞고 큰칼쓰고
옥중에 갓쳐있어
반년을 못나오네
여—허 여—허 여어라 상사듸—야

우리동무 내말듯게
이농사를 지여서
먹고입고 남거든
돈 모을 생각말고
술 먹고 노름하고
놀대로 놀아보세
막우뺏난 이세상에
부자되면 경치느니
어—허 어—허 어여라 상사듸—야

이 노래를 최병도가 강원 감영에 잡혀간 지 반년이나 되어도 돌아오지 않는 하지(夏至) 머리에 농군들이 동네 앞 논에서 최병도의 집까지 들리게 부르는 「농부가」로 30여 절 계속되는 긴 노래 속에서 두세 구절을 뽑은 것이다. 풍년이 들어서 볏섬이나 두둑하게 쌓여도 관가 영문이 두려우니 형문 맞아 옥중에 갇힌 최서방의 신세를 생각하며 술먹고 놀아보자는 자포자기적인 유흥의 노래이다.

도적질을 허더래도
사모 바람에 거드러거리고

망나니 짓을 하여도
금관자 서슬에 큰 기침한다
애—고 날 살려라
강원도 두메골에
살찐 백성을 다잡아먹어도
피똥도 아니누고
배병도 없다네
애—고 날 살려라

이것은 최씨부인이 강원 감영에 갇혀 있는 남편의 소식이 하도 궁금하여 교군 속에 옥순이를 데리고 울면서 원주로 찾아가는 도중에 치악산 비탈로 향하여 가는 나무꾼이 부르는 9절로 된 「나무꾼노래」인데, 역시 약탈만을 일삼는 불한당 같은 관료를 저주하는 내용을 담고 있다.

이길이 무슨길고
북망가는 길이로다
워—허 워—허

이주검이 무슨주검인고
학정밑에 생주검일세
워—허 워—허

생때같은 젊은목숨
불연목에 맞어죽었네
워—허 워—허

이 「상두소리」는 최병도가 대관령 마루턱에서 객사하였을 때 상여꾼들이 부른 10수 절의 노래로 뼈에 사무치는 학정을 풍자하고 있다.

다음의 「달고소리」는 무덤을 달구질하면서 부른 것으로 그 내용도 또한 전기한 여러 가요와 대동소이하다.

처자권속 다버리고
혼자가난 저신세
이제가면 언제오리
한정없난 길이로다
어—여라 달고

인생이 이러하대
천년을 못다살고
악형받아 횡사하니
그대신명 가긍토다
어—여라 달고

이상 인용한 가요들은 「농부가」의 30여 절이 넘는 긴 노래를 위사하여 대개 10절 내외로 되어 있는데, 가사의 주류는 모두 학살에 대한 반항과 저주와 풍자로 차 있으므로 이러한 민요적인 가요가 민중의 가장 솔직하고 소박한 심서(心緖)를 표현하느니만큼, 이것이 그 당시 실지로 불리워진 노래인지 아닌지는 미상이나 작품의 극적인 진전에 상당한 효과를 내고 있으며 개중의 어떤 것은 너무 지루한 감이 없지 않다.

그러나 삽입가요를 이같이 대대적으로 작품 속에 엮는 예는 드문 것으로서 작자의 기발한 착상을 엿볼 수 있게 하는 동시에 이런 장면은 「춘향전」에 있어서 이도령이 암행어사로 내려갈 때 임실(任實) 구화뜰 근처에서 들리는 「농부가」나 「백발가(白髮歌)」의 대목을 연상시키는 점이 없지 않아 어느 시대에든지 집권자에 대하여 직접 항거를 할 수 없는 무력한 백성은 이러한 자연발생적인 가요를 통하여 대중의 공통적인 심정을 토로 호소하고 있음을 엿볼수 있게 한다.

⑥ 신연극(新演劇)과 「은세계」

「은세계」는 융희 2년(1908) 11월 20일 동문사에서 그 초판이 발행되었다 함은 기술(旣述)한 바와 같거니와 초판 표지에는 '은세계(銀世界)'라는 제목이 '신연극(新演劇)'의 세 글자를 발판으로 새겨져 있으니 '은(銀)'의 획은 '신(新)'자의 소활자가 모여서 이루어졌고, '세(世)'는 '연(演)'자, '계(界)'는 '극(劇)'자로서 각각 자획을 이루고 있으므로 일견 은세계(銀世界) 즉 신연극(新演劇) 소설의 감을 주고 있다.

「은세계」는 갑오경장 후의 개화기를 배경으로 한 정치소설인 동시에 또한 전계한 「조선소설사」나 「조선연극사」에도 밝혀진 바와 같이 초창기 신극(新劇)의 레파토리로 무대의 각광을 받아 연극과는 불가분의 관계에 있는 작품이다. 현재 전하고 있는 동문사 간행의 「은세계」 초판본에는 '상권'이라고 밝혀 있음에도 불구하고 오늘날까지 아직도 그 '하권'은 나타나지 않는다.

이 글에서는 이 상권에 대하여서만 전적으로 다루었다. 이 상권의 끝머리가 "저놈을 잡아 잡아 하더니 풍우 같이 달려들어서 옥남의 남매를 잡아 가난대 본평부인은 극락전 부처님 앞에 엎드려서 옥남의 남매를 살게 하여 줍시사 하난 소리 뿐이라." 이것으로 종결되고 있는데, 물론 이것만으로도 완성된 한 작품으로 볼 수 없는 바는 아니나 그러나 어딘가 아직도 사건 전개에 미흡된 감이 없지 않아 더 계속되는 것이 아닌가 하는 미완성감을 자아내고 있으니 작자가 본래 상하권으로 쓸 작정으로 시작한 것이 상권만 출간되고 말았는지 혹은 상하권이 다 간행되었으나 아직 하권이 발견되지 않는 것인지 아무튼 속단하기 어려운 문제이다.

이에 대하여 임화(林和)는,

> 융희이년십일월(隆熙二年十一月) 동문사라는 서점(書店)에서 상권(上卷)이 간행(刊行)된채 다시 속간(續刊)이 나오지 못하고 융희(隆熙)가 끝나면서 일반(一般) 독서계(讀書界)에서 기간(旣刊)된 상권(上卷)마저 자취를 감춘 이 소설은…….[68]

운운하여 상권만이 간행되고 속간이 나오지 못하였음을 단정하였으나 좀 더 구체적인 방증이 없이는 전적으로 신빙하기는 약간 곤란하지 않는가 생각된다.

아무튼 신소설 「은세계」는 갑오경장 후의 개화를 탄 시대정신을 반영하여 적극적인 주제를 다룬 점에 있어서 다른 어느 신소설 작품의 추종도 불허하는 것이며, 특히 봉건관료의 부패성의 폭로에 있어서는 관념에서가 아니라 최병도라는 적극적인 반항의식을 가진 불굴하는 성격의 주인공을 내세워 이것을 구체화하였을 뿐만 아니라 장구한 학정에 견디다 못한 백성의 반발이 소규모적이나마 민요(民擾)의 형태로 폭발하려는 직전까지 도달케 하였다는 점에 있어서 신소설의 주제면에 있어서 「은세계」를 가장 우위에 놓을 수 있는 거점이 되게 하였다.

특히 작품 내용에 있어서 종래의 일반적인 유형인 가정소설의 테두리에 머무르지 않고 사회적인 배경 속에서 최병도 일가를 객관화하였다는 점은 「은세계」를 천편일률적인 가정소설의 유형에서 벗어나서 객관소설의 새로운 자리를 차지하게 하였고, 이러한 사회성 속에 반영되는 주인공

68 임화(林和), 「속신문학사(續新文學史)」 제17회.

최병도의 인간성은 그가 비록 향반의 일원으로 양반의 말석을 차지하였다 할지라도 양반관료의 부패된 학정에 견디다 못해 항거하는 피지배자의 불요(不撓)한 전형적인 인물로 뚜렷한 성격을 가지게 하였던 것이다.

이인직의 작품 속에서 구성이나 묘사면에서 「귀의 성」을 들 수 있다면 주제의 시대적인 참신성에서나 대표적인 주인공의 성격을 뚜렷이 그린 점에서는 「은세계」를 들지 않을 수 없을 것이다. 또한 이 작품 속에 흐르는 탐관오리나 매관매직에 얽힌 사회상이 오늘의 현실에 방불한 바 없지 않으니 「은세계」의 시대성에 대한 첨예한 관점은 높이 사야 할 것이 아닐까 한다.

(6) 「백로주강상촌(白鷺洲江上村)」

「백로주강상촌」은 이인직의 다른 여러 작품 즉 「귀의 성」이나 「혈의 누」 같은 것에 비하여 그다지 알려지지 않은 작품이며 또한 그 내용에 대하여도 지금까지 거의 논급된 바 없는 작품이다. 다만 임화만이 이인직의 작품목록 속에 이것을 집어넣어 "최후(最後)의 작품(作品)이 대정(大正) 초년(初年)에 《매일신보(每日申報)》에 실렸다가 중단(中斷)된 「백로주강상촌(白鷺洲江上村)」일 것이다"[69] 라고 하는 정도로 약간의 터치를 하였을 뿐 그도 또한 구체적인 내용에 대하여는 별로 밝혀놓지 못하였다.

그런데 사실에 있어서 대정(大正) 초년(初年)(1910년대) 무렵의 《매일신보》 속에서는 어느 구석을 살살이 뒤져보아야 「백로주강상촌」의 연재된 흔적은 전연 발견되지 않는다.

한편 최원식(崔瑗植)씨(최찬식의 실제(實弟))의 소장인 「백로주강상촌」

69 임화(林和), 「속신문학사」 제8회.

사본(寫本)에 대한 소장자의 진술에 의하면 이 작품은 한말에 《국민신보(國民新報)》(일진회(一進會) 기관지(機關紙))에 연재하다가 도중에 중단된 것인데 그 사본은 그 연재물을 필사한 것이라고 한다.

또한 1916년 이인직 사거시의 신문기사에서 보면,

> 아직 조선의 일반사회가 소설이라난 무엇인지 아지도 못하던 명치 삼십구년에 씨가 국민신보(國民新報) 주필이 되야 비로서 백로주(白蘆洲)라난 소설을 연재 하얏으니 이 백로주난 실로 동씨의 처녀작(處女作)이며 조선 신소설의 효시라 불행히 그 소설은 출판되지 아니 하얏고 그다음에난 또 혈의 루(血의 淚)가 출판 되얏는바……[70]

이러한 기록이 있기에 이 작품이 게재된 신문명이 전기한 최씨의 말과 일치되는 점으로 보아 이 소설이 《국민신보》에 연재되었다는 사실은 거의 확실시되는 것 같다. 또한 이 작품의 연재중의 중단 여부는 임화의 전기 조문과 최씨의 진술이 부합되니 이도 또한 시인될 수 있는 것이라고 보아 좋을 줄 안다.

그러나 여기에서 문제되는 것은 이 작품의 제목에 약간의 차이가 있는 것이니 임화(林和)는 「백로주강상촌(白露洲江上村)」이라 하였고, 최씨 소장의 사본에는 「백로주강상촌(白鷺洲江上村)」이라 하였으며, 진술한 신문기사에는 「백로주(白蘆洲)」라고 하였을뿐더러 '강상촌(江上村)'은 없으니 이 작품 제목의 정부(正否)가 검토되지 않을 수 없겠다.

그런데 필사본 「백로주강상촌(白鷺洲江上村)」의 첫머리를 보면 다음과 같다.

70 《매일신보》 제3358호(1916.11.28일자).

영평 백노주 강상촌은 풀 이름도 백노주요 촌 이름도 백노주라 원경은 백운산이요 근경은 금수정이라 백노주 물가에는 언덕이요 언덕 너머난 백노주 마을 집이라 그 언덕 아래에 백년이 되었는지 이백년이 되었는지 천지 만엽에 느티나무가 서늘한 그늘을 드렸는대 만일 번화시에 저러한 강색을 임하야 저러한 수음이 있었더면 날마다 돈주정군이 누룩 썩은 물켜느라고 여간 사람은 앉아도 못보겠으나 하향인고 사면이 적적한대……

이 같이 "영평 백노주 강상촌" 운운으로 시작하였는데, 이 영평(永平)은 경기도 포천군 내에 있는 지명이요 '백로주(白鷺洲)' 또한 영평에 있는 지명인 고유명사인고로 「백로주강상촌(白鷺洲江上村)」편이 옳을 것으로 보아 틀림없을 것이다.

한편 이 작품의 생성연대에 대하여 임화는 이인직의 최종 작품이라고 전기 논문에서 판정을 내렸으나 논문 발표 당시 신소설 작가로 아직 생존하였던 최찬식의 구술을 무조건 신빙하여 《매일신보》에 연재되었다는 것을 근거도 없이 시인하고 하등의 과학적인 검증도 없이 최종작으로 논단하였으니, 이러한 사실들을 종합하여 볼 때 수긍하기에는 약간 곤란할 뿐더러 위에서 인용한 바 있는 이인직 별세시의 신문기사에서는 이인직의 '처녀작'이라고 하였으니, 이 작품이 과연 현재까지 이인직의 처녀작으로 공인된 「혈의 누」 이전의 발표 작품인지 주목할 문제라고 생각된다.

왜냐하면 현재까지 밝혀진 한계 내에서는 한국 최초의 신소설 작가는 이인직이요 이인직의 첫장편은 「혈의 누」로 알려져 있고 「혈의 누」는 그대로 한국 최초의 본격적인 신소설로 되어 있으니만큼 만일 「백로주강상촌」이 위의 신문기사 그대로 「혈의 누」 이전에 발표된 이인직의 처녀작이며 그것이 더욱이 중단까지도 되지 않았다면 「혈의 누」가 한국 최초의 근대소설의 요소를 가지는 신소설의 효시 자리를 빼앗기게 되는 것이니 신문학사상 하나의 문제거리가 되지 않을 수 없다.

그러나 불행히도 「백로주강상촌」이 연재되었다고 믿어지는 《국민신보》는 현재 국립도서관은 물론 국내 중요 대학 도서관에서도 발견할 수 없으니 그 정확한 단정을 내리기 곤란하며 앞으로 다행히도 해당신문이 발견되어 저간의 사정이 고증되면 「백로주강상촌」의 신문학사상의 작품적인 위치는 재논의 되어야 할 것으로 보아진다.

전기한 최씨 소장의 사본 「백로주강상촌」은 중단된 곳까지 필사되어 있으니만큼 작품 전반에 대한 검토는 불가능하나 중단되었던 장면까지로 보면 이인직의 다른 작품들과 같이 자유결혼 · 신교육관 · 계급타파 등의 개화 계몽사상이 그 주제로 되어 있다. 뿐만 아니라 소꿉질하며 이웃끼리 같이 자라던 어린이가 시집 장가들 나이로 장성하여 순진한 처녀는 그대로 시골 농사에 파묻혀 한글(언문(諺文))이나 겨우 해독할 정도밖에 안된데 대하여 외지 유학을 다녀온 소년은 속에는 무엇이 들었든지 간에 외식(外飾)에 화려한 개화풍 차림으로 무식한 소녀를 거들떠보지도 않고 서울에서 새로 혼처로 등장한 신교육을 받은 도시 여성과의 상면을 계기로 시골 처녀의 순정을 박차고 떠나는 곳에서 작품은 아깝게도 끊어지고 있다.

이같이 유식한 여자와 무식한 여자를 사이에 놓고 남자 하나로 삼각애정을 결정하는 내용은 이인직의 다른 작품에서는 볼 수 없는 것으로, 소년은 이 작품 속에서 교육의 필요 특히 남녀동등의 전제인 여성의 교육을 절규하고 있으며 그것이 과도기적인, 실현성이 희박한 형식 위주의 것으로 나타나지 않을 수 없는 장면 같은 것은 시대적인 의의를 가지는 부분이나 아직 미완성의 작품으로밖에 밝혀지지 않았고, 또한 상세한 연대 고증도 확증되지 않으니만큼 이 이상의 구체적인 검토는 후일로 미루기로 하겠다. 다만 앞으로 한말의 《국민신보》가 발견되어 이 작품 연재의 소상한 전말(顚末)이 밝혀지기만 고대할 따름이다.

(7) 「빈선랑(貧鮮郎)의 일미인(日美人)」

이인직의 작품으로 위에서 해명한 「혈의 누」·「모란봉」·「귀의 성」·「치악산」·「은세계」 및 「백로주강상촌」 외에 '단편소설'의 명목이 붙어서 발표된 작품으로 「빈선랑의 일미인」이 있다. 이 작품은 1912년 3월 1일부 《매일신보》 제1909호에 발표된 작품으로 이인직의 최후작으로 추정되는 「모란봉」을 발표하기 1년 전의 작품에 해당된다.

그 내용은 섣달 그믐날 조선인 남자와 일본인 여자가 부부되어 사는 궁핍한 가정에서 빚쟁이에게 졸리다가 겨우 핑계를 꾸며대어 곤란한 장면을 모면하고 의외로 찾아온 시골 두메에 사는 친구의 돈벌이 계책에 솔깃이 귀를 기울이다가 그 황당무계한 제의에 허무한 실소를 하고 끝나는 해학적인 소품이다.

이 작품은 일인 여자와 동서하며 경술년 이후의 만년에 합방시의 숨은 공로와는 별개로 이렇다 할 벼슬 한자리 얻어하지 못하고 변변치 못한 생활로 세월을 보낸 작자의 심경을 고백한 신변소설의 감을 주는 작품이다. 가령 일례를 들어보면 작품 첫 대목에서부터 마누라의 넋두리가 남편의 무능을 나무라는 것으로 시작된다.

> 여보 여보 영감이상 내일이 그믐날이 오구려 보아라 내혀가 있느냐 하던 그런 혀로 집세 재촉을 당할때는 말대답 한마디 못하니 웬일이요 집세 못내기는 일반이니 뒷간이나 좀 깨끗한 집을 얻을 일이지.

하고 무능한 남편에게 대하여 바가지를 긁기 시작하다가 식료품조합 반또(番頭)가 외상값 독촉을 오니 주변머리 없는 남편을 밀치고 솜씨난 말로 얼렁뚱땅하여 돌려보내고는 다시,

여보 영감이상 내가 영감을 원망하는 것이 아니라 내 팔자 한탄이요 날 같이 어림없고 (마록(馬鹿)) 날 같이 팔자 사나운 년이 어데 또 있겠오. 영감이 내지(內地)에 있을 때에 얼마나 풍을 쳤오 조선 있는 사람은 아무것도 모르난 병신 같고 영감 혼자만 잘난 듯 조선에 돌아가는 날에는 벼슬은 마음대로 할 듯 돈을 마음대로 쓰고 지낼 듯 그런 호기적은 소리만 하던 그사람이 조선을 오더니 이 모양이란 말이요 일본 여편네가 조선사람의 마누라 되야 온 사람이 나 하나뿐 아니엇마는 경성에 와서 고생하는 사람은 나 하나뿐이요구려 남편의 덕에 마차 타는 사람은 말할 것도 없거니와 머리 우에 금테를 두 셋식 두르고 다니는 사람의 마누라된 사람은 좀 많소.

나는 마차도 싫고 금테도 부럽지 아니하고 돈 얼굴을 한번식만 얻어보고 살았으면 좋겠오. 여보 큰 기침 고만하고 어데가서 한달에 이삽십원이라도 생기는 고용(雇傭)도 못얻어한단 말이요.

내가 문 밖에 나가면 혹 내지 아해들이 등뒤에서 손까락질을 하며 요보의 오가미상(朝鮮人女房)이라하니 옷이나 잘 입고 다니며 그런 소리를 들으면 어떠할는지 거지 꼴 같은 위인에 그소리를 들을 때면 얼굴이 뜻뜻…….

이같이 불평과 자탄과 회한이 쏟아져 나오는 장면을 보면 이것을 단순히 객관적인 작품으로 작자와 결부시키지 않고 볼 수도 없는 바는 아니지만 그러나 작자의 환경과 유사하고 작중인물의 절실한 움직임이 그대로 작자의 투영임을 간과할 수 없는 것인 만큼 작품 자체의 성불성(成不成)의 가치문제보다도 작자 이인직을 구명하는 데 있어서 중요한 자료적인 작품이라고 보지 않을 수 없겠다.

또한, 이 작품은 대부분의 신소설이 장편 내지 중편의 성질을 띠고 있는 데 비하여 이인직의 무제(無題)의 '단편(短篇)'과 더불어, 작자 자신이

'단편(短篇)' 또는 '단편소설(短篇小說)'이라고 유별 표시하여 발표한 작품임에 비추어 근대소설적인 소설 '장르' 구분문제에도 관심을 가지고 있었음을 엿보이게 하는 것으로, 소설양식 형식면에서도 하나의 의의를 지닌다고 하겠다.

3. 신문학사상(新文學史上) 이인직의 위치

국초(菊初) 이인직(李人稙)은 우리 문학사에 있어서 서구의 근대소설적인 요소를 지닌 '신소설'이라는 새로운 문학 장르를 창조한 사람이다.

> 숙종대왕 직위초의 성덕이 너부시자 성자 성손은 계계승승하사 금고옥족은 요순시절이요 의관문물은 우탕의 버금이라
>
> (완판춘향전(完板春香傳))

> 일청전쟁의 총소리난 평양 일경이 떠나갈 듯 하더니 그 총소리가 그치매 청인의 패한 군사난 추풍에 낙엽같이 흩어지고 일본 군사는 물밀 듯 서북을 향하여 가니 그 뒤는 산과 들에 사람죽은 송장뿐이라
>
> (혈의 누)

위의 고대소설의 대표작인 「춘향전」의 첫머리와 신소설의 초기작품인 「혈의 누」의 첫머리와의 대조에서 보이듯이 고대소설의 전부가 어느 연대에 어디서 누가 무엇을 하였다는 식의 판에 박힌 투식(套式)으로 시작한데 비하여, 신소설은 이러한 분투(奮套)를 박차고 전쟁의 처절한 장면 묘사에서부터 시작하였으니, 소설의 시작이 일정한 규격을 벗어나서 어느 대목부터 어떠한 방식으로 출발하여도 무방하다는 한 가지의 파격과 창안만 하여도 이인직의 공적은 큰 것이다. 그는 여기서 머무르지 않고 다

시 언문일치의 문장과 교묘한 대화의 구사로 개화기의 현실과 인간을 묘사하였으며 다시 이것을 신문에 연재하여 그 공과는 차치하고라도 신문소설의 최초의 분야를 개척하였다.

신소설이라는 하나의 문학 장르가 나타나지 않더라도 고대소설에서 직접 춘원의 현대소설이 나올 수 있는 연결선도 예상을 전연 불가능하게 하는 바는 아니지만, 우리의 현대소설이 고대소설에서 한걸음 전진한 신소설의 터전을 밟아서 다시 한 단계 위의 것으로 발전한 경로를 더듬어 우리 소설사에 있어서 주체적인 전통의 계승문제에까지 상치할 때 신소설의 매개적인 역할은 컸던 것이며, 만일 신소설의 단계가 없이 춘원(春園)의 작품이 나왔다면 우리는 현대소설에 있어서의 자기 전통에 대한 관념이 일층 박약하였을 것을 가설적으로 예측할 수도 있는 일로서, 이것은 바꾸어 말하면 현대소설에 한국적인 것이 어느 정도 남게 한 공(功)이(그것이 오히려 현대소설 발전도상에 장해가 되었는지 모르나) 과도기적인 작품인 신소설이 있었기 때문이라고 확정할 수도 있다는 이야기다.

이와 비슷한 이야기를 김동인(金東仁)도 언급한 바가 있다.

> 하여(何如)튼 이 「귀(鬼)의 성(聲)」만으로도 이 작가를 조선(朝鮮) 근대소설(近代小說) 작가(作家)의 조(祖)라고 서슴치 않고 명언(明言)할 수 있다. 더구나 우리가 자랑하고 싶은 것은 서양(西洋)의 아무런 주의(主義)에도 영향을 받지 않았다는 점(點)이다. 「귀(鬼)의 성(聲)」에 나타난 사조(思潮)는 조선사조(朝鮮思潮)다. 그 감정(感情)은 조선(朝鮮)사람만이 가질 수 있는 감정(感情)이다. 「귀(鬼)의 성(聲)」에 그려진 사회(社會)는 당시의 조선사회(朝鮮社會)다. 거기 나타난 몇가지의 성격(性格)은 조선(朝鮮)사람 특유(特有)의 성격(性格)이다. 누가 이 「귀(鬼)의 성(聲)」을 가리켜서 외국(外國)의 영향을 받았다 할까. 이 작자(作者)의 문헌(文獻)이 없으니 알 수는 없으며 선구자(先驅者)로서의 고통(苦痛)

밖에는 도리(道理)가 없었다. 더구나 의발(衣鉢)을 물려줄 문인(門人) 조차 없었으니 그의 고독(孤獨)은 얼마나 하였으랴? 그는 선배(先輩)를 못가진 것과 같이 또한 후진(後進)도 못가졌다. 그의 대(代)는 그에게서 끊어졌다. 조선(朝鮮)사람이 가질 소설(小說)에 대하여 커다란 암시(暗示)를 보여줄 뿐…… 이 조선문예계(朝鮮文藝界)의 선구(先驅)는 종적이 없어졌다.[71]

동인(東仁)은 이와 같이 이인직을 조선근대소설 작가의 조(祖)라고 극구 찬양하면서 그가 작품 속에 나타낸 사조와 감정은 생경한 서양 것이 아니라 조선의 사조요 감정이며 그 속에 반영된 사회도 조선사회요 등장된 인물도 조선사람 특유의 성격이라는 것을 강조하여 이 고독한 신문학의 선구자에게 끝없는 찬사를 퍼부었다.

임화(林和) 도 또한 국초의 총체적인 공적을 평하여,

현대(現代)의 문학(文學)으로서 볼제는 신소설(新小說)의 작자(作者)이자 무명(無名)한 천인(賤民) 가운데서 소설작가(小說作家)의 지위(地位)와 명예(名譽)라는 것을 구출(救出)한 최초(最初)의 인(人)이요 신소설(新小說)이야말로 구소설(舊小說)의 미몽(迷夢) 속에 들은 독자(讀者)들을 새 소설(小說)을 읽는 일에 맨 먼첨 훈련(訓練)시켰으며, 더욱이 귀중(貴重)한 일은 흥미이상(興味以上)의 목적(目的)으로 소설을 읽히랴는 진정(眞正)한 의미(意味)의 새로운 문학(文學) 독자(讀者)의 층(層)을 개척(開拓)한 거대(巨大)한 공로자(功勞者)라 아니할 수 없다.

즉(卽) 예술가(藝術家)로서의 소설작가(小說作家)와 예술(藝術)로서

71 김동인, 「한국근대소설고」, 182면.

의 소설예술(小說藝術) 향수자(享受者)로서의 독자(讀者)를 그들은 전통(傳統)의 중압(重壓)과 사회적(社會的) 불우(不遇) 가운데서 준비(準備)한 선구자(先驅者)들이었다 할 수 있다.[72]

라고 하여 이 땅의 소설에서 소설작가의 지위와 명예를 구출하고 아울러 구소설의 미몽 속에 들어 있는 독자들을 새 소설을 읽는 일에 최초로 훈련시킨 것은 국초라고 하여 그의 거대한 개척자적 공로를 찬양하였다.

확실히 국초는 소설을 음담패설의 낡은 관념에서 구출하였으며 양반 아류에서 소설을 천시하여 작자를 좋이 밝히지 않던 것을 뚜렷하게 작자를 내세워 소설가의 예술적인 영예를 회복하게 하였고, 아울러 독자의 수준을 고대소설의 독자인 부녀자에게서 신시대의 개화를 받은 새로운 지식층으로 이끌어 올려놓았던 것이다. 또한 그는 전술한 바와 같이 연극에도 손을 대어 소설작품을 각색의 형식을 통하여 신극의 무대에 최초로 올린 공적도 도외시할 수 없는 중요한 사실의 하나이다.

물론 국초의 작품이라고 완벽을 기한 것은 아니어서 문장(특히 어미)에 남아 있는 고대소설적인 구투, 주제 및 등장인물에 나타나는 유형성, 권선징악, 해피 엔드를 꾀한 낡은 작가관 등 흠잡을 점이 없는 바는 아니나, 이 땅의 신소설과 신극에 남긴 족적은 여타의 결함을 내포한다 할지라도 선구자로서의 노고와 함께 신문학사상 획기적인 공헌을 하였다고 하지 않을 수 없을 것이다.

이상으로 이인직에 대한 졸론은 그 결미를 지을까 한다. 국초가 신소설의 첫 작품을 발표한 지는 이미 반세기의 성상(星霜)이 경과하였고 그가 기세(棄世)한지도 어느덧 40년의 세월이 흘렀다. 그의 생애 및 작품에

72 임화, 「속신문화사」 제7회.

대한 전반적인 검토는 조잡하나마 이 졸고가 최초의 것으로 되는 셈이다.

그러나 이 글은 작품 자체의 문학적인 가치 판단보다는 작가의 생애나 작품연대에 대한 고증적 의도가 중점이었기 때문에 자료 정리의 역을 멀리 벗어나지 못한 혐(嫌)이 없지 않으며 다만 이인직의 연대적인 위치가 어느 정도 명확하여졌다는 점으로 한갓 자위를 삼는 바이다.

국가와 민족을 배경으로 한 한말정국에서의 인간 이인직과 그의 작품의 상관적인 가치 판단, 새로운 방법론에 의한 작품 본위의 다각도적인 논단 및 아직 미비한 고증의 시정 보충 등은 금후 좀더 치밀하고 예리한 논자의 재단을 거쳐야만 가기(可期)할 것이라고 기대하는 바이며 이 소론이 그러한 이들에 대한 길잡이 구실을 한다면 다행일 것으로 생각된다.

Ⅱ. 이해조 연구(李海朝 硏究)

1. 작가 이해조(李海朝)

이해조는 고종 6년(1869) 경기도 포천에서 출생하여 서울에 이거(移居)한 후, 한때 언론에 관계한 외에는 1927년 59세로 세상을 떠날 때까지 계속 작품 제작에만 일관한 작가다. 그는 호를 동농(東儂) 또는 이열재(怡悅齋)라 하였고, 이 밖에 선음자(善飮子), 하관생(遐觀生), 석춘자(惜春子), 신안생(神眼生), 해관자(解觀子), 우산거사(牛山居士)등 많은 필명[1]으로 작품을 발표하였다.

이해조는 대표작인 「자유종(自由鍾)」을 비롯하여 「고목화(枯木花)」·「빈상설(鬢上雪)」·「구마검(驅魔劍)」·「원앙도(鴛鴦圖)」·「홍도화(紅桃花)」·「모란병(牧丹屛)」·「쌍옥적(雙玉笛)」 등의 작품을 발표하는 한편, 1910년에서 1913년에 걸쳐 「박정화(薄情花)」·「화세계(花世界)」·「월하가인(月下佳人)」·「화(花)의 혈(血)」·「구의산(九疑山)」·「소양정(昭陽亭)」·「춘외춘(春外春)」·「탄금대(彈琴臺)」·「소학령(巢鶴嶺)」·「봉선화(鳳仙花)」·「비파성(琵琶聲)」 등 제작(諸作)을 신문에 연재하였으며, 또한 판소리를 신소설풍으로 산정

1 이해조는 1910년부터 1913년까지 《매일신보》에 여러 작품을 연재 발표하였는데, 그때의 작품명과 필명을 보면 아래와 같다.
「화세계」(선음자)·「월하가인」(하관생)·「화의 혈」(석춘자)·「구의산」(신안생)·「소양정」(우산거사)·「춘외춘」(이열재)·「옥중화」·「강상련」·「연의각」·「토의간」·「봉선화」·「비파성」(해관자) 등.

(刪正)하여 「옥중화(獄中花)」(춘향전) · 「강상련(江上蓮)」(심청전(沈淸傳)) · 「연(燕)의 각(脚)」(흥부전(興夫傳)) · 「토(兎)의 간(肝)」(별주부전(鼈主簿傳))[2] 등의 제목으로 발표하였고, 이 밖에도 「철세계(鐵世界)」 · 「화성돈전(華盛頓傳)」 등의 역술(譯述)을 하는 등 다각도적인 활동을 하여 30여 편의 작품을 내놓았다.

그는 또한 국어의 문법과 문장 표현면에 적지 않은 관심을 가져, 이에 관한 저작으로 「신찬일선작문법(新撰日鮮作文法)」[3]을 엮었으며, 한편 극히 단편적이나마 자신이 지니고 있는 문학에 대한 견해를 토로한 바 있어, 이는 이 시기 작가의 문학에 임하는 자세의 일면을 엿볼 수 있게 하므로, 문학사 정리에 희귀한 자료를 남겨준 결과가 되었다.

2. 이해조의 작품세계

(1) 「자유종(自由鍾)」

① 토론소설로서의 성격

「자유종」은 '토론소설(討論小說)'이라는 명(銘)이 붙어 융희 4년(1910)에 초판본이 발행된 작품으로, 그 주제면에 있어서 신소설 중에서 가장 정치성이 강한 작품이다.

작품의 시간적인 경과가 하룻밤 사이에 일어난 일이고, 전편이 거의 대화로 일관되는 점으로 보아 단막물 희곡 같은 느낌을 주는 점도 없지

---

2 「옥중화」는 명창 박기홍(朴起弘) 조(調) 해관자(이해조) 산정(刪正), 「강상련」은 명창 심정순(沈正淳)구술 해관자 산정, 「연의각」은 명창 심정순 구술 해관자 산정, 「토의간」은 명창 곽창기(郭昌基) 구술 해관자 산정 등으로 각각 광대의 창을 바탕으로 하여, 이해조가 산정하였음을 《매일신보》 연재 지면에 밝히고 있다.

3 뒤의 해당항목에서 논급하겠음.

않으나, 무대와의 연관이 전혀 없으므로 그렇게 볼 수는 없고, 또한 정치적인 토론으로 시종되므로 토론회의 기록문 같은 감도 적지 않으나 '소설'이라고 뚜렷이 표제가 붙어 있는 만큼 소설로 다룰 수밖에 없는, 신소설 중에서는 좀 특이한 형식을 가진 작품이다.

작품의 내용은 융희 2년(1908) 음력 1월 16일(대보름 이튿날) 밤 매경부인의 생일잔치에 초대를 받아 모인 부인들이 개화 계몽에 대한 여러 가지 문제를 토론하는 것으로 시작하여, 결국에는 꿈 이야기 속에서까지 국가의 자주독립을 논하다가 닭이 우는 새벽녘에야 해산하는 장면으로 끝나는데, 이 토론에 참여하는 인물은 신설헌부인, 홍국란부인, 강금운부인 및 주인인 이매경부인의 네 사람으로 한하고, 그 나머지의 부인들은 그대로 청중이 되고 있어 흡사 연극의 무대를 연상시키며, 작자가 서술하는 지문(地文)이라고는 처음 일절에 국한되었고 그 외는 끝까지 전부 이 네 사람의 대화의 연속으로 되어 있다.

> 천지간 만물 중에 동물 되기 희한하고 천만가지 동물 중에 사람 되기 극난하다. 그같이 희한하고 그같이 극난한 동물 중 사람이 되어 압제를 받아 자유를 잃게 되면 하늘이 주신 직분을 지키지 못함이어늘, 하물며 사람 사이에 여자 되어 남자의 압제를 받아 자유를 빼앗기면 어찌 희한코 극난한 동물 중 사람의 권리를 스스로 버림이 아니라 하리오.

이와 같이 남자에게서 압제를 받는 여자의 인권문제를 첫머리에 제시하고는, 곧 설헌부인이 사회격이 되어 토론회를 가질 것을 제안하고 자기부터 출선 의견을 발표하기 시작한다.

> 여보 여러분 나는 옛날 태평시대에 숙부인까지 바쳤더니 지금은

가련한 민족 중의 한몸이 된 신설헌이올시다. 오늘 이매경씨 생신에 청첩을 인하여 왔더니, 마침 홍국란씨와 강금운씨와 그 외 여러 귀중하신 부인들이 만좌하셨으니 두어말씀 하오리다.

이전같으면 오늘 이러한 잔치에 취하고 배 부르면 무슨 걱정이 있으리까마는, 지금 시대가 어떠한 시대며 우리 민족은 어떠한 민족이오. 내말이 연설체격과 흡사하나 우리 규중 여자도 결코 모를 일이 아니올시다.

일본도 삼십년 전 형편이 우리나라보다 우심하여 혹 천하 대세라 혹 자국 전도라 말하는 자는 미친자라 괴악한 사람이라 지목하고 인류로 치지 않더니, 점점 연설이 크게 열리매 전도하는 교인같이 거리거리 떠드나니 국가 형편이오 부르나니 민족 자세라. 이삼인 모일지라도 술잔을 대하기 전에 소회를 말하고 마시니, 전국 남녀들이 십여년을 한담도 끊고 잡담도 끊고 언필칭 국가라 민족이라 하더니, 지금 동양에 제일 제이 되는 일대 강국이 되었습니다.

오늘 우리나라는 어떠한 비참지경이오. 세월은 물같이 흘러가고 풍조는 날로 닥치는데, 우리 비록 아홉폭 치마는 둘렀으나 오늘만도 더 못한 지경을 또 당하면 상전벽해가 눈결에 될지라. 하늘을 부르면 대답이 있나 부모를 부르면 능력이 있나 가장을 부르면 무삼 방책이 있나, 고대 광실 뉘가 들며 금의 옥식 내것인가. 이 지경이 이마에 당도했오. 우리 삼사인이 모였든지 오륙인이 모였든지 어찌 심상한 말로 좋은 음식을 먹으리까. 승평 무사할 때에도 유의 유식은 금법이어든 이 시대에 두눈과 두귀가 남과 같이 총명한 사람이 어찌 국가 의식만 축내리까. 우리 재미있게 학리상으로 토론하여 이날을 보냅시다.

설헌부인의 제안에 즉석에서 주인 매경부인이 찬동의 의사를 표시하고, 계속하여 자기의 의견을 토로한다.

절당 절당 하오이다. 오늘이 참 어떠한 시대오. 이같은 수참하고 통곡할 시대에 나같은 요마한 여자의 생일 잔치가 왜 있겠오마는, 변변치 못한 술잔으로 여러분을 청하기는 부끄럽고, 죄송하나 본의인즉, 첫째는 여러분 만나뵈옵기를 위하고 둘째는 좋은 말씀을 듣고자 함이올시다.

남자들은 자주 상종하여 지식을 교환하지마는 우리 여자는 한번 만나기 졸연하오니까. 예기에 가로대 여자는 안에 있어 밖에 일을 말하지 말라 하였고, 시전에 가로대 오직 술과 밥을 마땅이 할 뿐이라 하였기로, 층암 절벽같은 네 기둥 안에서 나고 자라고 늙었으니, 비록 사마자장의 재조 있을지라도 보고 듣는 것이 있어야 아는 것이 있지요. 이러므로 신체 연약하고 재각이 몽매하여 쌀이 무슨 나무에 열리는지 도미를 어느 산에서 잡는지 모르고 다만 가장의 비위만 맞쳐 앉으라면 앉고 서라면 서니, 진소위 밥 먹는 안석이요 옷 입는 퇴침이라 어찌 인류라 칭하리까. 그러나 그는 오히려 현철한 부인이라 행검있는 부인이라 하겠지마는, 성품이 괴악하고 행실이 불미하여 시앗에 투기하기, 친척에 이간하기, 무당 불러 굿하기, 절에 가서 불공하기, 제반 악징은 소위 대가집 부인이 더 합디다. 가도가 무너지고 수욕이 자심하니 이것이 제 한집안 일인 듯하나 그 영향이 실로 전국에 미치니 어찌 한심치 않으리까.

그런 부인이 생산도 잘못하고 혹 생산하드라도 어찌 쓸 자식을 나으리오. 태내교육부터 가정교육까지 없으니, 제가 생지의 바탕이 아닌 바에 맹모의 삼천하시든 교육이 없이 무슨 사람이 되리오. 그러나 재상도 그 자제이오 관찰 군수도 그 자제니 국가에 정치가 무엇인지 법률이 무엇인지 어찌 알겠오. 우리 비록 여자나, 무식을 면치 못함을 항상 한탄하더니, 다행히 오늘 여러분 고명하신 부인께서 왕림하여 좋은 말씀을 들려 주시니 대단히 기꺼운 일이올시다.

이로써 토론은 본격적으로 진행되어, 그 가장 초점이 되는 것은 여권문제와 자녀 교육문제이며, 계속하여 국가의 자주독립, 미신타파, 계급타파, 지방색타파, 한문폐지 문제 등 광범위에 걸친 열렬한 토론이 네 부인 사이에서 밤새도록 거듭되다가, 결국에는 금운부인이 상원일 밤(대보름날 밤)인 어젯밤의 꿈 이야기를 꺼내어 서로 꿈 이야기를 교환하기로 제안하자, 설헌부인은 대한제국 자주독립할 꿈을 꾸었다고 하고, 매경부인은 대한제국의 개명할 꿈을 꾸었노라고 하고, 금운부인은 대한제국의 독립할 꿈을 꾸었다고 하고, 국란부인은 대한제국이 천만년 영구히 안녕할 꿈을 꾸었다고 각기 자기의 꿈 이야기를 피력하였으나, 우연히도 국가의 자주독립과 개화 계몽에 일치되는 꿈 이야기였고, 그것은 모두 풍자와 암유를 내포한 이야기였다.

끝으로 이러한 토론회를 방청만 하고 있던 한 부인이 일어나서 자기 소감을 발표한다.

> 나난 지식이 없어 연하야 담화난 잘못하거니와 사상이야 어찌 다르면 꿈이야 못 꾸겠오. 나도 어제밤에 좋은 몽사가 있으나 벌써 닭이 울어 밤이 들었으니 이다음에 이야기 하오리다.

이것으로써 정치소설이요 토론소설인 「자유종」은 종결을 마치는 것이다.

② 주제의식

이 토론의 중심이 되는 네 부인 중에서, 설헌부인이 가장 개혁에 대한 적극적인 논조를 나타내고, 매경부인은 다소 소극적이며, 국란부인은 점진주의를 주장하고 있다. 이들의 논제의 중심이 되는 것은 자유에 입각한 여권문제이며, 이 속에는 여자와 교육문제를 비롯하여 정치, 사회, 종교 등 다방면에 걸친 이야기가 전개된다.

우선 설헌부인의 발언에서 보면,

> 우리 대한의 정계가 부패함도 학문 없는 연고요, 민족의 부패함도 학문 없는 연고요, 우리 여자도 학문 없는 연고로 기천년 금수 대우를 받았으니, 우리나라에도 제일 급한 것이 학문이오. 우리 여자사회도 제일 급한 것이 학문인즉 학문 말씀을 먼저 하겠오.
>
> 우리 이천만 민족 중에 일천만 남자들은 응당 고명한 학교에서 졸업하여, 정치 법률 군제 농상공 등 만가지 사업이 족하겠지마는, 우리 일천만 여자들은 학문이 무엇인지 도모지 모르고 유의유식으로 남자만 의뢰하여 먹고 입으랴 하니, 국세가 어찌 빈약하지 아니 하겠오. 옛말에 백지장도 맞들어야 가볍다 하였으니, 우리 일천만 여자도 일천만 남자의 사업을 백지장과 같이 거들었으면, 백년에 할 일을 오십년에 할 것이오 십년에 할 일을 다섯해면 할 것이니 그 이익이 어떠하뇨. 나라의 독립도 거기 있고 인민의 자유도 거기 있오.
>
> 세계 문명국 사람들은 남녀의 학문과 기예가 차등이 없고 여자가 남자보다 해산하는 재조 한가지가 더하다 하며, 혹 전쟁이 있어 남자가 다 죽어도 겨우 반구비라하니 그 여자의 창법 검술까지 통투함을 가히 알겠도다.

여기서 설헌부인이 말하는 학문은 학적 연구의 학문을 말하는 것이 아니요, 계몽이나 교양으로서의 학문을 뜻함은 말할 나위도 없는 일이다. 설헌부인은 정계나 민족의 부패한 원인은 모두 학문 없는 연고라고 생각하였고, 특히 여자가 오랫동안 남자에게 금수와 같은 대우를 받는 것도 다 학문이 없는 소이라고 하였을 뿐더러, 여성이 학문을 배워 남자와 협력하여 국사를 거들 것 같으면 국가의 독립도 인민의 자유도 저절로 획득될 것임을 말하고, 아울러 문명국 사람들은 남녀가 학문이나 기예에 있어서 차별이 없이 평등이며, 오히려 여성은 거기에 자녀분만의 선천적인 재주 하나를 더 가지고 있으므로 남자보다는 우위적인 것 같은 느낌을 가짐을 암암리에 표시하고 있다.

또한 설헌부인은 계속하여,

> 우리나라 남자들이 아모리 정치가 밝다 하나 여자에게난 대단히 적악하얏고, 법률이 밝다 하나 여자에게난 대단히 득죄하얏읍니다. 우리난 기왕이라 말할 것 없거니와 후생이나 불가불 교육을 잘하여야 할터인대, 권리 있는 자들은 꿈도 깨지 못하니 답답하오. 남자들 마음에난 아달만 귀하고, 딸은 귀치 아니한지, 일분자라도 귀한 생각이 있으면 사지 오관이 구비한 자식을 어찌 차마 금수와 같이 길러 이같은 고해에 빠지게 하난고.

우리나라 남자들이 유달리 여자에게 혹독하여 득죄가 적잖으므로 자신들은 이제 어찌 할 수 없는 형편에 처하였으나, 이러한 과거의 과오를 시정하여 앞으로의 후생(後生)에게는 남녀의 차등이 없이 교육의 기회 균등을 주어, 아들만 귀하고 딸은 귀치 않다는 낡은 관념을 불식할 것을 요망하고 있다.

이에 대하여 매경부인은,

> 여자 교육회니 여학교니 하는 것도 권리 없고 자본 없는 부인에게만 맡겨두니 어찌 흥왕하리오. 무론 아무 사회하고 이익만 위하고, 좀 낫다는 자는 명예만 위하고, 진실한 성심으로 나라를 위하여 이것을 한다든가, 백성을 위하여 이것을 한다는 자 역시 몇이나 되겠오. 이렇게 교육 교육 할지라도 십년 이십년에 영향을 알리니, 그중에도 몇 사람이야 열심 있고 성의 있어 시사를 통곡할 자가 있겠지오마는, 대

체 효력을 오히려 못보거든, 하물며 우리 여자에 무슨 단체가 조직되겠오. 아직 가정 여러 자녀를 잘 가르치고 정분 있는 여자들에게 서로 권고하야, 십인이 모이고 이십인이 모여 차차 단정히 성립하여야 사회든지 교육이든지 하여보지, 졸지에 몇백명 몇천명을 모아도 실효가 일상 남자 사회만 못하리다.

이같이 매경부인은 교육이나 여학교 운영문제 같은 것을 졸지에 여자에게 맡기니, 진실한 성심으로 그 일을 하는 사람은 적고, 여자의 권리를 주장하여 방대한 여자의 단체를 만들어 보았자 실효가 그렇게 큰 것은 아니니, 사회나 교육문제를 합심되는 소수 여성의 집단으로부터 차츰 확대하여 나가야 할 것이라고, 여권 획득에 대한 점진론을 주장한다.

이에 대하여 설헌부인은 다시금 자기의 주장을 부연하여 강조한다.

세상 일이 어찌 아모것도 아니 하고 앉아서 기다리기만 하리까. 여보 우리 여자 몇몇이 짓거리난 것이 풀벌레같을지라도 몇 사람이 주창하고 몇 사람이 권고하면 아니될 일이 어데 있오. 석달 장마에 한 점 빛이 개일 장본이요 몇달 가물에 한조각 구름이 비올 장본이니, 우리 몇사람의 말로 천만인 사회가 되지 아니할지 뉘 알겠오…….

내 나라 사람을 무식하다고 증멸하야 권고 한마디 없으면 유식하신 매경씨만 홀로 살으시랴오. 여보여보 열심을 잃지 말고 어서어서 잡지도 발간하고 교과서도 지어서 우리 일천만 여자 동포에게 돌립시다.

우리 여자의 마음이 이러하면 남자도 응당 귀가 있겠지, 십년 이십년을 멀다 마오. 산림 어른이 연설군 아니 될지 뉘 알며 향교 재임이 체조 교사 아니 될지 뉘 알겠오. 속담에 이른 말에 뜬 쇠가 달면 더 뜨겁다 하였오.

이같이 여자 자신이 적극성을 띠고, 열심히 잡지도 발간하고 교과서도 지어서 여자 교육에 진력하면, 여자를 무능하게만 보고 금수 취급만 하던 남자도 응당 방향을 돌릴 것이니, 적극적인 활동으로 힘써 여권을 찾아야 할 것을 거듭 주장하고 있다.

옆에서 듣고만 있던 매경부인도 입을 열어,

우리 여자도 타국 여자와 같이 지식이 있어야 우리 대한 삼천리 강토도 보전하고 우리 여자 누백년 금수도 면하리니, 지식을 넓히랴면 하필 어렵고 어려운 십년 이십년 배와도 천치를 면치 못할 한문이 쓸 데 있오. 불가불 자국 교과를 힘써야 되겠다 합니다.

이같이 여자의 지식을 닦는 길만이 삼천리 강토를 보전하고 여자의 해방을 찾는 길이라고 하며, 여기에 부연하여 여자 교육을 손쉽게 하는 첩경은 낡고 어려운 한문을 숭상할 것이 아니라 자국 문자를 배워야 한다고, 국문 습득을 자주의식과 연결시키고 있다.

이러한 한문 폐지론과 이에 따르는 자주의식 문제는 다른 부인들의 공명하는 바 되어 설헌부인은,

사략 통감으로 제일등 교과서를 삼으니 자국 정신은 간데 없고 중국혼만 길러서, 언필칭 좌전이라 강목이라 하야 남의 나라 기천년 흥망 성쇠만 의론하고 내나라 빈부 강약은 꿈도 아니 꾸다가, 오늘 이 지경을 하였오.…… 우리 여자 말이 쓸 데 없을 듯하나 자국의 정신으로 하는 말이니, 오히려 만국 공사의 헛담판보다 낫습니다. 여러분 부인들은 대한 여자 교육계에 별방침을 연구하시오.

하고, 오랫동안 중독되다시피 한 한적(漢籍)과 이 배후에 뿌리 깊게 자

리 잡은 사대의식을 배척하고, 자국의 정신으로 자국어를 공부하게끔 교육방침을 연구 검토할 것을 제창하자 옆에 앉았던 금운부인도 자기의 소신을 피력한다.

> 우리나라 지식을 보통케 하랴면 그 소위 무슨 변에 무슨자 무슨 아래 무슨자라난 옛날 상전으로 알든 중국 글을 폐지하여야 필요하겠오. 대저 글이라 하난 것은 말과 소와 같아서 그 나라의 범백 정신을 실어 두나니, 우리나라 소위 한문은 곧 지나의 말과 소라 다만 지나의 정신만 실었으니, 우리나라 사람이야 평생을 끌고 단긴들 무슨 이익이 있겠오...... 그런 중에 그 말과 소가 대단히 사오나와 좀체 사람을 끌지 못하오. 그 글은 졸업 기한이 없고 일평생을 읽을지라도 이태백 한퇴지는 못되며, 혹 상등으로 총명한 자가 물줘어 먹고 십년 이십년을 읽어서 실재라 거벽이라 하야 눈앞에 영웅이 없고 세상이 돈짝만 하야 내가 내로라고 돌이질 치더래도, 그 사람다려 정치를 물으면 모른다, 법률을 물으면 모른다, 철학 화학 리학을 물으면 모르노라, 농학 상학 공학을 물으면 모르노라,...... 대체 글을 무엇에 쓰자고 읽고, 사리를 통하랴고 읽난 것인대, 내나라 지리와 역사를 모르고서 제갈량전과 비사맥전을 천번 만번이나 읽은들 현금 비참한 지경을 면하겠오. 일본 학교 교과서를 보시오. 소학교 교과하는 것은 당초에 대한이라 청국이라는 말도 없이, 다만 자국 인물이 어떠하오 자국 지리가 어떠하다 하여, 자국 정신이 굳은 후에 비로소 만국 역사와 만국 지리를 가르치니, 그런 고로 무론 남녀하고 자국의 보통 지식 없는 자이 없어, 오늘날 저러한 큰 세력을 얻어 나라의 영광을 내었오.

금운부인은 구체적으로 예증하여 한문을 '말'과 '소'에 비유하여 난해한 점에서 이를 배척하고 또한 그것이 실용적이 못되며, 현대의 철학·화학·

이학이나 농학·공학 등 현대과학에 통하지 못함을 비난하고, 아울러 자주적인 면에서 자기 나라 문자를 통하여 자국의 지리·역사를 배워 자국 정신이 확고히 된 후에야 비로소 만국 역사와 만국 지리를 교육하여야 할 것을, 선진국 일본의 예를 인용하여 자주의식의 각성을 절규하고 있다.

그러나 이 자리에 동석한 국란부인은,

> 졸지에 한문을 없이 하고 국문만 힘쓰면 무슨 별 지식이 나리까. 나도 한문을 좋다 하난 것은 아니나, 형편으로 말하면 요순 이래 치국평천하 하난 법과 수신제가 하난 천사 만사가 모다 한문에 있으니, 졸지에 한문을 없애도 국문만 쓰면 비유컨대 유리창을 떼여버리고 흙벽 치난 세음이요. 국문은 우리나라 세종대왕께서 만드실 때 적공이 대단하셨오. 사신을 여러번 중국에 보내여 그 성음 이치를 알아다가 자모음을 만드시니 반절이 그것이오.…… 우리나라 국문은 미상불 좋은 글이나 닥질 아니한 재목과 같으니, 만일 한문을 바리고 국문만 쓰랴면 한문에 있난 천만사와 천만법을 국문으로 번역하야 유루한 것이 없은 연후에, 서서히 한문을 폐하야 지나 사람을 되 주든지 우리가 휴지로 쓰든지 하고, 그제야 국문을 가위 글이라 할 것이니, 이일을 예산한즉 오십년 가량이라야 성공하겠오.…… 나도 항상 말하기를 자국 정신을 보존하랴면 국문을 써야 되겠다 하지마는, 그 방법은 졸지에 계획할 수 없읍니다.

하여, 한문을 폐지하는 원칙에는 찬동할 수 있으나, 졸지에 한문을 없애고 국문만을 전용하려는 과격론에 반대 의사를 표시하여, 우리글은 다듬지 못한 재목(材木)과 같으니 한문에 있는 천만사(千萬事)와 천만법(千萬法)을 국문으로 모두 번역한 후에야 한문을 폐지함이 옳다고 하여, 자국 정신을 보존하는 데는 찬의를 표하면서도 그 방법에 있어서는 단계적인 점진주의를 부르짖고 있으니, 국란부인이 「자유종」 속에서 말한 "50년 가량이라야 성공하겠오" 한 말은 그 후 50년이 되는 오늘날에도 아직 한문 폐지론이 왈가왈부의 논의만 거듭할 뿐, 이렇다 할 구체안이 서있지 않으니, 한문을 싸고 도는 문제를 반세기의 격세지간에서 참조하여 보면 흥미 있는 일이라 하지 않을 수 없다.

또한 국란부인은 계속하여 고대소설에 대한 의견을 말하고 있으니,

> 국문은 바려두어서 암글이라 지목하야 부인이나 천인이 배우니, 반절만 깨치면 다시 읽을 것이 없으니, 보난 것은 다만 춘향전 심청전 홍길동전 등물 뿐이라. 춘향전을 보면 정치를 알겠오, 심청전을 보고 법률을 알겠오, 홍길동전을 보아 도덕을 알겠오, 말할진대 춘향전은 음탕 교과서요, 심청전은 처량 교과서요, 홍길동전은 허황 교과서라 할 것이니, 국민을 음탕 교과로 가르치면 어찌 풍속이 아름다오며, 처량 교과로 가르치면 어찌 장진지망이 있으며, 허황 교과로 가르치면 어찌 정대한 기상이 있으리까. 우리나라 난봉 남자와 음탕한 여자의 제반 악징이 다 이에서 나니 그 영향이 어떠하오.

즉, 국란부인은 한문 폐지의 시기 상조론을 부르짖으면서, 슬그머니 한글로 쓰여진 국문소설을 비난하여, 「춘향전」은 음탕(淫蕩) 교과서요, 「심청전」은 처량(悽凉) 교과서요, 「홍길동전」은 허황(虛荒) 교과서라고 하여, 간접적으로 국문 전용의 반대론을 시사하고 있으니, 이것은 혹 작자 이해조의 고대소설관의 편모를 엿보게 하는 대목인지도 모를 일이다.

이들 네 부인의 토론은 급기야 여성의 자유와 권리 획득의 문제에서 좀 더 구체적인 방법으로 자녀 양육과 자녀 공물론(公物論)으로 옮겨지고 있다.

자식 기르난 방법을 대강 말하오리다. 자식은 나은 후에 가르칠 뿐 아니라 태 속에서부터 가르친다 하였으니, 그런 고로 예기에 태육법을 자세히 말하였으되, 부인이 잉태하매 돗 자리가 바르지 아니하거든 앉지 아니하며, 버힌 것이 바르지 아니하거든 먹지말라 하였으니, 그 앉난 돗 먹난 음식이 태 덩이에 무슨 상관이 있겠오마는, 바른 도리로만 행하야 마음에 잊지말라 함이오. 의원의 말에도 자식 배인 부인이 잡것을 먹지 말라 하고, 음식의 차고 더운 것을 평균케 하고, 배를 항상 더웁게 하고, 당삭하거든 약간 노동하여야 순산한다 하였오.

배속에서도 이렇게 조심하려든 나온 후에 어찌 범연히 양육하오리까. 제가 비록 지각이 없을 때라도 어찌 그앞에서 터럭만치 그른 일을 행하겠오. 밥먹는 법 잠자는 법 말하는 법 걸음 걷는 법 일동일정을 가르치되, 속이지 아니함을 주장하여 정대한 성품을 양육한즉 대인 군자가 어찌하야 되지 못하리까.

설헌부인은 임신 중의 태육법 즉 태교의 중요함을 말하고, 아울러 출산 후 자녀가 성장하여감에 따라 육체적인 교육은 물론, 성품을 좋게 기름이 군자가 되게 하는 길이요, 그것은 어머니의 책임이라고 하였다.

여기에 한걸음 더 나아가 국란부인은,

세상 사람들이 자식을 사랑한다 하나 실상은 자기 일신을 사랑함이니, 자식이 남에 좋와하고 기꺼하난 마음을 궁구하면, 필경은 저 자식이 있으니 내몸이 의탁할 곳이 있으며 내자식이 자라니 내몸 봉양할 자가 있도다 하고,…… 자식이라난 것이 내몸만 위하야 난 것이 아니오, 실로 나라를 위하야 생긴 것이니 자식을 공물이라 하야도 합당하오.

자식을 의지하고, 노후에 자식에게 봉양을 받을 공리적인 의도로 자식을 사랑함은 옳지 않다는 요지를 이야기하고, 아무리 자기 자식이라도 그것은 일개인의 사물이 아니고 국가를 위하여 생긴 공물이라고 하여, 가히 경탄할 만한 자식 공물론을 제창하고 있어, 이러한 작품 속의 논의는 후일 춘원(春園)이 발표한 「자녀중심론(子女中心論)」의 전초역 같은 느낌을 주는 바 없지 않다.

이들의 화제는 다시 신분관계를 싸고도는 계급문제로 옮겨지고 있다. 그것은 조선조의 봉건사회에 있어서 여성의 지위란 대가집 부인이라 할지라도 가부장제의 남성 앞에서는 노비를 벗어나지 못한 예속적인 지위에 놓였으므로, 이러한 여성의 대사회적(對社會的)이나 대가정적(對家庭的)인 위치는 유교의 형식에 치중하는 교리 속에서 일층 전통화되어, 여성은 나자부터 부모에게 복종하고 출가하여서는 남편에게 복종하고 자식이 성장한 후에는 자식에게까지 희생적인 봉사요 복종을 감수하는 것이 모성애로 미덕화 되었기 때문에, 거의 생애를 굴종으로 일관하여 온 여성이 서구사조의 평등의식에 각성의 맹아를 발견하여 자아를 발견하고 개성을 살리고 권리를 찾으려는 새로운 부르짖음이, 개화기 여성에게 이러한 화제의 실마리를 제공하였던 것이다.

따라서 적서관계의 사회적인 차별이나 반상의 계급적인 불균형이나 지방색에 따른 파벌적 견제는, 그대로 여성의 남성에 대한 자아 각성의 반발과 어떤 공통성을 띠고 있었으므로, 「자유종」에 있어서도 이 부인들의 광범위한 토론의 화제 속에는 자연히 이 계급적인 등차문제가 토론의 대상으로 등장하게 되었던 것이다.

우리나라 사람들이 자식의 진리를 몇이나 알겠오. 제일 가관의 일이 전처에 자식이 없으면, 첩의 소생은 비록 여룡 여호하야 문장은 이백이오 풍채는 두목지오 사업은 비사맥이라도 서자라 얼자라 하야 발여 두고, 정도 없고 눈에도 서투른 남의 자식을 솔양하야 아들이라 하는 것이 무슨 일이오. 또 남의 후취로 들어가서 전취 소생에게 험이 구는 자 있으니 그것은 무슨 지각이오. 아모리 내의 소생은 아니나 남편의 자식은 분명하니 양자보담은 매우 긴절하오. 사람에 전 조모와 후 조모라 하야 자손의 마음에 후박이 잇으니까 그렇건마는, 몰지각한 후취부인들은 내속으로 낳지 아니하얏으니 내 자식이 아니라 하야 동내 아해만도 못하게 대우하니 어찌 그리 박정하고 무심하오. 또 자식을 기왕 공물로 인정할진대, 내 소생만 공물이오 전취 소생은 공물이 아니겠오. 아모리 전취 자식이라도 잘 교육하야 국가의 대사업을 성취하면 그 영광이 아마 못생긴 소생 자식보다 얼마쯤이 유조하리니, 이 말씀은 우리 여자 사회에 공포하야 그 소위 서자이니 전취 자식이니 하는 악습은 다 개량하야 윤리상 영원한 행복을 누리게 합시다.

국란부인은 첩의 자식 즉 서자나 얼자에 대한 완고한 인습을 철폐하는 한편, 아울러 후취부인이 전처의 자식을 학대하는 관습화된 악습을 교정하여, 국가 공물로 대사업을 이룰 수 있는 인물을 만들도록 여자 사회에서 솔선하여 힘쓸 것을 부르짖고 있다.

매경부인은 이 자녀의 차등문제를 반상의 계급문제에까지 파급시켜,

또 반상으로 말할지라도 그렇게 심한 일이 어대 있겠오. 어찌 하다가 한번 상놈이라 패호하면, 비록 영웅 열사가 있을지라도 자자 손손이 상놈이라 하대하니 그같은 악한 풍속이 어대 있으리까.

이같이 양반이니 상놈이니 하는 반상 계급제도의 악습을 나무라고 나서, 다시 지방색의 차별에 언급하고 있다.

또 서북으로 말할지라도 몇백년을 나라 땅에 생장하기는 일반이어늘, 그 사람 중에 재상이 있겠오, 도학 군자가 있겠오, 천향이라 하여도 가하니, 그 사람 중에 진개 재상 재목과 도학 군자 자격이 없난 것이 아니라 재상의 교육과 군자의 학문이 없음인지, 몇백년 좋은 공물을 다 바리고 쓰지 아니하얏스니 어찌 나라가 완성하오리까.…… 그 정책은 다름 아니라, 서북은 인재가 백출하니 기호와 같이 교육하면 사환 권리를 다 빼앗긴다 하니, 그러한 좁은 말이 어대 있겠오. 사환이라난 것은 백성을 대표한 자인 즉 백성의 지식이 고등한 자이라야 참예하나니, 아모조록 내 지식을 넓혀서 할 것이지 남의 지식을 막고 남만 못하도록 하면 어찌 태도가 무심하오리까.…… 우리도 자식을 공물이라 하면, 그 소위 서북이니 반상이니 썩고 썩은 말은 다 고만 두고, 내나라 청년이면 아모조록 교육하야 우리 어렵고 설은 일을 그 어깨에 맡깁시다.

즉, 서북인을 관료에 등용하지 않고 국가의 동량될 인재의 육성을 견제하여, 자력의 충실보다 타인의 성장을 시기함을 비난하고, 이것 또한 반상의 차별에 못지않게 불합리함을 지적하고 있다.

사실 역사상에 있어서 조선조 500년의 거의 전부를 통하여, 서북인은 관로에서 차단을 당하였고 중앙정권에서 멸시와 천대로 일관되어 왔으니, 이러한 서북인의 잠재적인 반발의식은 갑오경장 후 기독교를 통한 서양문물의 이식 흡수에 먼저 솔선 열광하게 만들었고, 그러한 결과는 신교육을 받은 선각자의 총출(叢出)을 재래(齎來)하게 하였고, 이러한 역사적인 사실은 오늘날의 신교육적인 민도(民度)에 있어서도 서북에 우월한 위치를 차지하게 만든 사적 현실을 간과할 수 없은즉, 이러한 객관적인 사실은 이 작중인물들의 화제 속에서도 그들의 피압박적인 여권 획득과의 공통적인 반발의식과 합류되어, 그들의 토론의 중요한 논제의 하나로 등장되었던 것이다.

이들의 화제는 또한 서원 및 향교의 악폐를 비롯한 사회면의 폐습도 놓치지 않았으니, 매경부인은,

> 공자님 성씨가 누구신지오, 휘자가 무엇인지 알지도 못하난 인류들이 향교와 서원은 자기들의 밥자리로 알고, 사돈 여보게 출포하러 가세, 생질 너도 술먹으러 오너라, 도야지나 잡았난지 개장국도 꽤 먹겠네…….
>
> 서원은 소학교 자격이오, 향교난 중학교 자격이오, 태학은 대학교 자격이라. 서원은 선현 화상을 봉안하야 소학 동자로 하야곰 자국 인물을 기념케 함이오, 향교에난 대성인 위패를 봉안하야 중학 학생으로 하야곰 종교를 경앙케 함이오, 태학에난 예의 문물을 더 융성히 하야 태학 학생으로 하야곰 종교사상이 더욱 견고케 함이니, 어찌 다만 제사만 소중이라 하야 사당집과 일반으로 들여보내리오. 교육을 주장하난 고로 대성인과 명현을 뫼셨고, 성현을 뫼신 고로 제례를 행하나니, 교육과 종교난 주체가 되고 제사난 객체가 되거날, 근래는 주체난 없어지고 객체만 숭상하니 어찌 열성조의 설시하신 본의라 하리오.

향교나 서원에 관계하는 선비들이 교육과 종교의 주체는 망각하고 그 객체인 제사 같은 행사에만 정신을 쏟고 있음을 비난하고 있다.

③ 현실과 꿈의 세계

밤도 어지간히 기울었는데 이들의 토론은 아직도 그칠 줄 모르고 계속되어, 이번에는 꿈 이야기로 옮겨지고 있다. 그러나 「자유종」에서의 등장인물의 꿈 이야기는 다른 신소설 작품들과는 전연 그 각도를 달리하므로 그 내용을 검토하여 볼 필요를 느끼게 한다.

신소설치고 사건 진행과정에 있어서 꿈 이야기가 나오지 않는 작품은

거의 없고, 심한 경우는 7, 8차의 꿈이 거듭된다. 또한 이 꿈이 그대로 꿈으로만 머무르는 것이 아니라, 사건 전개에 있어서 어떤 예감이나 암시를 제시하는 것이 아니면 뭉쳤던 실마리가 꿈으로 말미암아 우연성을 띠고 앞으로 풀려 나가는 경우가 적지 않아, 신소설에 있어서의 허다한 꿈의 장면은 대부분 작품의 본질적인 면에 있어서 플러스되는 경우는 거의 없고, 작품을 탐정조로 이끌고 가는 전초역을 하는 경우가 많다.

그러나 「자유종」에 있어서의 꿈 이야기는, 이와 같은 신소설의 상투적인 꿈의 삽입과는 전연 판이하며, 작중인물인 개화기의 각성하기 시작한 부인들이 하룻밤 내 여성의 자유와 권리를 부르짖어 구악을 제거할 것에 화제는 일관되고, 이 꿈의 장면에 와서 토론의 본원적인 핵심은 비난과 비판에서 180도로 전회(轉廻)하여 희망을 갈구하고 이상을 황홀하게 꿈꾸는 방향으로 대전환을 가져오게 되는 것이다. 그들의 꿈은 한결같이 국가의 독립과 민족의 개명과 조국의 영원한 안녕을 희구하는 데로 귀일되고 있다.

금운부인이,

> 어제밤이 참 유명한 밤이오. 우리나라 풍속에 상원일 밤에 꿈을 잘 꾸면, 그해 일년에 벼슬하는 이는 벼슬을 잘 하고, 농사하는 이는 농사를 잘 하고, 장사하는 이는 장사를 잘 한다 하니, 꿈이라는 것을 제 욕심대로 꾸어서 혹 일년 혹 십년 혹 수십년이라도 필경은 아니 맞난 이유가 없오. 우리 한 노래로 긴 밤을 새오지 말고 대한 융희 이년 상원일에 크나 작으나 꿈꾼 것은 하나 유루 없이 이야기합시다.

이러한 정월 상원일(上元日) 꿈의 길조를 내포하는 서론이 발언되자, 여러 부인은 앞을 다투어 자기의 꿈을 토로하게 되는데, 먼저 설헌부인이 자기의 꿈 이야기를 시작한다.

나는 어제밤에 대한제국 자주독립할 꿈을 꾸었오. 활명사라하는 사회가 있는대 그 사회중에 두 당파가 있으니, 하나는 자활당이라 하야 그 주의인즉 교육을 확장하고 상공을 연구하야 신공기를 흡수하며, 부패 사상을 타파하야, 대포도 무섭지 아니하고 장차도 두렵지 아니하야, 국가에 몸을 바치난 사업을 이루고자 할새, 그 말에 외국 의뢰도 쓸데 없고, 한두개 영웅이 혹 국권을 만회하여도 쓸데 없고, 오즉 전국 남녀 청년이 보통 지식이 있어서 자주관을 회복하여야 확실히 완전하다 하야, 학교도 설시하며 신서적도 발간하야 남이 미쳤다 하든지 못생겼다 하든지 자주권 회복하기에 골몰무가하나, 그 당파의 수효난 전 사회에 십분지 삼이오. 하나난 자멸당이라 하니 그 주의인즉 우리 나라가 이왕 이지경에 빠졌으니 제갈공명이가 있으면 어찌하며 격란사돈이가 있으면 무엇 하나, 십승지지 어데 있소 피란이나 갈가보다. …… 학교난 무엇이야 우리 마음에난 십대 생원님으로 죽난대도 자식을 학교에야 보내고 싶지 않다. 소위 새학문이라난 것은 모다 천주학인데 우리네 자식이야 혈마 그것이야 배호겠나, 또 물리학이니 화학이니 정치학이니 법률학이니 다 무엇에 쓰는 것인가, 그것을 모를 때에는 세상이 태평하였네. 요사이같은 세상일수록 어데 좋은 명당지지나 얻어서 부모의 백골을 잘 면례하였으면 자손에 발음이나 내릴난지, 위선 기도나 잘하여야 망하기 전에 집안이나 평안하지. 전곡이 썩어지더래도 학교에 보조난 아니할터이야.…… 그 당파의 수효난 십분지 칠이오.

설헌부인은 대한제국의 자주독립하는 꿈 속에서 활명사(活明社)라는 사회를 등장시키고, 자활당(自活黨)과 자멸당(自滅黨)을 대척적으로 양립시켜, 자활당은 교육을 확장하고 상공업을 연구하여 신공기를 흡수하고 부패사상을 타파하여, 전국 남녀 청년이 자주권을 회복하기에 전력을 다하는 건설적인 점을 상징시켰고, 자멸당은 그와 반대로 새로운 교육과 과학을 증오하고 은퇴하는 패퇴적인 당으로 하여, 이 둘을 개화와 보수의 2대 세력을 상징하는 현실의 재현으로 보았다.

뿐만 아니라, 이것을 양당의 대립에만 그치지 않고,

> 그 소수한 자활당이 자멸당을 이기지 못하야, 혹 권고도 하며 혹 질욕도 하며 혹 통곡도 하면서 분주 왕래호대, 몇번 통상회의니 특별회의니 번번이 동의하다가 부결을 당한지라, 또 국회장에게 무수 애걸하야 마지막 가부회를 독립관에 개설하고 수만명이 몰려 가더니, 소위 자멸당도 목석과 금수난 아니라, 자활당의 정대한 언론과 비창한 형용을 보고 서로 기뻐하며 자활주의로 전수 가결되매, 그 여러 회원들이 독립가를 부르고 춤을 추며 돌아오난 거동을 보았오.

하여, 십분지삼밖에 안되는 자활당이 십분지칠의 수효를 차지하고 있는 자멸당을 회개 각성하게 하여, 수만 회원이 합심하여 독립가를 부르고 춤을 추는 것으로 꿈을 마쳤으니, 이것은 꿈을 위한 꿈이 아니라, 확실히 이상과 희망의 성취를 희구하는 동경의 상징이요, 민족의 영원한 염원의 함축된 표징이었다. 이 대목은 이해조의 번역으로 된 불란서소설 「철세계(鐵世界)」의 장수촌(長壽村)과 단수촌(短壽村), 즉 이상촌과 패망촌과의 대조에 방불한 바 없지 않으니, 「자유종」이 「철세계」 후에 나온 작품인 것만큼 그 영향이 없지 않음을 느끼게 한다.

다음 매경부인의 꿈 이야기는 이러하다.

> 나는 어제밤에 대한 제국의 개명할 꿈을 꾸었오. 전국 사람들이 모다 병이 들었다는데 혹 반신불수도 있고, 혹 수중다리도 있고, 혹 내종병도 들고, 혹 정충징도 있고, 혹 체증 회배와 귀먹고 눈멀고 벙어

리까지 되야, 여러가지 병으로 집집이 앓는 소리로 곳곳이 넘어지는 빛이라. 남녀 노소를 물론하고 성한 사람은 하나도 없더니, 마참 명의가 하는 말이 이병들을 급히 고치지 아니하면 우리 삼천리 강산이 뷔인 터만 남으리니 그 아니 통곡할 일이오, 내가 화제 한 장을 내일 것이니 제발 믿으시오 하더니, 방문을 써서 돌리니 그 방문 이름은 청심환골산이니, 성경으로 위군하고, 정치, 법률, 경제, 산술, 물리, 화학, 농학, 공학, 상학, 지리, 역사 각 등분하야 극히 정묘하게 국문으로 법제하야 병세 쾌차하도록 무시 복하되, 병자의 징세를 보아 임시 가감도 하며, 대기하기는 주색 잡기 경박 퇴보 태타등이라.

이 또한 대한제국의 개명할 꿈 이야기인 바, 전국 사람이 모두 각가지 병의 환자가 되어 신음하고 있는데, 그 치료약은 '청심환골산(淸心換骨散)'으로 기성의 인습과 전통에 고질이 된 병자를 치료할 수 있으나 그 약방문은 정치 · 법률 · 물리 · 화학 등 신학문이며, 그것은 국문으로 법제하여야 한다고 하였으니, 이것은 그대로 당시 사회 현실의 반영이기도 하다.
매경부인은 다시 계속한다.

오륙세 전 아해들은 당초에 벗을 것이 없으나, 팔세 이상 아해들은 감옷감옷한 조회장 둣게만 하고, 십오세 이상 사람들은 검고 푸르러서 장판 둣게만 하고, 삼십 사십식 된 사람들은 각색 빛이 어룩어룩하야 멍석 둣게만 하고, 오십 육십 된 사람들은 어룩어룩 두틀두틀하며 또 각색 악취가 촉비하야 보료 둣게만하야, 노소남녀가 각각 벗을 때 참 대단히 장관입니다. 아해들과 젊은이와 당초에 무식한 사람들은 벗기가 오히려 쉽고, 조금 유식하다난 사람들과 늙은이들은 벗기가 극히 어려워서, 혹 남이 붓잡아도 주고 혹 가르쳐도 주되, 반쯤 벗다가 기진한 사람도 있고 인하야 아니 벗을랴고 앙탈하다가 그대로 죽난 사람도 왕왕 있읍디다.

이같이 낡은 전통과 인습에 물들지 않은 어린이는 낡은 표피를 벗을 것이 없고, 그러한 누습에 오래 젖은 늙은이와 덜 된 유식자는 오히려 구피를 벗기 어렵다고 하였으니, 이것은 그대로 물결처럼 밀려들어오는 서구의 새로운 사조 즉 개화사상과 본래의 낡은 전통의 교체가 사적으로 이다지도 어려움을 적절한 비유로 유머러스하게 예리한 필치로 대조시키고 있음이 보여진다.

계속하여 금운부인이 자기의 꿈 이야기를 더듬어,

나는 어제밤에 대한제국의 독립할 꿈을 꾸었오. 오뚝이라난 것은 조고모하게 아해를 만들어 집어던지면 두러눕지 아니하고 오뚝오뚝 이러서난 고로 일홈을 오뚝이라 지었으니, 한문으로 쓰랴면 나오짜(吾) 홀로독짜(獨) 설립짜(立) 세글자를 모아 부르면 오독립이니 내가 독립하겠다는 의미가 있고, 또 오뚝이의 사적을 들으니 옛날 조고마한 동자로 정신이 돌올하야 일즉 일어선 아해라.…… 우리나라 사람들이 오뚝이 정신이 있난 이난 하나도 없은즉, 아해들뿐 아니라 장정 어른들도 오뚝이 정신을 길러서 오뚝이와 같이 오뚝오뚝 이러서기를 배와야 하겠다 하야, 우리 영감 평양 서윤으로 있을 때에 작만한 수백석지기 좋은 땅을 방매하야 오뚝이 상점을 설시하고 각 신문에 영업 광고를 발포하얏드니, 과연 오뚝이를 몇 달이 못되야 다 팔고 큰 이익을 얻어 보았오.

대한제국의 독립할 꿈을 꾸었노라고 하고 '오뚝이'를 '오독립(吾獨立)'으로 비유하여 국가 자주독립을 염원하는 심정을 토로하고 있으니, 이것은 그대로 그들의 가슴 속에 북받치는 갈망과 동경과 이상을 꿈 이야기에 의탁하였을 따름이지, 그대로 꿈 이야기로만 넘겨버릴 수 없는, 그 실현을 목마르게 기다리는 꿈 그것이라 하겠다.

끝으로 국란부인 또한 대한제국이 천만년 영구히 안녕할 꿈을 꾸었다고 하였으니, 이 부인들의 꿈은 그대로 당시 이천만 겨레의 현실적인 꿈이오, 암흑에 찬 낡은 사회에서 비로소 새로운 개화의 서광을 받고 희망에 차 약동하려는 민중의 염원 바로 그것의 상징이었던 것이다.

④ 소설적 한계성

신소설 「자유종」은 제목 그대로 자유를 목메어 절규하는 종소리, 즉 겨레의 공통된 소망인 개명된 독립국가의 의젓한 국민으로서 자유를 찾고 권리를 행사할 수 있는 새날을 희구하는 염원으로 일관된 작품이다. 특히 그것이 여성에 대한 자아의 각성과 남자와 같은 권리의 향유를 갈망하는 욕구가 여성의 입을 통하여 부르짖어졌고 그 실현을 목전에 예기하는 희망과 기대 속에 끝난 작품이다.

신소설은 물론이거니와 현대소설에도 이같이 작중인물에 남자는 한사람도 끼지 않고 여성으로서만 사건을 전개한 작품은 희소할 것이다. 따라서 「자유종」은 개화기의 선각된 여성이 신문명에 대한 환호 속에 자유를 갈구하는 모습을 그려, 비록 그것이 구체적인 행동으로 옮겨지지는 못하였을망정, 이천만 민중의 공명적인 욕구의 현현이었으며, 이 속에 흐르는 문명개화 · 자주독립 · 여권존중 · 계급철폐 · 파벌폐지 등의 구호는 오늘날도 그대로 민중의 영원한 숙제의 하나로 미해결인 채 남아 있는 실정에 있다.

「자유종」은 그 구성의 평면성, 사건 진전의 완만성 및 대화로서만 일관된 장면의 단조성 등을 비롯하여 소설로서의 미비한 점이 적지 않으나, 신소설이 개화 계몽기를 반영하는 가장 대표적인 문학 장르인 동시에, 이러한 시기일수록 소설의 주제가 차지하는 작품에서의 비중이 상당히 중요시된다는 점을 감안할 때, 신소설 중에서 특색 있는 주목할 만한 작품의 하나라고 하지 않을 수 없겠다.

(2) 「화(花)의 혈(血)」

① 작품의 배경

「화의 혈」은 1911년 4월 6일자 《매일신보》 제1835호에서부터 동년 6월 21일 제1700호까지 66회에 걸쳐 연재된 작품이다.

그 전개의 개략을 살펴보면 다음과 같다.

화창한 봄날을 맞이하여 젊은 여인 하나가 꺾어진 꽃가지를 다정히 집어들고 가엾게 여기고 있으니 그는 전라남도(全羅南道) 장성군(長城郡)에 사는 채호방의 큰딸 선초였다.

채호방은 나이 사십이 되도록 자녀간 일점 혈육이 없어 매양 서러워하다가 그 고을 퇴기(退妓) 춘홍(春紅)을 작첩(作妾)하여 딸 형제를 낳으니 큰딸은 선초요, 작은 딸은 모란이었다.

선초는 꽃같은 얼굴과 달같은 태도가 한곳도 범연한 데가 없는 일색이요 날때부터 총명 영리하고 재질이 뛰어난 여자이므로, 한번 듣고 한번 본 것을 능통치 못하는 일이 없어 글, 글씨, 가무, 음률이 출중하여, 그의 이름은 원근에 자자하였다.

선초가 13세 되매 그곳 풍속대로 기안(妓案)에 오르자 어느 남자나 선초를 한번 보기를 원하지 않는 자 없고, 한번 선초를 본 사람은 꽃다운 인연을 생각지 않는 자가 없었다.

15세가 되자 선초는 거울같이 맑은 천성으로 세상물정을 짐작하고, 좀처럼 부르는 데도 잘 나가지 않고, 기안(妓案)에 들게 마련된 괴악한 지방 풍속을 한탄하며, 옛날 일부종사(一夫從事)한 춘향의 절개를 흠모하여 그 날부터 속에는 남복을 입고 겉에는 여복을 하여 불의의 창피한 일을 방비하고, 관찰사 군수가 불러도 잘 수청에 응하지 않았다.

선초는 주위의 모든 유혹과 위협을 물리치고, 마음속에 작정하기를 연기도 자기와 같고 인물도 자기와 같고 총명도 자기와 같은 남자와 아리따운 인연을 맺어 백년해로 하리라 마음먹었다.

이러한 소문이 입에서 입으로 건너서 서울까지 들려와 선배 때부터 양반은 자기 하나뿐인 체, 언변도 자기 하나뿐인 체, 지혜도 자기 하나뿐인 체, 부모의 덕에 글자를 배워서 문장도 자기 하나뿐인 체 하고 거기다 호색(好色)으로 유명한 이도사의 호기심을 끌게 만들었다.

때마침 동학난으로 지방 소요가 계속되어 중앙에서도 그 진압에 골치를 앓고 있던 때라, 이도사는 그 대책에 대한 실정 조사를 구실로, 평소에 가깝게 모시던 신대신 신장신 두 고관(高官)에게 청탁하여, 암행어사격인 삼남(三南)시찰사의 명(命)을 받고, 내심으로는 미모와 재질과 절개가 겸비하다는 전라도 기생(妓生) 선초에 대한 욕망을 품고 서울을 떠난다.

시찰길에 오른 이도사는 속마음 같으면 직통 전남 장성(長城) 고을로 내리닫이를 하고 싶으나, 첫째 주위의 이목이 두렵고 다음 천래(天來)의 호기(好機)에 치재(治財)할 궁리도 앞섰으므로, 고을마다 들려서는, 선치수령(善治守令)은 접근도 하지 않고, 불치수령(不治守令)은 뇌물로 눈감아 주고, 한편 이러한 비행이 드러날까봐, 시찰사의 업적을 내세우느라고, 소란을 근절한다는 명목 하에 동학 관계자는 모조리 직결 처단을 하는 판에 무죄양민이 무수하게 죽었고 이도사의 치재(治財)는 날로 불어갔다.

눈이 뒤집힌 그는 어릴 때 은인의 아들이요 여형약제(如兄若弟)하고 자라던 임씨까지도 동학에 관계있다고, 그 노모의 애원도 일소(一笑)에 붙이고 포살(砲殺)하였으므로 임(任)의 노모는 기절하여 죽고 그 부인은 당일로 자살하는 혹독한 일까지 거듭되었다.

부정(不正)을 은폐하고 치부에 성공한 이시찰은 숙망의 장성(長城) 고을에 다다라 수령이 베푼 연석(宴席)에서 기생 선초를 만나자, 즉석에서 그 절색에 도취하여 객사에서 다시 만나 연분 맺기를 강요했으나 방년 17세의 선초는 복통의 꾀병을 꾸며 그 자리의 위기를 모면하였다.

그때 이도사는 자기의 탄압에 대한 동학 여당(與黨)이 대거 보복을 꾀한다는 정보를 듣고 북방(北方)으로 도망하였다가, 그것이 헛소문인 줄을 알고 다시 장성으로 돌아온 뒤는 선초가 고의로 자기를 배척하는 줄을 알고 수단 방법을 가리지 않게 되었다.

이시찰은 선초의 부친 채호방이 고부(古阜) 사람과 연락이 있다는 말을 듣고, 큰 근거나 잡은 듯이, 채호방을 불러다 동학 관계 혐의로 몰아넣어 그 죄상을 침소봉대(針小棒大)하게 꾸며, 포살(砲殺)에 처하도록 명하였다.

관비(官婢) 간난어멈을 통하여 이 소식을 들은 선초는 이제까지 지켜온 자기의 절개를 팔아 아버지의 목숨을 구할 결심을 하고, 이시찰에게 몸을 허하기로 관비를 통하여 승낙하였다.

그러나 일단 허신(許身)을 각오하자 선초는 이시찰을 직접 만나기 전에 노류장화(路柳墻花)로 한번 꺾어버릴 것이 아니라 백년해로할 것을 요구하고, 계약서를 만들어줄 것을 제시하여 피차에 합의가 성립되자 이 덕에 채호방은 무죄석방되고, 선초는 이 사실을 알고 펄펄 뛰는 아버지의 반대를 물리치고 이시찰을 만날 단계를 기다리고 있다.

선초는 간난어멈과 그리고 이시찰의 수족노릇을 하는 김선달을 통하여, 이시찰의 언약을 다시 받은 다음, 그날 밤으로 이시찰을 자기 집에 오게 하여, 일생을 같이할 계약서에 이시찰 손수 집필하게 한 다음 초야(初夜)의 인연을 맺는다.

그러나 이튿날 아침 이시찰은 간밤 만든 계약서에 도장을 찍어야 더 단단할 것이라고 하면서 도로 찾아가지고 나간 후에는, 한마디 기별 없이 전북(全北)쪽으로 향하였다.

그 후 아무리 기다려도 이시찰은 다시 오지 않고, 소식조차 묘연하므로, 선초는 홀로 고민하고 있었으나, 양친은 이시찰의 사람 됨됨으로 보아 믿을 가망이 없으므로, 딸에게 단념하기를 강권하나, 선초는 금석(金石)같은 맹약을 어길 리 없다고 굳게 믿고 있다가, 10원 지폐를 동봉한 이시찰의 절연장을 받아보고, 그날 밤으로 다량의 아편을 마시고 자결하고야 만다.

선초가 제 손으로 목숨을 끊은 후 장성 고을에는 큰 가뭄이 계속되어 곡식은 불붙을 정도로 말라갔고, 거기다 질병까지 만연되었으므로 그 지방 사람들은 무당 판수의 말대로, 선초의 원혼(冤魂)을 위로하기 위하여 제사를 올리게 되었다. 한편 이시찰은 선초의 자결 소식을 듣고 그날부터 몽중(夢中)에 선초가 나타나 요악한 저주를 퍼부음으로, 두려움에 잠을 이루지 못하고, 지방민이 올리는 제일(祭日)에는 자기도 선초 묘(墓)에 가서 술을 따르고 시구(詩句)까지 읊었다.

그러나 우연히도 그날 밤부터 폭우가 쏟아져서 백성들은 가뭄에 목을 축이고, 이시찰은 선초가 나타나는 꿈자리가 사나워 한잠도 이루지 못하고, 날이 새자 뜻밖에 "법부 조회로 영감 잡히셨습니다"하는 한마디에 깜짝 놀라, 삼십육계를 하고 싶으나 방법이 없어 그대로 붙잡혀 가서 "막중국세를 중간 황롱한죄"로 3년째 재판을 받는 중, 선초와 임씨 모자의 그림자는 머리에서 떠나지 않고, 그 사이 아들 3형제와 본처는 질병으로 죽고 가산은 탕진하게 되어 액운이 끊일 날이 없었다.

한편 선초의 동생 모란은 점점 장성하여 가매, 선초같이 아름답고 재질이 뛰어나 가무 음률에 능통하였으므로 그도 또한 인근 고을에까지 소문이 알려졌다.

그러나 모란은 언니의 원한에 찬 죽음이 가슴에 사무쳐 이시찰을 만나기만 하면 보복할 것을 주야로 잊지 않고 이를 갈고 부심하던 중 서울 사는 박(朴)별감에 소개되어 서울에서 기생을 하게 되었다.

그 후 3년 동안 옥중에서 갖은 고초를 받던 이시찰은 겨우 놓여나와, 세상 구경을 다시 하게 되어, 얼마동안은 자기의 잘못을 뉘우치고 근신하였으나, 금방 엉큼한 욕심이 또 다시 들어앉아서, 세상 이목을 또 한 번

속여볼 작정으로, 이왕 소박하던 첩의 곁방살이를 하면서, 간능스럽게 틈틈이 교제를 잘하여, 전관(前官)에게 구걸하여 근근 호구를 하면서도, 다시 살아날 것 같아 친구를 모아 술도 먹고 계집도 불러 소일하게 되었다.

하루는 이시찰이 국내 고관과 외국 공영사(公領使)를 모신 친구의 연석(宴席)에 참여하였다가, 우연히 만난 미모의 기생에게 수작을 걸다가 외나무다리에서 원수를 만난 격으로 그 기생이 바로 자기의 과거를 알고 보복을 꾀하는 모란인줄 알았으나 이미 엎어진 물이라 피할 길이 없어 귀빈이 모인 공석에서 큰 욕을 보고 지난 일이 탄로되어, 아무 관직에도 오르지 못하고 걸식까지 하게 몰락하였다가, 그 후 좋은 배필을 만나 살림을 차리고 사는 모란의 집을 모르고 찾아들게 되었다.

이미 알아차린 모란이 일부러 많은 동냥을 주는 것을 덮어놓고 고맙게만 생각하다가, 두 번째 다시 가서는 타고난 버릇 개를 주지 못하여 모란에게 엉뚱한 생각까지 품었다가, 큰 모욕을 당하고, "초년에 죄를 지으면 말년에 죄를 받는 것은 떳떳한 이치어늘 저 지경이 되야서도 죄를 생각지 못할가, 눈을 들어 내가 누구인지 자세 쳐다볼지어다"하는 말에 모란임을 알아차리고 얼굴빛이 진당홍을 끼얹인 듯하여 고개를 숙인 채 한걸음에 도주하여 버렸다는 것으로 끝을 맺는다.

② 고전소설과의 관계

이 작품은 여주인공인 기생 선초의 효와 정절이 주류를 이루고, 동학란을 전후한 시기의 부패한 관료들의 이면상을 이시찰이라는 한 인물을 내세워 폭로한 것이다.

따라서 그 주제는 진부하고 등장된 인물은 구태의연한 테두리를 벗어나지 못하였지만, 이 작품 속에서 민중의 봉기로 인한 동학란을 작자가 어떤 눈으로 보았는가 하는 것과, 이 작품을 내놓으면서 서문과 발문(跋文)에서 제시한 작자의 문학에 대한 주관을 고백한 단편에서 작가 자신의 문학관의 일모를 엿볼 수 있는 동시에, 신소설 작가로서의 문학이라는 데 대한 이론적인 전거의 미미하나마 최초의 것이라는 데서 이 작품이 지니는 의의가 결정되는 것이다.

「화의 혈」은 퇴기의 딸의 애정문제를 취급한 것과 관료의 학정을 폭로한 점에서는 「춘향전」과 통하는 점이 있으나 춘향과 이도령의 경우와 같이 열렬한 사랑의 표백이 없고, 언니 선초가 죽은 뒤에 동생 모란이 보복을 꾀하는 장면은 「장화홍련전」을 연상시키는 점이 있으나 이도 계모문제가 중심이 아니므로 그와 궤를 같이 할 수는 없는 것으로, 「춘향전」과 「장화홍련전」의 일면을 각각 연상시키는 정도에 그칠 따름이다.

사실 선초는 춘향을 흠모하여 혼자 독백하기를,

> 나도 사람인데 부모의 혈육을 타고나서 엇지타 이같이 천한 구덩이에 몸이 떨어젓노, 그난 이곳 풍속이 괴악해서 자식 나서 기생에 밖난 것은 전례로 여기난터이니, 부모를 원망할 것도 없고 내가 한눈한팔 병신으로 생기지 못한 것만 절통하지. 그러나 철중에도 쟁쟁이라고 아모리 기생이라도 제 행실 제 가질 탓이지 기생이라고 다 개즘생의 행실을 할까.
>
> 광대 타령의 말마따나 옛날 춘향이난 남원 기생으로 헛탄히 몸을 버리지 아니 하고, 연기와 재질이 적당한 이도령을 만나 일부종사를 하얏스므로, 그 아람다운 이름이 몇 백년을 썩지 아니하얏난대, 나 역시 팔자가 기박하야 천한 몸은 비록 되얏으나, 절행이야 남만 못할 것이냐.

이 속에서 선초는 자기가 불가피하게 기적(妓籍)에 오르지 않을 수 없게 된 지방 풍속을 개탄하고, 자기의 절색을 병신되기 보다 더 원망스럽게 생각하는 동시에, 남원 춘향을 본받아 절개를 지키고 좋은 배필을 만나 일부종사할 것을 꿈꾸고 있다.

그는 또한 일단 마음을 정하고 이시찰에게 몸을 허락한 뒤에는 그 낭군에 대한 일편단심을 결(決)하고 있으니,

> 에그 아버지 그렇게 하실 말삼이 아니올시다. 그가 어떠한 자격이던지 기왕 한번 몸을 허락하얏사온즉 제가 죽어도 리씨댁 사람이온대, 어찌 달면 삼키고 쓰면 배아타 금수에 행위를 한단 말삼이오리까.

이것은 마치 춘향의 모가 춘향더러 몰골 사납게 몰락된 듯한 이도령을 나무려 딸의 개의(改意)를 촉구할 때, 춘향 자신이 이에 대하여 잘되었거나 못되었거나 내 낭군에는 틀림이 없다고 자기 어머니를 설득시키는 대목과 흡사하여, 이 작품에서 선초는 아버지의 반대를 물리치고 자기가 억지로 이시찰에게 계약서까지 쓰게 하고 몸을 허락하였지만, 일단 결정한 후에는 달면 삼키고 쓰면 뱉는 따위의 금수의 행위는 못하겠다는 굳은 의지를 나타내고 있다.

그러나 여기에서 선초의 결혼은 이성에 대한 자주적인 애정이 주가 된 것이 아니라, 부모에 대한 효가 선행되었기 때문에,

> 에라 할일 없다. 부모 없난 자식이 어디 있겠니, 내몸 하나 버려 아바지만 살아났으면 오날 죽어도 내 도리난 다 찰엿지.

하여, 선초는 부모를 위하여 자기를 희생하는 면에서 자기 앞길을 결정하였느니만큼, 동학란을 전후한 개성의 자각이 싹트는 시기의 시대적인 배경과 대조하여 보면, 낡은 효절(孝節) 의식에 불과한 것으로 되고 만다. 그러나 아버지는 아버지대로 딸을 나무라고 있으니,

그게 무슨 소리니, 자식을 팔아 내 목숨을 이어, 어 망칙한지구. 내가 죄를 범하얏으면 열 번이라도 죽어난 것을 당할 것이요, 죄만 아니 범하였으면 당당히 놓여나올 터인데 그게 무슨 소리니, 어 망칙한지구. 이년 관비년부터 버르장이를 단단히 가라쳐야하겠다.

이같이 아버지는 딸을 팔아서까지 자기 목숨을 이어갈 수는 없고, 자기가 죄를 지었으면 그것을 달게 받을 것이라고 분개하여 몸부림치고 있으니, 이 대목은 「심청전」에서 심청이가 아버지 몰래 아버지의 눈을 뜨게 하려는 효의 지성으로 공양미 삼백석에 팔려가는 대목을 방불시켜, 「화의혈」은 마치 저명한 고대소설 몇 편의 단편이 모아진 종합체적인 작품이라는 감이 없지 않다.

한편 양반 관료를 대표하는 이시찰은,

선배 때부터 양반은 자기 하나뿐인체 언변도 자기 하나뿐인체 지혜도 자기 하나 뿐인체, 그중에 엉큼한 욕심은 들어 앉아서, 어느 사람에게 집지를 하야 학행도 자기 하나뿐인체, 부모 덕에 글자난 배와서 문장도 자기 하나뿐인체 하다가, 서울로 쑥 올라와서 은근히 세력이 잇난 재상의 집에를 출입하야, 처음에 재랑초사로 나종에 도사 출륙을 한 분네인데, 호색은 한바리에 실을 사람이 없으므로 남모르게 난 별별 기괴 망측한 행동을 모다 하면서, 외식으로난 세상에 정남은 역시 자기 하나뿐인체 하야, 로상에서 지나가는 여인을 보면 거짓말 보태여 십리식은 피해가고, 좌상에서 계집의 언론이 나면 능청스럽게 거리 책지를 일수 잘 하는,

이런 위인으로서 실속 없는 허세를 떨고, 고관에 아부하여 벼슬을 구하고, 계집이라면 사족을 못 쓰며 날뛰고, 거기다 세력 있는 벼슬자리 하

나만 얻으면 불치(不治) 수령은 뇌물로 묵인하고, 돈푼이나 있는 백성은 죄없는 허물을 건드려서 기름 짜내듯이 고혈을 훑어서 치재의 사욕에만 광분하는, 몰락기의 양반을 대표하는 그런 인물이다.

이러한 그들의 일방적인 권세와 탐욕과 향락 등의 독선책은 상대편에 대한 가렴주구를 항다반으로 하였을 뿐더러, 일체의 신의를 폐리화(弊履化)하는 결과를 가져왔다. 가령 선초가 경각에 놓인 아버지의 목숨을 구출하기 위하여, 최후의 결단은 하면서도 양반의 상투적인 오입이 못미더워 다짐을 받기를,

> 삿도께옵서난 경성 존귀하압신 양반이시오, 저난 하방 일개 천기가 아니오니까. 소일삼아 그리시던가 담 우에 꽃가지같이 시럽시 꺾어보시라난 것이 본시 예사이올시다마는, 제가 비록 팔자가 기구하와 기안에 일홈은 있사오나, 일편단심에 시속 천한 무리와 일반으로 행실을 음란히 가지지 아니하고, 물론 누구게던지 한번 허신을 하난 지경이면 백년을 의탁하자난 작정이온즉, 오늘밤이라도 삿도께옵서 제몸을 류츄히 여기지 아니 하압실터이오면, 삿도 필적으로 백년 맹세를 써주압시면 즉시 명령대로 복종하오리이다.

한 데 대하여 선선히 응낙하여 놓고는, 그 자리에서 필연(筆硯)을 가져오라 하여 자기 손으로 계약서를 작성하여 주고 첫날밤 일을 치른 뒤에는, 다음날 아침 뻔뻔스럽게도 도장이 안 찍혔다는 것을 구실삼아 그 계약서를 간교로 회수하고 종적도 없이 도주하였다가,

> 긴 사연 후리치고 피차에 아람다운 인연을 맺기난 백년을 해로코저 함이러니, 다시 생각한즉 년기도 너무 차등이 지고 나의 형편으로 말한대도 도저히 될 수가 없기로, 계약서난 보내지 아니하며 돈 십원

을 보내니 변변치 않으나 분과 기름이나 사서 쓰기 믿으며, 이 사람은 공무나 분망치 아니하면 수히 일차 가서 옥안을 다시 대할 듯, 대강 끝이노라.

하여, 후에 단돈 십 원을 동봉하여 이같은 최후의 절연장을 보내오는 이 성간의 무신(無信)은 그대로 그들 양반 벼슬아치들의 인격면의 공통적인 일률성을 나타내는 것으로, 비루하고 용렬하여 타기할 만한 이면상을 보여 주고 있다.

그나 그뿐인가. 개화사상이 점차로 이 땅에 침투하여 들어온 이후는 배후적인 실력 없는 그들의 허세는 점점 그 자존심마저 침해를 받아, 양반은 얼어 죽어도 곁불은 안 쬔다는 속담식의 고고한 독존의 최후의 보루선까지 끊어져서 걸식하는 대목까지 나오니, 백발이 섞인 늙은 양반 거지가 선초의 동생인 모란의 집에 와서 애걸복걸 사설을 떨면서 동냥하는 꼴은 대청마루가 날듯이 호령하던 그들의 과거 세도와 비교하여 보면 참말로 가관이라 하지 않을 수 없다.

예— 쌀이 되나 돈이 되나 적선 좀 하십시오. 늙은 부모가 병이 들어 여러 달포째 위석하얏난대, 가세가 말이 못되야 절화를 여러때 하얏사오니, 다소간 적선을 하시면 미음이라도 한때를 끌여 봉양하겠습니다.

이러한 허언을 꾸며가며 구걸하던 이시찰은, 과거의 호언하던 모습은 어디론가 사라지고, 흐뭇하게 안겨주는 백미에 적이 만족하여 돌아갔다가, 상대자가 상상 외로 베풀어 주는 적선의 의도도 모르고, 체면 불구하고 며칠 후 다시 찾아가서 이번에는 또 다른 허언을 꾸며대어,

예— 쌀말이나 적선하십시오. 세살 먹은 어린 것이 시두를 방장하고 나서 온갖 먹을 것을 찾는데, 가세가 말이 못되야 죽 한 그릇도 끌여주지 못합니다. 후덕하신 댁에서 후히 보조를 하야주십시오.

이같이 허식을 꾸민 사설을 피우다가 모란의,

여보소 걸인 보아하니 사지 육체가 멀정한터에 허다못해 인력거를 끌기로 못살아서, 남의 집으로 돌아다니며 업난 부모의 병이 있나니 없난 자식이 시두를 했느니, 거짓말을 하여가며 동량을 하러다녀. 초년에 죄를 지으면 말년에 죄를 받는 것은 떳떳한 이치어날, 저 지경이 되야서도 죄를 생각지 못할가, 눈을 들어 내가 누구인지 자세 쳐다볼지어다.

하는 호령 소리에 그제야 모욕을 느끼고 얼굴빛을 붉히며 도주하는 대목은, 낙엽같이 시들어 떨어지는 양반들의 생활상과 인간면을 여실히 보여주는 장면이라 하겠다.

③ 개화의식과 현실인식

「화의 혈」은 그 주인공인 이시찰이 동학란 관계자 진압의 사명을 띠고 지방으로 내려감에 따라 제반사건이 벌어지느니만큼, 작중인물의 동학에 대한 행동이나, 작가가 동학을 보는 관점 즉 갑오경장을 전후한 시기의 사회 현실을 반영할 수 있었던 평민의 봉기가 계속된 시대 조류를 어떠한 눈으로 보았느냐 하는 점에서 주목되지 않을 수 없다.

(ㄹ) 대감께옵서 묘당에 계신터에 어련하시겠읍니까마는, 요사이 지방 소문을 들으니까 하로 바삐 진정 아니 하오면 인민이 무

여지하게 어륙이 되겠읍니다.

(신대신) 글쎄 삼남에는 소위 동학당의 횡행히 대단하다난걸. 그렇지마는 그까짓 오합지중을 무슨 심려할 것이 있나, 진위대 몇 초만 풀어 보냈으면 며칠 아니 가서 다 소멸할 것일세.

(리) 대감 이게 무슨 망녕의 말삼이오니까, 그 백성이 무슨 죄가 있길래 병정을 풀어 뭇질느러 드십니까.

(신) 그 백성이 죄가 없다니, 총귀에서 물이 나나니 도사리고 앉어 공중에를 올라가나니 하난 허탄한 말을 주출하야 사면 돌아다니며 륵도 도식이고, 빗바지 굴총하기 심지어 부녀 재산을 함부루 탈취한다난대 어찌해서 무죄하다고 하오.

(리) 허허 대감께서 그렇게 동촉하시기가 용혹무괴올시다마는, 그 백성 그 지경 된 원인을 말살하고 보면, 저희들은 아무 죄도 없다고 해도 과한 말삼이 아니올시다.

(신) 어찌해서 그렇단 말이오.

(리) 자고이래로 백성은 물과 일반이라, 동으로 터놓으면 동으로 흐르고 서으로 터놓으면 서으로 흐르고 막히면 격동하고 순하면 나려가난 것이온대, 근일에 각도 지방관을 택차를 못한 탓으로 적자같은 백성을 사랑할 줄은 모르고 기름과 피를 긁음애, 일반 인민이 억울하고 원통함을 참다 못하여 약이 나서, 이리해도 죽고 저리해도 죽기난 일반이라 하고 범죄를 한 것이오니, 그 아니 불상한 무리오니까.

(신) 그 폐단도 없지난 아니하겠지마는, 설마 지방관들이 모다 불치야 되리까.

(리) 아모렴 그럽지오, 닭에 무리에 학이 있다 하압난대 불치를 하는 중에도 있다금 선치가 있기난 하겠지마는, 큰집 쓰러지난대 한 나무로 버티지 못함은 확연한 이치가 아니오니까.

(신) 그러면 어떻게 했으면 좋겠오.

(리) 시생의 천견에난 공직하고 무식지 않고 민정을 알만한 자격을 택차하야, 삼남도 시찰을 내여 암행으로 각군에를 순회하며 지방관의 치적의 선부를 낱낱이 시찰한 후, 선치자는 표창을 하고 불치자는 징계를 하며, 일변으로 백성을 안무하야 귀순안도케 하오면, 불과 얼마 아니 되야 삼남 각 처에 격양가가 일어날 줄로 꼭 믿습니다.

이상 약간 지루한 인용이었지만 이시찰과 신대신의 동학에 관한 대화로, 신대신은 동학당을 하나의 폭행 단체로 간주하고, 더욱이 그것은 무력한 오합지중에 불과한 것이므로 몇 초의 진위대만 파견하면 당장 진압될 것으로 보고 있다. 뿐만 아니라 양반 관료의 학정에 견디다 못하여 반발한 민중의 봉기를, 늑탈(勒奪) 도식(盜食)하고 부녀자의 재산을 함부로 탈취하는 불량배로 보아 버리고 있다.

그러나 한편 이시찰은 소동을 일으킨 백성 자체는 아무 죄도 없으며, 위정자를 따라서 물처럼 밀려가는 대중인 것만큼, 지방관의 잘못으로 백성의 기름과 피를 긁음에 인민이 억울하고 원통함을 참다못하여 사경에서 하는 수 없이 들고 일어났다는 것을 말하여 민중의 실정을 간파한 점이 엿보이며, 특히 선치자가 없음을 한탄하고 암행어사격인 시찰사를 파견하여 불치자를 적발 치죄하여야 할 것을 주장한 것까지는 세월 돌아가는 형편을 아는 듯하나, 이는 또한 피상적인 입치레에 불과하며, 그것은 자기가 시찰사를 임명받을 계교가 복중에 잠재하고 있었던 까닭이다.

이것은 당시의 양반계급이 동학을 본 두 가지의 대조되는 관점이라고도 볼 수 있으나, 결국 작자의 동학란에 대한 불철저한 태도의 표백에 불과한 것으로 된다. 이러한 경로는 작자가 지문에서 동학에 대하여 서술한 다음과 같은 대목과 대조하여 보면 그 내용이 일층 정확히 파악될 수 있는 것이다.

동학이 각처에서 벌 일어나 듯하야 무죄량민을 모조리 잡아다가 륵도를 시키난 통에, 임씨도 불행이 잡혀가 위협을 못이기어 입도하얏난대, 진위대가 각 방면으로 습격하난 통에 임씨가 요행으로 도망하얏다가,……

이 대목을 위에서 인용한 이시찰과 신대신의 대화와 종합하여 보면, 작자는 각처에서 봉기한 동학당을 무죄 양민을 잡아다가 모조리 늑도를 시키는 악당으로 취급하여 신대신의 관점에 동조하는 것으로 되어 있으므로, 민중의 항거로 이루어진 동학의 의거를 보는 작자의 주관을 가히 추단할 수 있게 하는 것이다.

다음 미신타파에 대하여는 동학에 대한 애매하고 부정적인 태도와는 전연 달라, 전적으로 비과학적인 몽매한 결과의 소치로 보고 있다.

조선 천지에 제 힘 아니 드리고 남 속여먹기로 생애를 삼는 것들은 소위 무당 판수라. 무당 판수가 만나난 사람마다 정대하고 당하난 일마다 광명하면, 하나도 속여먹지 못하고 자고송 모양으로 굶어 죽은지가 이구하겠지마는, 사람들도 보통 어리석고 일도 매양 의심 나는 중 년때가 맞으려면 천지도 야릇한 법이라.

선초 죽던 그달부터 비 한점 아니오고 내리 가므난대, 논배미 밭두렁에 성냥만 득 그어대면 홀홀 탈만치 오곡 잎이 다 말라 들어가니, 가믐이 너무 심하면 노약들이 서독에 병들기가 십상 팔구어날, 무식한 부녀들이 무당에게도 뭇고 판수에게도 물으니, 뭇난데마다 소지에 우근진으로 의례히 말하기를, 원통히 죽은 선초의 혼이 옥황상제께 호소하야 날로 가믈게 하고 병도 다니게 한다 하난 허탄무거한 말이,

> 한입 걸러 이사람 저사람 큰 소일거리 삼아 짓거리난 중, 농군의 집에서 더욱 앙마구리 끓 듯하야, 필경 대동이 추렴을 놓아 각색 과실에 큰 소를 잡아 선초의 무덤에 가 제사를 정성것 지내야 그 혼을 안유코져 하더라.

이것은 오랫동안 한발이 계속되고 질병이 만연하기에, 억울하게 죽은 선초의 원혼이 조작하는 것으로 믿고, 지방민이 그 원혼을 위무하기 위하여 무당 판수를 불러 기우제를 지내려는 무지를 야유하고, 터무니없는 미신의 악습이 백해무익임을 강조한 대목인데, 여기서는 동학에 대한 태도보다는 훨씬 과학적이요 조리 있는 판단으로 작자의 소신을 피력하고 있음을 볼 수 있다.

뿐만 아니라 작자는 다시, 작품 속에 흐르는 주류적인 주제는 아니지만 신학문에 대한 새로운 지식이 재래의 무식에서 오는 미신을 부정할 수 있음을 또한 암시하였으니, 이것은 먼저 인용한 구절과 함께 이 작품 속에 나타난 단편적이나마 개화의식에 의한 근대과학이 반영된 대목이다.

> 리시찰이 적이 신학문에 유의한터 같으면 그런 소리랄 듣더래도 비오난 이치를 풀어서 "허허 무식한 것들이라 할 수 없곤, 비가 제지냈다고 왔을까, 사람이 근천명이 모여 왔다 갔다 하는 바람에 먼지가 공중으로 올라가 수증기를 매개하야 비가 온 것이라." 설명을 하얏스련마는, 이 눈썹만 빼도 똥이 나올 분네는 요량하기를, 흥 어림 없난 것들이로구. 선초의 귀신이 비를 오게 했을 터이면 저의들 정성에 비가 왔을까, 내가 와서 술을 부어 놓고 글을 지었은즉 거기 감동하야 비를 오게 하였을터이지.

이상은 기우제를 올린 후 우연히도 폭우가 쏟아졌기에 마을 사람들이 그러한 결과를 신의 조화로 신빙하고 있는 것을 야유한 구절인데, 이 속에서 작자는 작중인물인 이시찰을 신학문에 무식한 인간으로 만들어 놓고 수증기가 증발하여 그것이 매개되어 비가 오는 과학지식은 작자만이 아는 것으로 노출시켰으니, 작자의 유식은 증명되었을지 모르나 작품으로는 과학지식의 단편적인 해설에 불과한 생경한 것으로 되고 말았다. 만약 이것을 신학문에 의한 과학지식을 사이에 두고 신구의 인간형을 대립시켜 그 시대를 반영하는 인간을 묘출하였더라면, 「화의 혈」은 그 진부한 주제에서 다소나마 해탈할 수 있었을 것을, 아깝게도 작자의 지식 자랑에 멈추어지고 만 결과를 가져왔다.

④ 작가의 소설관

「화의 혈」은 그 구성면에 있어서 선초의 혼귀(魂鬼)가 아우 모란에게 옮겨 붙어 넋두리 퍼붓는 장면을 여러 번 되풀이하고 있으니, 이것은 전기한 바와 같이 미미하게 나타났던 과학지식의 필연성을 같은 작품 속에서 부정하는 결과로 된다.

> 여보 간사도 하오, 그래도 나를 몰라본다고 해. 그만치 고생을 하고도 옛버릇이 그저 남었구려. 누구를 잡아 가두고 사문을 하야달라구. 이왕에난 세상을 소기고 명예를 도적질한 탓으로 사면 대우도 반고 여간 벼살도 얻어했거니와, 내가 이모양으로 설원하난 것을 목도하시고야 어느 양반이 당신의 말을 옳게 역여 나다려 무엇이라 할줄로 알고. 내가 유명이 다른 탓으로 직접으로 말을 하난 도리가 없어서, 내 아오 모란의 입을 빌어 당신의 죄상을 이렇게 말하난 것인대, 누구다려 미친년이니 광언망설이니 하오. 궁흉 극악한 댁과 더 말할것이 없으니 나난 가오.

이것은 언니의 복수를 하기 위하여 서울까지 올라온 모란이 외빈을 청한 고관들의 주안상에서 선초의 혼이 옮겨 붙어 이시찰을 향하여 설원하는 한 구절인데, 이것으로서 작자가 미미하게나마 신학문과 과학지식의 편린을 번득거리던 효과마저 감퇴시키는 결과를 가져와, 결국 주제를 약화시키고 말았다.

그러나 이해조는 전술한 바와 같이 「화의 혈」의 서문과 발문에서 그의 소설에 대한 주관을 피력하였으니, 위선 그 '서(序)'의 부분을 들어보면 다음과 같다.

> 무릇 소설은 체재가 여러 가지라, 한가지 전례를 들어 말할 수 없으니, 혹 정치를 언론한 자도 있고, 혹 정탐을 기록한 자도 있고, 혹 사회를 비평한 자도 있고, 혹 가정을 경계한 자도 있으며, 기타 윤리 과학 교제 등 인생의 천사 만사 중 관계 아니 되난 자이 없나니, 상쾌하고 악착하고 슬프고 즐겁고 위태하고 우순 것이 모도 다 좋은 재료가 되야, 기자의 붓끝을 따라 자미가 진진한 소설이 되나, 그러나 그 재료가 매양 옛 사람의 지나간 자최어나 가탁이 형질 없난 것이 열이면 팔구난 되되, 근일에 저술한 박정화 화세계 월하가인 등 수삼종 소설은 모다 현금의 있난 사람의 실지 사적이라, 독자 제군의 신기히 여기난 고평을 이미 많이 얻었거니와, 이제 또 그와 같은 현금 사람의 실적으로 화의혈(花의 血)이라 하난 소설을 새로 저술할새, 허언낭설은 한구절도 기록지 아니하고 정녕 있난 일동 일정은 일호 차착 없이 편즙하노니, 기자의 재조가 민첩지 못하므로 문장의 광채난 황홀치 못할지언정, 사실을 적화하야 눈으로 그 사람을 보고 귀로 그 사정을 듣난 듯하야, 선악간 족히 밝은 거울이 될만할까 하노라.

첫째, 그는 정치정탐·사회비평·가정경계·윤리·과학 등 소설 취재면의 다양성에 언급하였으며, 그것은 또한 옛사람의 과거사를 다루는 것이 아니라 현실적인 사실에서 취재해야 한다는 소재의 현실성에 언급하고 있다. 또한 그뿐만 아니라 사건을 그리는 데 있어서는 그 사실을 있는 그대로 그린다는 사실적인 묘사의 필요성을 주장하여 문장의 묘사면에도 유의하고 있으니, 이것은 개화 초기의 작가로서는 경탄할 만한 탁견을 지닌 것이라 하지 않을 수 없다. 그러나 그는 자기의 소설에 대한 목적의식을 내세우고 그것을 또한 실천하고 있으니, 그것은 「화의 혈」의 발(跋)에 해당되는 부분에 그 일면이 나타나 있다.

> 기자 왈, 소설이라 하는 것은 매양 빙공착영(憑空捉影)으로 실정에 맞도록 편즙하야, 풍속을 교정하고 사회를 경성하는 것이 제일 목적인 중, 그와 방불한 사람과 방불한 사실이 있고 보면 애독하시는 열위 부인 신사의 진진한 자미가 일층 더 생길 것이오, 그 사람이 회개하고 그 사실을 경계하는 좋은 영향도 없지 아니할지라. 고로 본 기자는 이 소설을 기록하매 스사로 그 자미와 그 영향이 있음을 바라고 또 바라노라.

이와 같이 그는 소설의 목적이 풍속을 교정하고 사회를 경성(警醒)하는 것이 제일 큰 목적임을 내세우고, 독자로 하여금 소설을 읽음으로써 회개하고 경계하는 좋은 영향을 받아야 한다고 주장하여, 소설의 계몽성과 그 결말이 주는 권선징악의 목적의식을 뚜렷이 제의하고 있다. 그뿐만 아니라, 이해조는 또한 「탄금대(彈琴臺)」라는 그 뒤의 작품 끝머리에서,

> 한갓 결심하기를, 아모조록 힘과 정신을 일칭 더하여, 악한 자를 징계하고 착한 자를 찬양하며, 혹 직설도 하며 혹 풍자도 하여, 사람의 칠정에 각축될만한 공전 절후의 신소설을 저술코저 하나, 매양 붓

을 들고 종이에 임하매 생각이 삭막하고 문견이 고루하여 마음과 글이 같지 못하므로, 애독 제씨의 진진한 취미를 돕지 못하였도다. 혹자의 말을 들은즉, 본 기자의 저술한 바 소설이 취미는 없지 아니하나 매양 허탄무고하고 후분을 다 말하지 아니하는 두가지 결점이 있다 하나, 이는 결코 생각지 못한 언론이라 하노니, 어찌하여 그러냐 하면, 소설에 성질이 눈에 뵈이고 귀에 들리는 실적만 더러 기록하면, 취미도 없을 뿐 아니라 한 기사에 지나지 못할터인즉 소설이라 명칭한 것이 없고, 또는 기자의 저술한 소설 삼십여종이 확실한 소역사가 없는 자는 별로 없으니……

이같이 그는 다시 한 번 악한 자를 징계하고 착한 자를 찬양하는 권선징악의 작가의식을 반복하였으며, 더욱이 소설을 있는 사실 그대로 쓰면 한 기사에 불과하므로 그것을 작자가 꾸미는 이른바 소설의 허구성에 대하여 비록 체계 있는 논문은 아닐망정 그 의도를 밝혔으니, 이것은 이 땅에서 근대소설에 대한 픽션에 관하여 최초로 논급한 대목으로서 주목할 만한 구절이라 하겠다.

이상 이해조의 문학 내지 소설에 대한 극히 단편적이요 초보적인 이론을 소개하였거니와, 그는 이 「화의 혈」에 있어서도 이 권선징악의 테두리에서 벗어나지 못하고, 악인 이시찰은 걸인이 되고 선인 선초와 그 뒤를 이어 받은 모란은 그 결과가 좋아져서 이시찰로 하여금 굴복하는 것으로서 이 작품의 종결을 마치고 있으니, 이는 그대로 평소에 그가 소설에 대하여 생각하고 있는 주관을 실천에 옮긴 것이라고 하여도 과언은 아닐 것이다. 따라서 「화의 혈」은 신소설의 다른 작품에 비하여 참신한 주제나 특출한 내용을 찾아볼 수 없는 유형적인 작품에 불과하나, 이상과 같은 문학적인 소론을 최초로 표출하고 있다는 점에서 개화기 문학사상 중요한 자리를 차지하는 작품이라고 보아지는 것이다.

(3) 「춘외춘(春外春)」

① 작품의 전개

이해조의 작 「춘외춘(春外春)」은 이열재(怡悅齋)의 필명으로 매회 2단의 삽화까지 끼어서 1912년 1월 1일자 《매일신보》 제 1861호에서부터 동년 3월 14일 제 1920호까지 58회에 걸쳐 연재된 작품이다.

우선 이 작품의 전개 과정을 살펴보면 다음과 같다.

서울 시내 박동에 있는 개진여학교에 재학 중인 여학생 한영진은 아름다운 얼굴에 어진 성품을 가지고, 그 위에 총명한 재질에 공부를 열심히 하여 우수한 성적으로 수석을 계속하였으므로, 선생님들에게 귀여움을 받는 한편 동급생들에게는 정다운 벗이면서도 항상 질투의 대상이 되어 왔다.

그러나 학교가 파하여 집으로 돌아갈 때면 다른 학생들은 즐거운 기분으로 희희낙락하여 교문을 나서건만 영진은 홀로 수심에 잠겨 맥없이 호동 뒷골목 자기 집으로 발을 옮긴다.

다른 여학생들은 아담한 교복에 구두까지 신었지만 영진은 초라한 의복에 구두도 신지 못하고 헌신짝을 끌고 다니는 형편이었다.

영진의 어머니는 영진을 낳은 후 산후증으로 신음하다가 제 돌이 갓 지난 어린 것을 두고 세상을 떠났기에 얼마 후 영진의 아버지 한(韓)주사는 21세의 성씨(成氏)를 후처로 맞아들였으므로 영진은 계모 슬하에서 자라게 되었다.

벼슬하기에 인이 박힌 한주사는 집안에 별로 붙어 있지 않고 모대신 모협판 집으로 댁대령을 하여 돌아다니므로, 남편 앞에서는 전처의 소생인 딸을 소중히 하고, 남편이 보지 않는 곳에서는 유별하게 구박을 주는 계모의 학대에 이기지 못하여, 영진은 학교를 다니면서도 한번도 명랑한

때가 없었다.

하루는 영진이가 학교에 가서 고픈 배를 억지로 참고 상학을 하다가, 시간을 간신히 마치고 집으로 돌아와 걸레를 빨아 방을 치우노라니 별안간에 머리를 휘잡아 내두르며 정신이 아뜩하여 그 자리에 쓰러진 것이 냉방에 불도 때지 않고 간호도 신통히 하지 못하였으므로 고열로 중병이 되어 몸져눕게 되었다.

계모는 영진의 병을 대수롭게 여기지 않을 뿐만 아니라, 남편 한주사에게도 동무집에 가서 과식을 하고 체하여 누었다고 거짓말을 하여, 인제는 아버지도 마누라의 말을 고스란히 믿게 되어 딸을 그렇게 돌보지 않게 되었다.

다만 한주사의 유모(乳母)로 이 집에 깊은 연분을 가진 노파 석이어멈이 와서 불을 때고 미음을 쓰고 병구완을 하니 석이어멈도 계모와 자연 의의가 상하게 되었다.

학교에서는 가장 우수한 학생이 기별도 없이 여러 날 결석하므로 무슨 영문인지 알아보려고, 화전춘자(花田春子) 교사가 찾아와서 영진의 대단한 병세를 보고 깜짝 놀란다. 화전(花田) 교사는 연도말(年度末) 시험에 영진이가 최우등으로 일번(一番)을 하였다는 기쁜 소식을 전하고, 하루속히 완쾌하여 학교에 나와서 표창장과 진급증을 받도록 하라고 하면서 교장과 학감의 칭찬하던 말도 전한다.

교육계에 오래 관여하고 자선심이 충만한 화전(花田) 교사는 자기의 제일 사랑하는 제자 영진의 병세가 아무리 보아도 심상치 않음을 깨닫고, 성씨에게 영진이를 한성병원에 입원시켜 고명한 의사에게 진찰을 받아 빨리 치료할 것을 권유하나 성씨(成氏)가 양약(洋藥)은커녕 한약(漢藥) 첩도 마음대로 못쓴다는 형편을 말하자, 입원 후 몇 날이 되나 몇 달이 되나 전후 비용은 자기가 담당하겠다는 의사를 표시한다.

그러나 화전(花田) 교사가 돌아간 뒤 성씨는 영진이를 병원에 입원시키면 아무리 화전(花田) 교사가 비용을 부담한다 할지라도, 그 외에 적지않은 돈이 들 것을 염려하여 이웃 사는 조소사(趙召史)와 계교를 꾸며 남편이 돌아온 후 영진의 입원을 단념시키고 자기의 의견에 쫓게끔 권유한다.

성씨는 중태에 들어간 영진의 병에는 큰 관심을 두지 않고, 이 기회에 영진을 처리하여 버리는 것이 속 편하겠다고 옹졸한 생각을 하고 남편에게는 입원시킬 비용이 없으니 민며느리를 구하는 잣골 한의에게 보내어 책임지고 치료를 시켜 그대로 한의의 아들에게 출가를 시키자고 합의를 보고, 조소사(趙召史)와 공모하고 그 매개로 호춘식이라는 색주가 주인에게 팔아넘길 계교를 한다.

다음날 새벽 성씨(成氏)는 신음하는 영진이를 교군에 담아놓고 네병을 얼풋 치료하려고 의원의 집으로 피접을 간다고 속여서, 집에서 앓다가 죽는 한이 있더라도 아무데도 가기 싫다는 딸을 억지로 끌고 호춘식의 집까지 옮겨간다.

화전(花田) 교사는 영진이를 병원에 입원시키는 일이 궁금하여 그날 아침 일찍, 병원에 보증금으로 들여놓을 돈을 가지고 한주사집을 찾아왔으나 영진이는 이미 새벽에 집을 떠난 뒤라 형적이 없고, 성(成)씨가 분주히 영접하며 충청도(忠淸道) 외가(外家) 동리에 고명한 의원이 있으므로 제 외삼촌이 영진을 데리러 왔기에 오늘 새벽에 떠나보냈다고 꾸며대기에 화전(花田) 교사는 속의(俗醫)가 병원의사만 못할 것일 뿐더러 설령 고명하다 할지라도 의원을 불러오지 중병 든 아해를 먼 길에 보냈으니 실섭(失攝)이 되면 어찌할까 무수히 걱정을 하다가 자기 처소로 돌아간다.

호춘식은 본래 의주(義州) 사람인데 벼슬하는 아버지를 따라 서울에 와 살며 글 한자 아니 읽고, 화투 골패판으로 돌아다니며 놀음을 하고, 기생집을 찾아다니며 돈을 물쓰듯하여 재산을 탕진하였으므로 부친은 애가 타서 인병치사(因病致死)하고 춘식은 호구지책(糊口之策)이 곤란하여, 이제는 젊은 여자나 구하여 색주가를 내고 생계를 유지할 생각으로 전부터 누나 오빠하는 조소사(趙召史)와 의논한 결과 마침 성(成)씨가 영진의 처치를 걱정할 때라 영진이를 돈 3천냥으로 사다가 병을 고쳐 마음대로 부릴 계교였다.

이러한 전후사에 대하여 아무것도 모르는 영진은 교군에서 내려 낯선 집에 옮겨져 치료를 받게 되자 차츰 계모의 흉계를 짐작하고 통탄하여 마지않는다.

호가는 영진이를 따뜻한 방에서 약을 쓰고 간호를 정성껏 하므로 과로와 몸살로 시작된 영진의 병은 차츰 놓이게 된다.

한편 유모 석이어멈은 영진의 병세를 알려고 한주사댁을 찾아 갔다가 영진이 없어진 것을 수상히 생각하고 계모의 처사가 짐작되었으므로, 방물장사를 꾸며가지고, 장안의 구석구석 의심나는 곳은 모조리 찾아다니게 되었다.

건강이 완전히 회복된 후 호가에게서 그의 계집 노릇에 겸하여 색주가로 부리게 된다는 실토를 들은 영진은 고민 끝에 최후의 단념을 하고 호가가 친구들을 부르기 위하여 축하연의 준비를 나간 틈을 타서 벽에 걸린 수건을 벗겨 한끝은 들보에다 매고 한끝으로 자기 목을 매어 자살하려고 할 때 우연히도 방물장수 석이어멈이 이 집에 찾아들어 아슬하게 죽음을 면하게 되고, 영진이는 곧 방물장사로 변장하여 이 집을 탈출하여 위기일발에서 구출되게 된다.

그 후 영진은 석이어멈의 동생 길이어미 집에 숨어서 지내다가, 이 사실이 조소사(趙召史)를 통하여 호가에게 알려지게 되었으므로 다시 길이네 이웃인 오부인댁으로 담을 넘어 피신하여 또한 겨우 위기를 면하게 된다.

이렇게 세월이 흐르는 사이에 개진여학교의 화전(花田) 교사는 하기방학을 맞이하여 동경(東京) 본가에 귀성(歸省)하였다가 돌아오지 않고 그 길로 동경에 있는 여학교에 근무하게 되었다.

영진이가 월장은신(越墻隱身)하고 있는 집의 주인 오부인은 과부로 그 아들 강학수는 보통학교에서 다시 육군유년학교(陸軍幼年學校)를 다니다가 일본 유학을 지원하여 동경에서 정치대학교(政治大學校)에 재학 중인 바 어머니에게 보낸 서신에 의하여 학수가 화전춘자(花田春子) 교사 집에 유숙하고 있는 사실이 알려져 영진은 곧 화전(花田) 교사에게 편지를 한다.

얼마 후 화전(花田) 교사에게서 곧 동경으로 들어오라는 회신과 함께 노비(路費)로 50원의 위체(爲替)가 동봉되었으므로 영진은 오씨부인의 정의를 못이겨 하고, 오부인은 은근히 며느리 감으로 생각을 하면서 석별의 정을 이기지 못하는 속에서 영진은 동경을 향하여 출발한다.

영진이 동경에 도착하자 화전(花田) 교사의 기뻐함은 말할 나위도 없고 학수와 영진도 서로 첫인상이 좋아서 피차에 내심 흠모하면서도 말수작은 별로 없었다.

얼마 후 학수는 심상치 않은 흉몽(凶夢)을 보고 집에 무슨 변이 생긴 것 같은 예감이 들어서 급거 귀국하게 되자 때마침 오부인 댁에서는 호가 일파의 건달꾼패가 돈주고 사온 유부녀 영진이를 찾으려고 그의 도동사실(渡東事實)은 모르고, 떼를 지어 폭력으로 쳐들어 왔으므로, 학수는 동경에서 같이 공부하던 동서(東署)의 김경무관(金警務官)에게 사건의 전후 진상을 알리고, 호가 일파 불량배를 욕보게 하는 동시에 성씨 조소사(趙召史) 호춘식 등을 죄상을 밝혀 재판소로 넘기게 하였다.

학수는 이 사실을 동경에 있는 화전(花田)과 영진에게 알리는 한편 영진의 아버지 한주사를 찾아가서 영진과의 통혼의 허락을 얻고 동경으로 들어가니 어머니 오씨는 아들이 영진과 함께 돌아와 길례(吉禮)를 순성(順成)하기만 기다리고 있다는 것으로 이 작품은 끝난다.

② 소설적 주제

이 작품은 신교육사상의 고취를 비롯한 개화사조가 저류로 흐르고 있으나, 그 주제의 핵심은 어디까지나 계모소설에 기점을 두고 있다.

대체로 후처를 데리고 사는 남편은 천품이 무능하거나 그렇지 않으면 마누라의 손아귀에서 노는 외처증(畏妻症)의 인간으로 일관되는 것이 고대소설이나 신소설에 나타나는 계모형소설의 보편적인 특징으로 되어 있다. 「춘외춘(春外春)」에 나오는 영진의 아버지 한주사도 무능한 인간으로 이런 부류에 속하는 위인이다.

> 한주사난 천품이 악한자난 아니나 중심이 도모지 없어, 성씨에게 고혹하기 시작을 하더니 것잡을 새없이 넘겨 박히여 정신을 못차리고 허덕허덕하야, 팥으로 메주를 쑨대도 고지들을만 하야지니 그제난 성씨가 영진이 구박을 시시로 자심히 더 하더라.

도대체 계모형소설의 비극은 이같이 남편의 무능이나 후처에 대한 무비판적인 탐애(耽愛)에서 시작된다. 이러한 무능한 남편에게는 그와 대척적으로 반드시 간악한 후처가 배필로 되는 것이 일반성으로 되어 있으니, 이것은 대부분의 경우에 있어서, 그 환경적인 조건을 비롯한 사건의 진전이 계모로 하여금 불가피하게 전처 소생 자식들을 구박하지 않을 수 없는 필연성을 나타내게 하기보다는, 계모라면 덮어놓고 악독한 인간이요 간교를 써서 전처 자식을 못살게 군다는 작자의 선입관이 그대로 작품을 이끌고 나가기 때문에, 사건 진전의 필연성이 결핍되고 실감을 삭감하는 예가 많은데, 「춘외춘」 또한 이러한 일반 유례에서 벗어나지 않았다.

영진의 계모 성씨는, 의붓자식인 외딸 영진과 하등의 갈등이나 적대시할 근거를 발견할 수 없이 무턱대고 전처 자식을 구박하고, 그러한 동기는 태반 계모의 천품이나 성격에서 오는 것으로 다루어지고 있다. 이 작품에서 성씨를 그린 대목을 보면,

성씨가 인물도 박색은 아니오 재질도 과히 없지난 아니하지마난, 다만 성품이 편협한 중 시기하난 마암이 많아, 십세 전 자랄 때부터 소꿉 동모를 따리고 할퀴기, 어룬에게 고자질하야 매마치기, 남의 새 옷 입은 것 보면 침뱉기 흙칠해주기, 남을 욕하고 제가 울기, 열에 한 가지 될성부른 것이 없으니까, 그 부모 되난 이난 애정에 가리워 몰랐던지 알고도 덮어두었던지 별말이 없어도, 동리 사람들은 만구 일담이,

"저것은 아모 짝에도 못쓸 계집아해라, 이 다음에 시집을 가면 남의집 기둥 뿌리를 얻어놓을걸."

저희 부모 못들난대 한마디식이라도 다 하던터이라.

급기 당혼을 하야 예서도 퇴혼을 하고 제서도 퇴혼을 하고, 천신만고하야 뢰정을 하였다가도 간혼이 번번히 들어 어언간 이십일세가 되엿으니, 조혼 하난 풍속에 신랑이 십세만 되면 벌써 정혼을 하야 십이삼세난 의례히 성례를 시켜, 십오세 이상되난 양재라고난 잡아 약에 쓰랴도 없은즉, 사세 부득이 호동 사난 한주사에게 후취로 시집을 보냈더라.

즉 계모될 사람은 날 때부터 성품이 정해져 있고, 어릴 때 소꿉장난 하나에도 그 앞일을 예시하는 것처럼 되어 있고, 또한 성질이나 인간성이 나쁜 것이라야 후처로 가는 것처럼 단정하여 서술하고 있으나, 현실적인 면에서는 간악한 여인이 반드시 후취로 출가하고 선량한 여인이 꼭 좋은 혼처로 시집가는 것은 아니어서, 혼인이란 반드시 그 성격 인품에 따라서 상대편의 호불호가 전적인 조건으로 결정되는 것은 아님에도 불구하고 작자는 이 작품에서 계모란 날 때부터 그러한 조건으로 태어나는 것으로 강조하여 필연적인 사건의 구성보다는 계모는 응당 악인이란 선입견적인 일반률에 적용시켜, 작자 스스로 성씨를 악인의 유형 속에 집어넣고 있는

것이다.

그뿐만 아니라 계모는 대부분의 경우에 있어서 이중인격자로 만들고 있는데, 여기에서도 또한 그러하다.

> 성씨가 진정 현철한 터이면 어려서 자모를 잃은 영진이를 뼈에 사모치도록 불상히 알아, 자기난 못입어도 영진이난 입히고, 자기난 못먹어도 영진이난 먹여가며, 바느질가지 언문자라도 정성스럽게 가라쳐, 이다음 시집을 가더래도 칭찬을 듣도록 할터이어날, 그렇기난 고사하고 한주사 눈앞에서만 가장 영진이 영진이 하며 위하난체 하다가, 한주사 발뒤굼치만 돌아서면 불을 때라 걸레질을 해라 담배를 사오너라, 툭하면 귀퉁이도 쥐어박고 대갱이도 끄들으며, 하로 몇차례식 비자루 방망이 손에 잡히난대로 함부루 때려주니, 영진이가 시속철모르난 아해들 같으면 그 매 맞을 때마다 엄살을 하야가며 시시때때로 수없이 울었을 것이요, 저의 아버지에게 하소연도 여러번 했을 것이지마는, 죄난 있고 없고 꿀걱 소리 없이 한구석에 엎디려 그 몹쓸 매를 맞으며……

이같이 성씨는 자모(慈母)의 덕이 없는 악인형으로, 남편 앞에서는 알랑알랑하며 자식을 귀애하는 척하고, 남편이 일단 출타 부재하면 그 즉시부터 벼락을 내려 힘에 겨운 일을 시키고, 욕지거리 쥐어박기를 일수하는 것으로 하고, 그 구박의 대상이 되는 전실 소생의 자식들은 선인형으로 하여 진실한 성품을 가지고 갖은 학대를 인내성 있게 참고, 하등의 반항이나 보복을 생각하지 않는 것으로 사건을 꾸미는 계모형 소설의 반성에서 또한 벗어나지 못했다.

따라서 계모형 소설에 있어서의 세 개의 유형적인 인간은 기정사실로 정립된다. 즉 무능력하고 우유부단한 인간으로 후처에 탐애하는 남편, 천품이 간악하거나 출가 후 하등의 사건적인 필연성 없이도 전실 자식을 학대하고 간교를 꾸미고 남편에게 고자질하는 이중인격의 계모 및 어린 양같이 온순하고 성행이 착실하여 순종하고 반항할 줄 모르는 정숙한 딸, 이 삼각형의 인물 배치는 어느 작품에 있어서도 기본적인 공식으로 되어 있다.

따라서 전실 자식의 순종하고 학대를 인내 감수하는 타입을 고정하기 위하여 대부분의 경우에 전처 자식은 남자가 아닌 연약한 여식을 등장시키고, 만일 남자일 경우에는 사내 자식과 계모를 대결시키지 않고 굳이 그 처인 의붓 며느리를 더 등장시켜 계모와의 갈등을 조성시키는 것이 통칙으로 되어 있어, 고대소설 「장화홍련전」이나 「콩쥐팥쥐」가 그렇고 신소설 「치악산」 또한 그러하며, 이러한 테두리에서 「춘외춘」은 결국 벗어나지 못하고 말았다. 그뿐만 아니라 이러한 삼각형의 기본 인물이 설정된 후에는 그 간교를 실천에 옮기는 보조인물이 등장하여 그것들이 선봉에 서서 사건을 이끌고 나가는데, 그 대부분의 경우는 남녀 비복이 그 역을 맡는 것이 상궤이나, 「춘외춘」에서는 계모 성씨의 이웃 친구인 퇴기요 매파의 노릇을 하는 여인을 그 자리에 대치시키고 있다.

이러한 기본 인물의 설정면에서 볼 때, 「춘외춘」은 재래의 계모형소설의 유형에서 벗어나지 못하였을 뿐만 아니라, 남편을 속여서 자식을 병 고치려 잣골로 보낸다고 하여 놓고 밤중에 교군에 실어다 그 행방조차 모르게 한 다음, 남편의 질문에 대하여 딸의 간통 사실을 허위로 꾸며대는 다음과 같은 대목은 「장화홍련전」이나 「치악산」과 비슷한 면을 연상시키는 바 없지 않다.

> "여보 우리 영진이난 그동안 죽었단 말이오 살었단 말이오. 한번 대려가더니 이렇단 말이 도모지 없으니 그집에서 무심도 하오. 그집이 어디쯤인지 한번 찾아가 보겠오. 자기 집에서난 무심해 그렇던지

골몰해 그렇던지, 소위 친아비라며 한번도 아니 찾아오면 무도하다고 욕을 아니 하겠오."

"저거번에 나으리난 출입하시고 아니 계신데 잣골 중매하던 마누라가 전위하야 찾아왔읍디다.…… 들어오더니 지다위 모양으로 첫대 말하기를, 당신은 딸을 세과부놓듯 하시오 어떻게 하난 일이오, 하기에 내가 정색을 하며 여보 그게 무슨 말을 그렇게 하오 한즉, 그 마누라 말이 중병이 들어 다 죽게 된 딸을 그 의원이 대려다 별별 약을 다 써가며 무한 신고를 하야 간신히 완인이 될만 하니까, 자기네 집이 경사나 난듯키 좋와서, 차차 댁에도 기별을 하야 그 아달과 성례를 시기랴 하난데, 이웃집 머슴놈과 통간이 되야 모야무지에 부지거처로 도망을 했으니, 댁에서난 모를 리가 없을 듯하기에 물어보러 왔노라 하기에, 내가 열길 스무길 뛰며 남의 자식을 약을 잘못 써서 죽였거나 다른 곳에다 돈을 받고 팔아 먹고 말막음 하노라고 와서 이리하난 것이오구려. 내집에서 당신의 말만 듣고 그 애를 보낼따름이지 그집이 어디 붙었난지 알기나 했읍더니까."

이것은 성씨가 딸을 삼천냥 받고 팔아먹고, 얼마 후 남편이 의아해서 묻는 말에 능청맞게 꾸며대는 장면으로, 성씨의 간교도 간교려니와 그 말대답 한마디에 수그러져 넘어가는 무력한 남편 한주사의 신세가 오히려 더 가긍할 정도이다.

이와 같이 「춘외춘」은 그 주제에 있어 유형적인 계모소설의 테두리에서 벗어나지 못하였으며, 이 작품의 밑바닥에 흐르는 개화사조를 좀 더 적극적으로 다루었더라면 새로운 일면을 개척할 수도 있었을 것이어늘, 개념적으로 스쳤기 때문에 계모소설의 일반형에서 답보하고만 결과를 가져오고 말았다.

③ 문체의 특성

사실 「춘외춘」은 그 첫머리를 볼 때에는 청신한 맛을 느끼는 바 없지 않다.

> 박동 마루 길에 종치난 소리가 땡땡 들리더니, 반양복 입은 여학도 한떼가 제각기 책보 하나식을 엽에다 끼고 앞서거니 뒤서거니 두식 셋식 짝을 지어, 안동 별궁 모퉁이로, 돌아오며 희희락락하야 저희끼리,
>
> "이애 순경아, 어제 시험은 대단히 어렵더라."
>
> "글세다, 문제도 단단히 냇거니와 선생님들이 어떻게 단속을 하난지 꼼작도 못하겠더라. 정순이 너난 산술을 잘 하니까 아마 일공공을 했을걸."
>
> "순경이난 그런 소리난 일수 잘하지, 지난 산술이 누구만 못해 걱정인가. 시험마다 우등만 하데. 그렇지마는 우리는 다 소용 없다. 이번 시험에 잇지방 될 사람은 따로 알아 있나니라."
>
> "그게 누구란 말이냐, 김효경 유옥순 박정희 이내경, 옳지 옳지 한영진이 말이로구나. 그애난 재조도 있어 공부도 잘 하려니와, 선생님 여러분이 특별이 알아주시니까 어련히 잇지방을 하겠니. 이애 요란시럽다, 영진이 듣난다."
>
> "들으면 엇대, 누가 제 흉을 보았나, 그렇단 말이지."

장면묘사로 시작하여 제복 입은 여학생을 작품 첫머리에 등장시킨 것이라든지, 그들의 대화 속에서 신식 학교교육에 대한 새로운 이야기가 쏟아져 나오는 것을 비롯하여 명랑하고 경쾌하게 걸어가면서 희희낙락하고 현대 감각을 지닌 신선한 대화를 교환하는 장면은, 재래의 고대소설에서는 도저히 찾아볼 수 없는 참신한 장면으로 독자에게 앞으로의 사건 전개에 기대되는바 자못 적지 않게 하는 것이다.

덧없난 세월이 물 흐르듯 하야 그 이듬해 봄이 되얏난대, 각처 남녀 학교에서 거리거리 병문 벽상과 국한문 여러 신문에 학원 모집 광고를 발표하니, 집집마다 학령 된 자녀 둔 사람들이 시기를 잃지 아니랴고 다토와 입학 품청장을 써가지고 가난대, 한주사도 영진의 입학 청원을 하였더라.

시험날을 당하야 영진이가 학교에를 들어가 과정마다 어렵지 아니하게 시험을 치루고 돌아오더니, 과연 제일 우등으로 입격을 하얏난지라.

학교라 하난데난…… 상학 시간이 가량 상오 아홉시면 그 시간 전에 의례히 학교에를 가야지, 만일 그 시간이 오분만 지나도 상학을 허락지 아니 하고 출석부에만 진을 달고, 하로만 출석을 못해도 흠점을 꼭꼭 달았다가 학기시험 때 그만 점을 감하난 고로, 남녀간 자식을 학교에 보내난 집에서난 새벽 일어나 아참밥을 지어 재촉하야 먹고 보내고, 교과서난 과정이 변하난대로 공책 연필은 얼마간 쓰난대로 소경의 원수 돈을 내서라도 군색함이 없도록 연해 사주고……

위의 인용문에서 보는 바와 같이, 서당의 한문 수학에서 근대식 학교교육에 의한 신학문 공부로 전환하려는 시기에 학교의 모집광고라든가 입학시험 관계를 이야기하고, 한편 학교의 수업에 대한 실정을 서술한 것은, 설령 작품의 근본 줄거리와는 직접 관련이 희박하다손 치더라도 계몽적인 요소를 주되는 목적의식으로 내포하고 있는 신소설인만큼, 이러한 장면의 전개는 아직 어두웠던 당시의 독자에게 던진 반향이 적지 않았으리라 짐작된다. 더욱이 여학교 재학 중의 여성을 주인공으로 첫 장면부터 등장시켰다는 것은 다른 신소설에서 보기 드문 예로서, 시대의식을 예리하게 내세우려는 작자의 내심이 슬며시 엿보이기도 하는 것이다.

그러나 작품이 진전됨에 따라 이러한 신교육사상이나 학교문제는 중심을 떠난 지엽문제로 옮겨지고, 계모문제만이 중추적으로 흘러갔음은 애석하기 짝이 없다. 특히 일본 여자 화전춘자(花田春子) 교사를 등장시켜 사제애에 의한 이국인간의 눈물겨운 장면을 전개시킨 것은 좋은 계기였으나, 그것도 사건이 일단 중단되었다가 끝머리에 가서야 동경에서 서로 만나게 하는데 불과하게 끝을 맺은 것은 신교육문제 취급에 대한 용두사미격의 결과를 가져오고 말았다.

이 작품과 이해조의 다른 신소설 작품을 종합하여 생각하여 볼 때, 그 대부분이 신교육문제를 비롯한 새로운 개화문제를 제기는 하면서, 그 뒤처리를 완전히 하지 못하고 개념적으로 흐르거나 피상적으로 스치고만 지나가는 경우가 많은 것은 작가의식이 아마도 개화에 연관된 새로운 문제를 자유로이 요리할 수 있는 정도까지 성숙되지 못하였거나, 그가 겪은 바 경험의 과정이 또한 그러한 경지에까지 도달되지 못한 데 기인된 것이 아닌가 하는 느낌이 없지 않다.

한편 새로운 결혼관에 있어서는 육군유년학교를 거쳐 동경 정치대학교에 재학 중인 강학수와 후일 화전(花田) 교사의 서신을 받고 동경으로 들어간 한영진이, 현대교육을 받은 두 젊은이가 피차에 내심 호의를 가지고 각자 자신의 독자적인 주관에 의하여 혼인 상대자를 택하는 점 같은 것은 근대적인 자유결혼의 초기적인 시범을 내세운 장면이라고 할 수 있겠다.

> 내가 내년이면 졸업을 하고 집으로 건너갈 터인데, 저 여자같이 범절이 무던한 규수에게 장가를 들어 우리 어머니 노래에 자미를 보시게 하얏으면.

이것은 학수가 영진이를 보고 자기의 배우자로 생각하여 독백하는 대목인데, 여기에서 중요한 것은 자기의 의사대로 결혼은 하지만 자기를 위한 아내가 아니라 어머니를 위한 며느리여야 하겠다는 점이 과도기의 절충적인 혼인관으로도 보아지는 점이다.

한편 영진은 학수를 보고 혼자 흠모하여 독백하기를,

> 나를 저런 신랑에게 시집을 보냈으면 고생도 아니 하얏을 걸.

하고 말하여, 애정이 선행하여 결합한다느니 보다는 어떤 공리적인 생각이 앞서고, 또한 자유연애의 시기에까지는 달하지 못했으나 서로 내심 사모하면서, 자기 의사를 기준으로 결혼 상대자를 택하는 정도에까지는 이르고 있다는 현실의 단면을 엿볼 수 있게 한다.

뿐만 아리나 학수의 모친 또한 혼인에 대한 새로운 이해를 가져,

> 이애 그렇지 아니하다. 우리 모자가 마음은 그렇다마는, 그 규수의 뜻과 밖에 오신 한주사 어른의 생각을 알 수가 있나냐. 그런즉 하나 다상에게 답장을 하야 그 규수의 의향도 탐지하고, 사람을 시켜 한주사의 주견도 알아서 좌우간 하난 것이 좋을 듯하다.

이같이 본인의 의사를 존중하는 결혼을 요망하는 동시에 부모의 승낙을 맡아야 하는 절충적인 새로운 혼인관을 제시하고 있음을 볼 수 있다. 그러나 영진과 학수의 당사자 간에는 이 작품 속에서 끝내 애정이나 혼인에 대한 이야기가 없을 뿐더러, 툭 털어놓고 대화를 교환하는 장면도 전혀 보이지 않으니, 이 또한 봉건적인 전래의 혼인관에서 자유결혼 단계로 넘어오는 과도기적인 현상의 반영이라고 보지 않을 수 없는 것이다.

④ 계모소설유형(繼母小說類型)의 변모

「춘외춘」은 그 구성에 있어서 방물장사로 변장한 석이 어멈이 영진의

교수(絞首) 자살 현장에 나타나 구출하는 장면을 비롯하여, 영진이 월장 피신한 곳이 우연히 강학수의 집이요, 동경에 있는 학수가 공교롭게도 자기 집으로 갓돌아간 화전 교사의 집에 유숙하는 장면 등, 필연적인 경로를 밟지 않고 사건이 전개되는 우연성의 개재, 그리고 이러한 사건들을 기정된 계모소설의 형식 속에 적용시켜 해피엔드로 끝맺기 위하여 탐정조의 엽기적인 요소 및 신파극의 냄새를 풍기는 결함 등을 지적하지 않을 수 없다.

또한 이 작품이 권선징악적인 목적의식으로 쓰여졌음은 작품 자체의 경위에서도 알 수 있거니와, 작자의 말 속에서도 이를 발견할 수 있다.

본지(本紙) 소설은 기히 강호(江湖) 제언(諸彦)의 비평(批評)을 다몽(多蒙)하얏거니와, 일반(一般) 애독자(愛讀者)의 취미(趣味)를 일층(一層) 조응(助應)키 위(爲)하야 신년(新年) 제일엽(第一葉)에난 특(特)히 본기자(本記者)의 다월(多月) 연구(硏究)한 바

성세화육(聖世化育)에 함양(涵養)하야 내외(內外) 인민(人民)의 상애(相愛) 상휼(相恤)하난 상태(狀態)를 서출(書出)하야 대광채(大光彩)를 발(發)할만한 가치(價値)가 유(有)한 「춘외춘(春外春)」이라 하난 신소설을 게재(揭載)할터이오니, 애독(愛讀) 제언(諸彦)은 용상(庸常)한 패설(稗說)로 낭시(浪視)치 물(勿)하시고, 성정(性情)의 도주(陶鑄)와 풍화(風化)의 개역(改易)할 일부(一部) 정침(頂針)으로 사유(思維)하야 다수(多數) 수상(受賞)하심을 망(望)함.

이것은 「춘외춘」이 신문에 연재되기 직전, 예고문에서 작자가 그 소회를 피력한 구절인 바, 작자는 독자에게 굳이 "성정(性情)의 도주(陶鑄)와 풍화(風化)의 개역(改易)할 일부(一部) 정침(頂針)"이라고 하여 권선징악의 본보기를 내세우는 목적의식을 솔직히 고백하고 있다.

결국 「춘외춘」은 유형의 테두리를 벗어나지 못한 한 개의 계모소설로 멈추었지만, 가냘프나마 그 저류로 흐르는 동경유학을 비롯한 신교육에의 동경, 독자성을 중심으로 한 신결혼관의 실천 등 개화사상에 적잖은 연관을 가지고 있으며, 사건의 종말에 가서 위악자를 처단함에 있어서 현대식 경찰을 등장시켜 문초 조사한 후 재판소에서 처결을 받게 하는 해결방법 등은 고대소설의 유형적인 계모소설에서 벗어나 근대식 계모소설의 한 모습을 나타낸 것이라고 이야기할 수 있는 작품이라고 보아진다.

(4) 「소양정(昭陽亭)」

① 작품의 전개

이해조의 「소양정」은 그의 필명의 하나인 우산거사(牛山居士)라는 작자명으로 1911년 9월 30일부터 동년 12월 16일까지 《매일신보》에 연재된 작품이다. 이 작품은 1912년 7월 20일 서울 신구서림(新舊書林)에서 초판이 간행되었고, 그 후 수년간에 여러 번 판을 거듭하였다.

이 작품의 전개 과정을 살펴보면 다음과 같다.

서울의 잠영세족(簪纓世族)인 정세중은 자기대에 이르러 불우한 환경에 처하였다가 다행히 강원도 랑천군수(狼川郡守)로 제수되니, 그 부인 조(趙)씨와 더불어 도임(到任)한 후 일군(一郡) 인민(人民)에 대한 덕망이 높아, 선치선정(善治善政)을 베풀어 그 성명(聲名)이 조야(朝野)에 자자하였으므로, 그 치적이 상(上)에 가상(可賞)되어 다른 고을로 영전(榮轉)하게 되니, 랑천(狼川) 인민 남녀노소가 길을 가로막고 원유(願留)할뿐더러, 자기 또한 산수(山水)의 낙(樂)을 버리기 애석하여 벼슬을 사퇴하고 랑천군(狼川郡) 금계촌에 배산임수(背山臨水) 좋은 터를 골라 집을 짓고, 초부어옹(樵夫魚翁)의 짝이 되어 한가히 세월을 보냈다.

그러나 정군수는 그 부인 조(趙)씨와의 사이에 일점 혈육이 없어 걱정하던 차에 명의의 덕으로 부인이 잉태하여 십삭후(十朔後)에 여아(女兒)를 순산하니, 채란이라 명명하고 금지옥엽(金枝玉葉)으로 길렀다. 어느 덧 채란의 나이 15세가 되었으므로, 그 배필을 골라 준양군수(准陽郡守) 오승지의 아들 봉조와 정혼하니, 채란은 봉조와 한 날 한 시에 난 동갑이었다.

그러나 그후 얼마 아니 되어 돌연히 오승지 부처와 정세중이 전후하여 사거(死去)하니 봉조는 할 수 없이 일시 성혼전인 처가에 의탁되었으나, 조부인은 의지할 곳 없는 봉조보다, 딸을 조건 좋은 타처에 정혼할 것을 맘먹고, 봉조를 제거할 것을 꾀하였다. 돌변하는 조씨의 학대에 이기다 못해 조씨가 그 친정 동생 조학균과 공모하여 자기를 독살하려는 흉계를 깨달은 봉조는 심야(深夜)를 타서 조씨댁을 탈출하였다.

한편 봉조의 행방이 궁금하던 채란은 정혼한 배필이라는 정절관에서 시비(侍婢) 금단을 데리고 집을 나와, 세 사람은 서로 상봉하여 정처없이 가던 중, 의외로 찾아든 곳이 오승지의 죽마고우인 신생원댁임을 알고 크게 환대를 받았으나, 신생원은 점차 변심하여 본처의 병와(病臥)를 기화로 채란을 첩으로 삼을 것을 꾀하여 봉조를 강도범으로 허위조작한 서한을 지어서 친지인 관찰사에게 보내어 단죄처형을 받게 하였다.

이 소식을 들은 채란은 남복(男服)으로 가장하고 산길을 더듬어 춘천으로 들어가 숭문고를 울렸으나, 용납되지 못하여 모든 것을 단념하고, 소양강에 투신코자 강가에 다다랐을 때, 돌연 박어사(朴御使)의 도움을 받아 죽음을 면하고, 사경에 임한 봉조를 구출하게 된다.

한편 신생원은 처형을 당하게 되고, 봉조는 등관승진(登官昇進)하여 강원도 어사까지 되니, 봉조와 채란은 성혼하여 금슬좋게 살아가게 된다는 내용이다.

② 작품의 형식과 내용

「소양정」은 작품의 시작이 "조선 중고시대에 희한한 사적이 한둘이 아닌

중, 가장 듣고 본받을만한 자를 기록하고자 하노라. 각설 강원도 랑천 간척면 금계촌 정세중이라 하는 일위 명사 있으니……" 운운으로 되어, 연대·인물의 설명 등 허두의 서술방법이 고대소설의 일반적인 투식에 유사한 방법을 쓰고 있다. 사건의 한 단락이 끝나고 다음 이야기로 들어갈 때에는 거의 예외 없이 '각설' 이니 '차설'이니 하는 말로서 시작되어 또한 고대소설에 흔히 쓰이는 방법을 습용하였다.

「귀의 성」이나 「치악산」 같은 작품은 지문과 대화를 구별하여 괄호를 쓰든가 대화자를 표시하든가 하여, 현대소설의 그것과 유사한 방법을 취하였으나, 「소양정」에서는 이런 경우에 "정공이 웃어 왈", "말삼하여 갈아대", "부인이 친히 묻자오대", "외면으로 대답하되"등 왈(曰)—가로대의 방식을 썼으며 지문과 대화의 구분이 없이 고대소설식으로 연속 기록되어 있다.

문장은 다른 신소설에 비하여 구투가 농후하며, 또한 한문 투식이 많이 쓰여지고 있으니, "형장의 진중한 말삼을 소제가 어찌 승순치 아니 하오리까마는"라든지, "오공 상여 뒤에 호종하여 향양지지에 무사히 안장한 후" 등은 그 일례이다. 또한 센텐스가 끝나는 말미의 대다수가 "하더라", "하얏더라", "알지로다", "하도다", "하다" 등으로 '더라', '로라', '도다', '하다' 의 구소설 문투를 벗어나지 못했다. 이 점은 문체면에 있어서 문장의 신구에 가장 대척적 차이를 시현하고 있는 부분인데, 「소양정」은 이런 면에서 구소설적인 색채가 더 농후하다 하겠다.

이상 열거한 여러 가지 점을 종합하여 보면 형식면에 있어서는 고대소설과 별로 다름이 없으며 좀 더 나아갔다는 점을 발견하기 거의 어려운 것 같다.

「소양정」은 작품의 허두에서 명시된 바와 같이 막연하나마 중고시대를 배경으로 하였으며, 등장인물이 전부 구세대에 속하는 사람들이요, 내용의 중추를 이룬 주제 또한 정세중과 채란의 두 사람이 쌍방 부모간의 정혼을 묵수하고 갖은 난관을 극복하니, 악독을 부리는 신생원이나 최씨는

다 처형되고, 선한 위인인 정세중은 형극로를 타개하여 강원도 어사로 입신양명하고 부부 화해하였다는 유종의 미로서 결말을 지은 권선징악적 작품이다. 따라서 이 소설에서는 종래의 고대소설이 지닌 이외의 하등의 새로운 사조적 영향을 엿볼 수 없으며, 오직 주제의 유사성을 발견할 따름이다.

다음 작품의 구성에 있어서 우연 내지 기적적인 대목이 적지 않으니, 조부인이 남편 생존 시 정혼한 자기 사위에 대하여 극도의 증오를 느끼는 연유가 불선명하며, 필경은 자기의 무남독녀인 채란마저 근거 없이 미워하는 심사란 이해하기 곤란하고, 더욱이 봉조와 채란이 동갑이며 생일도 한 날 한 시라는 점 같은 것은 너무나 지나친 우연이다.

한편 채란이 15~16세의 소녀로 아직 아무의 애정적인 감정을 가짐이 없이 심야 도주하는 봉조를 따라가는 경우라든가, 그들이 우연히 찾아든 곳이 봉조의 부 오승지의 고우(故友) 신씨의 집이라든가, 신씨가 하등의 성격적 변화나 유혹을 느끼는 복선이 없이 돌발적으로 구우(舊友)의 규수(閨秀)이며 정혼자 있는 연소한 소녀에게 동거를 강요하는 사실, 또한 춘천 소양정에서 돌연히 한 청년이 출현하여 채란을 죽음의 직전에서 구하는 장면 등은 모두 너무나 돌발적이요 우연적인 현상들이어서, 실감을 느낄 수 없이 기적이나 탐정조의 작품을 연상케 한다. 특히 여자가 두 차례나 남복으로 변장하여 우왕좌왕하면서도 발각도 되지 않고 모순도 없는 듯이 진행되는 것은, 말기 고대소설 「이춘풍전(李春風傳)」에서 춘풍의 처자 비장(裨將) 벼슬로 남장 등장하는 대목을 연상시키며 결과에 있어 더 부자연을 느끼게 한다. 결국 이 작품은 전개에 있어서 필연성의 결여가 가장 큰 결함이라 하겠다.

인물이나 장면의 묘사에 있어서는 시대적인 배경과 통일되지 못하고, 연대는 명문(明文) 그대로 중고시대로 했으면서, "육혈포", "지폐(紙幣) 오십원(五十圓)" 운운이라든가, "기계농업(機械農業)", "농업개량(農業改良)" 등

새 시대의 사실이나 용어를 무턱대고 혼용했으므로 문장 전체로 볼 때, 전후의 통일된 규제를 잃어 갓 쓰고 자전거 탄 격이 되고 말았다. 특히 끝머리에 가서 최씨댁 하인 너구리가 주인을 배반하고 서울에 출현하여, 육혈포로 종횡무진 활약하는 장면 같은 것은 작품 전체의 흐름에 어울리지 않으며, 모살과 복수가 수없이 되풀이되는 장면의 변화는 의식적으로 어떤 효과를 노린 의도였는지는 몰라도 변화무쌍한 굴곡에 비하여 전편에 걸쳐 사실적인 묘사는 희박하고 대부분이 설명에 치우쳤다.

③ 작가 의식

작가가 이 작품에서 표현하려고 한 것은 과연 무엇이었는지, 고난 끝에 두 배필이 잘 살게 되었다는 유형성과 상식화된 권선징악 외에는 아무것도 찾을 길이 없으며, 다만 작품 속에서 산견되는 작가 의도의 단편을 추려 모으면, 그는 사건 및 장면 변화의 다양을 꾀하여 독자의 기호를 유도하려 하였으나, 필연성이 결핍된 우연의 연속은 오히려 탐정조의 돌발적인 경우를 속출하였으며, 완전히 소화되지 못한 신사조(新思潮)의 호흡은 오히려 조화되지 않는 새로운 술어를 부자연스럽게 중고시대의 사건 속에 삽입시키는 결과를 낳았다.

특히 혼인에 있어 봉조와 채란은 당사자가 어릴 때에 약정된 혼약이면서, 그 양쪽 부친이 다 사거된 후 봉건적인 윤리관에 의하여 하등의 애정적인 표시도 없이 채란은 묵묵히 봉조를 따라가 후일에 성혼했음은 고루한 결혼관을 그대로 답습했음에 불과하다 할 것이다. 다만 하인이 상전을 배반하고, 심복지인이 주인을 모반하는 행위를 과시하였음은 작자가 구래 유습에 대한 새로운 반발을 시도하려는 한 표징일런지, 그러나 그것도 역시 뚜렷하지는 않다.

신소설 「소양정」은 그 주제의 심체한 타성에서나, 구성의 돌발 우연적인 점에서나, 또는 문장의 고루한 면에서나, 같은 작자의 소산인 「자유종」이나 「원앙도」의 계열 아래에 속하며, 이인직의 저작에 비할 때는 더욱 현저한 경정(徑庭)이 있음을 느끼며, 개성의 묘사보다 스토리에 치중되어 개화조 어휘의 몇 개만 삭제한다면 신소설이라기보다 오히려 고대소설의 권내에 속할 것이 아닌가고도 느껴진다.

다만 이 작품이 현대식 신문에 연재되었다는 사실이 하나의 이채이며 당시의 독자의 반향이 궁금하나, 아무튼 이해조의 여러 작품 속에서는 신작의 하나에 속하는 것으로 구소설적인 가정소설이라고 보겠다.

(5) 「고목화(枯木花)」

① 발표연대

「고목화(枯木花)」(상·하)는 1907년 6월 5일부터 동년(同年) 10월 4일까지에 걸쳐 《제국신문(帝國新聞)》[4]에 이해조의 필명의 하나인 동농(東儂)[5]작으로 연재 발표된 소설로 지금까지 알려진 이해조 작품 중에서, 한문현토식(漢文懸吐式)의 「잠상태(岑上苔)」[6] 같은 소품 외에 본격적인 장편으로는 가장 초기작의 하나에 속하는 작품이다. 따라서 「고목화」가 연재 발표된 직후 계속하여 같은 《제국신문》에 역시 '동농(東儂)'의 이름으로 연재 발표된 「빈상설(鬢上雪)」[7]이나, 1908년에 출간된 「구마검(驅魔劍)」[8] 또는 1910년에 출간된 이해조의 대표작의 하나인 「자유종」[9] 등에 선행되는 작품이다.

4 《제국신문(帝國新聞)》 제2422호부터 제2511호까지에 걸쳐 연재되었다.

5 이해조는 동농(東儂) 외에 이열재(怡悅齋), 선음자(善飮者), 석춘자(惜春者), 신안생(神眼生), 해관자(解觀者), 우산거사(牛山居士) 등의 필명을 썼다.

6 「잠상태(岑上苔)」는 《소년한반도(少年韓半島)》제1호(1906.11.1)에서 제6호(1907.4.1)까지에 6회 연재되었다.

7 「빈상설(鬢上雪)」은 1907년 10월 5일부터 《제국신문(帝國新聞)》에 연재되었다.

8 「구마검(驅魔劍)」은 1908년 12월 대한서림(大韓書林)에서 출간되었다.

9 「자유종(自由鍾)」은 1910년 7월 30일 김상만(金相萬)에 의하여 출간되었다.

뿐만 아니라 이 작품은 이인직 작품의 발표연대와 비교하여도, 1906년에 발표된 「혈의 누」(상권)[10]나, 1906년부터 1907년에 걸쳐 《만세보》에 연재 발표된 「귀의 성」[11]에 비하면 약간 뒤지나, 「치악산」[12]·「은세계」[13] 등 여타의 이인직 작품에 비하면 그 발표연대가 앞서는 것으로 된다.

「고목화」는 신문에 연재 발표된 후, 1908년 1월 20일 그 초판[14]이 출간되었고, 다시 1912년 1월 20일 동양서원(東洋書院)[15]에서 또한 단행본으로 출간된 바 있다. 1908년 간행의 초판본이나 1912년의 동양서원판(東洋書院版)은 전연 동일한 지형을 쓴 것이 분명히 나타나나, 다만 판권난만은 1912년판에 발행 겸 총판매소로 동양서원이라는 출판사 이름이 새로 나타나 있는 것이 다를 뿐이며, 이 두 가지 본은 그 내용이 1907년의 《제국신문》 연재분과 동일함이 밝혀지는 것이다.

그러나 1923년에 간행된 동명(同名)의 「고목화(枯木花)」[16] 이본(異本)은 저작 겸 발행자가 유재익(劉載翊)으로 되어 있고, 작품의 내용도 이해조 작 「고목화(枯木花)」와는 전연 달라 별개의 작품임을 확인할 수 있다. 또한 이해조 작 「고목화」가 신문에 연재될 때에는 단순히 '소설(小說)' '고목화(枯木花)' 로 제목이 붙었던 것이 1907년 본이나 1912년 본의 단행본에서는 다 같이 본문 일면 첫머리의 제목이 '최근소셜'·'고목화' 로 되어 있는 반면에, 1923년 간(刊) 유재익(劉載翊) 저(著)의 이본은 표지 제목이 '리샹소셜'·'고목화'로 되어 있음을 볼 수 있다. 따라서 이 글에서는 이해조 작 「고목화」

10 「혈(血)의 누(淚)」는 1906년 7월 22일부터 동년 10월 10일까지에 걸쳐 《만세보》에 연재되었다.

11 「귀(鬼)의 성(聲)」은 1906년 10월 14일부터 1907년 5월 31일에 걸쳐 《만세보》에 연재되었다.

12 「치악산(雉岳山)」 상권은 1908년 9월 20일 유일서관(唯一書舘)에서 초판이 출간되었다.

13 「은세계(銀世界)」는 1908년 11월 20일 동문사에서 초판이 출간되었다.

14 저작자 이동농(李東儂)의 이름으로 발행자 현공염(玄公廉)에 의하여 출간되었다.

15 본문 제 1면에는 저작자 이동농(李東儂)으로 되어 있으나, 판권란(版權欄)에는 저작 겸 발행자 현공렴(玄公廉)으로 되어 있다.

16 1923년 5월 31일 한성도서주식회사(漢城圖書株式會社)가 발매소로 되어 출간되었다.

의 신문 연재 및 초판본을 대본으로 하여 논하려는 것이다.

② 작품의 내용과 그 특성

「고목화」의 첫장면은 다음과 같은 속리산 주변의 무대 설명으로부터 시작된다.

> 가을 볏시 불갓치 늬리쏘이고, 갈닙은 잇다금 뚝뚝 써러지는듸 갈감아귀는 멍석 쎄갓치 하늘에 덥혀셔, 이리로 가면셔 짜옥짜옥, 뎌리로 가면서 짜옥짜옥, 텁텁훈 산속에 굉장히 큰 집은 보은 삼거리 뒤산 속리ᄉ라. 그졀 법당 셔편 뒤뜰에, 바눌을 갓쎄인듯훈 은옥ᄉᆡᆨ 모시 둘우막이를 입고, 면말 버션에 메투리 신고, 보독솔가지를 쑥 썩근칙, 다듬지도 안코 그듸로 집힝이 삼아 비스듬이 집고, 우두커니 셧는 사룸은 황간 슈일리 사는 권진ᄉ라.

황간(黃澗)에 사는 권진사(權進士)는 시동(侍童) 갑동(甲童)이를 데리고 초가을 어느 날 속리산 구경을 갔다가 돌연히 불한당에게 급습당하여 납치 감금되게 된다.

한편, 〈청주집〉(보패(寶貝))은 조치원에 사는 박부장의 무남독녀로 출가 후 얼마 아니되어 남편과 사별한 20대의 젊은 과부이나, 이 여인은 권진사보다 먼저 불한당에게 납치되어 그들 소굴에 감금 중에 있다가 뒤에 잡혀 온 권진사를 만나 자기의 억울한 신세를 호소하고 그 구명에 대한 안타까움을 애걸하게 된다.

이때 불한당 부두목인 오도령의 정부(情婦) 구실을 하고 있는 요사스럽고 시기심 많은 괴산집은 이같은 권진사와 청주집의 대화를 엿듣고 오도령에게 이 사실을 고자질하여, 불한당들이 권진사부터 처단하게끔 만든다. 그러나 살해 현장에서 겨우 목숨이 남아 붙어 심야 청주집의 도움으로 구사일생 도주할 기회를 가진 권진사는 그길로 고향에 들러 가족을 거느리고 서울로 솔가(率家)한다.

한편, 청주집의 아버지 박부장은 납치된 딸을 찾으려고 사방을 헤매다가 이 또한 불한당에게 체포되어 결국 부녀는 불한당 소굴에서 상봉하게 되나, 그 속에서 갖은 곤욕을 당하다가 요행히 탈출의 기회를 가지게 된다.

서울에 온 권진사는 불한당 소굴을 소탕하고 은인인 청주집을 구하려고 마음먹으나, 몸이 쇠약하여 불치의 병으로 신음하던 중, 미국에서 현대의학을 공부하고 돌아온 조박사(趙博士)의 기독교적인 박애정신과 인술의 시혜에 의한 정성어린 치료의 덕분으로 완쾌하게 된다. 그 후, 권진사는 보은에 내려가 불한당의 거점을 찾아 오도령·괴산집 등을 붙잡으나 관대한 처분을 내린다. 이에 감동한 오도령과 괴산집은 전비(前非)를 회개하고 개과천선하게 된다는 것으로 이 작품은 끝난다.

그런데 이 작품은 자체의 줄거리로서는 완결되는 것으로 되나, 다음에 보이는 바와 같이 문장으로서는 끝이 맺어지지 않은 미완의 문장으로 되어 있다. 이것은 신문연재분이나 초판이나 1912년 본이나 다 같다. 그리고 이 작품의 연재가 끝난 다음 날부터는 이 작가의 다른 작품 「빈상설(鬢上雪)」이 같은 지면에 계속하여 연재되기 시작하는 것이다.

(오) 셔울로 가ᄂᆞᆫ 차가 언으씩 잇소.

(그사름) 셔울로 가실터이면, 표를 이셔 사가지고 계시오, 오ᄅᆡ지 안아 챠가 올나오겟소.

ᄒᆞᄂᆞᆫᄃᆡ, 벌셔 우루루 우루루 ᄒᆞ며 챠가 들어다라 그 ᄋᆞᆸ헤 와 뎡거를 ᄒᆞ니, 오도령이 표 셕장을 얼는 사가지고, 괴산집과 갓치 청쥬집을 부축ᄒᆞ야 ᄎᆞ에 올나타고, 남문 밧게 와, 문안을 드러셔니, 청쥬집은 권진ᄉᆞ 잇ᄂᆞᆫ집 문ᄋᆞᆸᄶᅡ지 가보앗건만, 어ᄃᆡ가 어ᄃᆡ인지, 짐작할 슈도 업고, 다만 갑동이 편지에 젹어 보ᄂᆡᆫ, 초동 리경무ᄉᆞ집이라ᄂᆞᆫ 말만 ᄉᆡᆼ각이

나셔, 오가다려 일으고, 초동 골목을 ᄎᆞᄌᆞ간다. 이ᄯᅢ 권진ᄉᆞᄂᆞᆫ 청쥬셔 오가와 괴산집을 ᄯᅦ아보ᄂᆡ고, 박부장집을 ᄎᆞᄌᆞ가, 그 마누라에게 그 ᄯᅡᆯ과 그 령감이 셔울로 갓다ᄂᆞᆫ 말을 듯고, 불라케 올나오니, 청쥬집은 간곳지 업고, 박부장만 만나, 최복돌이에게 속은 ᄌᆞ초지죵을 알고, ᄌᆞ기로ᄒᆞ야셔 청쥬집 고ᄉᆡᆼᄒᆞᄂᆞᆫ ᄉᆡᆼ각을 ᄒᆞ고, 긔가 막히어셔, 삼디ᄉᆞ방으로 슈소문을 ᄒᆞ다가 초동 병문에셔 청쥬집 일ᄒᆡᆼ을 만낫ᄂᆞᆫᄃᆡ,

「고목화」에 나타나 있는 작가의 신시대에 즉응(卽應)한 문제의식은 재가(再嫁)의 허용·외국유학에 의한 신교육의 효용·기독교의 박애사상 등으로 묘출될 수 있다. 재가문제에 대하여는 청상과부가 된 청주집의 양친인 박부장과 그의 부인의 대화를 통해서 다음과 같이 나타내고 있다.

(마) 령감, 아기 일은 엇더케 할 작뎡이오, 진졍이지, 보기 슬소.

(박) 엇더케가 무엇시오, 우리나라의 ᄀᆡ가한 사ᄅᆞᆷ을 흠뎐으로 아ᄂᆞᆫ 것이 고약ᄒᆞᆫ 풍속이외ᄃᆞ.

쥭은 놈 ᄯᅡ라셔 일점 혈육도 업ᄂᆞᆫ ᄭᅩᆺ갓흔 청츈을 그ᄃᆡ로 늙킨단 말이오. 사ᄅᆞᆷ이 셰상에 ᄉᆡᆼ겨나셔 락이 무어시오, 화긔가 감손ᄒᆞᆯ 노릇이지.

(마) 오날도 ᄒᆞᄂᆞᆫ ᄭᅩᆯ을 보니, 오장이 슬슬 졀노 록습듸다. 빈말ᄲᅮᆫ하지 말고, 어셔 작뎡을 ᄒᆞ시오(중략)

(박) 아모리 일시가 싹히도 제 소원ᄃᆡ로 ᄒᆞ여야지, 억지로 위길 슈 잇소.

ᄂᆡ가 ᄒᆞᆫ번 져다려 ᄀᆡ가만 안이 가면 렬녀가 안이라, 불가불 쳐디를 보아가며 ᄒᆞᆯ것이라고 말말ᄭᅳᆺ에 ᄒᆞ닛가,

졔 ᄃᆡ답이, 죽은 사람이 눈도 안이 써져서 이런 말슴을 ᄒᆞ오, ᄒᆞᄂᆞᆫ 말을 들으닛가, 죽은 ᄉᆞ위 ᄃᆡ상 젼에ᄂᆞᆫ 아모리 권ᄒᆡ도 안

됨 모양이오.

(마) 그러면 졔가 ᄒᆡ상이나 ᄒᆞ거든 얼골은 언쳥이라도 다만 기골이 튼튼ᄒᆞᆫ 사ᄅᆞᆷ이나 엇어ᄆᆡᆨ겻스면, 우리도 한심을 이길 것이오, 져도 날가고 ᄒᆡ가면 ᄎᆞᄎᆞ 이져발일 것갓소.
어셔, ᄅᆡ년 이ᄯᆡ가 되얏스면, 여보 령감.
그ᄯᆡᄂᆞᆫ 쌍집핑이를 집고 댕기면셔라도 ᄂᆡ가 ᄂᆡ눈으로 보아셔 ᄉᆞ위를 골으깃소, 늙은 사ᄅᆞᆷ이 ᄂᆡ외ᄒᆞᆯ것 무엇 잇나.

이같이 박부장은 종래의 전래적인 유습(遺習)인, 상부(喪夫) 후에도 수절로 일관하면 열녀라 하고 개가하면 도덕적인 불륜으로 생각해온 폐풍을 고약한 풍속이라고 나무라고, 그 부인 또한 이에 적극적으로 동조하고 있음을 볼 수 있다. 또한 당사자인 딸 보패(寶貝)(청주집)도 재가의 원칙 문제에는 굳이 반대하지 않으나 다만 남편 사별 후 얼마 되지도 않아 재혼문제를 끄집어내는 부모에게는 즉각 동의할 수 없음을 나타내고 있으며 결국에는 권진사와의 재혼을 꿈꾸게 되는 것이다.

갑오경장의 개혁조항 속에는 재가허용 문제가 뚜렷이 밝혀져 있으나 실제에 있어서 당시의 사회 현실에 있어서는 일반적으로 재가를 부덕한 것으로 보았고, 그러한 유습은 또한 1900년대까지도 우리 사회의 일반적인 윤리관으로 전래되기도 했던 것이다.

그런데 1900년대 초기의 작품 속에서 구체적으로 이 재가문제를 다룬 것은 이인직의 「혈의 누」와 이 작품인데, 「혈의 누」에서는 한국의 현실에 적용함은 아직 시기상조의 감이 있었던지, 작자는 이 문제를 작중인물인 일본 여인 정상군의(井上軍醫)의 미망인의 예로 삽입하여 처리한데 비하여[17] 「고목화」에서는 직접 한국의 현실적인 여인에 적응하여 인권면에 있어서의 그 정당성을 주장하였음은 재가문제에 한하여는 이인직보다 이해조가 한걸음 전진한 처리를 작품 속에서 하였다고 볼 수 있는 것이다.

다음 외국유학이나 신교육이나 과학지식이나 하는 것은 개화기와 불가분의 관계에 있는 당면과제였고, 또한 화려한 동경의 대상이 되기도 한 문제였던 만큼, 이러한 문제들은 개화기의 신소설에 즐겨서 그리고 의도적으로 거듭 다루어진 중요한 소재요 주제의 하나였던 것이다. 그것이 이 작품에서는 조박사(趙博士)라는 인물을 통하여 다음과 같이 다루어지고 있다.

이집 쥬인 죠박ᄉᆞᄂᆞᆫ 십여년 전에 미국 화셩돈 가셔 대학교에셔 공부ᄒᆞ야 의학을 졸업ᄒᆞ고 박ᄉᆞᄭᅡ지 된 ᄉᆞᄅᆞᆷ이라, 본국에 돌아와 왼갓 긔계와 약을 작만ᄒᆞ야 집에 다 두고, 즁병 든 ᄉᆞᄅᆞᆷ이 잇다면 슈고를 불고ᄒᆞ고 치료ᄒᆞ여쥬니.

이ᄂᆞᆫ 죠박ᄉᆞ가 ᄉᆡᆼᄋᆡ로 그리ᄒᆞᄂᆞᆫ 것이 안이오, ᄌᆞ션덕으로만 ᄉᆞ업을 ᄉᆞᆷᄂᆞᆫ 터이라.

죠박ᄉᆞ가 권진ᄉᆞ의 진ᄆᆡᆨ을 ᄒᆞ더니, ᄌᆞ긔집에 가 가즌 약을 갓다 쓰ᄂᆞᆫᄃᆡ, 죠석ᄭᅡ지 날나다 먹으며, 잠시도 권진ᄉᆞ 쳐소를 ᄯᅥ나지 안이ᄒᆞ더라.

권진ᄉᆞ의 병은 ᄉᆡ지ᄇᆡᆨᄒᆡ에 고항지질이 안이라, 다만 급히 놀남을 당ᄒᆞ야 일신에 류통ᄒᆞᄂᆞᆫ 혈분이 번격이 되야 신경에 슌환이 잘되지 못ᄒᆞᆷ으로 셩신이 상실ᄒᆞᆫ 증세라.

죠박ᄉᆞ의 약도 신효ᄒᆞ고 정셩도 간절ᄒᆞ야 얼마 안이되야 완젼ᄒᆞᆫ ᄉᆞᄅᆞᆷ이 다시 되얏더라.

---

17 「혈의 누」에서는 정상군의(井上軍醫)가 청일전쟁에서 전사하자 그 미망인 정상(井上)부인은 재가를 서두르는 것으로 되어 있다.

이같이 조박사는 미국 수도 워싱턴에 유학하여 대학교육을 받아, 그것도 당시에는 드문 의학을 전공했고, 거기다 만인의 선망이었던 박사학위까지 받은 사람이다. 이 조박사는 또한 새로운 의료기계와 양약을 가지고 와서 종래에는 치료하기 힘들던 중병환자를 치유시킬 뿐만 아니라 영리의 목적이 아닌 자선사업으로서 의술에 의한 대사회적인 시혜를 하고 있는 것이다. 권진사의 경우도 이러한 조박사의 자비롭고 성의에 넘치는 시술의 덕으로 좋은 약의 효험이 겹쳐 정신이 상실된 신경성 병이 완치되게 되는 것이다.

또한 신소설의 타작품에 있어서는, 외국유학을 떠날 때의 포부나 유학을 하면서 귀국 후의 설계를 펼칠 때는 과욕한 듯한 구상까지 나오는 것을 자주 볼 수 있지만, 정작 고국에 돌아와서는 이렇다 할 성과를 거두지 못하여 구두선(口頭禪)에 불과한 결과를 가져오는 경우를 보는 것이 허다하나, 이 작품의 경우는 그러한 예비적인 유학계획의 제시 없이 다만 귀국 후의 실질적인 성과의 일면을 보여 주는 장면이어서, 그 과정에 약간의 과장이나 비합리적인 점이 띄지 않는 것은 아니지만, 그래도 어느 정도의 실천면에 있어서의 수긍이 가는 경우에 속한다 하겠다.

한편 이 작가가 지니는 기독교에 대한 관점은 다음과 같은 것으로 나타나 있음을 볼 수 있다.

죠박ᄉᆞ는 원ᄅᆡ 사ᄅᆞᆷ을 ᄉᆞ랑ᄒᆞᄂᆞᆫ 마음이 츙만ᄒᆞᆫ 그리시도를 밋ᄂᆞᆫ 량반이라, 악ᄒᆞᆫ 병의 ᄲᅡ진 사ᄅᆞᆷ을 구원ᄒᆞᆯ 션심이 유연히 나셔,

(죠) 너의 ᄃᆡᆨ 진ᄉᆞ님을 ᄂᆡ가 좀 뵈왓시면 엇더ᄒᆞ냐,

ᄂᆡ게 긔왕 약이 잇스니, 효험이 엇더ᄒᆞᆯᄂᆞᆫ지ᄂᆞᆫ 미리 알지 못ᄒᆞ지만은 시험이나 ᄒᆞ야 보잣구나.

죠박ᄉᆞ는 본ᄅᆡ 야박ᄒᆞ고 경솔ᄒᆞ기로 ᄑᆡ호ᄒᆞ얏던 사ᄅᆞᆷ인ᄃᆡ, 미국을 가셔, 셩경 공부를 ᄒᆞᆫ 후로 독실ᄒᆞᆫ 신ᄌᆞ가 되여, 진리를 ᄭᆡ다름으로, 젼

에 ᄒᆞ던 ᄒᆡᆼ실을 낫낫치 회ᄀᆡᄒᆞ고 도덕군ᄌᆞ가 된 사ᄅᆞᆷ이라, 날로 권진ᄉᆞ를 위ᄒᆞ야 샹제께 ᄀᆡ도도 ᄒᆞ고 죠ᄒᆞᆫ 말노 병ᄌᆞ를 인도도 ᄒᆞ니……

이같이 조박사는 본래 야박하고 경솔한 사람이었지만 성경을 공부하고 그리스도를 믿게 되어 독실한 신자가 된 후로는 기독교적인 진리를 깨달아 자신의 행실을 회개하고 도덕군자가 되어 — 이 도덕군자가 되었다는 용어는 좀 덜 어울리는 표현이지만 좋은 성품을 지닌 인간으로 바뀌었다는 뜻으로 해석되는 것 같다 — 사람을 사랑하는 마음이 충만한 그리스도의 뜻을 따라, 악한 병에 빠진 권진사를 치료와 기도로 구출할 수 있었다.

뿐만 아니라 조박사의 이같은 자비와 기도에 감화된 권진사는 점차 다음과 같이 변해감을 볼 수 있다.

죠박ᄉᆞ의 복음 젼ᄒᆞᄂᆞᆫ 말을 ᄒᆞ로 듯고 이틀 듯더니, 복슈헐 악ᄒᆞᆫ 마음이 졈졈 업셔지며, 괴산집과 오도령이 악ᄒᆞᆷᄋᆡ ᄡᅡ져 나오지 못ᄒᆞᆷ을 돌오혀 불상ᄒᆞ야, ᄇᆞᆰ은 곳으로 인도하야, 영원ᄒᆞᆫ 침륜을 면케ᄒᆞᆯ ᄉᆞ랑ᄒᆞᄂᆞᆫ 마음이 나셔, ᄉᆡᆼ각ᄒᆞ되, 원슈를 ᄉᆞ랑ᄒᆞ라ᄂᆞᆫ 거록ᄒᆞᆫ 말슴을 아지못하고, 다만 사나온 ᄯᅳᆺ을 품은 곡졀로, 그사ᄅᆞᆷ들도 나를 극진히 미워ᄒᆞᆫ 것이라 이제 ᄂᆡ 병셰가 쾌히 소복이 되앗스니, 죠박ᄉᆞ와 동ᄒᆡᆼᄒᆞ야 그곳에 들어가, 죄에 들어가ᄂᆞᆫ 여러 형제와 곤란즁에 잇ᄂᆞᆫ 쳥쥬집을 구원ᄒᆞ리라 하고 죠박ᄉᆞ와 동ᄒᆡᆼ을 ᄒᆞ야 보은으로 ᄂᆡ려가니라.

이같이 권진사는 조박사의 설교에 감응되어 원수를 사랑하라는 성경의 진의를 체득하였을 뿐만 아니라, 그것을 자신의 경우에 적응하여, 그의 철천지원수인 오도령과 괴산집의 죄과를 용서할 마음이 생길 뿐만 아니라, 그들까지도 선량한 마음의 밝은 곳으로 인도할 것을 스스로 다짐하기까지에 이르게 된다.

뿐만 아니라, 이러한 자비와 관서(寬恕)의 정신은 죽을 죄악을 범한 오도령이나 괴산집의 마음에까지 전파 확산되게 된다.

> 권진ᄉᆞ님이 죠박ᄉᆞ라 ᄒᆞᄂᆞᆫ 량반과 갓치 ᄂᆞ려오셔셔 차ᄌᆞ와 보시기에, 져의 미련ᄒᆞᆫ 소견에ᄂᆞᆫ 원슈를 외나무다리에셔 만낫다고, 인져 뎌 량반이 오셧스니 ᄒᆞ로도 지체못ᄒᆞ고, 곳 쥭게 되엿다 ᄒᆞ엿더니, 놉고 ᄉᆞ랑ᄒᆞ시ᄂᆞᆫ ᄒᆞ나님 ᄯᅳᆺ을 본밧으ᄉᆞ 죄악의 침륜ᄒᆞᆫ 져의를 도로혀 불상히 넉기ᄉᆞ 아모조록 회ᄀᆡᄒᆞ도록 지시ᄒᆞ시고, ᄯᅩ 지금 쳥쥬원님이 갓치 오신 죠박ᄉᆞ나으리의 아ᄌᆞ씨벌이 되신다던지요, 죠박ᄉᆞ나으리가 원님게 간곡히 말솜을 ᄒᆞ셔셔 져의를 ᄌᆞ외로 방송ᄒᆞ야, ᄒᆞ히갓흔 은덕을 닙엇지오.
>
> 에그, 셰상에 그런 덕ᄐᆡᆨ을 만분에 일분이라도 갑ᄌᆞᄒᆞ면 져의들이 그ᄃᆡᆨ에 가셔 ᄃᆡᄃᆡ로 죵노릇을 ᄒᆞ야도 못다 갑흘터이야요.

이것은 권진사와 청주집에게는 큰 원수로 되어 있는 괴산집이 죽을 죄를 각오하다가 의외로 사랑의 관대한 처분을 받고난 후, 청주집을 만나 스스로를 뉘우치며 사죄의 고백을 하는 대목이다. 여기서 괴산집은 조박사에 의한 하나님의 뜻을 전하는 복음을 듣고, 다시 권진사의 기독교의 사랑에 감화된 결과에서 온 원수를 사랑하여 용서하려는 장면에 처하여, 그들 자신도 기독교정신에 간접적으로 점차 감화되어 감을 나타내 보이는 것이다.

한국에 있어서 그리스도교의 전래는 멀리 영정조(英正祖)로 거슬러 올라가지만, 구교인 천주교가 공적으로 자유를 획득한 것은 1880년대에 들어와서 한불(韓佛) 조약 이후의 일이요, 기독교가 들어온 것은 1884년이어서 신소설이 쓰여질 시기까지는 그리스도교의 공적인 포교기간이 길지 않았던 만큼 작품 속에서 다루어진 예는 드물었다.

즉 이인직의 소설에서는 거의 그리스도교의 이야기를 찾아볼 수 없고, 1900년대 초기작품으로는 다만 「몽조(夢潮)」[18]와 안국선의 「금수회의록(禽獸會議錄)」[19] 등에서 기독교에 연관되는 장면을 찾아볼 수 있을 정도이므로, 「고목화」는 「몽조」와 더불어 가장 일찍이 소설 속에 기독교를 다룬 작품의 하나라 하겠다.

또한 여기서 이해조 자신이 그리스도와 관계가 있다는 사실이 밝혀진 바는 없으나, 그가 이 작품 속에서 성경의 교리 및 기독교 정신을 극히 단편적인 입장에서나마 전적으로 긍정적인 면에서 받아들여 작품 속에 반영시켰다는 것은 주목할 만한 점이라 하겠다.

이 밖에 「고목화」에는 종전에는 없었던 새로운 시대의 문물이나 새로운 지식의 편린이 번득이는 대목이 적지 않아 기차(화륜차)·전차·인력거·지폐·음양력의 관계 등 여러 가지가 경이에 찬 눈으로 접해졌음을 볼 수 있다.

우선 당시에 새로 나타난 괴물의 하나인 기차가 그들 눈에 비친 광경은 다음과 같다.

> 사름이 구름ᄭᆞ치 모혀 왁실왁실ᄒᆞ며, 비둘기장 문갓튼 구멍 압흐로 닷토아 가ᄂᆞᆫ지라, 갑동이는 엇전 영문인지 몰으고, 결상 한편 머리에 우득커니 안졋드니, 그 사름들이 제각금 셕양갑 한편쇼각갓흔 발간 죠희 한아식을 손에 다 들고 나오ᄂᆞᆫ 것을 보고, 갑동이 ᄉᆡᆼ각에,
>
> 올치 뎌것이 뎔로 타ᄂᆞᆫ 표로구나, 나도 한장 ᄉᆞ가져야 ᄒᆞ겟다.

■

18 「몽조(夢潮)」는 반아(槃阿)(이 작자에 대하여는 아직 구체적으로 밝혀지지 않았음)의 작으로 《황성신문(皇城新聞)》제 2556호(1907.8.12)부터 제 2584호(1907.9.17)까지에 연재되었다. 따라서 이 작품은 이해조의 「고목화(枯木花)」(1907.6.5~1907.10.4)보다 뒤에 발표되기 시작하여 먼저 연재가 끝난 것으로 되었다.

19 「금수회의록(禽獸會議錄)」은 1908년 2월 황성서적업조합(皇城書籍業組合)에서 출간되었다.

ᄒᆞ며, 쥬머니를 부시럭부시럭 글으더니 지폐를 ᄂᆡ야들고 그압흐로 들어가셔,

(갑) 예셔, 표를 파심잇가.

(표파ᄂᆞᆫ자) 오냐, 어ᄃᆡ로 가ᄂᆞᆫ 표를 살터이냐.

(갑) 예, 셔울로 가깃슴니다.

(표파ᄂᆞᆫ자) 그러면 남ᄃᆡ문 밧 정거장ᄭᆞ지 가는구나, 시골돈 열닷량만 ᄂᆡ여라.

(갑) 열닷량이 지폐로ᄂᆞᆫ 얼마오닛가.

(표파ᄂᆞᆫ자) 지폐거던 이원을 이리 ᄃᆡ고, 오십젼만 거슬너쥴 것이니.

ᄒᆞ더니 표 한 장을 쥭씨져 구멍 밧그로 ᄂᆡ여보ᄂᆡ니, 갑동이가 밧아 들고 화륜거 오기만 기다린다.

오륙월 소락비에 쳔동갓치 우루루 소ᄅᆡ가 졈졈 갓가히 들리며, 디동홀ᄶᆡ쳐럼 두 볼이 덜덜 썰니더니, 연긔가 펄셕펄셕 나며, 귀쳥이 콱 막히게 쎄익ᄒᆞᄂᆞᆫ 한마ᄃᆡ에, 사방이 두쥬 모양으로 ᄉᆡᆼ긴 것이 크나큰 집ᄎᆡ갓흔 륜거 ᄃᆡ여셧을 ᄭᅩᆼ문이에 ᄃᆞᆯ고 슌식간에 들어와 셔닛가, 이 간뎌간에셔 혹 보ᄯᅡᆯ이도 들고, 혹 짐짝도 메인 사ᄅᆞᆷ들이 ᄭᅮ역ᄭᅮ역 나온 후, 죠금 잇드니, 일본사ᄅᆞᆷ 하나가 상여 압헤셔 치ᄂᆞᆫ 요령갓흔 것을 흔들며 무엇이라고 소ᄅᆡ를 질으고, 돌아단기닛가, 표 ᄉᆞ가지고 잇던 사ᄅᆞᆷ들이 분쥬히 올으는ᄃᆡ, 갑동이도 갓치 탓더라.

경부선이 개통된 것은 1904년이고 「고목화」의 시대적인 배경은 1901년부터 1905년까지의 사이로 되어 있지만 기차가 등장하는 장면은 1905년으로 되어 있다. 따라서 이 장면은 경부선이 개통된 다음해에 시골에서 자라 기차를 처음 보는 갑동이의 눈에 비친 기차 및 그 주변의 광경이다. 즉 기차가 아직 도착하기 전에 정거장 대합실 출찰구(出札口) 앞에 사

람들이 운집하여 아우성치며 표를 사는 광경, 그리고 갑동이 자신도 그들을 따라 차표를 사가지고 나와 기차를 기다리는 장면, 그리고 증기 기관차가 연기를 뿜고 기적을 울리며 여러 칸의 객차를 달고 정거장 구내로 들어와 정거하자 사람들이 짐짝을 들고 내리는 모습이 눈에 선하게 그려져 있다. 특히 승객들을 차에 오르게 하기 위하여 일본인 한 사람이 종을 치면서 소리를 지르는 장면을 부각시켜 일본인임을 강조하고 있는 점은, 1905년 을사보호조약(乙巳保護條約)이 이루어진 당시의 국내외 정세에 비추어 여러 가지를 생각하게 하는 바 없지 않다.

또한 갑동의 눈에 비친 차중의 분위기와 그의 느낌이 다음과 같이 나타내고 있음을 볼 수 있다.

평ᄉᆡᆼ에 신교 밧탕도 한번 타보지 못ᄒᆞᆫ 갑동이가 쳐음으로 긔ᄎᆞ 우에 올나안즈니, 콩길음시루갓치 ᄉᆞᄅᆞᆷ이 빅빅ᄒᆞᆫᄃᆡ, 쎄익소ᄅᆡ가 또다시 나더니, 몸이 별안간에 홰홰 ᄂᆡ돌녀 불아질이 난다.

긔차 창문 밧그로 뵈이ᄂᆞᆫ 산과 나무들이 획획 달음질을 ᄒᆞ야 정신이 엇득엇득ᄒᆞ고 긔계간에서 셕탄 냄ᄉᆡᄂᆞᆫ 바ᄅᆞᆷ결에 코를 거슬너 비위가 뒤노으니, 두손으로 걸상을 검쳐붓들고 아모리 진정ᄒᆞ랴도 졈졈 견댈 슈 업스며, 입으로 열물을 울걱울걱 토ᄒᆞ고 업ᄃᆡ엿ᄂᆞᆫᄃᆡ, 어ᄃᆡ를 왓ᄂᆞᆫ지, 다시 요동을 안이ᄒᆞ고, ᄉᆞᄅᆞᆷ의 신발소ᄅᆡ가 우동우동 ᄒᆞ드니 누가 겻헤 와 억ᄀᆡ를 흔들며

이ᄋᆡ, 너 어ᄃᆡ로 가ᄂᆞᆫ 아ᄒᆡ냐.

어셔, 정신을 ᄎᆞ려, 이러나거라.

갑동이가 그말을 듯고 눈을 써보니 발셔 ᄒᆡ가 지고 밤이 되야, ᄉᆞ면에 등불을 죠요히 켜달앗ᄂᆞᆫᄃᆡ, 갓치 탓던 그만은 ᄒᆡᆼ인이 도모지 업고, 다만 양복 입은 ᄉᆞᄅᆞᆷ 하나히, 한발즘 되ᄂᆞᆫ 집ᄒᆡᆼ이를 집고 셔셔, 불으ᄂᆞᆫ지라, 간신히 이러안지며……

난생 처음 기차를 타보는 갑동이가 차의 진동과 석탄 연기 냄새에 정신이 아찔하고 비위가 거슬려 염물을 토하기까지 하는 모습은, 오늘날에는 대단한 화젯거리가 될 것도 없지만, 그 당시는 처음 당하는 경이적인 사건이어서 작자는 이 장면묘사에 상세한 디테일을 보여 주고 있는 것이다.

그뿐만 아니라 작자는 청주집이 경의선을 탔을 때의 모습을 다시 다음과 같이 그리고 있음을 볼 수 있다.

> 청쥬집이 ᄒᆞᆯ일업셔 차에 올나 ᄒᆞᆫ편 구셕에 가 쥐죽은듯시 안졋스니 압뒤에셔 텬동갓흔 소ᄅᆡᄂᆞᆫ 정신을 ᄎᆞ일 슈 업고 평ᄉᆡᆼ에 마쥬보도 못ᄒᆞ든 본국사ᄅᆞᆷ 타국사ᄅᆞᆷ들이 들셕들셕ᄒᆞ야 졍거ᄒᆞᆯᄯᅢ마다 ᄒᆞᆫ편으로 ᄂᆡ리며 ᄒᆞᆫ편으로 올나 되야들고 되야나ᄂᆞᆫᄃᆡ, 그러ᄒᆞᆯᄯᅢ마다 청쥬집은 최가가 ᄂᆡ리ᄌᆞ ᄒᆞ기만 기ᄃᆡ리고 잇더니, 얼마를 왓든지 살갓치 나가던 차가 별안간에 뒤로 물으청ᄒᆞ며 쑥긋쳐 졍거를 ᄒᆞ니, 어셔 그러케 예비를 힛던지 열ᄃᆡ셧살 된 아ᄒᆡ들이 모판을 압흐로 메고 이문 뎌문으로 드나들며
>
> 못지가 요로시, 못지가 요로시,
>
> 외ᄂᆞᆫ 소ᄅᆡ에 귀가 식그럽고 긔계통에 김ᄲᆡᄂᆞᆫ 소ᄅᆡ를 몃번ᄶᅢ 듯ᄂᆞᆫ 터이언만, 들을 젹마다 가슴이 덜썩덜썩 ᄂᆡ려 안ᄂᆞᆫ다.

이같이 청주집의 눈에 비친 차중 광경, 즉 본국 사람 외에 외국사람 승객들이 들썩거리는 모습, 그리고 차가 정거장에 멈추자마자, 모판을 멘 15~16세 된 아이들이 "못지가 요로시 못지가 요로시"(떡 좋아요, 떡 좋아요!)하고 일본어로 외치는 장면을 두드러지게 그린 대목은 앞에 열거한 일본인의 경우와 유사한, 작자의 어떤 의도적인 견해가 잠재해 있음을 느끼게 하는 장면이기도 한 것 같다.

또한 갑동이의 눈에 비친 소학교 운동회의 광경은 다음과 같이 그려져

있음을 볼 수 있다.

갑동이가 일신이 로곤ᄒᆞ야 제집갓흐면 누어셔 알키라도 ᄒᆞᆯ터이나 ᄉᆡᆼ소ᄒᆞᆫ 남의 집이라, 불안도 ᄒᆞ고 ᄯᅩ 구경 가자ᄂᆞᆫ 말을 들으니 아ᄒᆡ들 마음에 됴키도 ᄒᆡ셔, 죠박ᄉᆞ를 ᄯᅡ라 훈련원으로 가니 가슴이 시원ᄒᆞ게 툭 터진 벌판에 차일을 구름갓치 치고, 사ᄅᆞᆷ이 ᄇᆡᆨ두산 모이듯ᄒᆞ얏ᄂᆞᆫᄃᆡ 펄펄 날리ᄂᆞᆫ 긧발들이 팟츙 들어ᄇᆡᆨ이듯ᄒᆞ고, 긔밋마다 머리ᄶᅡᆨ고 ᄉᆡᆺ시 쓴 아ᄒᆡ들이 일자로 ᄯᅦ를 지어 느러셧스며, 그 밧근 말장을 둘너박고 망얼기를 쳐셔 구경ᄒᆞᄂᆞᆫ 사ᄅᆞᆷ들이 겹겹이 울셥 ᄊᆞ은 모양이라. 것흐로 돌아ᄃᆡᆼ기다 ᄒᆞᆫ편으로 가닛가 솔입으로 홍예문을 틀어셰우고 ᄐᆡ극 그린 긔를 엇ᄉᆞ괴야 ᄭᅩᄌᆞᄂᆞᆫᄃᆡ 슌검헌병이 자우에 갈나셔셔 잡인을 엄금ᄒᆞ니, 구경ᄒᆞ러 온 그만은 사ᄅᆞᆷ이 들어갈 슈도 업고 들어갈 ᄉᆡᆼ의도 못ᄒᆞ드라.

이같이 성동원두(城東原頭)의 훈련원에서 열린 운동회장에 모인 인파, 차일(遮日)시설, 기폭, 학생모를 쓴 아이들, 솔잎으로 틀어 세운 홍예문 위에 교차된 태극기 등 운동장의 모습을 대충 짐작하게 하며, 특히 태극기는 비록 일본의 보호정치 하에 있어도 아직은 국기로서의 태극기가 휘날리고 있는 모습을 보여주는 장면이다. 아마도 태극기가 작품 속에 나타나는 장면은 신소설 속에서 이 작품 외에는 별로 눈에 띄지 않는 것 같다.

③ 인물 설정의 문제

「고목화」는 작가가 그 인물 설정에 있어서 처음부터 선인과 악인의 대립관념에서 출발했던 것 같은 인상을 짙게 풍겨주고 있다. 선인형의 '청주집'과 악인형의 '괴산집' 두 여인의 모습은 다음과 같이 대조적으로 표현되어 있다.

문을 살몃시 열고 녀인 ᄒᆞᆫ아이 들어와 윗목에가 날아갈듯키 안ᄂᆞᆫ ᄃᆡ 나이 니십이 넘을낙말낙ᄒᆞ고 얼골은 아긔ᄌᆞ긔ᄒᆞ게 어엽불 것은 업셔도 어련무던ᄒᆞ야 밉지는 안이ᄒᆞᆫ데 눈이 부시도록 소복을 ᄒᆞ고 크도 젹도 안은 쪽에 흑각을 ᄭᅩ잣더라.

눈초리ᄂᆞᆫ 칼날갓고, 양 미간은 맛드러붓고 왼몸이 ᄉᆞᆯ득이 말으듯ᄒᆞ얏ᄂᆞᆫ데 엇더케 ᄉᆡ암이 발으고 시긔가 만턴지, 괴산읍에서 ᄉᆡᆨ쥬가 ᄒᆞᆯᄶᅴ에도 졔셔방이 계집은커녕 얌젼ᄒᆞᆫ 아희하고라도 마쥬안져 잇스면 함박쪽박을 메붓치며 ᄉᆞ흘나흘을 말도 안이ᄒᆞ던 소견이라.

여기서 보여 주는 바와 같이 아무의 인과관계나 작품의 진전에 따르는 발전적인 계제 없이, 청주집은 처음부터 얼굴이 예쁘지는 않으나 밉지 않게 느껴지는 용모 그대로 뒤에 가서 마음씨도 곱게 나타나고 행동도 올바른 방향으로만 나타나는 반면에 괴산집은 얼굴 모습도 독스럽고 못생겼지만 날 때부터 그 마음씨도 시기 질투 음모에 가득찬 악인으로 그려져 있음을 볼 수 있다.

뿐만 아니라, 청주집의 편에 가담되는 권진사, 박부장(청주집 부(父)), 조박사 등은 다 선량하고 관대하고 자비로운 데 비하여, 괴산집 쪽에 속하는 불한당 두목인 마중군, 부두목인 오도령, 그리고 청주집을 유괴하는 최복돌 등은 모두 악하고 잔학하고 폭력을 서슴지 않고 쓰는 악당으로 되어 있다.

또한 이 선인측은 모두 유식해서 부녀자인 청주집마저도 문자를 터득할 수 있고, 악인측은 전원 모두 무식하고도 무지막지한 것으로 되어 있다. 그리하여 악인가해(惡人加害) 선인피해(善人被害)의 과정을 밟으나, 그 결과에 있어서는 선인필승(善人必勝) 악인필멸(惡人必滅)로 하지 않고 악인도 선인의 관용과 자비와 교화에 힘입어 개과천선하는 것으로 끝나는 것이다.

그런데 이 경우, 회개의 동기나 과정이 종래의 타작품과 다른 점은 선인의 자비 시혜나 악인의 회개가 모두 기독교의 박애정신의 매개에 의한 감화로 이루어진다는 것은 위에서 이미 거론한 바와 같다.

이 작품에서, 악인 중의 악인으로 나타나 있는 괴산집은 원수의 원수로 대하던 청주집에게 끝머리에 가서 다음과 같이 사죄하고 있음을 볼 수 있다.

> 형님 형님 아모 의심 말으시오, 이년도 ᄒᆞ날 아ᄅᆡ 인두겁을 쓰고셔 악ᄒᆞᆫ ᄒᆡᆼ실을 그져 곳치지 못ᄒᆞ얏슬나고, 말ᄉᆞᆷᄒᆞ시기를 ᄶᅥ리심닛가.

뿐만 아니라 괴산집은 그와 공모한 악인 오도령과도 다음과 같이 회개의 심중을 털어놓는다.

> (오) ……청쥬집게셔 져 못슬놈의게 곤욕을 면치 못ᄒᆞ겟스닛가, 그것이 ᄋᆡ달옵지.
>
> (괴산집) 여보, 오셔방, 우리들이야 열 번 쥭어 앗가올 것 잇소만은, 우리가 권진ᄉᆞ님의 ᄐᆡ산갓흔 덕ᄐᆡᆨ을 입은 ᄉᆡᆼ각을 ᄒᆞ면 머리ᄅᆞᆯ 버혀 신을 삼아도 못다 갑흘터인대, 언으디경이던지 청쥬집의 화난을 구ᄒᆞ지 못ᄒᆞ면 사ᄅᆞᆷ이라 ᄒᆞᆯ 것잇소, ᄂᆡ가 돌오 드러가 슬몃시 갓치 나올 것이니, 어ᄃᆡ로 몸을 피ᄒᆞ던지 우리가 번ᄎᆞ례로 업어 모시기라도 합시다.

한편 무지막지하게 잔인한 행동을 거듭하던 오도령의 변모된 결과를 작자는 지문에서 다음과 같이 서술하고 있음을 볼 수 있다.

> 오도령이 젼에 ᄒᆞ던 ᄒᆡᆼ실을 버리지를 안이ᄒᆞ엿스면 청쥬집을 졍거

장에셔 만나 그처럼 위홀리도 업고, 돈푼싼 것을 가져스면 치고 쌔앗기라도 ᄒᆞ엿을 터이오, 지금 그 두놈의 ᄒᆞᄂᆞᆫ 리약이를 듯고도 괴산집이나 쌔아다리고 청쥬집은 쥭거니 살거니 다라날 것인ᄃᆡ 그 흉악ᄒᆞᆫ 자가 그러케 회과를 ᄒᆞ엿던지 제 몸과 괴산집 걱정을 쑴에도 안이ᄒᆞ고 다만 념려가 청쥬집 구졔홀 일이라.

이같이 이 작품은 선악을 대립시켜 놓고 선인과 악인을 대조적으로 병립시키면서도 결과적으로는 선의 영향에 의한 악의 굴복을 주류로 삼았음을 추출할 수 있는 것이다.

이상에서 살펴본 바와 같이 「고목화」는 한마디로 말하여 개화기 풍물이 가미된 하나의 엽기극(獵奇劇)을 통하여 개과천선을 강조한 교훈적인 소설이라고 할 수 있겠다. 그것은 이해조 자신이 그의 작 「화의 혈」의 발문[20]에 해당하는 글에서 다음과 같이 작가적 소신을 밝혀,

소설이라 하는 것은 매양 빙공착영(憑空捉影)으로 인정에 맞도록 편집하여 풍속을 교정하고 사회를 경성하는 것이 제일 목적인 중, 그와 방불한 사실이 있고 보면 애독하시는 열위(列位) 부인 신사의 진진한 재미가 일층 더 생길 것이요, 그 사람이 회개하고 그 사실을 경계하는 좋은 영향도 없지 아니 할지라.

하였고, 또 다시 그의 작 「탄금대(彈琴臺)」의 발문[21]에 해당되는 글에서,

20 이해조는 1911년 4월 6일부터 동(同) 6월 21일까지 《매일신보(每日新報)》에 연재한 「화(花)의 혈(血)」이라는 작품 끝에 발문이라는 표시는 없이 자기의 소설에 대한 소견을 덧붙인 바 있다.

21 이해조는 1912년 12월 10일 신구서림(新舊書林)에서 출간된 「탄금대(彈琴臺)」라는 작품 끝에 역시 발

기자(記者)가 소설을 저술함이 이미 십여재(十餘載) 광음이나. 날로 붓을 들어 수천만언을 기록함이 실로 지리 신산함을 왕왕 견대기 어려운 때가 많으나, 한갓 결심하기를 아무쪼록 힘과 정신을 일층 더 하여 악한 자를 징계하고 착한 자를 찬양하여 혹 직설(直說)도 하며 풍자도 하여 사람의 칠정(七情)에 각축될만한 공전절후(空前絶後)의 신소설을 저술코자하나……

라고 운운하여 스스로의 작가의식을 밝힌 것도 초기작품에서부터 유로(流路)하는 이같은 작자의 도덕관 내지 윤리관이 지속되어 작품 속에 반영된 결과의 표명이라고 보아지기도 하는 것이다.

(6) 「신찬일선작문법(新撰日鮮作文法)」

이해조는 상당량의 신소설을 창작 발표하였고 또 「철세계(鐵世界)」와 같은 외국 문학작품의 역술도 하였으며, 한편 어법 및 문장에 대한 관심도 커서 「신찬일선작문법(新撰日鮮作文法)」을 저술하기까지도 했다.

저자는 본서의 범례에서,

(1) 본서(本書)는 국어(國語) 작문(作文) 초학자(初學者)를 위(爲)하여 간이(簡易)히 논술(論述)함.
(2) 본서(本書)는 이편(二編)에 분(分)하여 상편(上篇)에 문장(文章)의 성질(性質)과 철자법(綴字法)과 작문(作文)의 수식법(修飾法)과 문장(文章)의 해부법(解剖法)과 작문법(作文法)과 문체(文體)

■

문이라는 표시 없이 자기의 소견을 덧붙였다.

와 서간문법(書簡文法)을 약술(略述)하고, 하편(下篇)에는 문전(文典)의 대의(大義)를 부(附)하여 작문자(作文者) 참고(參考)에 편의(便宜)를 여(與)함.

(3) 본서(本書)의 참고(參考)는 고문진보(古文眞寶), 사서(四書), 야사(野史), 문장학(文章學) 등(等)을 참조(參照)하며 경(更)히 백과전서(百科全書), 광문전(廣文典), 언해(言海), 일본문전(日本文典), 일문궤범(日文軌範) 등(等)을 비교(比較) 존발(存拔)하여 저자(著者)의 신례(新例)를 기입(記入)함.

(4) 저서(著書)에서 채취(採取)한 자(者)는 문구하(文句下)에 하서(何書) 하인(何人)의 원본(原本)이라 기재(記載)하고, 저자(著者)의 소작(所作)한 자(者)는 표시(表示)함이 무(無)함.

이라고 하여 저자가 문장에 있어서의 철자법과 수식법에 지대한 관심을 가지는 동시에, 문법에 대한 식견도 또한 적지 않았음을 규지할 수 있게 한다.

또한 저자는 문장의 성질을 논하여,

> 문장(文章)은 즉(卽) 언어(言語)의 대표(代表)라. 오인(吾人)의 정의(情意)를 서술(敍述)함은 혹(或)은 동작(動作) 혹(或)은 언어(言語) 혹(或)은 문장(文章)을 용(用)하나 동작(動作)과 언어(言語)는 접근자(接近者) 간(間)에 한재(限在)함이요, 격지(隔地) 우(又)는 이시대(異時代)에 대(對)한 의사(意思)의 전달(傳達)은 문장(文章)곧 아니면 불능(不能)한 고로 서계(書契) 이전(以前)은 불가고(不可考)라 함이 실문자(實文字)가 무(無)한 소이(所以)로다.

하여, 의사 전달 매개체로서의 문장의 공간성 및 시간성을 이야기하고,

한편 문장의 목적을 논하여,

문장(文章)의 목적(目的)은 자기(自己)의 사상(思想)을 전달(傳達)함과 독자(讀者)의 감흥(感興)을 야기(惹起)함에 재(在)하니, 독자(讀者)의 감흥(感興)을 야기(惹起)코저 할진대 필선(必先) 자기(自己)의 사상(思想)을 진선진미(盡善盡美)히 전달(傳達)할지라. 고(故)로 작문(作文)하는 자(者) 필(筆)을 집(執)할 시(時)에 좌개(左開) 사개조건(四個條件)을 필수(必守)할지니라.

(1)은 의의(意義)가 명료(明瞭)한 어(語)를 용(用)할 사(事),

(2)는 언어(言語)의 조직(組織)을 분명(分明)히 할 사(事),

(3)은 언어(言語)와 사상(思想)이 부합(符合)케 할 사(事),

(4)는 중요(重要)한 점(點)을 명확(明確)히 서술(敍述)할 사(事).

라고 하여, 문장에 있어서 독자의 감흥을 야기시키기 위하여 자기의 사상을 진선진미하게 전달할 것을 강조하였으며, 한편 문장을 명료 분명하게 하고 언어와 사상이 부합되게 명확히 서술하라 하였으니, 이것은 초보적이나마 언문일치의 의식적인 표현을 주장한 저자의 탁견이라고 하겠다.

불행히도 철자법 이하의 모든 항목에서 일본말을 먼저 쓰고 대역으로 우리말을 그 밑에 붙여, 일본문법의 직역인 듯한 느낌을 갖게 한 것은 작자의 주론을 취약하게 만드는 소이로 극히 유감되는 점이라 하겠다.

Ⅲ. 최찬식 연구(崔瓚植硏究)

1. 작가 최찬식(崔瓚植)

최찬식은 호를 해동초인(海東樵人) 또는 동초(東樵)라고 하며, 고종 18년(1881) 음력 8월 16일 경기도 광주에서 출생하였으나 본적은 서울로 되어 있다. 그는 유년시절에 광주 사숙(私塾)에서 한학(漢學)을 공부하여 칠서(七書)까지 떼었고, 갑오경장 후 아버지 매하산인(梅下山人) 최영년(崔永年)(후에 개화기 언론계의 중진이 되었음)이 광주에 시흥학교(時興學校)를 설립하자 그곳에서 신학문을 공부하였으며, 후에 서울로 올라와 구한국 말엽의 한성중학교(漢城中學校)에서 수학하였다.

동초(東樵)는 한때 언론 기관에도 관계하였으며, 말년에는 독도(纛島)에 있는 농장에 은퇴하여 문족으로 한말에 흑산도에 유배되었던 면암(勉庵) 최익현(崔益鉉)의 실기(實記)를 집필중, 6 · 25 동란으로 말미암아 1 · 4 후퇴 때 노쇠 와병중의 몸으로 한강 건너까지 피난했으나, 병세가 위독하여졌으므로 탄우 중에 다시 독도(纛島)로 귀환하여 1951년 1월 10일 향년 71세로 영서하였다.

그는 저명한 신소설 작가 중에서 가장 오래 생존한 사람으로, 최초의 신소설 작가인 이인직은 자기 작품보다 한 단계 비약한 춘원(春園)의 「무정(無情)」이 발표되는 것을 보지 못하고 2개월 전에 세상을 떠났으나, 동초(東樵)는 「무정」뿐만 아니라 반세기에 걸친 우리 문단의 전변교체하는 과정을 스스로 목격하였으며, 특히 해방 후의 발랄한 새로운 문단 조류까지 전망하고 신문학사상에 놓인 자기의 위치를 손수 헤아리면서 동란중에 희생된 작가 중의 한 사람이기도 하다.

동초(東樵)는 그의 대표작인 「추월색(秋月色)」을 비롯하여, 「안(鴈)의 성(聲)」·「금강문(金剛門)」·「도화원(桃花園)」·「능라도(綾羅島)」·「춘몽(春夢)」·「해안(海岸)」 등 여러 편의 작품을 발표하였으며, 이들 작품 속의 일부는 당시 발간된 일간지 《국민신보(國民新報)》 및 《조선신문(朝鮮新聞)》 등에 연재 발표되었다고 하나, 이 게재지들은 현재까지 좀처럼 발견되지 않아 작품의 정확한 발표연대는 구명되지 못하고 있는 실정이다.

2. 최찬식의 작품세계

(1) 「추월색(秋月色)」

① 작품의 흐름

「추월색」은 최찬식의 대표작으로 독자에게 가장 열광적으로 환영을 받았던 신소설의 하나이며, 1912년 회동서관(匯東書館)에서 그 초판이 발행되었다. 이 작품은 일본 동경(東京)이 그 주요한 무대가 되었고, 한국은 물론 다시 영국 런던, 만주 등으로 뻗쳐, 개화 계몽기의 특이한 현실을 반영한 작품이다.

「추월색」의 내용은 대략 다음과 같다. 달빛이 교교한 가을밤, 사람의 자취가 이미 끊어지고 고요한 동경(東京) 상야공원(上野公園)에는, 불인지(不忍池) 관월교(觀月橋)의 석란간(石欄干)에 의지하여 18~19세쯤 된 듯한 여학생 한사람이 신선한 조화로 머리를 장식하고 자줏빛 '하까마'를 단정하게 입고 기대어 선 채로 깊은 생각에 잠겨 힘없이 달빛만 쳐다보고 있다.

그 여학생은 무슨 생각이 그리 첩첩한지 시름에 잠겼으나, 흰 얼굴에 맑은 달빛이 비치어 그 어여쁜 용모를 이루 형용해 말하기 어려울 지경이다.

이때 어떤 하이칼라 적소년(赤少年)이 술이 반쯤 취하여 노래를 부르며 불인지(不忍池) 옆으로 나타나 파나마 모자를 푹 숙여 쓰고 금테 안경은 코허리에 걸고 양복 앞섶을 떡 갈라 붙인 속으로 축 늘어진 시계줄을 달빛에 반짝이며, 바른손에는 반쯤 탄 여송연을 손가락에 감아쥐고 왼손으로 단장을 휘두르면서 내려오고 있다.

소년은 관월교가에 홀로 서 있는 여학생을 보더니 모자를 벗어들고 반갑게 인사를 하며 말을 건넨다. 그 여학생은 일본여자대학을 지난 7월에 졸업한 19세의 소녀 이정임(李貞姙)이요, 그 소년 또한 조선 유학생으로 동경에서 대학 법과를 마친 대구 부호의 아들 강한영이다.

오랜 시일을 두고 정임을 짝사랑하여 오던 한영은, '여학생(女學生) 일요강습회(日曜講習會)' 창립 총회 석상에 나타나서 마침 정임이 회장이 되고, 자기의 하숙집 딸 산본영자(山本英子)가 서기로 피선(被選)된 기회를 타서 강습회의 창립 취지에 찬동하는 동시에 앞으로 강습회 운영에 대한 재정(財政)을 전담하겠다는 의사 표시를 하고, 그 자리에서 우선 금화(金貨) 백원을 기부하는 서슬에 서기의 특청으로 재무(財務) 촉탁(囑託)이 되는 것을 계기로 하여, 정임에게 호의를 베풀고 접근하기에 힘쓴다.

정임이와의 직접적인 교제가 하등의 효과도 내지 못함을 깨달은 강소년은 하숙주인 산본(山本) 노파를 중매로 내세워 정식으로 혼인 청탁을 하는 동시에 정임의 친구인 산본영자(山本英子)로 하여금 정임의 마음을 돌리기에 힘을 쓴다.

그러나 정임은 노파의 간곡한 청탁에 대하여 자기는 혼인 못할 딱한 사정이 있노라고 완강히 거절하면서도 끝끝내 그 숨은 사정은 밝히지 않았다.

그 후 정임은 일요강습회에도 나가지 아니하고, 자기의 앞날에 대한 생각에 골몰하다가, 마침내 집에 돌아가 늙은 부모나 봉양하고, 여학교나 설립하여 여자교육에 힘쓰리라고 결심하고, 귀국할 행장을 차리다가, 궂은 비가 개이고 달이 밝아오기에 울적한 심정을 풀기 위하여 새옷을 갈아 입고 상야공원(上野公園)에 나왔다가, 정임에 대한 불타는 연모와 북받치는 모욕에 찬 분노를 금할 길 없어 기회만을 노리던 강소년을 원수가 외나무다리에서 만나는 격으로 만나게 되었다.

장시간을 두고 강소년은 호소도 하고 애원도 하고, 심지어는 공갈 협박까지 하면서 정임의 마음 돌리기를 기다렸으나 소녀는 죽음을 두려워하지 않고 끝까지 강경히 거부하므로, 악심이 북받친 강소년은 가슴에 품었던 단도를 집어내어 번쩍 들었던 순간 그대로 소녀를 푹 내려 찔렀다.

여인의 비명을 듣고 별안간 소리를 치며 어떤 사람이 뛰어나오는 바람에 소년은 깜짝 놀라 여학생을 찌른 칼도 미처 뽑을 새 없이 삼십육계 줄행랑을 하고 여학생은 그 자리에 쓰러졌다.

중산(中山) 모자를 쓰고 '후록코트'를 입은 청년 신사는 여학생의 몸에 박힌 칼을 빼어 들고, 뒤처리를 생각하고 있을 때, 갑자기 순찰하던 순사가 나타나 현장을 보고, 손에 단도를 들고 선 신사를 살인범으로 단정하고 포승으로 묶은 다음 호각을 불어 경관을 모와 여학생은 급히 병원으로 호송하고 청년 신사는 즉시 경찰서로 압송하였다.

이정임은 서울 이시종(李侍從)의 늦게 얻은 무남독녀요, 이시종(李侍從)과 동갑이며 죽마고우인 김승지 또한 늙어서야 겨우 혈육을 하나를 두었으니 그 아들 영창(永昌)은 정임이와 같은 해에 났었다.

이시종과 김승지는 자기들의 자녀가 각기 일곱 살 되던 해 정월 대보름 날 저녁에 정임이와 영창의 장래 혼인을 약정하였고, 어린 것들도 이웃에서 소꿉장난을 하면서 같이 놀던 동무이면서, 시집 장가라는 뚜렷한 영문은 모르는 대로 철이 들면서도 그들의 정의는 더욱 두터워져갔다.

영창이가 열 살때 아버지 김승지는 평안도(平安道) 초산(楚山) 군수로 부임하게 되었으므로 어린 것들도 남대문역에서 이별할 때 정임은 자기 사진 뒤에다 주소까지 적어서 영창에게 주면서 서로 헤어짐을 아쉬워하고, 다시 만날 날을 기약하였다.

영창의 일가가 초산(楚山)에 온지 1년 후 갑오개혁(甲午改革)이 실패로 돌아간 뒤로, 누년(累年)에 걸친 학정과 민폐가 아직 가시지 않은 때라, 민요(民擾)가 일어나 관아에 불을 지르고 관속의 행방은 불명(不明)하게 되었다는 급보(急報)에 접하자, 이시종은 초산(楚山)으로 급거 출발하려고 하였으나, 때아닌 화재로 전재산을 소실당하여 초산(楚山) 군수 일가의 그후 소식은 알 길이 없게 되었다.

그러는 동안 정임은 영창의 소식이 궁금한 대로 소학을 배우고 열녀전(烈女傳)을 볼 적마다, 더욱 영창을 생각하여 눈물을 금치 못하였다.

어느덧 정임의 나이 15세 되던 해 이시종의 회갑 수정(壽筵)을 맞이하여, 정임의 외삼촌 중매로 새로운 혼담의 실마리가 시작되어 노부모도 어느새 이에 추종하므로 정임의 극력 반대함에도 불구하고, 중학 3학년 재학 중인 박과장 아들과 억지로 혼약이 성립되었다.

정임은 영창에 대한 사랑이나 정절을 변할 수 없어 울면서 고민하다가, 혼인 전날 밤 금궤 속에 있는 돈 전부를 끄집어내어 가지고, 한 장의 편지를 남긴 채 몰래 집을 나섰다.

그길로 효자문(孝子門) 네거리에서 인력거를 잡아타고, 남대문 정거장에서 동경까지 가는 차표를 사가지고 부산행 급행차 2등열차에 올라탔다.

이튿날 아침 부산역에 내려 연락선을 타려고 어른거리다가 괴한의 유인을 받아 좁은 골목 방속에 유폐되어 색주가로 팔려가려는 위기일발에서 도주하여 오복점(吳服店)에 가 일본옷을 사 입고, 머리를 끌어올려 일본쪽을 찌고, 연락선에 올라 3일만에 목적지 동경에 도착하여 신교역(新橋驛)에 내리자 다시 인력거를 타고 여관 상야원(上野園)에 투숙하였다.

일본글 일본말 한마디 모르고 동경에 온 정임은 여관주인에게 일어를 배워 7개월 만에 말을 능통하게 되었고 학문도 중학교 졸업 정도는 되었기에 그해 봄에 소석천구(小石川區) 일본여자대학교에 입학하여 공부에 열중하였으므로 시험 볼 때마다 백점에 떨어지지 아니하여 해마다 최우등으로 진급하니 동경 여학생계에서 이정임의 이름을 모르는 사람이 없이 명예가 굉장하였다.

상야공원(上野公園)에서 봉변을 당한 후 병원에 옮겨서 응급 수술을 받고 생명을 구한 정임은 정신이 회복됨에 따라 자기가 병원에 있는 것을 의식하고 급한 자리를 모면케 하여준 간밤의 정체모를 신사의 생각이 궁금하여졌다.

다음날 신문 삼면 기사에 김영창이라고 하는 당년 19세의 영국 문과대학을 졸업한 청년이 무슨 감정이 있던지 상야공원(上野公園)에서 여학생을 칼로 찌르다가 하곡구(下谷區) 경찰서로 잡혀갔다는 보도를 보고 깜짝 놀라며 반신반의하기 시작한다.

지난날 초산(楚山)에서 민요(民擾)를 만난 김군수 부처(夫妻)는 두주 속에 넣어서 압록강에 띄워졌고, 어린 영창이는 옷을 벗겨 내쫓겼으므로 정처 없이 강물만 따라가다가 자선가(慈善家)로 유명한 영국 문학박사 스미트씨가 동양 유람차로 일본에서 조선을 거쳐 청국(淸國) 북경으로 가던 길에, 쇠약한 고아를 발견하고 영국 '런던'까지 데리고 가서 공부를 시켰으므로 영창은 16세에 중학을 졸업하고 19세에는 그 곳 문과대학을 마친 청년문학가가 되었다.

이때 영국 문부성(文部省) 학무국장이 영창의 재질에 탐하여 스미트씨를 사이에 두고 영창과 자기딸의 통혼을 제기하였으나 영창은 정임의 소식을 알기 전에는 혼인할 수 없다고 자기와 정임과의 관계를 스미트씨에게 낱낱이 이야기하였다.

마침 그후 스미트씨가 일본 횡빈(橫濱) 주차(駐箚) 영사(領事)로 부임하게 되었으므로 영창이도 스미트씨를 따라 일본에 나왔으며 동경 구경을 가서 적적한 여관에서 소설을 저술하다가, 비 개인 뒤의 달빛에 정임이 생각이 간절하여 상야공원(上野公園)에 산보를 나갔다가 그날 밤의 사태에 접하였던 것이다.

살인범 혐의로 송청된 영창은 재판정에서 증인으로 나온 정임의 진술을 듣고 서로 감격에 찬 해후를 하게 되고 곧 무죄 석방이 된다.

10년 만에 만난 그들은 횡빈(橫濱) 영국 영사(領事)가 주는 3천 원의 결혼 준비금을 받아가지고 금의환향하여 신랑은 문관대례복(文官大禮服)을 입고 신부는 부인예복(婦人禮服)을 입고 신식 결혼식을 성대히 거행한다.

한편 상야공원(上野公園)에서 살인 미수로 도주한 강소년은 거만(巨萬)의 재산을 방탕생활로 탕진하고, 지은 죄가 있는지라 변성명(變姓名)하고 서울에 있다가, 옛 친구를 만나 주석(酒席)에서 언쟁하다가, 친구의 입에서 상야공원(上野公園) 죄상이 터져 나왔으므로, 이날이 바로 정임의 결혼식 날 밤이요, 그 술집이 또한 이시종 집 부근이었으므로, 결혼식 피로연에 초청받아 이 자리에 왔던 북부 경찰서 서원이 이 싸움 소리를 듣고 오래 수배 중이던 강소년을 체포한다.

영창 정임의 신혼부부는 혼인 3일 만에 만주 봉천으로 신혼여행을 떠나 추억어린 압록강을 넘고 두주속에 잠겨서 강물 위에 떠내려간 후 소식 모르는 부모를 생각하면서 계관역에 내려 산모퉁이 길을 걸을 때 돌연히 청인(淸人)의 마적단에 급습을 당하여, 정임은 납치되고, 영창은 나무 숲에 결박당하여 생명이 경각에 놓였다.

마적굴에 다다랐을 때, 노인 한 사람이 정임의 조선말 소리를 듣고 연유를 캐어내니, 이 노인은 마적 괴수 주공(朱公)의 오늘날 친우요, 지난날 두주속에 감금되어 수장된 줄 알았던 영창의 아버지 초산군수 김승지였다.

영창도 구출되고 영창모도 나타나 여기서 부자 상봉의 감격적인 장면이 벌어지고, 죽은 줄만 알았던 아들 내외를 따라 김승지 부처는 조선으로 나와 평양에서 대기 중인 이시종 부처를 만나 이들 두 가족은 모란봉 부벽루에 올라가 지난날의 고난에 찬 정회(情懷)를 늘어 놓으면서 술잔을 기울이는 것으로 「추월색」은 끝난다.

② 주제의식

「추월색」의 근간이 되는 주제는 신결혼관과 신교육관이며, 여기에 시대적인 배경이 될 수 있는 갑오(甲午) 후의 부패한 관료정치를 나타내어 민중의 봉기를 삽입하였으니, 이 또한 당시 사회의 현실적인 폭로로 간과하지 못할 중요한 비중을 차지하는 것으로 된다.

먼저 신결혼관을 보면 자유연애를 기반으로 하는 삼각애정 문제가 부모의 정혼에 수긍하는 기성 윤리와 타협되는, 신구의 절충적인 형태를 나타내고 있는 점이다. 영창(永昌)과 정임(貞姙)은 아직 이성에 싹트기 전인 일곱 살 때 양쪽의 부모간에 정혼한 약혼자로서, 그들은 이런 기성 윤리를 긍정하면서, 어릴 때부터의 우정을 그대로 살리며 이에 미래의 부부라는 새로운 사실을 겹쳐 가면서 둘의 정의는 더욱 두터워 갔다. 우선 영창이 아버지를 따라 초산(楚山)으로 떠난 후, 정임은 홀로 영창이 그리워 글월 보낸 것으로 보면, 이것은 요새의 연애편지에 해당되는 것인데, 열 살 남짓한 어린이의 소행으로는 쑥스러운 점도 없지 않으나, 여기서는 이성의 정분보다는 순진한 어린이의 우정이 선행되는 것으로 봄이 무리가 없는 성싶다.

이별할 때에 푸르던 버들이 다시 푸르렀으니, 하날을 바라보매 눈이 뚜러지고자하나 바다난 망망하고 소식은 없으니, 난간에 의지하야 공연히 창자가 끊어질 뿐이요, 해난 가까오나 초산은 멀며 바람은 가뵈오나 이몸은 무거워서 날아 다니난 술업을 얻지 못하고, 다만 봄꿈으로 하야금 괴롭게 하니, 생각을 하면 마음이 상하고 말을 하자하니 이가 시구나.

하나의 역사적인 사실을 경계선으로 하여 구세대와 신세대가 혁명적인 요소를 띠고 완전히 교체될 때에는 시대적인 배경에 따라 이에 야기되는 모든 사태가 혁신적이지만, 낡은 세대에서 서서히 새로운 세대로 변천하는 단계에는 과도기적인 매개기가 삽입되는 것이요, 이 과도기의 특징은 하나의 신구 절충형으로 나타나는 것이니, 뚜렷한 혁명적인 요소를 띠지 못한 우리의 갑오개혁은 봉건 기성사회와 새로운 자본주의 사회의 미지근한 교체기였더니 만큼, 이러한 사회적인 배경 속에서 이루어지는 모든 사태는 거개가 절충적인 형상으로 나타나는 결과를 가져올 수밖에 없었다.

그러므로 정임과 영창의 혼인에 있어서도 그들이 서로 애타게 그리워하는 애정의 표백이 전연 없는 바는 아니지만, 그것은 오히려 잠재적인 요소로 나타나고, 표면에는 정절이라는 기성관념이 압도적으로 그들의 의리감을 지배하여 그것이 작품면에서 애정에 선행하여 노출되고 있다. 초산(楚山) 민요(民擾) 이후에 영창의 소식이 알 길이 없게 되자, 외삼촌을 통하여 청혼이 있을 때에도 정임은 혼자 생각하기를,

부모가 나를 이왕 영창에게 허락하였으니 나는 죽어 백골이 되어도 영창의 안해이라. 비록 영창이난 불행하였을지라도 나는 결코 두 사람의 처는 되지 아니할 터이오, 저아저씨는 아모리 중매한다 하여도 입에 선바람만 디릴걸.

하고, 혼자 수절할 것을 마음먹을 뿐만 아니라, 아버지 이시종이 혼인 의사를 타진하였을 때에도 서슴지 않고 자기의 의사를 발표한다.

그런 것이 아니올시다. 아버지께서 열녀난 불경이부란 글을 가라쳐 주셨지오, 나를 이왕 영창이와 결혼하시고 지금 또 시집보낸다 하시니 부모가 한 자식을 두사람에게 허락하시난 법이 있습니까. 아모리 영창 종적은 아지 못하나 다른 곳으로 시집 가기난 죽어도 아니가겠읍니다.

이같이 정임은 불경이부의 유교적인 낡은 윤리를 고수하여 약혼만 하고 신랑이 죽더라도 혼자 시가로 출가하여 독신 과부로 평생을 수절로 늙어가는 낡은 세대의 혼인관을 그대로 실천에 옮기려고 하니, 설령 그들의 심중에 애정의 불꽃이 윤리관 이상으로 치열하다손 치더라도 그들은 그것을 솔직히 토로하지 않으므로, 작품에 나타난 결과로는 부모가 정하여 준 기성 도덕률을, 정한 부모 이상으로 피동적인 자식이 더 고수하는 결과로 되고 만다.

불효의 딸 정임은 부모를 떠나 멀리 가는 길을 임하야 죽기를 무릅쓰고, 두어마디 황송한 말삼을 아바님 어머님께 올리나이다.

대저 사람이 세상에 처하야 윤강을 지키지 못하면 가히 사람이랄 것 없이 금수와 다르지 아니함은 정한 일이 아니오니까. 그러하온데 부모께옵서 기왕 이 몸을 영창이에게 허혼하였사오니, 비록 성례난 아니하였을지라도 영창의 집 사람이 아니라고 할 수 없난터이라, 어찌 있고 없난 것을 헤아리오리까…… 지금 만일 부모의 두 번 명령하심을 복종하와 다른 곳으로 또 시집을 가오면, 이난 부모로 하야금 다른 곳에 빠지게 하야 오륜의 첫째를 위반함이오, 이몸으로써 절개를 잃어 삼강의 으뜸을 문란케 함이오니, 정임이가 비록 가지 못한 계집아해오나 어찌 조고마한 사정을 의지하야 윤강을 어기고 금수에 가까온 일을 차마 행하오리까. 그러함으로 죽사와도 내일 일은 감히 이행치 못하옵고 곧 만리붕정의 먼 길을 행하오니, 부모의 슬하를 떠나 걱정을 시키난 일은 실로 불효막심하오나 백번 생각하고 마지못하여 행하옵나이다.

이것은 정임이 자기의 의사를 무시하고 제2차의 약혼이 성립되자, 혼례식 전날밤 일본으로 몰래 도주하면서 유서 비슷이 남긴 글월의 일부인데, 여기서 정임은 다시 삼강오륜을 내세우고, 이 윤강(倫綱)을 어기는 것은 금수와 다름이 없다고 하여 윤강을 마치 바이블처럼 신봉하고 있으며, 삼강오륜의 기존 율법을 어기지 않기 위하여 해외로 도피하는 것으로 되었지 사랑을 위하여 타개로 모색하는 결과로는 되어 있지 않다.

이러한 정임의 고루한 결혼관은 끝에 가서 영창이와 해후하여 이 작품의 이야기를 해피엔드로 이끌고 가는 주요한 포인트가 되게 하고, 그로 말미암아 현대적인 신혼예식이나 신혼여행이 나오게까지 만들지만 그런 것은 다 지엽적인 문제이요, 정임 자신의 기본적인 이 의사가 자유로운 애정에 입각한 것이냐 혹은 수절의 기성 윤리에 근원을 두느냐 하는 것이 작품 속에 나타나는 신결혼관을 고대소설에 가깝게 하느냐 또는 현대소설면에 접근시키느냐 하는 분기점이 되게 하는 것이다.

한편 영국 런던에 유학중인, 당시 최첨단의 신식교육을 받는 영창이도 영국 문부성 학무국장이 자기 딸과의 혼인을 제의한 데 대하여 — 물론 이 사실부터가 작자의 관념적인 과장이기도 하지만 — 하등의 고민이나 심사 숙고도 없이, 즉석에서 스미트 씨에게 서슴지 않고,

> 아모리 정임이과 서로 생사를 아지 못하나, 내가 정임이 거취를 자세히 알기 전에는 다른 배필을 구하지 아니하리라.

는 의사를 전달하고 정임이와의 관계를 토로케 하였으니, 이것은 작자 자신의 기성 도덕률에 사로잡힌 궤상론에 불과한 것이리라.

그러나 이 작품 속에 등장하는 인물 속에서도 자유연애와 신결혼에 대한 적극파는 없지 않으니, 상야공원(上野公園)에서 정임을 칼로 찌르기 직전에 강소년은,

> 여보시오, 부끄러우실 것 없오. 서양 사람들은 신랑 신부가 즉접으

로 결혼한답니다. 우리도 소개니 중매니 할 것 없이 즉접으로 의론함이 좋지 않겠읍니까.

하고 정임의 의사를 물은 다음, 정임의 손목을 쥐려고 할 때 정임이 매독하게 욕설을 퍼부으며 뿌리치니,

이렇게 큰 변 될것 무엇 있오, 야만커녕 문명국 사람은 악수례(握手禮)만 잘들하던데, 이렇게 접문례(接吻禮)도 잘들 하고……

하면서 키스를 하려고 달려들다가 거절을 당한다.

강소년의 하숙 주인인 산본(山本)노파도 정임에게 권하기를,

남녀 물론하고 혼인은 부모가 정하는 것이지마는, 이 이십세기 시대에야 부모가 혼인 정해 주기를 기대리는 사람이 누가 있나. 혼인이란 것은 제 눈에 들고 제 마음에 맞는 사람과 할 것이지.

하고 쌍방의 배필이 적합하니 자유의사대로 혼인할 것을 거듭 타이르나, 정임은 끝내 거절하고야 만다.

뿐만 아니라, 정임의 아버지 이시종도 집에서 정임에게 다시 혼약할 것을 권유할 때에, 자기 처남에게 양반도 취하지 않고, 부자도 취하지 않고 다만 신랑 하나만 고르겠다는 인물 중심의 혼인관을 내세웠을 뿐더러, 그는 구습을 개혁할 의도로 자기 딸이 설령 과부가 되었을 때에는 개가를 시켜야 한다는 의사를 표시할 정도로 새로운 사상에 젖어간다. 다만 여기서 작자는 영창과 강소년과 정임의 삼각문제를 결혼의 기준이 될 애정이나 인물에 중점을 두어 해결하려고 하지 않고, 불경이부의 기성 도덕률에 기반을 두었을 뿐만 아니라, 그렇게 줄거리를 이어가기 위하여 인물

의 비중이나 애정적인 대결은 도외시하고 영창을 선인형으로 만들고, 강소년을 악인형으로 만들어 선인 득승으로 승부를 지어버린 것은 신결혼관을 다루면서도 「추월색」을 진부한 유형에 몰아넣는 요인을 만들었다.

그러나 작자는 신식 혼인에 적잖은 관심을 가지고 치밀하게 서술하였으니, 결혼식 장면을 보면 다음과 같다.

> 신랑은 문관 대례복에 신부난 부인 예복을 입고 청결한 예식장에 단정히 마주 선후에, 신부의 부친 이시종 매개로 악수례를 행하니, 그 많이 모인 잔치 손님들은 그런 혼인을 처음 보난 터이라, 혹 입을 막고 웃난 사람도 있고 혹 돌아서서 흉보난 사람도 있으며, 그중에도 습관을 개혁코자 하난 사람은 무수히 찬성하난대……

이와 같이 신혼예식의 구체적인 장면이 작품에 나타난 것은 신소설 중에서도 「추월색」이 최초이며, 더욱이 이 식장에서 40살 정도의 부인 한 사람이 나타나 축사 형식으로 장황한 연설을 하였으니, 이것은 그대로 작자의 신식결혼에 대한 주관의 표백이기도 한 것이다.

> 대저 신혼례식이라 하난 것은 한 남자와 한 여자가 비로소 부부가 된다고 처음으로 맹약하는 예식이 아니오니까, 그런고로 그 예식이 대단히 소중한 예식이올시다…… 서양 풍속같으면 남녀가 동등 권리를 보유하야 남편이나 안해이나 일반이지마는, 원래 동양 습관에난 남편은 어떤한 외입을 하던지 유처 취처하야 몇 번 장가를 들던지 아모 관계 없으나, 여자가 만일 한번 실절하면 세상에 다시 용납지 못할 사람이 되니 남녀가 동등 되지 못하고, 남편의 자유를 묵허함은 실로 불미한 풍속이지마는, 그난 여자가 권리를 스사로 잃난 것이라 말할 필요가 없거니와, 안해가 절개를 지키난 것은 원리적으로 여자

의 직분이 아니오니까. …… 좋지 못한 구습을 먼저 개혁하난 사람이 없으면 어떠한 일이던지 도저히 개량하야 볼날이 없읍니다. 오늘 지낸 예식이 가히 조선에 모범이 될만 하오니, 여러분도 자녀간 혼인을 지내시거든 오날 예식을 모방하십시오.

다음 신교육관에 있어서는 정임·영창·강한영 등 주요한 등장인물이 모두 외국유학을 하여 최고 학부를 졸업하고, 그들이 미개한 국가 사회를 위하여 힘쓰겠다는 신념을 표시한 점이다. 그러나 이들 외국 유학생 세 사람은 다 능동적으로 어떤 확고한 지표 아래, 자신이나 국가의 장래를 위하여 굳은 신념을 가지고 출발한 것은 아니다.

영창은 거지 고아가 되어 압록강을 방황하다가 영국 자선가 스미트씨의 우연한 구출을 받아 영국 유학의 기회를 가졌고, 정임은 자기가 거부하는 혼인이 불가피하게 성립되게 되자 궁여지책의 도피책으로 동경으로 건너가 신학문을 공부할 기회를 가진 것이요, 강한영은 부호의 아들로서 방탕한 생활로 가산을 낭비하던 끝에 일본에 들어가 학교에 취적한 불량 학생이요, 하나도 정규적인 유학생은 없이 우발적인 계기로 대학에 연관을 가진 학생들이다. 그뿐만 아니라 그들 유학생은 셋 다 처음부터 계통을 따라 순서적으로 진학한 사람은 없고, 모두 천재가 아니면 불량한 소질로, 정임은 여관주인에게서 배운 일본어가 7개월 만에 능통하게 되고 실력도 중학 정도는 금방 넘어 도일 1년 후에는 힘들일 것 없이 소학 중학 코스를 거치지 않고 단번에 일본여자대학에 입학하게 되었다.

위선 여관 주인에게 일본말을 배우니 원래 총명이 과인하고 학문도 중학교 졸업은 되난터이라, 일곱달만에 못할 말 없이 능통할뿐 아니오 문법도 막힐 것 없이 무슨 서적이던지 능히 보게 되매, 그해 봄에 '서석천구' 일본여자대학교에 입학하였난대, 그 심중에난 항상 부모의 생각 영창이 생각 자기 신세 생각이 한데 뒤뭉쳐서 주야로 간절한 터이라. 그러한 뇌심 중에 공부도 잘 되지 아니하련마는 시험볼때마다 그 성적이 평균점 일공공(100)에 떨어지지 아니하야 해마다 최우등으로 진급하니, 동경 여학생에게 이정임의 일홈을 모를 사람이 없이 명예가 굉장하더라.

일본말이 한국말과 비슷한 계통의 언어이므로 하급학교를 하나도 거치지 않고 자습으로 여자대학에 입학하여, 그것도 에누리 없는 백점 만점을 연속 받아 학기마다 최우등을 한 정임의 천재는 또 그렇다 할지라도, 난생 처음 영국에 건너가 정저와(井底蛙) 같은 이방인 영창의 경우는 일층 신기할 지경이다.

차차 지각이 날수록 남의 나라의 문명 부강한 경황을 보고 내 나라의 야매 조잔한 이유를 생각하매, 다른 근심은 다 어데로 가고 다만 학업에 힘쓸 생각뿐이라. 즉시 학교에 입학하야 열심으로 공부하니 그 과공이 일취 월장하야, 열여섯살에 중학교 졸업하고 열아홉살에 문과대학 졸업하니, 그 학문이 훌륭한 청년문학가가 되난지라.

당시 영국의 학제는 어떻게 되었는지 미상이나, 아무튼 도영 직후 중학에 입학하여 졸업 후 다시 대학까지 졸업하고 더욱이 청년문학가가 되었다니, 영창은 확실히 불세출의 개화기 천재였음에는 틀림없다.

한편 강소년은,

대구 부자의 아들인데 열네살에 그 부친이 죽으매 열다섯살부터 외입에 반하야, 경향으로 다니며 양첩 장가도 들고 기생도 떼여 팔선녀를 꾸며서 여기 저기 큰집을 다 각각 배치하고, 화려한 문방제구난

잡화상을 버리며 각종의 음악기난 연극장을 설립하야 놓고, 이집 저 집 돌아다니며 무궁한 향락을 하다가 못하야, 그것도 오히려 부족히 여기고 주사청류난 거르는 날이 없으며 산사 강정에 아니 노는 곳이 없이 그 방탕함이 끝이 없으매, 저의 집 십여만원 재산이 몇해 아니 가서 다 없어지고……, 곧 육촌의 전답권을 위조하야 만원에 팔아가지고 또 한참 홍청거리다가, 그 일이 발각되어 육촌이 정장하였으므로 관가에서 잡으라 하매 즉시 동경으로 달아나 산본이라는 노파의 집에 주인을 잡고 있었난대, 아모 소관사 없이 오래 두류하는 것이 모다 이상히 여길뿐 아니요 경찰서 조사에 대답하기가 곤난하야, 유학생인체 어느 학교에 입학하였다.

이같이 엉터리 대학생으로 작자가 선인과 악인을 대립시키려는 구상 속에 불량학생의 표본으로 등장된 인물이다. 그러므로 이들 신교육을 받은 유학생이 정확한 목표 없이, 또한 일정한 체계를 밟지 못한 유학생인 만큼, 그들에 대한 교육 성과보다는 당시 개화라면 신교육, 신교육 하면 덮어놓고 외국유학을 생각하는 과도기의 관념이 그대로 작자의 머리를 통하여 작품 위에 구현된 것에 불과한 것이다.

이것은 비단 「추월색」에 한한 것이 아니라, 신소설 전반에 걸쳐 신교육을 본 공통적인 안목이요, 동시에 피상적인 관찰에서 오는 무근거한 현상이며, 실지면에서도 교육에 대한 당시인의 보편적인 안식이 그러했던 반영이기도 한 것이다.

……대문 밖을 구경치 못하다가 이곳에 와서 처음으로 문명국 성황을 관찰하오매, 시가 화려함은 좁은 안목에 모다 장관이옵고 풍속의 우미함은 어둔 지식에 배흘 것이 많사와, 날마다 풍속 시찰하기에 착실하고 있사오니, 본국 여자는 모다 집안에 칩복하야 능히 사람된

직책을 행치 못하고, 그 영향이 국가에까지 미치게함이 마음에 극히 한심하옵기, 속히 학교에 입학하야 신학문을 많이 공부하야 가지고 귀국하와 일반 여자계를 개량코자 하옵나이다.

이것은 동경에 도착한 정임이 부모에게 보낸 서신인데, 그는 일본의 문명개화에 황홀하였으며, 새로운 학문을 공부하여 국가에 유조하게 하고, 한국 여자계를 개량하기 위하여 노력할 각오를 굳게 하고 있다. 그러나 그의 신학문 공부는 영창이와의 신식혼인을 위하고 신혼여행을 떠나는 데 필요한 외에는 국가나 한국여성을 위하여 아무런 쓸모도 없이 작품은 끝난다.

이러한 결과는 비단 「추월색」에만 한한 것이 아니라, 「치악산」의 백돌이도, 「은세계」의 옥남·옥순이도, 「혈의 누」의 구완서와 옥련이도, 모두 떠날 때의 구호는 크지만 돌아온 뒤에는 국가나 사회를 위하여 하등의 노력을 기울이는 흔적이 없이 그들의 포부는 용두사미로 끝나고 만다. 이것은 마치 근일의 미국 유학생이 떠날 때에는 신문지상을 울리고 비행장이 떠나갈 듯이 호기만만하다가, 정작 돌아오는 날에는 쥐구멍을 찾는 듯하던가, 더 심한 경우에는 영영 돌아오지 않는 불귀유학생이 되어버리는 무궤(無軌)한 오늘의 현실을 방불케 하는 바 없지 않다.

③ 사회적 배경

「추월색」에 나타난 사회적 배경을 보면 갑오경장이 실패로 돌아간 뒤, 정치의 실정은 부패가 계속 조장되고 학정은 날로 우심하여, 일반 대중의 생활은 말할 수 없는 도탄에 빠져 들어갔음을 반영하고 있다. 이러한 사실은 「귀의 성」에서의 강동지의 반발도 그러하고, 「은세계」에 있어서 최병도의 참상에서도 엿볼 수 있거니와, 여기에서도 학정에 견디다 못하여 봉기한 민중의 함성을 들을 수 있다.

삼문 밖에서 별안간 "우직근 뚝딱"하며 "아우"하는 소리가 나더니, 봉두 난발도 한 놈 수건도 쓴 놈들이 혹 몽둥이도 들고 혹 돌도 들고 우 몰려 들어오면서 위선 이방 형방 순로 사령을 미친개 따리듯하며, 한떼난 대청으로 올라와서 군수를 잡아 나리고, 한떼난 내아에 들어가서 부인을 끌어내여 한끋에다가 비웃 두름 엮듯이 동여 앉히고, 여러 놈이 둘러 서서 한놈은 "물을 끓려라" 한놈은 "장작더미에 올려 앉쳐라" 한놈은 "석유를 끼얹어라" 한놈은 "구덩이를 파라" 한놈은 "이애들아셔라, 학정은 모다 아전놈의 짓이니, 그 못생긴 원놈이야 술이나 좋아하고 글이나 잘 짓지 무엇을 안다더냐, 그럴것 없이 집둥우리나 태서 지경이나 넘겨라." 하는데, 그 중 한놈이 쓱 나서며 "그럴 것 없이 좋은 수 있다. 두년 놈을 큰 두주속에 한데 너서 강물에 떼여 바리자" 하더니, 그 여러놈들이 "이애 그말 좋다 자." 하며 두주를 갓다가 군수 내외를 집어 넣고 자물쇠를 채고 진상 가는 꿀병 동이듯 이리 칭칭 얼고 저리 칭칭 얽어서, 여러 놈이 떼메고 압록강으로 나가난데……

이것은 초산(楚山)에서 발생한 민요(民擾) 장면을 그린 대목인데, 오랫동안 관료의 가렴주구에 참고 견디어 오던 민중이 이제는 그 이상 견딜 수 없어 순한 양의 탈을 벗고, 삶의 본능이 성난 이리떼처럼 수단 방법을 가리지 않고 양반 관료에 대거 폭동으로 대항하는 장면이다.

조선조 500년을 성리학의 형식윤리를 대의명분으로 내세우고, 유교에 쩔은 양반의 전제하에서 신음하여 오던 민중은 죽은 듯이 굴종하면서 금수같이 살아왔으나, 갑신·갑오의 혁신적인 경종이 비록 지배층 선각자의 주동으로 시작되어 실패로 돌아갔다 할지라도, 민중에게 자아 각성의 계기를 눈뜨게 한 점은 말할 수 없이 컸던 것이어서, 동학란의 대대적인 민중 봉기의 뒤를 이어 처처에서 국부적이나마 전제 학정자에 대한 항거는 끊이질 않았으니, 이것은 그대로 서구문명의 유입에 의한 이 땅 개화의 첫 아우성이었다고 할 수 있겠다.

그러나 지배적인 관료는 민중의 이러한 각성을 다음과 같이 보고 있다.

> 보고서, 관하 초산군에서 거 이월 이십팔일 하오 삼시경에 난민 천여명이 불의에 취집하야 관아에 충화하고 잡석을 난투하와 관사와 민간 수백호가 연소하옵고, 민간 사상이 이십여인에 달하야 야료 난폭하므로, 강계 진위대에서 병졸 일소대를 급파하야 익일 상오 십시에 총이 진압되었사온대, 해 군수와 급 기가족은 행위를 불명하옵기 방금 조사중이오나 종내 종적을 부지하겠사오며, 민요 주창자는 엄밀히 수색한 결과로 장두 오인을 포박하야 본부에 엄수히옵고 지에 보고함.

이것은 평북 관찰사로부터 중앙으로 보내온 보고문인데, 당시의 지배자는 이러한 소요의 근원을 캐어 내어 대책을 강구할 생각은 추호도 하지 않고, 다만 난민의 일방적인 폭행으로 간주하여 국병(國兵)으로 무조건 진압하는 방책만을 취하고 있으니, 그 후의 반세기여의 오늘날과 격세지감이 없지 않다.

한편 당시의 중앙정부의 인사이동을 비롯한 내면적인 부패상이 나타나는 대목을 살펴보면 다음과 같다.

> 이시종이 초산서 집에 돌아온지 제 삼일 되던날, 관보에 "시종원 시종 이○○의 원면본관"이라 게재 되얏스니, 이때난 갑오개혁 정책이 실패된 이후로, 점점 간영이 금달에 출입하야 뜻있는 사람은 일변 배척하는 시대인고로, 어떤 혐의자가 이시종 초산 간 사이를 엿보고 성총에 모함한 바이라. 이시종은 체임된 후로 다시 세상에 나번득일 생각이 없어 손을 사절하고 문을 닫으니, 꽃다운 풀은 뜰에 가득하고 문전에 거마가 드물어, 동내 사람이라도 그 집이 누구의 집인지 알지

못할만치 되었더라.

이같이 「추월색」이 지니는 배경적인 사회와 오늘의 현실은 개성의 존중과 민중의 평등의식에서는 천양의 차가 있다고는 하나, 이시종의 해면을 싸고도는 중앙관료의 부패상에 있어서는 오늘의 현실에 흡사한 바 없지 않음을 느끼게 한다.

④ 신소설사에서의 위치

「추월색」은 그 구성에 있어서 한국·일본·청국·영국 등 광범한 무대를 썼고, 등장인물도 한국인은 물론 일인·청인·서양인까지 등장시켜 굴곡이 많고 흥미진진한 가운데 사건을 끈기있게 이끌고 나갔다.

뿐만 아니라 인물이나 장면묘사에 있어서도 예리한 필치를 보이고 있다.

> 어떤 하이칼라 적소년이 술이 반쯤 취하야 노래를 부르고 불인지 옆으로 내려오난데, 파나마 모자를 푹 숙여 쓰고 금테 안경은 코허리에 걸고, 양복 앞섭 떡 갈라 붙인 속으로 죽 느러진 시계줄은 월광에 비치어 반작반작하며, 바른손에는 반쯤 탄 여송연을 손가락에 감아쥐고 왼손으로 단장을 들어 향하난 길을 지점하고 회동회동 내려오난 모양이, 애매한 부형의 재산도 꽤 없애보고 남의 집 시악시도 무던히 버려주었겠더라.

이것은 강소년을 그린 인물묘사의 한 장면인데, 그 사실적인 묘사는 다른 설명을 더 붙이지 않아도 호탕한 강소년의 성품이나 교양 정도를 명약관화하게 엿보게 하며, 이는 필연코 개화꾼의 한 첨단적인 멋쟁이의 표본이었을 것이라는 추측도 가능하게 한다.

어데서 "불이야 불이야" 하는 소리가 들리며, 안방 서창에 연기 그림자가 둥굴둥굴 비치고 마루 뒷문 밖에는 화광이 충천하니, 밥 먹던 이시종은 수저를 손에 든 채로 급히 나가보니, 자기 집 굴뚝에서 불이 일어나서 한끝은 서으로 돌아 부엌 뒤까지 돌고 한끝은 동으로 뻐쳐 건는방 머리까지 나갔는데, 솔솔 부난 서북풍에 비비틀여 돌아가난 불길이 눈깜짝할 사이에 왼집안에 빙도니, 이시종 집 사람들은 발을 동동 구르나 어찌 할 수 없으며, 여간 순검 헌병깨나 와서 웃둑웃둑 섰으나 다 쓸데 없고, 변변치 못하나마 소방대도 미처 오기 전에 봄볕에 바싹 마른 집이 전체가 다 타버리고, 그뿐 아니라 화불단행이라고 그 옆으로 한테 붙은 김승지 집까지 일시에 소존성이 되얏더라.

이것은 이시종 집의 화재 장면을 그린 것으로, 화염이 온 집안을 집어삼키는 경위가 재래의 고대소설에서는 도저히 찾아볼 수 없는 치밀한 묘사를 보이고 있다.

남대문 정거장에서 요령 소래가 덜렁덜렁 나며 붉은 모자 쓴 사람이 "후상 후상 오이데마셍까." 하고 외난 소리가 장마속 논골에 맹꽁이 끌틋 하니, 이때는 하오 십시 십오분 부산 급행차 떠나는 때라. 인력거에 급히 나려 동경까지 가는 연락 차표를 사가지고 이등 열차로 오르니, 호각 소래가 호르륵 나며 기관차에서 파푸파푸하고 남대문이 점점 멀어지니, 앞길에 운산은 창창하고 차 우에 연화난 막막하더라.

이 남대문에서 기차 떠나는 장면은 오늘날 독자의 상식화된 안목으로 볼 때에는 쓴 웃음이 터져 나오는 바도 없지 않겠으나, 적어도 기차를 최초로 본 시기의 사람들에게는 이러한 정거장의 기차 떠나는 광경은 공명적인 감명을 주었을 것이며, 작자는 이 밖에도 문장의 구사에 적잖이 힘들인 흔적을 남기고 있어, 읽는 이로 하여금 청신한 기분을 자아내게 한다.

한편 작품의 전개에 있어서, 영창이와 정임이 동경 상야공원에서 만나고, 강소년이 정임의 잔칫날 이웃집 술집에서 주정 끝에 체포되고, 영창이 압록강에서 스미트 씨를 만나는 장면 등은 필연성이 결여된 우연의 연속이며, 부산역두에서 정임이 괴한에게 유인되었다가 도주하고, 봉천 부근에서 영창의 신혼부부가 급습을 당하였다가 부자 상봉되는 장면 같은 것은, 너무나 엽기적인 탐정조를 나타내며, 정임이나 영창의 해외유학이 또한 너무 비약적이고, 중국에 가서 선인이 모두 행복하게 됨은 구소설의 해피엔드를 위한 권선징악적인 테두리에서 벗어나지 못한 약점이라 하겠다.

그러나 이같이 복잡한 사건을 끝까지 이끌고 가서, 그것이 완전하지는 못하나마 신결혼관을 주장하고 신교육의 필요성을 고취하여, 재래소설이 가지지 못한 면을 타개하는 동시에, 독자를 이끌고 가는 박력에 있어서는 압도적으로 성공한 작품으로서, 신소설의 통폐인 우연성이나 엽기성을 지닌 채 「추월색」은 신소설의 대표작의 하나로 꼽히는 동시에 어떠한 의미로든 재미있는 소설의 수위에 놓일 작품이다.

(2) 「안(雁)의 성(聲)」

① 작품의 흐름

「안의 성」의 첫머리는 다음과 같은 가을 강변의 자연묘사로 시작되며, 그러한 적요(寂寥)의 분위기 속에서 여주인공을 등장시키고 있다.

> 무정한 낙일이 너울 너울 넘어가더니, 울연히 붉은 저녁 놀이 삼개 앞 너른 물을 물디려, 우 아래 하날빛이 연지 세계를 이룬 속으로, 옹옹히 울고 가난 기러기 소래가 삼개동리 막바지 그중 옷독한 오들박

집 서창 앞에 시름없이 앉았난 부인의 귀뿌리를 거스른다.

이 장면은 「안의 성」의 진전된 시간적인 과정으로 보면 반 이상 경과된 시점에 놓이게 되는바, 여기에서 다시 최초의 장면으로 거슬러 올라갔다가 이 시점 이후의 사건으로 연결되어 이 작품은 종말을 짓게 되는 것이다.

여주인공 박정애(朴貞愛)는 빈곤한 가정환경 속에서 오빠의 생선 행상의 수입으로 간신히 여학교를 졸업하게 되었고, 남주인공 김상현(金商鉉)은 비교적 유족한 가정의 편모 슬하에서 자라나 법학전문을 졸업하게 된다.

이들은 재학중부터 같은 통학의 노정(路程)에서 각기 상대에 대한 초인상(初印象)의 호감을 지녀 서로 남몰래 짝사랑의 흠모를 하게 된다.

한편 박정애의 여학교 동기동창으로 김상현의 이웃에 사는 정봉자(鄭奉子)는 상현의 어머니나 누이동생 김영자(金榮子)와의 평소의 잦은 접촉으로 그들에게 호감을 주고 봉자 자신 또한 상현에 대한 연모의 정에 불타고 있어, 상현의 어머니는 아들의 졸업과 더불어 그들의 혼인이 이룩될 것을 기대하고 또한 의식적인 촉진을 서두르고 있다.

그러나 김상현은 졸업식 날 마포에 있는 박정애의 집 소재를 아는데 성공하였고, 그 후 동장 성운경(成雲卿)의 소개로 정애의 오빠 박춘식(朴春植)을 만나 정식으로 청혼을 하게 되고, 이 소식을 들은 박정애는 그 상대자가 자기 홀로 흠모하던 법학생인 것을 알고 외면(外面)은 주저하는 듯하나 내심 기쁨을 참지 못하고 있다.

이 소식을 전하여 들은 정봉자는 연모와 질투의 불길을 막을 길 없어, 자기에게 호의를 가지고 도와주는 영자와 합심하여 상현과 정애의 혼인 성립을 사방팔방으로 훼방을 놓고 무근한 중상모략으로 정애를 모함한다.

그러나 김상현의 초지관철로 상현과 정애의 반상(班常), 빈부(貧富)의 계급을 초월한 사랑은 결혼의 결실을 보게 되고 그들은 새로운 삶의 보금자리를 차리게 된다.

극도의 연정이 적의(敵意)로 변한 봉자는 사랑의 승리를 쟁취하기 위하여 수단방법을 가리지 않고 신부 정애의 비행을 영자와 공모조작하고 결국에는 상현모의 협조까지 얻어 정애를 시가(媤家)에서 추방하게 하고 종국에는 정식 이혼을 시키게 한다.

그 후 박정애의 실신, 상현의 방랑, 봉자와 영자의 무고죄(誣告罪)에 의한 복역(服役), 상현모의 방황 등 복잡다단한 사건의 연속 끝에 상현과 정애는 다시 옛사랑을 찾게 되고 출옥한 봉자, 영자, 그리고 재회한 상현모의 회개로 다시 새로운 삶이 시작되는 '해피엔딩'으로 끝나는 작품이다.

참고로 주인공의 세계주유(世界周遊) 방랑(放浪) 노정(路程)의 일부를 추려보면 다음과 같다.

> 집을 떠난 후로 먼저 개성으로 나려가 명승고적을 구경하는데 고려 왕궁의 만월대 기지와 선죽교상에 포은선생 혈흔이며 채하동 수석과 박연의 폭포를 낱낱이 구경하고 그 길로 평양으로 나려가 대동강 모란봉의 명미한 산수와 연광정 부벽루의 기려한 풍경이며, 기린궁 영명사 등의 금강산을 유람하고 즉시 신의주 시가의 새로 번창함을 본 후 곧 압록강 철교를 건너 동청철교를 타고 안동현 봉황성을 지나 봉천부에 다다러 시가의 번성함과 문화의 교통하는 상태를 관찰하고 게문연수를 지나 북경에 들어가니 가옥의 굉걸함과 물산의 풍부함이 평인이 듣던 바에서 지남으로 경탄함을 마지 아니하고 그 길로 남청철도를 쫓아 상해에 다다러서 동서양 인물의 복주병진하는 성황을 구경한 후 남경 오송의 문물을 사랑하고 한가한 자취로 동정군산과 소상준수에 놀아 이백이 간 뒤에 오래 한가한 강남풍월을 위로하니 벌써 떠나온지 오륙개월이라…(중략)…다시 태서에 두류코자 상해로부터 비로소 윤선에 올라 태평양 너른 물결을 깨뜨리고 인도양을 횡단하여 영영인도에 들어가 열대지방의 동식물이며 새로 발달되는 공업

품을 낱낱이 시찰하고 다시 지중해를 통하여 처음 구라파에 도착하니 집떠날 때의 노자는 얼마나 가지고 나섰던지 저간에 모다 소모가 되고 다만 적수공원이라. 할 일 없이 유명한 정치가 재산가 등을 찾아 다니며 자기의 세계주유의 취지를 설명하여 간 곳마다 지극히 환영하며 영준의 재화를 창양하여 다수한 기부금을 보조하는지라 이때는 자기가 집에서 가지고 나온 여비보다 오히려 풍족히 쓰게되니 흡사한 쾌소년의 무전여행(快少年無錢旅行)이 되었더라. 그 길로 파리 백림 피득보등의 장걸한 시가를 열력하고 서서의 세계명승지라 칭하는 빙하공원의 기관이며 기타의 화란 정말 서반아 이태리 등의 풍물을 곳곳이 구경하고 영국 수부 론돈의 장관을 유람한 후 또한 아프리카로 항행하여 사하라사막(沙漠) 희망봉산맥을 바라보고 연초 산지 애급과 열강의 점령지 제부락을 낱낱이 구경하고 태평양 너른 바다에 용맹한 돛을 다시 달아 적도선을 통과하고 영대지방으로 유명한 호주에 들어가서 세계에 제일 화려타는 시가와 세계에 제일 풍부하다는 물산등의 모든 상황을 목도하고 그 길로 남양제도 야만인종에 기괴한 풍속을 자미있게 구경하니 무정한 세월은 어언간 두돌이 되었는지라. …(중략)…… 고국으로 돌아오는 길에 내지에 다다러 동경의 모든 풍물과 경도 대판 마관등지의 화려한 물색과 선미한 풍속을 관광하고 연락선으로부터 부산에 도착하였더라.

② 작품 구성의 특징

이 작품이 가지는 그 중요한 특색의 하나는 구성면에 있다 하겠다.

고대소설의 경우는 사건의 전개와 시간의 진행이 거의 평행되는 종합적 구성이 대부분의 작품에 적용되고 있으며, 신소설에 있어서도 일부의 작품은 이 방법이 그대로 습용되고 있음을 우리가 실제의 작품면에서 보아 온 사실이다.

그러나 「안의 성」에 있어서는 이 구성면에서 전연 다른 방법을 쓰고 있음을 발견할 수 있다. 즉 이 작품의 맨 첫장면은 작품 전체의 진행과정으로 보아 그 과반의 현재적인 시점에서 시작되어, 그 인과관계가 사건 발단의 시초로 소급하는 방법을 써서 사건 진전의 전후 순서를 전도시키고 있다. 따라서 독자의 시점은 제일장면에 전개되는 사건에 대하여 그 원인을 추구하고 싶은 욕구와 갈망을 가지게 된다. 이러한 방법은 서구 이론의 해부적 구성의 일분야에 속하는 것으로, 이것은 우연히 그렇게 되었다는 자연발생적인 해석보다는 작자의 의식적인 수법 적용의 결과라고 보지 않을 수 없는 것이어서, 그 영향은 어디에서 입었던, 이 땅의 소설 창작 면에서는 하나의 진전이라고 하지 않을 수 없다.

역시 이 작자의 작품인 「추월색」에 있어서도 그 구성면에 있어서는 「안의 성」과 마찬가지로, 이같은 시간성의 전도에 의한 구성상의 효과를 노린 것이 발견됨으로 보아, 동초(東樵)의 작품 구성에 있어서의 창의적인 적용성은 새롭게 인정되지 않으면 안될 것으로 본다.

같은 시대의 신소설 작가인 이인직의 작품 「혈의 누」나 「치악산」 또는 이해조의 작품 「자유종」이나 「춘외춘」에서는 사건의 시간적인 진전이 그대로 작품의 전개와 평행하여 그것이 시간의 흐름에 따라 결말로 이끌어지는 종합적 구성법에 의하였음에 비하여, 동초(東樵)의 이같은 적으나마 인과적 계기를 주로 하는 해부적 구성법의 적용은 그의 작품의 가치면에서 뿐만 아니라, 그 이후의 소설 형식의 발전 계보면에서도 소홀히 간과해서는 안될 문제라고 생각되는 것이다.

「안의 성」에 나타난 작품의 배경은, 시대성으로는 한일합방을 전후한 개화 후반기요, 사건이 전개되는 무대로는 서울과 대구가 그 중심이 되는 한편, 단편적으로는 개성·진주를 비롯한 한국 내의 여러 지방과 아울러 중국·구라파·아프리카·호주·남양군도 등이 직접 간접으로 주인공의 행동 속의 무대로 되어 있다.

이 작품에서 작가가 설정한 인물은 의식적으로 선악의 두 가지로 나누어져 있음을 알 수 있게 한다. 선에 속하는 것은 남주인공인 김상현과 여주인공인 박정애요, 악에 속하는 것은 여주인공을 연적으로 생각하고 보복에 수단 방법을 가리지 않는 정봉자와 그의 동조자인 영자로 되어 있고, 상현의 모는 그 어느 쪽에도 속하지 않으면서 또 아무 쪽에도 속할 수 있는 중간 위치에 놓여 있다.

작자는 지문에서 주인공을 다음과 같이 설명하고 있다.

> 김상현의 가상한 뜻은 보통 사람의 보통 지식과 달라, 비록 청년의 어린 마음으로도 전시대에 전광으로 알아 지금까지 연긍하는 폐습이 소위 양반이니 문벌이니 하는 고질을 타파하고, 평등주의를 주장하여 세상계에 인류된 자란 천부일권이 다 같은 터이라, 특별히 양반 상놈의 구별이 없는 것인즉, 전일에 조상의 빼울여 먹던 악습은 믿을 것 아니라 하는 사상이 있을뿐더러, 지금 고명한 풍조가 날로 증진하는 이 시대에는 비록 문벌 좋고 재산이 요부할지라도 지식이 없으면 능히 생활치 못할 줄을 깨달아, 어려서부터 공부에 유의한 결과로 매동소학교와 관립소학교에서 졸업을 하고, 그 후에는 법률 전문을 공부코져 하여 열여섯살 먹던 해 춘기에 관립법학교에 입학을 하였는데, 집은 자하골 청풍계라.

주인공 김상현은 매동소학교와 관립소학교를 거쳐 관립법학교에서서 법학을 전공한 학도로서, 이 시대의 가장 정통적인 교육을 받았을 뿐만 아니라 그러한 신식교육의 수학과정이 부모의 선각이나 권장의 덕으로 이루어진 것이 아니라, 오로지 자기의 자각과 미래의 포부에 대한 결의로서 실천된 것으로 신시대의 선봉적인 인간형으로 되어 있다.

한편, 그는 반상의 계급의식이나 문벌의 고루한 유습에 반기를 들어

전근대적 기성 도덕률을 부정하였을 뿐만 아니라, 근대의 특징적인 모럴인 인간의 자유 평등주의를 주장하여 새로운 시대의식의 첨단에 섰다. 그러므로 이 작품에서의 선형(善型)이란 고대소설에서 보여주는 바와 같은 삼강오륜을 경전으로 하는 충 · 효 · 절 등의 유교관에서의 선형이 아니라, 인간 가치 내지 인권의 존엄성을 기반으로 하는 근대적 기준으로서의 선형을 설정하였음을 규지할 수 있게 한다.

이와 같은 작자의 의도는 여주인공인 박정애가 그의 삼각 연적인 정봉자의 모함으로 가정 파탄을 초래하게 되고, 그것이 다시 법의 판정으로 정봉자가 수형(受刑) 복역의 결과를 가져오게 되고, 결국 박정애는 백일하에 그 정당성이 인정되어 원상 복구되는 종국적 결구에 있어서도 이것을 단순히 악자필멸의 권선징악적인 면에서만 보지 않고, 현대적인 사법기관에서 인권의 존엄성을 수호하는 인간 중심의 관점에서 처리한 점에서도 십분 구현되었다고 볼 수 있는 것이다.

특히 이 작품에서 주인공을 법과 출신으로 한 것은 조선조 500년을 통하여 관료의 학정 하에서 신음하고, 부패된 가렴주구의 정치에 울분과 반발을 인종하면서도, 관료에 대한 일말의 선망, 그것으로 배태된 관존민비 사상이 민중에게 깊이 뿌리 박혔던 그 타성의 발로에서 오는 필연적인 결과로, 이것은 민의의 대변인 동시에 작자의 주체의식의 반영이기도 한 것이다.

이러한 근대적인 후진국의 관료의식은 왜정 치하를 관류하여 현재에까지도 지속되는 것으로, 우리는 그 이후 오늘날까지의 여러 작품의 작중인물 속에서 그러한 대중의 염원이 반영된 유형적인 인물을 자주 발견하게 되는 것이다. 그러므로 이 작품에서 김상현과 박정애의 사이에 있어서 결혼 후의 혼인신고, 봉자의 모함에 영향된 어머니의 강권으로 이루어지는 형식적이요 하나의 방편으로 취하여지는 이혼신고, 그리고 그 뒤를 이어 곧 계속되는 이혼취하청원 등이, 주인공을 굳이 법학도로 택한 인물의 배정 및 신지식의 타당한 적용으로 말미암아 모순 없이 법절차로 진행되는 동시에, 이것이 작품의 진전에 하등의 부자연성을 노정하지 않고 사건을 다음 단계로 이끌고 나아가, 작품 전개의 필연성을 긍정하게 하는 소인이 되게 하는 것이다.

한편 이 작품의 첫머리에서 여주인공 박정애는 다음과 같이 그려져 있음을 볼 수 있다.

> 그 부인은 나이 열칠팔세쯤 되고 히사시가미에 연옥색 치마 저고리를 경쾌하게 입었난대, 그 미묘한 용모와 정숙한 태도가 흡사한 추수부용이라. 어대로 보던지 가히 신사의 부인이라 하겠는데, 무슨 근심이 그리 첩첩한지 오른손으로 턱을 고히고 강천에 가득한 놀빛을 바라보며, 얼굴에 무한한 수색을 띠고 정신없이 혼자 앉었다가, 기러기 소리에 깜짝 놀라더니 나작나작한 목소리로 한탄을 하고 하는 말이……

개화기 그것도 1900년대에 들어서서의 멋쟁이 청춘 남녀에게서 보여진 외형적인 시대풍조의 현저한 특징의 하나는, 남자는 상투를 깎아버리고 양복에 하이칼라 머리를 하는 것이요, 여자는 삼단같은 머리채를 끊어버리고 서양식으로 틀어넘기는 '히사시가미'를 하는 것이었다. 이 신여성의 자랑이요 멋인 '히사시가미'가 소설에 처음 반영된 것은 최찬식의 작품에 등장된 인물에서이다.

이 작품에 나타나는 여주인공 박정애는 여학교 고등과까지 졸업한 당시 사회의 인텔리 여성으로, 결혼까지는 자기의 자유의사로 성취하면서도 변혁되는 과도기에 선봉을 선 선구자의 수난으로 자기 의사를 저지하는 사회적 기성 관습의 제약에서는 완전히 초탈할 수 없게 되는 것이다.

그러나 그가 여러 가지 난관을 겪으면서도 종국에 가서 상대에 대한 사랑을 쟁취하여 정상적인 가정으로 복귀하게 되는 것은, 사필귀정의 일반율보다는 새로운 세대가 자기들에게 부하된 시대의식 속에서 자기들의 자유와 인간 개체의 존엄성을 위하여 투쟁한 결과에서 얻은 피나는 전리품이라고 해석함이 옳을 것으로 보아진다.

이제 여주인공의 사랑의 적수인 정봉자의 경우를 보기로 하겠다.

봉자는 상현이와 결혼을 하랴고 영자와 부동하여 궁흉극악한 게교를 내다가, 겨우 애매한 정애의 신세만 참혹하게 만들었을 뿐이오, 정작 목적은 달치 못하여 제반 경영이 모다 허사가 된지라, 봉자가 만일 여간한 악한 사람이 아니면 이왕 잘못한 것을 후회도 할터이오 또한 자기의 행실을 고쳐 장래의 다른 혼처나 좋은 곳을 구할 터인대, 봉자는 어찌된 인물인지 백옥같은 정애로 하여금 그 지경을 만들었으되 마음에 조금도 가엾은 생각이 있지 아니할 뿐더러, 자기가 상현에게 괄각하는 거조를 당하였으나 웃노라고 부끄러운 마음도 손톱 반머리만치 없고 단지 분한 마음만 품고 있으나, 사기는 벌써 천리만리 어기여지고 자기의 분한 마음은 쓸데없는 곳에 돌아갈 뿐이라. 제꼴에는 장래가 실망이 되어 타락심을 먹고 상말로 화증김에 서방질한다고 음란한 행실만 점점 늘어서, 영자와 짝패가 되어 시체말로 하이칼라 단장만 하고, 밤마다 연극장이 아니면 밀매음 뚜장이 짓으로 돌아다니며 경박소년 패가자제등 불량배와 눈을 맞추어 비밀히 추축을 하며, 요리나 먹고 풍류나 듣고 산사 강정에 노리나 다니는 것을 가장 행락으로 알아, 속 마음으로 어찌하면 평생을 이와같이 지낼꼬 하여 그것을 무궁한 행복으로 생각하고 그칠 줄을 모르는고로 남의 손가락질도 많이 당하고 혹시 경관에게 발각이 되면 설유도 여러번 만났으되, 속담에 제버릇 개 못준다고 날마다 그 버릇을 놓지 못하고 화조월석에 무한한 자미를 붙이니, 저간에 부랑패류 처놓고 정봉자 모르는 사람이 없고, 조선 십삼도에 망신패가한 자는 정봉자에게 다만 돈푼이라도 아니 빼앗긴 사람이 없더라.

여기서 봉자는 상현을 짝사랑하여 그것을 결혼에까지 이끌어 가려고 초지일관하여 전력을 경주한다. 즉 봉자의 사랑에 대한 동기는 조금도 불순한 것이 없이 정열의 도가니에서 폭발된다. 다만 상현에 대한 흠모의 일념으로 자기의 목적을 달성하기 위하여 수단 방법을 가리지 않는 그 전략이 우열하지만, 애정 시발점에서는 하등의 과오나 불합리한 점은 없다.

그것이 실패로 돌아가자, 그러한 연모의 정이 보복심으로 변하여 갖은 악랄한 방법을 가리지 않는 장면에서부터는 당시 봉자도 정애와 같은 학교를 나온 지성이 있는 여자라, 그 양식을 벗어난 행위에 대하여는 증오를 느끼지 않을 수 없게 한다. 그러나 자유연애에 대한 불굴한 투지의 주인공인 그는, 개화기문학에 등장하는 여성으로서는 자유로운 현대적 애정관계에 희생된 최초의 전사로서 일말의 동정이 가는 바도 없지 않다.

작자는 이 문제에 대하여 객관적인 위치에 서지 못하고 정애 쪽에 가담하는 반면에, 봉자의 애정에 대하여는 악의 화신처럼 경멸하고 있음을 볼 수 있다. 그러나 현실면에서 볼 때 생명을 걸고 대상을 사랑하는 과정에 있어서 경쟁자로 인하여 실패로 돌아갈 때에는, 보복이든가 자살이든가 양자택일의 길밖에 없게 되는 것이다.

이 경우에 깨끗이 다른 경쟁자에게 양보하고 고고한 점잖음으로 자위하거나, 모든 것을 체념하고 중도에 포기하는 것은, 오히려 사랑의 자유에 대한 역행이라고도 볼 수 있는 것이다. 따라서 봉자의 그 후의 행위에 따르는 음란이나 방탕은 이 실패에서 오는 불가피한 자포자기적인 귀결로밖에 되지 않는 것이다.

물론 이 사랑이 주변에 연관되는 모든 사람에게 피해를 입혀 불행을 초래케 하는 행위는 사회적인 도덕률로 보아 규탄을 받을 문제라 하겠지만, 단순한 선악의 규제를 벗어나서 생각할 때에는 열정적이요 적극적인 봉자의 성격과 행동에 일면의 의의가 없는 것은 아니다. 어쩌면 봉자는 개화기 여성의 자유연애 대열에 선 전위대였는지도 모른다. 아무튼 근대적인 소설작품의 등장인물로서 봉자는 사랑의 쟁취를 위하여서는 수단 방법을 가리지 않는 최초의 도전자이기도 한 것이다.

③ 주제의식의 한계

「안의 성」은 철두철미하게 '사랑'을 그린 작품이다. 그것도 현대적인 자유연애에 바탕을 둔 삼각애정을 그린 작품이다. 이 삼각애정은 여성 이대 남성 일의 경우를 대치시킨 것이며, 그 사랑은 소위 말하는 '연애'가 연애로 끝나는 것이 아니라, 이 연애가 매개의 경로로 되어 결혼까지 골인하는 정상적인 과정에서의 우여곡절이 많은 사랑의 대결을 그린 작품이다. 이들의 사랑, 즉 남주인공 김상현, 여주인공 박정애, 그리고 정애의 연적인 정봉자 등 세 사람의 사랑은 각각 상대에 대한 짝사랑으로 시작되어, 서로 모르는 사이에 삼각관계로 정립되고 최종에는 불꽃 튀는 쟁탈전으로 벌어지게 되는 것이다.

김상현이 박정애에게 호감을 가지고 그것이 견딜 수 없는 사랑의 대상으로 진전되는 최초의 실마리는 다음과 같다.

> 비가 오나 눈이 오나 일요일과 방학 기간을 제한 외에는, 갈적 올적 아니 만나난 날이 없어 삼년을 두고 만나보매, 그여학생은 자기를 어찌 보았난지 모르나 자기는 자연이 눈에 익고 마음에 흠모하여, 비록 말은 서로 아니 하되 은근이 깊은 정이 들어서, 남모르는 속마음으로 아무 때든지 저 여학생의 성명이 무엇이고 집이 어디며 어떤 사람의 딸인지 좀 알아보리라 하는 생각을 두었더라.

이같이 김상현의 사랑의 싹은 학교 통학 중에 매일, 그것도 거의 아침 저녁으로 거듭하여 만나게 되는 계기에서 움트기 시작하고, 그것은 미지의 여학생에 대한 흠모의 정으로 변하여 일층 접근하고 싶은 호기와 욕망을 촉구하게 된 것이다. 이 3년간의 세월이 흐르는 사이, 점차 깊게 쌓여진 흠모의 짝사랑은 결국 졸업식 날을 당하여, 이제는 그 이상 견딜 수 없어 토로구를 발견하려고 최후의 결단을 내리게 하는 것이다.

에라 내 오늘 저 학도를 좀 따라가 보리라, 내가 지금 이십세기 청년으로 앞길이 창창한 터에 일개 여학생의 뒤를 쫓아 가는 것은 실로 온당한 행위라 할 수 없다마는, 내가 저 학도를 삼년을 두고 흠모하던터에, 저 학도가 어떤 사람인지도 모르고 헤여질 것 같으면 평생에 궁금한 마음을 풀지 못할 것이니, 오날날 마지막 만나는 길에 저 학도의 집이나 좀 알아보리라.

이리하여 상현은 여학생의 뒤를 쫓아 그 집을 알게 되고, 다음에는 동장을 중매로 하여 여학생의 오빠에게 정식으로 청혼의 절차를 밟게까지에 이른다. 그러나 상현은 아직 상대의 여학생이 자기에게 어떠한 관심을 가지고 있는지의 여부에 대하여는 그 심중을 타진할 길이 없어 홀로 궁금한 추측을 내리고 있을 뿐이다.

한편 같은 시각에, 즉 그들이 학교로 통학하고 있을 시기에, 정애에게는 정애대로 미지의 남학생에 대한 사랑의 싹이 텄고 애모의 정을 금치 못하여 번민하였으니, 정애의 연심이 익어가는 과정을 살펴보면 다음과 같다.

그 여학생 정애와 김상현이가 광화문 앞 석란간 모퉁이에서 만날 적에, 오직 김상현이만 그 여학생을 유심히 보았을 뿐 아니라, 그 여학생 정애도 역시 사방모자를 쓴 법학생을 만날 때마다 그 비범한 기상을 매우 흠모하야 항상 속마음으로 "그학생은 뉘집 자손인지도 모르거니와 매우 전도하다 근일 청년에도 저러한 사람이 있구나"하는 생각이 있으되, 여자의 신분이라 그런 이야기를 뉘게 말도 못하고 지내는 터이라, 그학생의 오른 귀에 사마귀 있는것까지 기억을 하는 터이라.

정애 자신은 사각모의 남학생을 만날 때마다, 그 비범한 기상을 흠모하여 애정의 충동을 받으면서도, 다만 사회적인 제약과 여자로서의 수동적인 소극성 때문에 심중을 토로하지 못하였을 따름이지, 그의 이성에 대한 예리하고도 비등하는 관심은 상대편 남학생의 오른쪽 귀에 붙은 사마귀까지 기억할 정도로 열렬하였던 것이다.
'남녀 칠세 부동석' 운운하는 유교의 윤리에 얽매어, 남녀상열지사는 추하게만 보아 오던 이성애(異性愛)의 기성 윤리에서의 해탈을 절규한 갑오경장 후 불과 20년, 문학 작품 속의 여성의 이성관도 이만큼 변천하여 온 것이다. 그러나 그것이 이들에게 대한 삼각의 적수인 정봉자의 경우는 더 애정의 표명이 노골화하고 행동면의 적극성이 과잉될 정도로 노출됨을 발견하게 된다.

그 여자는 성정이 원시 패려하고 겸하여 샘이 발라서, 차차 자라매 공부에는 뜻이 별로 없으나 남들 학교에 다니는 것이 부러워 마침내 자골여학교에 통학을 하나, 학생의 신분은 조금도 지키지 않고 저간에 불미한 행동이 있어, 얼굴이 반반한 소년만 보면 마음에 애모하는 사상을 두는터인 고로, 김상현의 얼굴이 미묘함을 항상 흠모하여 은근한 속마음으로, 나는 어떻게 하던지 저 김상현과 결혼을 하리라 하는 생각을 두니, 그는 자기 일신의 장래를 생각하고 아무쪼록 좋은 남편을 얻으리라는 것이 아니오 단지 그 인물을 탐하여 그러한 사상을 두는 것인데, 그 김상현은 보통 소년과 달라 심지가 정확하므로, 감히 다른 사나이와 눈맞추듯 할 수는 없어 직접으로 말 한마디 건네 보지 못하고, 그 김상현의 누이 영자와는 비록 한 학교에는 다니지 아니하나 동시 여학도요 또한 집이 이웃인 고로, 날마다 상종을 하며 친근히 사귀어 노니, 자연 저희끼리 정의 상통이 되어 못할 말이 없이 하는 터이라. 그런 고로 자기 마음에 먹은 일을 그 영자로 하여금 상현의 모친에게 소개한 일까지 있었고, 또한 상현의 집에 조석 왕래를 하는 고로 그 부인을 보면 간사한 태도로 비상히 정답게 굴며 어디까지 환의를 사고자 하며, 그 아무것도 모르는 옛 늙은이는 봉자의 교언영사에 빠져 봉자같이 영민한 여자는 세상에 없는 줄로 홀려서, 외면에 발표는 아니하나 속마음으로는 우리 상현이는 저 봉자와 결혼을 하리라 하고 상현의 졸업하기를 고대하다가, 상현이가 졸업장을 가지고 오매 기쁜 마음을 이기지 못하고 상현을 대하여 봉자의 혼인 말까지 한 것인데, 상현은 봉자의 행위를 대강 짐작할 뿐 아니라 마음 속에 딴 생각이 있어 그 모친의 말을 이같이 거절한 것이라.

봉자의 사랑도 또한 상현에 대한 짝사랑의 경역을 아직 벗어나지 못했다. 그러나 봉자는 상현에 대한 견딜 수 없는 연모의 정이 결혼에까지 이르게 하기 위하여, 상현의 누이 영자에게 심중을 토로하고 영자를 매개로 하여 그의 어머니에게까지 환심을 사려고 최후의 노력을 다한다.

작자는 여기서 독자의 객관적인 판단의 여유마저 가로 막고, 봉자를 극단으로 악인의 상징처럼 그리고 있지만, 그것은 작자의 주장을 앞세우려고 하는 선입관의 소치에 불과한 것만 같다. 즉 이성에게 호감을 가지게 되는 동기에 대하여, 그것이 인품이든 지식이든 기상이든 용모에서든, 그것을 기준으로 하여 선악의 분류 기점으로 삼아, '얼굴이 미묘함에' 흠모하는 것은 덮어놓고, 악한 형으로 판정하는 것은 사랑의 동기에 대한 너무나 독단적인 해석이 될 뿐더러, 자기의 사랑을 관철하기 위하여 적극적인 행동으로 옮기는 것을 비열한 것같이 서술한 점은 너무나 기성관념에 사로잡힌 것 같은 감을 주는 바 없지 않다. 말하자면 봉자는 서구사조의 조수 같은 유입에 휩싸여 들어온 자유연애의 최초의 챔피언이라고도 할 수 있으며, 요즈음의 '아푸레' 여성과도 통할 수 있는 전위적인 여성이다.

더욱이 봉자의 갖은 농간으로 상현과 정애는 형식상이나마 이혼을 하게 되고, 정애는 친가로 돌아간 후에, 봉자가 상현을 만나 자기의 의사를 솔직히 고백한 다음과 같은 대목은 봉자의 파렴치한 연모에 경악하지 않을 수 없는 한편, 그 사랑의 쟁취를 위하여 굳이 철면피를 자처하는 강인성에는 경탄을 금치 못하는 바 없지 않다.

……당신께서 정애를 보내셨으니 시하정지에 불가불 구혼을 하실 터인즉, 제가 비록 미거하오나 정애의 후임자가 되고자 하는 말이오, 당신 의향에 어떠하십니까.

아마도 요사이의 '아푸레' 여성도 이까지의 용기와 행동을 나타내기에는 적지 않은 내적 고민을 곱씹어야 할 것이다.

한편 이 작품에 나타난 혼인관을 살펴보면 신구세대가 다 당사자의 자유의사에 기준을 두어야 한다는 것이요, 사회적인 기성 신분제도의 계급의식에서는 완전 해탈되어야 한다는 점이다. 이 자유결혼에 대하여 젊은 세대에 속하는 김상현·박정애·정봉자 등은 이미 혼인의 전단계라고 생각되는 자유연애에 직접 참획한 것이니 말할 것도 없거니와, 구세대에 속하는 상현의 어머니 및 현대교육에 깊은 관련이 없는 정애의 오빠 박춘식도 각각 이 시대의 흐름에 동조적 찬의를 표하고 있다.

오냐 그러면 좋도록하자. 혼인이란 것은 백년해로하는 일인즉 부모가 압제로 할 것이 못되니, 어디까지 네마음에 가합한 신부를 구하는 것이 좋겠다.

……그러나 비록 남매간일지라도 제말 한번 아니 들어보고 경솔히 허락할 수 없은 즉, 저는 돌아가 누이와 의논하여 결정하겠읍니다.

전자는 상현의 어머니가 아들과의 대화에서 자기 의사를 표명한 것이요, 후자는 정애의 오빠가 상현의 정식 혼인신청에 대하여 당사자인 누이동생의 의사에 따라야 하겠다는 답변을 하는 대목으로, 부모의 일방적인 결정으로 시집 장가를 갔어야만 하던 기성 제도는 이 작품 속에서 완전히 무너지고, 인간 존중의 새로운 자유결혼으로의 전환기의 양상이 반영되어지고 있음을 볼 수 있다.

반상의 계급철폐 및 평등주의 문제는 주인공 김상현이 평소의 지론으로 주장하는 바이지만, 그는 이러한 자기의 주관을 행동으로써 실천면에 옮겨, 우선 자기의 결혼에서 그 표본을 보이고 있다. 그는 혼인 중매로 나선 성운경이 쌍방의 계급적 차이에서 오는 혼담의 불합리성을 주장하자, 그것을 즉석에서 문제시하지 않고 자기의 관점을 피력한다.

양반 상놈은 다 무엇이오, 그것은 전일 야매시대에 하던 말이지 지금 이십세기 문명시대에야 그런 말이 있을 리가 있오. 그전에 양반은 양반끼리 상놈은 상놈끼리 하던 대신에, 지금은 우매한 자난 우매한 자끼리 지식 있는 자난 지식 있는 자끼리 결혼할 것 같으면 좋지 않겠습니까…… 이같이 관습상 폐해 되난 일은 누구던지 먼저 타파하는 이가 없으면 언제던지 개량할 수 없읍니다.

김상현의 이같은 계급타파의 주장에 병행하여, 다른 한쪽에서는 기성

사회의 권위가 반상의 신분제도에서부터 자본의 축적대상인 금력으로 옮겨옴을 발견하게 되는 것은, 또한 간과하지 못할 시대상의 중요한 변모의 반영이라 하겠다.

……내가 본래 반반한 집 자식으로 오날이 이 모양이 된 것은 한갓 재산이 없어서 이러한 것이라. 나는 재산만 모아가지면 다시 우리 조부모의 지위를 회복하기 쉽거니와, 저 정애로 말하면 신분이 여자이라 저것을 만일 이 마포 구석에서 아모 문견없이 무무하게 기를 것 같으면, 도저히 행세하는 사람에게는 시집 보낼 가망이 없고, 제 팔자가 좋와서 한껏 잘 간대야 나와 같은 생선장사에 지나지 못할 것이니, ……저 정애는 아모조록 공부나 시켜서 만리같은 전저에 희망이 있도록 하리라.

이것은 그 당시 마포에서 생선장사를 하고 있는 정애의 오빠 박춘식의 독백이다. 그는 금력이 대사회 가치의 기준이 되는 것으로 계산하여 돈만 있으면 지위와 명예와 권력을 다 잡을 수 있고, 또한 "나는 종차 재산을 많이 모아가지고 귀족의 집으로 장가 가기로 작정"하였다고 하여, 결혼도 돈만 있으면 얼마든지 마음대로 되는 것으로 누이동생에게 통분한 심중을 토로하고 있다. 뿐만 아니라 박춘식이 자기의 직업에 비굴감을 느끼는데 대하여, 동장은 "세상에 신성한 것은 노동인데 구차해서 오라비가 생선장사 좀 하였기로니 무슨관계가 있단 말인가" 하고 노동신성설을 내대고 있다.

이로써 기성 사회의 절대적인 척도이던 신분제도는 붕괴되어 가고, 그에 대치하여 새로운 시대의 상징인 신지식의 습득, 그리고 사회 구성의 모든 요소가 돈으로 환원될 수 있는 현대적인 척도인 금력의 새로운 권위가 대두됨에 따라, 봉건사회에서 근대자본주의사회로 점차적으로 변모하여

가는 시대적 양상이 그대로 작품 속에 침투되어 감을 발견하게 된다.

④ 문체상의 특색

최찬식의 작품은 대개 그 첫머리는 자연 풍경의 묘사로 시작된다. 「안의 성」도 물론 마포강가의 저녁놀이 비낀 가을 풍경에서 그 첫장면을 전개하였지만, 그의 다른 작품, 즉 「추월색」이나 「금강문(金剛門)」이나 「춘몽(春夢)」도 이 예에서 벗어나지 않는다.

작품의 진행과정에 있어서도 이 자연의 배경 위에 인물을 대조시키는 방법은 그의 독특한 기법의 하나로서, 그는 우선 분위기의 조성에 주안을 두고 그러한 조건에 적응되는 장면에서 비로소 인물을 등장시킨다. 우선 남산공원에서 상현이 그 어머니에게 신부 후보자인 박정애를 불러 첫선을 보이려는 장면의 공원 풍경은 다음과 같다.

하로밤 동풍에 무정한 낙화를 불어 다하고 새로 트난 나뭇잎이 초록장을 드리운듯, 남산공원에 신선한 경색이 사람의 정신을 새롭게 하난대, 분수탑 한편 사모정속에 댕갈댕갈 나난 이야기 소래난 김상현의 모친이 그 아들과 영량을 다리고 산보를 온 것이오.

이것은 지금으로부터 50여 년 전의 남산공원 풍경의 일모요, 이로써 봄의 다사로운 기분에 휩싸여 새로운 며느리감을 보려는 신생의 발랄한 정기에 찬 분위기는 마련되어진 것이다. 여기에 박정애가 나타나게 된다. 작자는 이때의 젊은 여인의 모습을 다음과 같이 그리고 있다.

그 아래 기렴비 모퉁이로 일타 부용이 우뚝이 맑은 물결에 소근듯 일수 벽도가 외로히 반담에 의지한듯 가히 형용할 수 없는 것은, 연여색 반양복에 기려한 조화를 머리에 꽂고 오른 손에는 우산을 들어

태양을 가리우고 춘광을 자랑하야 좌우를 돌아보며 완완히 올라오는 박정애라.

양장 차림에 머리에는 꽃을 꽂고 한손에는 요사이의 파라솔에 해당되는 우산을 들고 올라오는 박정애의 모습은, 또한 반세기 전 개화기 신여성의 생생한 모습을 암시하여 줌을 엿볼 수 있게 한다. 이러한 모습을 내려다보고 있던 상현의 어머니는,

참 인물도 도저하구면, 그러나 너무 하이칼라인걸.

하고, 끝내 감탄사를 터뜨리고야 만다.

하이칼라, 그것은 이 시기의 시대풍조를 대변하는 가장 첨단적인 '멋'의 표현 용어이기도 한 것이다. 사실 하이칼라는 신식 양복 속에 입는 와이샤쓰에 연결시키는 높은 칼라였지만, 이것을 입는 젊은이는 모두 새로운 시체 멋쟁이였기 때문에, 하이칼라란 말은 그대로 전위적인 멋쟁이의 대명사로 와전되어 본의 아닌 광의의 뜻으로 쓰여졌고, 오늘날에도 의연 우리 언어 속에 그 잔영은 일부 남아 있는 것이다.

한편 상현과 정애의 신혼부부가 자하골 청풍계의 집을 떠나 파고다공원에 소풍을 나온 날의 공원 모습을 그린 장면은 다음과 같다.

공원을 들어서니 조요한 전등빛은 울밀한 나무 숩풀에 비치어 맑은 광희와 그윽한 그늘은 청량한 가을 뜻이 나는 듯, 기이한 꽃과 아름다운 풀은 때에 가득히 난만하야 일폭 공원의 영롱찬란한 경지가 실로 사람의 심신이 상쾌할만 한 대, 그곳에 소창하라 온 사람들은 사나이 여편네 늙은이 젊은이 섰난 사람 앉았난 사람 오락가락 인성 만성한지라.

종로 한복판에 자리 잡은 파고다공원은 반세기 전에도 역시 지금이나 다름없이 유한 남녀노소의 소일터였음을 눈앞에 방불하게 하는 바 없지 않다.

다음으로 이들 신혼부부가 주위의 불가피한 제약에 의하여 본의 아닌 형식적 이혼을 잠시나마 이행하지 않을 수 없게 될 즈음의, 이들의 고뇌에 대조시킨 한강의 석양어린 풍경은 다음과 같다.

> 상현이가 그 부인 정애를 다리고 일엽편주를 가비여운 바람에 맥기여 일곡창랑 맑은 물결에 가는대로 떠다니며, 구곡간장에 쌓여 있는 정회를 서로 이야기하는 때에, 아래 여울 웃여울에 고기 잡는 노래는 한가히 화답하야 사람의 근심을 돋으고, 서산에 걸려 있는 해빛은 유리같은 수면에 빗기여 비눌같은 물결이 낱낱이 반짝반짝, 상현의 귀와 상현의 눈에는 모다 강개한 소래 초창한 빛뿐인대, 육칠월 긴긴 해가 간이 녹는 이야기 속에 발서 희끈 넘어가고, 붉은 놀 푸른 연기가 맑은 물결에 비치어 오색이 영롱한 별유천지가 되더니, 어언간 먼산 밑 외로운 촌과 강나무 그윽한 수풀은 늦은 매암이 뚝 긋치는 노래 속에 어둑컹컴이 저문 빛이 쟁기며, 어대로 오는 통소 소래인지 요요한 음향이 바람결에 태여 무한정 한을 하슈연하는듯, 뱃물가 검은 빛이 초창한 기색을 띄운 중에 한조각 가을달이 검은 구름 너머로 완전히 돋아오니, 맑은 광선에 물결은 아름아름 풀끝 나무잎에 백옥같은 찬 이슬은 낱낱이 반짝반짝……

이날 밤 번민과 애수와 미래의 해후를 감싼 복잡한 정회의 도가니를 최후로, 그들 부부는 후일 다시 원상 복구될 때까지 복잡다난한 이혼기간으로 들어서게 되는 것이다. 이것 또한 구시대와 신시대가 교체되는 과도기에 처한 선구자의 희생의 일면이라고나 할까.

「안의 성」은 그 종말에 가서 재래소설의 뚜렷한 특징의 하나인 권선징악을 의식적으로 고취한 점이 없지 않다. 예를 들면 남을 근거 없이 모함하여 가정의 파괴를 초래케 하고, 사기 절도를 하던 봉자나 영자가 법의 심판을 받고 복역 출옥 후 개과천선한 것이라든지, 주인공 상현이 스스로,

……사람이란 것은 빈궁현달이 모다 제게 달렸읍니다. 혹시 비색한 운수를 당하야 횡액에 곤난을 겪는 일이 있지마는, 대개 하날 이치는 사람이 악한 일을 행하면 곤궁을 면치 못하는 법이외다.

하고 설유하는 것이라든지, 또는 피해자인 정애가,

지공 무사하신 하나님께 비나이다. 착한 사람은 복을 주시고 악한 사람은 재앙을 주시는 것이 정한 이치라.

와 같은 기도를 올리는 것이라든지, 다 그러한 예에 속하는 경우이다.

그러나 이 작품에서는 그것이 어디까지든지 부수적인 것이요, 본의는 역시 자유로운 애정이 모든 주변적인 장애를 극복하고, 결국에 가서는 행복하고도 평화로운 가정을 이룩하는 사랑의 아름다움을 구가한다는 데 초점이 놓여져 있는 것이다. 특히 기성 윤리관에서 해탈한 일 대 일의 개성을 지닌 인간이 자기의 자유의사로 사랑을 희구하고, 그것이 처절한 삼각애정의 대립 속에서 그 인간의 자유와 존엄성과 그리고 사랑을 값있게 쟁취하여, 현대적 애정의 새로운 모럴을 설정한 최초의 작품이라는 점에서, 「안의 성」은 다른 어느 계몽적인 설교작품보다 문학적인 의의를 더 무겁게 지니게 되는 것이다.

Ⅳ. 안국선 연구(安國善硏究)

1. 작가 안국선(安國善)

안국선(1878~1926)[1]은 경기도 안성군(安城郡) 고삼면(古三面)에서 태어났다. 16세 때인 1894년에 일본 유학생으로 선발되어 동경(東京)에 건너간 그는 정치학을 전공하였으며, 귀국한 후에 정치운동을 획책하다가 탄로되어 참형(斬刑)의 선고를 받고, 전라남도(全羅南道) 진도(珍島)에 유배되기도 하였다.[2]

안국선이 진도 유배생활에서 방면(放免)되어 사회활동을 시작한 것은 1907년을 전후한 시기부터였다. 이 무렵에 그는 대한협회(大韓協會), 기호흥학회(畿湖興學會) 등의 사회단체에 가담하였으며, 《야뢰(夜雷)》《대한협회회보(大韓協會會報)》《기호흥학회월보(畿湖興學會月報)》등의 잡지에 정치경제에 관한 많은 논설을 발표하였다. 그리고 「금수회의록(禽獸會議錄)」「공진회(共進會)」등의 작품을 위시하여 몇 권의 저서도 내놓았다. 그의 저작을 간추려 보면 다음과 같다.

1 조선신사연감(朝鮮紳士年鑑), 1911.5.20 간행 (본서(本書) 38면 참조).
윤명구(尹明求), 「안국선연구(安國善硏究)」, 서울대석사논문(大碩士論文).

2 안회남(安懷南), '선고유사(先考遺事)' (《박문(博文)》제3권 5집, 1940.6.1)

「논설(論說)」

· 응용경제(應用經濟)(야뢰(夜雷) 1호, 1907.2)

· 민원론(民元論)(야뢰(夜雷) 2호, 1907.3)

· 국채(國債)와 경제(經濟)(야뢰(夜雷) 3호, 1907.4)

· 풍년불여흉년론(豊年不如凶年論)(야뢰(夜雷) 4호, 1907.5)

· 조합(組合)의 필요(必要)(야뢰(夜雷) 5호, 1907.6)

· 민법(民法)과 상법(商法)(대한협회회보(大韓協會會報) 4호, 1908.7)

· 회사(會社)의 종류(種類)(대한협회회보(大韓協會會報) 4호, 1908.7)

· 정치가(政治家)(대한협회회보(大韓協會會報) 5호, 1908.8)

· 고대정치학(古代政治學)과 근대정치학(近代政治學)(대한협회회보(大韓協會會報) 6호, 1908.9)

· 정부(政府)의 성질(性質)(대한협회회보(大韓協會會報) 7~8호, 11~12호 연재, 1908.10~1909.2)

· 정치학(政治學)—정치학연구(政治學硏究)의 필요(必要)(기호흥학회월보(畿湖興學會月報) 2호, 1908.9)

· 고대(古代)의 정치학(政治學)(기호흥학회월보(畿湖興學會月報) 4호, 1908.11)

「저서(著書)」

· 외교통의(外交通義)(이책(二冊)) (보성관(普成館), 1907), 번역서

· 정치원론(政治原論)(황성신문사(皇城新聞社), 1907)

· 연설법방(演說法方)(일한인쇄주식회사(日韓印刷株式會社), 1907)

· 금수회의록(禽獸會議錄)(황성서적업조합(皇城書籍業組合), 1908)

· 공진회(共進會)(안국선자택(安國善自宅), 1915)

이상에서 간추려 본 바와 같이 안국선의 저작(著作)은 「금수회의록(禽

獸會議錄)」과 「공진회(共進會)」를 제외하고는 모두 정치·경제 방면에 관한 것임을 쉽게 알 수 있다.

안국선이 사회활동을 청산하고 관계(官界)에 발을 들여놓은 것은 한일합방을 전후한 시기였다. 그는 청도군수(淸道郡守)를 마지막으로 관직을 사임한 후에 실업계(實業界)에 투신하여 개간(開墾)·금광(金鑛)·미두(米豆) 등에 손을 대기도 하였다. 그리고 한때는 강단(講壇)에서 정치·경제에 관한 문제들을 강의하기도 하였다.

안국선의 문필활동 중에서 가장 주목되고 있는 것은 「금수회의록」과 「공진회」이다. 이 두 작품은 소설가로서의 안국선의 면모를 확인해 볼 수 있는 중요한 작품으로서 개화기 신소설의 성격을 이해하는 데에 있어서도 빼놓을 수 없는 자료로 널리 알려져 있다. 안국선의 이 두 작품 이외에도 「발섭기(跋涉記)」「됴염라傳」 등을 지었다고 하지만 현재까지 확인되지 않고 있다.

2. 안국선의 작품세계

(1) 「금수회의록(禽獸會議錄)」

① 우화소설(寓話小說)로서의 「금수회의록」

「금수회의록」은 1908년 2월 황성서적업조합(皇城書籍業組合)에서 초판이 발간되었으며 동물을 등장인물로 한 우화소설(寓話小說)이다.

이 소설에는 까마귀(오(烏)), 여우(호(狐)), 개구리(와(蛙)), 벌(봉(蜂)), 게(해(蟹)), 파리(승(蠅)), 호랑이(호(虎)) 원앙(鴛鴦) 및 그 종류를 밝히지 않은 회장직을 맡은 동물까지 합쳐 모두 아홉 종류의 생물이 주역으로 등장하나, 인간은 '나(余(여))' 라고 하는 작중화자 하나뿐이다. 이 소설은 다음과 같은 11항목으로 단락이 져있다.

서언(序言)

개회취지(開會趣旨)

제일석, 반포의 효(까마귀)(反哺之孝))

제이석, 호가호위(여우)(狐假虎威))

제삼석, 정와어해(개구리)(井蛙語海)

제사석, 구밀복검(벌)(口蜜腹劍))

제오석, 무장공자(게)(無腸公子))

제육석, 영영지극(파리)(營營之極)

제칠석, 가정이맹어호(호랑이)(苛政猛於虎))

제팔석, 쌍거쌍래(원앙)(雙去雙來))

폐회(閉會)

서언에서는 작중화자가 등장하며, 인간사회의 도덕, 의리, 염치, 절조 등의 타락 및 인간이 악(惡) 속으로 빠져 들어가는 즉, 금수만도 못한 세상을 개탄하다가, 마침내 숲속에서 '금수회의소(禽獸會議所)' 라는 간판과 그 옆에 붙어 있는 '인류를 논박할 일'이라는 연제(演題) 및 '하늘과 땅 사이에 무슨 물건이든지 의견이 있거든 의견을 말하고, 방청을 하려거든 방청하되 각기 자유로 하라'는 광고문을 보게 된다. 거기에는 이미 길짐승, 날짐승, 버러지, 물고기, 풀, 나무 등 많은 것이 모여 있다. 그는 만물의 영장인 인간이 제구실을 하지 못하여, 금수 초목이 오히려 인간의 무도패덕함을 공격하려 하는 괴상한 장면을 목격하고, 부끄럽고 통분한 심정으로 방청석에 들어서는 것으로 작품의 도입부는 시작된다. 개회를 알리는 사회봉소리가 나자, 회장 역할을 맡은 위엄 있고 단정한 동물이 회장석에 나타나, 첫대목에 인간의 악을 규탄하고 이어 개회의 취지를 설명한 후 다음의 세 가지 결의 안건을 제시한다.

제일, 사람된 자의 책임을 의론하여 분명히 할 일.

제이, 사람의 행위를 들어서 옳고 그름을 의론할 일.

제삼, 지금 세상 사람 중에 인류 자격이 있는 자와 없는 자를 조사 할 일.

이로부터 자유토론으로 들어가, 맨 처음 까마귀가 등단하여 '반포지효(反哺之孝)'라는 연제 하에 인간의 불효와 불실을 동서고금의 전거(典據)를 예로 들어 규탄하고 박수갈채 속에 연단을 내려온다. 다음 등단한 여우는 '호가호위(狐假虎威)'의 연제로 한 나라의 다른 나라 국세(國勢)에 의존함과 인간의 음란을 아울러 규탄하고, 다음 개구리는 '정와어해(井蛙語海)'라는 제목으로 개화인(開化人)의 내실이 없는 대외국관(對外國觀)의 오류 및 관권(官權)과 도당(徒黨)의 해독을 강력히 비난한다. 그리고 벌은 '구밀복검(口蜜腹劍)'의 제하(題下)에, 강대국에 의한 약육강식(弱肉强食)의 국제적 풍조와 불실한 국민을 힐난하고 기독교의 신앙에 의하여 이러한 상황을 구제할 것을 제의한다.

계속하여 게는 '무장공자(無腸公子)'의 연제로 창자가 없는 무주체성(無主體性)과, 불법외인(不法外人)에 대한 무저항을 비난하고, 파리는 '영영지극(營營之極)'의 제하에 인간의 신의(信義)없음과 사리사욕을 규탄한다. 호랑이는 '가정맹어호(苛政猛於虎)'의 연제로, 전쟁에 있어서의 과학의 악용 및 현대국가의 물욕(物慾)과 폭악(暴惡)을 통박하고, 원앙은 '쌍거쌍래(雙去雙來)'의 제목으로, 인간의 음란을 규탄하고 정상적인 일부일처제를 주장한다.

마지막 장면에서는, 다시 작중화자가 나타나서, 전체를 총괄하여, 인간의 반성과 회개를 촉구하는 것으로 작품은 끝난다. 따라서 「금수회의록」은 동물에 의한 우화(寓話) 형식을 빌어서, 당대 사회의 부패된 현상을 고발하고 불실한 인간을 규탄하여 반성을 촉구한 정치 계몽소설이라고 할 수 있는 것이다.

② 「금수회의록」의 주제의식

소설 「금수회의록」은 흔히 정치소설의 부류로 인정되고 있다. 그 이유는 이 소설에서 구현되고 있는 강렬한 비판의식과 주제의식에서 쉽게 확인해 볼 수 있다. 이 작품의 '서언(序言)'에서 작가는 다음과 같이 주장한다.

> 지금 세상 사람을 살펴보니 애닯고 불상하고 탄식하고 통곡할만 하도다. 전일의 말씀을 듣던지 역사를 보던지 옛적 사람은 양심이 있어 천리를 순종하야 하나님께 가까왔거늘, 지금 세상은 인문이 결단나서, 도덕도 없어지고 의리도 없어지고 염치도 없어지고 절개도 없어져서 사람마다 더럽고 흐린 풍랑에 빠지고 헤여나올줄 몰나서 웬 세상이 다 악한고로 그르고 옳음을 분변치 못하야 악독하기로 유명한 '도척'이같은 도적놈은 청천백일에 사마를 달려 왕궁 국도에 횡행하되 사람이 보고 이상히 여기지 아니하고 '안자'같이 착한 사람이 누항에 있어서 한 도시락 밥을 먹고 한 표주박 물을 마시며 간난을 견디지 못하되, 한 사람도 불상히 여기지 아니하니, 슬프다 착한 사람과 악한 사람이 거꾸로 되고 충신과 역적이 밧고였도다. 이같이 천리에 어기어지고 덕의가 없어서 더럽고 어둡고 어리석고 악독하야 금수만도 못한 이 세상을 장차 어찌하면 좋을고.

앞의 주장에서 작가는 당시의 시대적 상황을 한마디로 '금수만도 못한 세상'으로 치부하고 있다. 작가 자신이 도덕과 의리의 붕괴, 염치와 절개의 없어짐을 탄식하고 있는 대목은, 이 작가의 시대인식이 어떤 각도에서 이루어지고 있는가를 확인시켜 주고 있는 것이다. 당시의 실정으로 볼 때, 1905년의 을사조약(乙巳條約) 이후 대외적으로는 일제의 침략세력이 노골적으로 그 영향력을 확대하는 과정에 놓여 있었고, 대내적으로는 확정되는 외세의 압력에 '대응할 만한' 주체적인 세력이 확립되지 못한 채 혼란을 자초하고 있었던 것이다. 이러한 상황에 직면하여 작가는 풍자적인 시선을 통해 오도(誤導)되어 있는 인간의 현실을 비판하고 있는 것이며, 우화적(寓話的)인 수법으로 동물들의 연설장면을 의인화하여 실상을 형상화하고 있다고 할 것이다.

작품 「금수회의록」에서 동물들의 연설을 통해 논의되고 있는 문제는, 첫째 사람된 자의 책임을 의논하여 분명히 할 일, 둘째 사람의 행위를 들어서 옳고 그름을 의논할 일, 셋째 지금 세상에서 인류 자격이 있는 자와 없는 자를 조사할 일 등이다. 그리고 까마귀·개구리·여우·호랑이·벌·파리·게·원앙새들의 연설을 통해 보다 구체적으로 현실의 제반 문제가 검토되고 있는 것이다. 동물의 연설을 통해 가장 신랄하게 비판되고 있는 대상은, 넓게는 '남의 나라를 속국이나 보호국으로 만들려는 침략세력'을 비롯하여, 외세에 의존하여 자신의 영달을 꾀하고 '제 나라가 다 망하든지 제 동포가 다 죽든지 불고(不顧)하는 역적'과 나랏일을 망쳐놓은 '소인' 배들은 물론이요, 인륜을 짓밟고 있는 속된 인간들에 이르기까지 망라되어 있다. 작가는 이러한 사회적 실상을 비판하면서 다음과 같이 이 작품의 결말을 맺고 있다.

> 슬프다 여러 짐승의 연설을 듣고 가만히 생각하여보니 세상에 불상한 것이 사람이로다. 내가 어찌하여 사람으로 태어나서 이런 욕을 보는고, 사람은 만물중에 귀하기로 제일이오, 신령하기도 제일이오 재조도 제일이오 지혜도 제일이라 하여 동물중에 제일 좋다 하더니 오늘날로 보면 제일로 악하고 제일 흉괴하고 제일 음란하고 제일 간사하고 제일 더럽고 제일 어리석은 것은 사람이로다.
>
> 까마귀처럼 효도할 줄도 모르고, 개구리처럼 분수 지킬 줄도 모르

고, 여우보다도 간사하고 호랑이보다도 포악하고 벌과같이 정직하지도 못하고 파리같이 동포 사랑할 줄도 모르고, 창자 없는 일은 게보다 심하고 부정한 행실은 원앙새가 부끄럽도다.

여러 짐승이 연설할 때 나는 사람을 위하여 변명 연설을 하리라 하고 몇 번 생각하여본즉 무슨 말로 변명할 수가 없고, 반대를 하려하나 현하지변을 가지고도 쓸데가 없도다. 사람이 떨어져서 짐승의 아래가 되고 짐승이 도리어 사람보다 상등이 되었으니 어찌하면 좋을고, 예수씨의 말씀을 들으니 하나님이 아직도 사람을 사랑하신다 하니 사람들이 악한 일을 많이 하였을지라도 회개하면 구원 얻는 길이 있다 하였으니 이 세상에 있는 여러 형제자매는 깊이 깊이 생각하시오.

결국, 「금수회의록」은 한말(韓末)의 혼란된 시대상황 속에서 국권수호와 자주의식을 고취하며, 무너져버린 인간윤리의 회복을 강조하기 위해 동물에 가탁(假託)하여 인간세계를 비판한 작품이라고 할 수 있다.

(2) 「공진회(共進會)」[3]

① 단편소설집으로서의 「공진회」

「공진회」는 1915년에 간행된 작품집이다. 이 책에는 「기생(妓生)」「인력거꾼(人力車軍)」「시골노인 이야기」라는 세 편의 단편소설이 수록되어 있다. 원래 이 「공진회」 속에는 앞의 세 작품 외에 「탐정순사(探偵巡査)」「외국인(外國人)의 화(話)」 등의 단편소설이 더 들어가기로 된 것을 그 당시 경무총장의 명령으로 삭제당하였음이 작자의 후기(後記)로 밝혀져 있

3 「공진회(共進會)」는 1915년 8월 25일 간행되었으며, 발행소(發行所)는 안국선 자택(自宅)으로 되어 있다.

다. 이어 작자는 말미의 '이 책 본 사람에게 주는 글' 속에서 "……이 책에 기록한 모든 사실은 기꺼워하며 노여워하며 슬퍼하며 즐거워하며 사랑하며 미워하며 욕심내며 겁냄으로 일어난 사정이라." 운운하고 있어, 이것으로도 족히 작자의 의도를 엿볼 수 있게 한다.

작품집 「공진회」에 수록된 세 편의 단편소설의 내용을 간추려 보면 다음과 같다.

㉠ 「기생(妓生)」

진주(晋州)성 안 기생 향운개(香雲介)와 최유만은 어려서 소꿉동무로 자란 사이로, 유만이는 편모(片母)를 따라 서울로 가서 고등학교에 들어간다. 고학을 하면서 그는 이등대좌(大佐)의 도움을 받다가 때마침 일차대전이 일어나 청도공위군(靑島攻圍軍) 사령관이 된 대좌(大佐)를 따라 청도(靑島)로 가서 통변(通辯) 노릇을 한다.

한편 향운개는 동경으로 건너가 적십자병원 간호부로 있다가 청도(靑島)로 종군(從軍)하여 부상병 간호에 종사하던 중 유만이와 상봉한다. 향운개는 여주인공을 통하여 절개·재주·성심(誠心)을 보여주고 있다.

㉡ 「인력거꾼(人力車軍)」

새문 밖 냉동에서 행랑살이하는 김서방은 가난에 시달리는 주제에 모주꾼이더니, 술을 끊고 부지런히 일하자는 아내의 간곡한 충고를 귀담아 듣고 인력거꾼이 된다. 그래서 인력거를 몰고 나간 첫날 김서방은 우연히 한길에서 4천여 원이란 큰돈을 줍게 된다. 그 후, 3년 김서방 내외는 그동안 열심히 일한 보람으로 돈도 많이 모은 데다, 그전에 돈을 주워 경찰에 신고했던 것도 차지가 되어 부자가 된다. 그러나 김서방은 더욱 겸허한 마음으로도 앞으로 계속 인력거벌이를 해나가기로 작정한다. 근면하고 절용(節用)하면 그 끝에 보람이 있음을 깨우쳐주고 있다.

㉢ 「시골노인 이야기」

강원도 철원 일대에서 상당한 재산과 세력을 가지고 행세하며 지내는 김도사는, 단 하나밖에 없는 손자 용필이를 금지옥엽같이 사랑하더니, 역시 지체가 비슷하고 막역한 사이인 박감역과, 그의 손녀 명희를 장차 손부(孫婦)로 삼기로 합의한다. 어린 그들은 열 살이 넘도록 더불어 귀엽게 자라나더니 박감역과 김도사의 별세에 이은 환난으로 인해 용필이는 고아의 신세가 되어 전전하다가, 숙부인 만초선생의 소개로 서울로 올라가 김부령(金副領)의 구원을 받아 때마침 동학난이 터졌을 때 참위(參尉) 계급으로 경군(京軍) 소대장이 되어 철원으로 출동한다. 그런데 그곳에서 음흉한 상관의 모함으로 일시 궁지에 빠지나 마침 명희의 기지로 일은 무사히 되어 그들은 화락한 가정을 이루게 된다.

② 「공진회」의 성격

안국선의 작품집 「공진회」는 작가의식의 변질이라는 측면에서 그 성격을 검토해 볼 수 있다.

우선 「공진회」의 간행 배경과 그 명칭의 유래에 대해 생각해 보기로 한다. 이 작품집의 서문에 다음과 같은 기록이 있다.

> 총독부에서 식로은 정치를 시힝훈지 다숫히 된 긔념으로 공진회를 기최후니 공진회눈 여러가지 신긔훈 물건을 브텨노코 모든 사름으로 하야금 구경후게 후눈것이 여니와 이칙은 소셜 공진회라 여러가지 긔긔묘긔훈 사실을 칙속에 긔록후야 모든 사름으로 하야금 보게훈 것이니 총독부에셔눈 물산 공진회를 광화문 안 경복궁 속에 기셜후얏고 나눈 소셜 공진회를 언문으로 이칙 속에 진술후얏도다. 물산 공진회눈 도라단기며 구경후눈 것이오 소셜 공진회눈 안져서누 두러누어 보눈 것이라 물산 공진회를 구경후고 도라와셔 여관한등 젹젹훈 밤과

긔ᄎᆞ타고 심심ᄒᆞᆯ 젹과 집에 가셔 ᄒᆞᆫ거ᄒᆞᆯ ᄯᆡ에 이ᄎᆡᆨ을 펼쳐들고 한ᄃᆡ문 나려보면 피곤 근심 간데 업고 ᄌᆞ미가 진진ᄒᆞ야 두ᄃᆡ문 셰ᄃᆡ문을 ᄎᆡᆨ 노흘슈 업실만치 아모조록 ᄌᆞ미 잇게 셩ᄃᆡᄒᆞᆫ 공진회의 여흥을 도읍고ᄌᆞ 붓을 들어 긔록ᄒᆞ니 이ᄯᆡᄂᆞᆫ ᄃᆡ졍 ᄉᆞ년 츄팔월이라.

앞의 기록에서 확인할 수 있는 것처럼 '공진회'라는 명칭은 일제총독부가 대정(大正) 사년(四年)(1915년) 9월 11일부터 10월 31일까지 서울 경복궁내에서 개최한 '물산(物産) 공진회'에서 따온 것으로, 이는 총독정치가 시행되기 시작한 5주년 기념행사로 개최된 것인데, 식민지 정책을 합리화하면서 일본에서 만들어진 새로운 문물을 국내의 시장에 소개하여 국내시장을 확보하기 위해 획책된 것이라고 하겠다. 안국선의 소설집 「공진회」는 앞의 기록에서도 언급되어 있는 것처럼 "물산공진회를 구경하고 돌아와서" 적적하고 심심할 때에 읽을 수 있도록 '소설 공진회'를 펴내었다고 밝히고 있다. 그러므로 이 책의 간행은 '물산공진회'와 밀접한 연관을 갖고 있으며, 그 여흥을 위한 것임을 짐작할 수 있다.

실제로 이 책 속에 수록된 「인력거꾼(人力車軍)」과 「기생(妓生)」의 말미에 다음과 같은 대목이 나와 있다.

공진회를 개최ᄒᆞᆫ다ᄂᆞᆫ 소문이 잇더니 셔울셔 공진회 협찬회가 조직이되얏ᄂᆞᆫᄃᆡ 공진회ᄂᆞᆫ 총독졍치를 시ᄒᆡᆼᄒᆞᆫ지 다ᄉᆞᆺᄒᆡ된 긔념으로 ᄒᆞᄂᆞᆫ 것이라 ᄒᆞᄂᆞᆫ말을 김셔방의 ᄂᆡ외가 드럿던지 경찰셔에서 돈을 ᄂᆡ여 쥰 것을 항상고마워ᄒᆞ고 총독정치의 공명ᄒᆞᆷ을 평ᄉᆡᆼ감사ᄒᆞ게 녀기던터이라 공진회협찬회에ᄃᆡᄒᆞ야 돈 이ᄇᆡᆨ원을 무명씨로 긔부ᄒᆞᆫ 사ᄅᆞᆷ이 잇ᄂᆞᆫᄃᆡ 이무명씨가 ᄋᆞ마 김셔방인듯 ᄒᆞ다더라.

「인력거꾼(人力車軍)」에서

공진회 구경마당에셔 외짜로 쩌러진 그늘 밋헤 다슈ᄒᆞᆫ 사람들이 모혀셔셔 참 반갑고나 이 먼동아 그 동안 어ᄃᆡ 갓던고 — ᄒᆞ고 쩌드ᄂᆞᆫ 사람들은 진쥬에서 올라온 늘근 기ᄉᆡᆼ 절문 기ᄉᆡᆼ들이요 그 인ᄉᆞ를 밧ᄂᆞᆫ 사람은 향운ᄀᆡ와 강씨부인과 최유만이라.

「기생(妓生)」에서

총독정치의 공명함을 운위하고 있는 앞의 인용에서, 우리는 안국선의 작가의식이 「금수회의록」을 발표했던 당시와는 전혀 다르게 변질되어 있음을 알 수 있다. 각 작품의 내용을 보더라도 여성의 순결과 절개를 강조한 「기생(妓生)」에서나, 하층계급의 고된 생활 속에서도 근로의 중요성과 금주를 내세운 「인력거꾼(人力車軍)」, 그리고 동학란을 전후한 혼란된 세태를 그려놓은 「시골노인 이야기」가 모두 어느 정도의 교훈성을 드러내고 있다. 하지만, 일제의 강압통치를 공명정대한 질서와 미덕으로 받아들이고 있는 점이 문제라고 하겠다.

소설집 「공진회」에서 볼 수 있는 '증독자문(贈讀者文)'이라는 발문 형식의 글에서도 비슷한 특징이 드러나고 있는데, 참고로 「이 책 보는 사람에게 주는 글」과 「이 책 본 사람에게 주는 글」의 전문을 인용하면 다음과 같다.

「이칙보ᄂᆞᆫ사ᄅᆞᆷ에게 쥬는글」
(증독자문(贈讀者文))

사ᄅᆞᆷ덜은 울지말지어다 슬픈 후에ᄂᆞᆫ 깃거움이 잇ᄂᆞ니라 사ᄅᆞᆷ들은 웃지말지어다. 깃거운 후에ᄂᆞᆫ 슬픔이 ᄉᆡᆼ기ᄂᆞ니라 깃거운 일을보고 우스며 슬픈 일을보고 우는것은 인졍의 상ᄐᆡ라 ᄒᆞ지만은 사ᄅᆞᆷ의 국량은 좁으니라 넓은쳬ᄒᆞ지말지어다 사ᄅᆞᆷ의 지식은 젹으니라 만흔쳬ᄒᆞ지말지어다 하놀은 크고큰 공즁이라 누가 그넓음을 측량ᄒᆞ리오 지구에서 ᄐᆡ양을 가랴면 멧ᄇᆡᆨ만리가 되ᄂᆞᆫᄃᆡ ᄐᆡ양에셰 또 져편 별ᄉᆞᆨ지 가랴면 멧억ᄇᆡᆨ만리가되고 그별에서 ᄯᅩ 져편별ᄭᆞ지 가랴면 멧억쳔만리가 되야 이러케 한량업시 갈ᄉᆞ록 밋치ᄂᆞᆫ곳이 업스니 그넓음이 얼마ᄂᆞ 되ᄂᆞ뇨 세상은 ᄀᆞ늘고ᄀᆞ는 리치속이라 누가 능히 그 아득홈을 발명ᄒᆞ리오 사람ᄆᆞ다 ᄉᆡᆼ각ᄒᆞ라 우리 하라버니가 우리 아버니를 나셧스며 아버니가 나를 나셧스니 하라버니가 할머니와 혼인이 되얏슴으로 아버니를 나셧스나 그ᄯᆡ에 만일 할머니와 혼인이 아니되고 다른 부인과 혼인이 되얏스면 그ᄅᆡ도 우리아버니를 나으시고 ᄯᅩ ᄂᆡ가 ᄉᆡᆼ겨낫슬ᄂᆞᆫ지 ᄯᅩ 아버니가 어머니와 혼인이 되얏슴으로 나를 나으셧스나 그ᄯᆡ만일 다른 부인과 혼인이 되얏더면 그ᄅᆡ도 ᄂᆡ가 이모양으로 이셰상에 ᄉᆡᆼ겨낫슬ᄂᆞᆫ지 이것으로 말ᄆᆡᄋᆞᆷ아 징조부 고조부 오ᄃᆡ조 육ᄃᆡ조 시조ᄭᆞ지 올너가며 여러십ᄃᆡ 여러ᄇᆡᆨᄃᆡ즁에서 어느 ᄃᆡ에셔던지 한번만 혼인이 빗되얏스면 오날 이모양의 나ᄂᆞᆫ 이셰상에 ᄉᆡᆼ기게 되얏슬ᄂᆞᆫ지 아지못ᄒᆞᆯ지니 셰상사ᄅᆞᆷ이 ᄉᆡᆼ기여 난것부터 이러케 요ᄒᆡᆼ이요 우연ᄒᆞᆫ 인연이라 그 아득ᄒᆞᆷ이 엇더ᄒᆞᆫ가 하늘은 큰공즁이라 넓고넓어 한량이 업고 셰상은 ᄀᆞ늘고 ᄀᆞ는 리치속이라 아득ᄒᆞ고 아득ᄒᆞ야 아지못ᄒᆞᆯ지니 사ᄅᆞᆷ의 국량이 아모리 넓을지라도 공즁에비ᄒᆞᆯ슈업고 사ᄅᆞᆷ의 지식이 아모리 만ᄒᆞᆯ지라도 조화쥬ᄂᆞᆫ ᄯᆞ르지못ᄒᆞᆯ지라 그러나 사ᄅᆞᆷ은 일졍ᄒᆞᆫ 국량이 잇고 보통의 지식이 잇ᄂᆞᆫ고로 깃버ᄒᆞ며 노여ᄒᆞ며 슬퍼ᄒᆞ며 질겨ᄒᆞ며 ᄉᆞ랑ᄒᆞ며 미워ᄒᆞ며 욕심ᄂᆡ며 겁ᄂᆡᄂᆞᆫ 인졍이 잇스니 사ᄅᆞᆷ은 이 여덟가지 졍이 잇ᄂᆞᆫ고로 샤ᄅᆞᆷ은 아모리ᄒᆞ야도 사ᄅᆞᆷ에 버셔ᄂᆞ지 못ᄒᆞ고 국량은 아모리ᄒᆞ야도 그국량이오 지식은 아모리ᄒᆞ야도 그 지식이라 슐취ᄒᆞ야 미인의 무릅을 버지ᄒᆞ고 술ᄭᆡ여 텬하의 권셰를 쥬므르며 한번 호령ᄒᆞ면 텬디가 진동ᄒᆞ고 한번나셔면 만민이 경외ᄒᆞᄂᆞᆫ 고금의 영웅들이 장ᄒᆞ고 크다만은 역시 한ᄯᆡ 작난에 지나지못ᄒᆞ고 물리를 연구ᄒᆞ야 화륜션 화륜ᄎᆞ 젼보 비ᄒᆡᆼ기 등속을 발명ᄒᆞ야 예젼에 업던일을 지금잇게ᄒᆞᄂᆞᆫ리학박ᄉᆞ여 용ᄒᆞ고 가상ᄒᆞ다만은 셰상리치의 일부분을ᄭᆡ다름에 지나지아니ᄒᆞ도다 영웅의 ᄭᅵ친력ᄉᆞᄂᆞᆫ 슬픔과 깃거움의 종ᄌᆞ요 박ᄉᆞ의 발명ᄒᆞᆫ물건은 욕심과 희망의 ᄌᆞ최라 그러한즉 사ᄅᆞᆷ은 욕심과 희망으로 살고 슬픔과 깃거움으로소견ᄒᆞᄂᆞᆫ 것인가 사ᄅᆞᆷ이 아ᄃᆞᆯ 낫키를 바ᄅᆞ다가 아ᄃᆞᆯ을 나으면 깃거워ᄒᆞ고 그아ᄃᆞᆯ이 죽으면 슬퍼ᄒᆞ리니 아ᄃᆞᆯ 낫키를 바ᄅᆞᄂᆞᆫ 것은 욕심이며 희망이오 나을 ᄯᆡ에 깃거워ᄒᆞ고 죽을ᄯᆡ에 슬퍼ᄒᆞᆷ은 사ᄅᆞᆷ이 셰상에 사러가는 력ᄉᆞ(歷史)를 지음이오 사ᄅᆞᆷ이 부자되기를 원ᄒᆞ다가 ᄌᆡ물을 어드면 깃거워ᄒᆞ고 그ᄌᆡ물을 일으면 실퍼ᄒᆞ리니 부자되기를 원ᄒᆞᆷ은 욕심이며 희망이요 어들ᄯᆡ에 깃거워ᄒᆞ고 일을ᄯᆡ에 슬퍼ᄒᆞᆷ은 ᄯᅩᄒᆞᆫ사ᄅᆞᆷ이 셰상에 사러가는 력ᄉᆞ를 맨듬이라 크고 넓은 텬지에셔 ᄂᆡ가 지금 다른곳에 잇지아니ᄒᆞ고 이곳에 잇스며 가늘고 아득ᄒᆞᆫ 리치속에셔 ᄂᆡ가 이왕에 나지도아니ᄒᆞ고 장ᄂᆡ에나지도 아니ᄒᆞ고 불션불후ᄊᆞᆨ 지금 요ᄯᆡ에 나셔 입을 여러 깃겁게 ᄃᆡ소ᄒᆞᆯᄯᆡ도잇고 쥬먹을 두ᄃᆞ려 슬프게 통곡ᄒᆞᆯᄯᆡ도잇고 지금은 먹을 갈고붓을들어 눈으로 보이는 셰상사ᄅᆞᆷ의 슬퍼ᄒᆞ고 깃거워ᄒᆞᄂᆞᆫ 여러가지 형편을 ᄌᆡ료로삼아 이ᄎᆡᆨ을 긔록하니 이것은 슬픈즁에 깃거움을 엇고 깃거운 즁에 슬픔을 알어 한ᄯᆡ를 소견ᄒᆞ랴ᄒᆞᄂᆞᆫ 나의 욕심이며 희망이니 이ᄎᆡᆨ보ᄂᆞᆫ 여러군ᄌᆞᄂᆞᆫ 나와 인연이 잇도다 여러군ᄌᆞ가 이ᄎᆡᆨ을볼ᄯᆡ에 깃거워ᄒᆞᆯᄂᆞᆫ지 슬퍼ᄒᆞᆯᄂᆞᆫ지 나는 알슈업스나 여러군ᄌᆞ의 슬퍼ᄒᆞᆷ이 잇고 깃거워ᄒᆞᆷ이 잇스면 ᄯᅩᄒᆞᆫ 여러군ᄌᆞ가 셰상에 지ᄂᆡ가ᄂᆞᆫ 력ᄉᆞ를 지음인즉 크고 넓은 텬디와 가늘고 아득ᄒᆞᆫ 리치속에셔 여러군ᄌᆞ와 나의 사이에 한가지 심령이 교통ᄒᆞᆷ을 ᄭᆡ다르리로다.

「이ᄎᆡᆨ본사ᄅᆞᆷ에게 쥬ᄂᆞᆫ글」

예젼셩인이 말ᄉᆞᆷᄒᆞᄉᆞᄃᆡ 사ᄅᆞᆷ은 일곱가지 졍이잇스니 희, 로, ᄋᆡ, 락, 애, 오, 욕, 이니라ᄒᆞ얏도다 깃거워ᄒᆞ며 로여워ᄒᆞ며 실퍼ᄒᆞ며 질거워ᄒᆞ며 ᄉᆞ랑ᄒᆞ며 미워ᄒᆞ며 욕심ᄂᆡᄂᆞᆫ것이라 그러나 나ᄂᆞᆫ여긔 한가지를더ᄒᆞ야 여달가지 졍이라ᄒᆞ노니 겁ᄂᆡ는것이 즉이것이라 사ᄅᆞᆷ이 반가운일을보면 깃거워ᄒᆞ고 분ᄒᆞᆫ일을 보면 로여워ᄒᆞ고 구진일에 실퍼ᄒᆞ며 조ᄒᆞᆫ일에 질거워ᄒᆞ며 어엽분 것을 ᄉᆞ랑ᄒᆞ고 미운것을 미워ᄒᆞ고 고ᄒᆞᆫ것을 욕심ᄂᆡ며 두려운것을 겁ᄂᆡ는것이 인졍은 일반이라 넓고넓은 텬디에셔 우리가 한셰상 한나라에 살며 젼으로멧천년 후으로멧만년 오ᄅᆡ고오ᄅᆡ인 셰월즁에셔 우리가지금 한셰상 한시ᄃᆡ에 낫스니 인연이 지즁ᄒᆞ도다 그 사이에 무삼슬퍼ᄒᆞ며 노여워ᄒᆞ며 미워ᄒᆞ며 겁ᄂᆡ이일 ᄭᆞᄃᆞᆰ이잇시리오 ᄯᅩ사ᄅᆞᆷ이 텬하를움즉이는 영웅이오 고금에 일홈잇는호걸이라도 넓고넓은텬디간에 한낫 젹은인ᄉᆡᆼ이오 사ᄅᆞᆷ이 ᄇᆡᆨ년이ᄂᆞ 쳔년을 산다ᄒᆞ야도 오ᄅᆡ고 오ᄅᆡ인 셰월즁에 ᄉᆞᆷ결ᄉᆡ치 잠간잇는 인ᄉᆡᆼ이라 그동안에무삼 깃거워ᄒᆞ며 질거워ᄒᆞ며 ᄉᆞ랑ᄒᆞ며 욕심ᄂᆡ일 것이 잇스리오 그러나 사ᄅᆞᆷ은 국량이 좁고 지식이 젹은고로 하ᄂᆞᆯ의 넓은뜻을 몸밧지못ᄒᆞ고 셰상의요ᄒᆡᆼ을 ᄭᆡ닷지못ᄒᆞ야 희, 로, ᄋᆡ, 락, 애, 오, 욕, 겁, 여달가지졍으로 ᄉᆞᆷ자거리는도다 예젼셩인이 희, 로, ᄋᆡ, 락, 을 얼골빗에 드러ᄂᆡ지아니 ᄒᆞᆫ다ᄒᆞ얏스나 이것은 ᄉᆡᆼ각건ᄃᆡ 형용에 나타ᄂᆡ이지 아니ᄒᆞᆯᄲᅮᆫ이오 속마음에는 반ᄃᆞ시깃거워ᄒᆞ며 로여워ᄒᆞ며 실퍼ᄒᆞ며 질거워ᄒᆞ는 졍이잇슴은 셩인도사ᄅᆞᆷ은 사ᄅᆞᆷ이라 능히 면치못ᄒᆞᆯ지니 공ᄌᆞ님ᄀᆞᆺᄒᆞᆫ 셩인도 그도가 ᄒᆡᆼ치아니ᄒᆞᆷ을 한탄ᄒᆞ야 실퍼ᄒᆞ얏스며 소졍묘를 미워ᄒᆞ다가 국법으로 죽인뒤에 이를깃거워ᄒᆞ얏스니 어느사ᄅᆞᆷ이 이졍이업는자 어ᄃᆡ잇는가 볼지어다 셰상은 울고 웃는 사이에 지나가고 사ᄅᆞᆷ은 올흐니 그르니 ᄒᆞ는동안에 늙지아니ᄒᆞ는가 한편에는 눈물을ᄲᅮ리고 ᄃᆡ셩통곡ᄒᆞ는사ᄅᆞᆷ이 잇는동시에 한편에는 질거워셔 웃고지ᄭᅥ리는 사ᄅᆞᆷ이 잇스며 한ᄶᆡᆨ는 ᄉᆞ랑ᄒᆞᄂᆞ니 귀여워ᄒᆞᄂᆞ니 ᄒᆞ야죽을지 살지모르다가 별안간 미워ᄒᆞ고 로여워ᄒᆞ야 죽일놈이니 살릴놈이니 ᄒᆞ는사ᄅᆞᆷ도잇고 한편에는 텬동디진 젼ᄌᆡᆼ질병등의 두렵고 무셔운일이잇셔 사ᄅᆞᆷ마다 겁ᄂᆡ것만은 그즁에셔도 일만가지욕심이 불ᄀᆞᆺᄒᆞ야 분쥬불가 ᄒᆞᆫ사ᄅᆞᆷ도 잇지아니ᄒᆞᆫ가 그러ᄒᆞᆫ즉 사ᄅᆞᆷ은 깃거움과 질거움과 ᄉᆞ랑과 욕심으로인연ᄒᆞ야 실퍼ᄒᆞ며로여워ᄒᆞ며 미워ᄒᆞ며 겁ᄂᆡᄂᆞᆫ즁간에셔 ᄉᆞᆷ작거리ᄂᆞᆫ 동물이라 그러ᄒᆞᆫ고로 사회리면(社會裏面)에ᄂᆞᆫ 이상야릇ᄒᆞᆫ 별ᄀᆞᄉᆞ졍이 만히 ᄉᆡᆼ기여 나ᄂᆞᆫ도다 이ᄎᆡᆨ을 긔록ᄒᆞᆫ 이사ᄅᆞᆷ도 국량이 넓지못ᄒᆞ고 지식이 만치못ᄒᆞ야 희, 로, ᄋᆡ, 락, 애, 오, 욕, 겁, 의여달가지 졍을가진 사ᄅᆞᆷ이라 이 여달가지 졍을 가진 사ᄅᆞᆷ의 눈으로 이여달가지 졍에서 ᄉᆞᆷ작거리ᄂᆞᆫ 셰상사ᄅᆞᆷ사이에 ᄉᆡᆼ기여 나ᄂᆞᆫ 모든ᄉᆞ졍을 관찰ᄒᆞ야 이ᄎᆡᆨ속에긔록ᄒᆞ야 이여달가지 졍을가진 모든 사ᄅᆞᆷ으로 하야금 보게ᄒᆞᆫ것인즉 이ᄎᆡᆨ에긔록ᄒᆞᆫ 모든 ᄉᆞ실은 깃거워ᄒᆞ며 로여워ᄒᆞ며 실퍼ᄒᆞ며 질거워ᄒᆞ며 ᄉᆞ랑ᄒᆞ며 미워ᄒᆞ며욕심ᄒᆞ며 겁ᄂᆡ임으로 ᄉᆡᆼ기여이러ᄂᆞᆫ ᄉᆞ졍이라 그러나 마음의 올코그름으로 인연ᄒᆞ야 나종결과가 다르니 마음을 올케먹은사ᄅᆞᆷ은 실푸고 겁나ᄂᆞᆫ 즁에 잇슬지라도 나종에ᄂᆞᆫ 질겁고 깃거운결과를 보고 마음을 올치안케가진사ᄅᆞᆷ은 그마음을 곳치지아니ᄒᆞ면 항상실푸고 겁나ᄂᆞᆫ 걱졍근심즁에셔 몸을 맛치ᄂᆞᆫ지라 이ᄎᆡᆨ닑은 여러군ᄌᆞᄂᆞᆫ ᄎᆡᆨ속에 긔록ᄒᆞᆫ 여러가지 ᄉᆞ졍을가지고 각기ᄌᆞ긔의 마음을 빗취여 볼지어다

부(附). 「설중매(雪中梅)」 고(考)

1. 번안소설 「설중매」

「설중매」는 구연학(具然學)이 일본 소설을 번안한 번안소설(飜案小說)[1]이다. 번안소설이란 외국 원작에서 그 줄거리만을 따오고, 무대와 등장인물은 자기 나라에 알맞게 대치할 뿐더러, 사건을 비롯한 내용의 일부마저도 가감 윤색의 과정을 거쳐 개작된 소설을 총칭하는 명칭으로, '번역소설(飜譯小說)'과는 전연 별개의 양식에 속하는 것이다.

번안소설 「설중매」는 1908년(융희 2년) 5월 회동서관(匯東書館)에서 그 초판본이 출간되었으며, 전편(全篇) 15회로 나뉘고, '정치소설(政治小說)'이라는 명칭이 붙어나온 작품이다.

이 작품의 내용을 간단히 추리면 다음과 같다.

갑오경장 후의 개화사조에 관심을 가진 아버지의 뒤를 따라 어머니와 더불어 서울에 온 16, 17세의 장소저(張小姐) 매선은 상경(上京)후 일 년도 못되어 부친이 병몰(病歿)하고 모녀가 적적히 살아가는 중에 모친 또한 일 년 이상 중병에 시달려 나날이 병세가 중하여 일방(一方)으로 그 회복은 거의 무망(無望)한 단계에 이르렀다.

가산이 유복하고 신교육에 찬성하는 매선의 부친은 일본에 다녀온 진

---

1 「설중매」의 원작은 1886년(명치(明治) 19년) 말광철장(末廣鐵腸)에 의해 일본에서 발표된 것임.

취성 있는 심랑(沈郞)(이태순)을 그의 사위 후보로 생각하여 전에 단독 상경 직후 심랑(沈郞)의 사진까지 동봉하여 딸과의 후일 가약(佳約)을 내정한 사실이 있었던 바 그 후 심랑(沈郞)은 국사범(國事犯)에 관여하여 피신한다는 풍설이 떠돌고 매선의 부친마저 기세(棄世)하였기에, 모친은 자기 생애의 전정(前程)이 얼마 남지 않음을 단정하고 딸에게 부친의 유언대로 심랑(沈郞)을 기다릴 것인가, 혹은 타처(他處)로 출가할 것인가를 타진한 바, 매선은 첫째 부친의 유훈(遺訓)을 지키고, 둘째로 사진에서 본 심랑(沈郞)의 인상이 좋았으므로 그간 여학교에 들어가서 공부를 하면서 심랑(沈郞)을 기다리다가 2, 3년 경과 후에도 심랑(沈郞)의 소식을 모르면, 부친 생존시 의형제를 맺고, 사거 후 후견인으로 되어 있는 숙부 권(權)첨사와 의논하여 그 후 사태를 처리하겠다는 의사를 표시한다.

이때는 독립협회(獨立協會)가 창립된 후로 각처에 연설 또는 토론회가 번성하던 때라 새문 밖 독립회관(獨立會館)에서 정치 연설이 있었던 바 백여 간 대청에 입추의 여지없이 방청객은 가득 찼고, 연사(演士) 수명이 '분발함' '동포형제에게 바라는 바가 있다' '동등의 권리' 등의 연제(演題)로 혈기찬 20 전후의 청년 기개로 신사조에 대한 각성을 절규하는데 이태순은 '사회형편은 행인(行人)의 거취(去就)와 같다'는 제목 하에 만장의 기염을 토하고 박수갈채 속에 연단을 내려왔다.

이날 이 연설장에 매선도 왔으나 이태순을 보고 자기가 간직하고 있는 사진의 인상과 흡사함을 느꼈으나 심씨(沈氏)가 아니고 이씨(李氏)이므로 일루의 의아(疑訝)를 품은대로 돌아가 생각에만 골돌하고 있다.

독립회관에서 연설하던 이태순은 독립협회의 회세(會勢) 확충에 진력하는 한편 점진적인 절충책으로 구습(舊習)을 개혁할 것을 주장하나 주위의 정세는 사불여의(事不如意)하여 객줏집 한방에 궁색하게 기거하며 호기도래(好機到來)만을 대기하고, 서책의 번역 고료(稿料)로 근근 소일하고 있는 형편이다. 하루는 이 객사(客舍)에 과격적인 개혁을 주장하는 전성조가 찾아와서 서양풍습 이입에 따르는 사회개량 및 가정윤리에 대한 토론이 벌어졌으나 태순은 의연 합리적 개혁을 주장하고 성조는 결사당(決死黨)에 의한 급진적인 방안을 제의하는 논쟁이 전개되는 중 성조는 독립회관 연설장에서 태순을 유심히 보던 여자가 있더라는 이야기를 남기고 가 버린다.

객주집 주인 구두쇠는 태순의 2개월 밀린 밥값을 독촉하여 돈이 아쉬우니 당장 지금 방법이 없으면, 밀린 식비 지불 책임을 맡을 보증인을 세우고 타처(他處)로 이숙(移宿)할 것을 강요하는 자리에, 객사 하녀 금년이가 나타나 '이태순 선생 려차 입납 무명씨 상장'의 겉봉으로 된 서한을 전달한다.

개봉하니 나라에 힘쓰는 떳떳한 일을 하면서 목전에 군색한 형편인 듯하니 별봉(別封)의 금액을 써 달라는 요지의 글월에 지폐 30원이 동봉되어 있다. 미지의 사람으로부터 온 현금을 받을까 주저하다가, 우선 식비부터 치르는데, 구두쇠는 돌연 안면에 희열 창일(漲溢)하여 전에 서생이 두고 간 서책 수권이 있는데 혹 필요하면 매득(買得)하라면서 7, 8권의 서적을 내놓기에, 태순은 독립회관에서 함께 연설하던 동지 문전철이 '따이야몬드' 영자사전(英字辭典)을 구하던 일을 생각하여 그것 한 권을 택한 바 주인이 무슨 책인가고 묻기에 '따이야몬드'라는 옥편이라고 대어주니 구두쇠는 '따이나마이드'하고 혼자 뇌까리기에 문전철에게 쓰는 책전달의 서신에 '따이나마이드'라고 잘못 썼다가 지우고 다시 '따이야몬드'로 고쳐서 우송하였다.

그러나 전성조의 모함으로 이 일이 관헌에 발촉되어 '따이나마이드'라는 폭발약을 매입 은닉하고 무명씨에게서 송금이 있었다는 사실이 취체(取締)당국의 의혹을 사서 이태순은 문전철과 더불어 북서(北署) 경부청(警部廳)에 검거되어 서소문 안에 있는 감옥에 유치되었다가 무죄함이 밝혀져 3개월 후에야 겨우 출옥되었다.

감옥에서 나온 태순은 쇠약한 몸을 백운대(白雲臺) 북한사(北漢寺)에서 휴양 중 마침 매선이가 모친 병사 후 권(權)첨사 부인인 의숙모(義叔母)와 방학을 이용하여 북한사(北漢寺)에 체재하였기에 두 사람은 멀리서 만나, 서로 상대의 정체를 모르고 매선만은 독립회관 연설장에서 본 기억을 더듬어 음시(吟詩)의 교환이 있은 후 부지중 이별하고, 다시 문산(汶山) 노중(路中)에서 상봉하여 한두 마디 대화가 있었으나 역시 상대자의 정체를 모른채로 환경적인 제약 속에 갈라졌다.

그 후 이태순은 일산(一山)에서 문전철, 강순형, 남덕중 등의 동지를 만나 당세(黨勢) 확충에 힘쓸 것을 상의하고, 목욕 중 다시 두 청년의 대화 속에서 그 미지의 여인에 관한 이야기 토막을 얻어 듣고 귀가한 후 여전 객사에서 협회의 발전에만 부심하고 있다.

한편 매선은 권첨사에게 심랑(沈郞)이 아직도 나타나지 않으므로 타처로 출가하라는 권고를 받고 강경히 거부하자 권(權)은 매선 선친의 유서를 위조하여 유산의 처분권이 자기에게 있는 듯이 주장하고, 마침 태순의 같은 동지이면서 대언인(代言人) 사무를 보고 있는 하상천이 매선의 미모에 혹하고 있음을 알자 유서 위조 확인의 협조를 하상천에게서 얻는 대가로, 매선의 하상천에 대한 혼인을 강권하는 한편, 태순과 매선과의 관계를 짐작한 그들은 신문 기사로 태순과 매선을 중상하고 태순에게 매선을 단념시킬 방략을 써서 주루(酒樓)에서 이취(泥醉)하게 만든다.

사태가 험악한 단계에 달하자 매선은 최후 결심을 하고 태순에게 서신을 보내어 상면을 요청하매 태순이 권(權)첨사댁의 매선을 방문하였을 때 그는 책상 위에 걸린 자기의 13세 때 사진을 보고 매선이 자기와 혼약된 장소저(張小姐)임을 알고, 매선은 이태순이 자기 부친과 만났을 당시는 본가에서 몰래 도주 상경하였으므로 심랑(沈郞)이라는 익명을 썼다는 사실을 알자, 양인(兩人)은 현실적 흠모 결실에 겹쳐 수년 만에 해후의 정을 느껴 감격 속에 길일(吉日)을 택하여 혼인준비에 분망하다는 결말이다.

2. 「설중매」의 정치의식

「설중매」는 정치소설이라고 표제에 붙어있는 바와 같이 그 주제의 주류는 독립협회를 중심으로 한 정당정치의 확립을 주장하는 속에 주인공 이태순의 정치관이 반영되어 있고, 이에 수반하여 신교육 특히 자녀교육의 절실한 필요성을 강조하고, 아울러 자주의식에 의한 결혼관이 작품 전체를 윤색하여 흐르고 있다.

이 작품의 주동인물인 이태순은 정치문제나 사회개혁에 있어서 구사회와 신제도 사이에 있어서의 점진적인 온건책에 의한 개량을 주장하는 반면에 그의 동지인 전성조는 급진책을 주장하는 과격파로서 상호의 의견이 대치되나 주인공의 주장은 그대로 작가의 정치주관의 반영인 듯 싶어, 작자는 엄정한 입장에서 자유 온건파의 이태순과 급진파의 전성조와 보수적이며 비열한 하상천 등을 동격으로 다룬 것이 아니라 온건파쪽에 기울어지고 있다.

첫째로 정치 및 사회 문제에 있어서 작품 주제의 중추적인 골자를 이루는 민주정치의 확립, 사회제도의 개혁 등에 대하여 이태순, 문전철 등 독립협회회원의 이론적인 주창(主唱)을 그 연설 속에서 살펴보기로 하겠다.

이태순은 독립회관에서 '사회형편은 행인(行人)의 거취(去就)와 같다'는 연제 하에 사회의 개혁을 행려인(行旅人)의 걸어가는 로정에 비유하여 단체결합을 그 제일보로 내세우고 아울러 협회의 개혁방안을 제시하였으니 그의 연설의 한 대목을 추리면 다음과 같다.

> 여러분 연전 일을 생각하여 보시오. 우리 동포형제 중에 신공기를 흡수하신 신사들이 정치사상이 간정하야 독립협회를 창기(創起)하매 각처의 유지하신 선배들이 서로 소래를 응하야 재조하신 신사와 재야하신 사자를 권면하야 일심으로 단체를 결합코저 할새 풍우를 피치

아니하며 한서를 무릅써 신세의 간곡함을 사양치 못하고 시사의 급업함을 개탄하여 회포를 부르짖고 사회에 분주하야 근근히 협회를 창기하였으나, 생각하면 마치 길갈 사람이 처음으로 집을 떠나서 백리운산을 운무 아득한 중에 바라보는 것 같도다.

이와 같이 새로운 정치사상의 실천면에 있어서의 구체적인 요구로 정당형태인 독립협회를 창기하게 됨을 밝혔고 협회내의 무수한 작폐를 조속히 개량해야 하겠다는 점을 계속하여 역설하였다.

협회 규모 개량할 방침을 생각하얐으니 제일은 문벌에 거르끼지 아니하고 다만 인재를 가리여 정부에 등용함이오 제이난 널리 배온 선배와 실지 공부있난 사람을 회중에 망라하야 활발한 운동을 시험함이오 제삼은 허탄하야 사실의 기초가 되지 못하고 격렬하야 공격하난 성질을 포함한 언론을 금지하야 전국에 정치사상을 이르킴이오 제사난 회중에 과정을 나노아 입법 행정의 사무를 조사하야 어느때든지 국가의 대사를 담당할만한 준비를 정리함이니 회중에 이같은 정당이 없으면 협회가 확장될지라도 실지의 이익을 보지 못하리로다.

이상 인용한 바와 같이 문벌타파와 차별 없는 인재등용에 아울러 입법 사법의 분과를 두어 국가 위정(爲政)의 확고한 기초를 닦을 것을 주장하는 한편 격렬한 언론을 금지할 것을 내세웠다.

이와 같은 이태순의 주장에 앞서 같은 연설장에서 문전철은 '동등의 권리'라는 제목으로 경제력이나 지식이나 계급의 차이를 막론하고 협회성립에 의한 권리의 기회균등으로 하등인민(下等人民)도 똑같이 정치에 참여하는 동시에 우리나라의 정치 개혁은 동등권리에 의한 주의를 시행하는 영미(英美)를 본받고 전제주의에 의한 독일이나 로서아를 따를 것이 아니라는 점을 아래와 같이 제창하였다.

나의 말삼한 바 권리가 동등이 됨은 여러분도 다 아시난 바어이니와 타일 협회 성립할 때에 재산과 지식이 없난 자라 하야 하등 인민을 정권에 참여치 못하게할 이치가 없난 것은 명백함이오 구라파에서도 영미제국은 동등권리의 주의를 행하고 호올로 압제를 주장하난 덕국과 아라사등 국에난 전제정치를 행하야 행법상에난 편리하나 인민의 권리난 조곰도 진보되지 못하얐으니 여러분은 우리나라 정치 개량을 영미제국을 본받을지오 덕국과 아라사같이 전제정치를 행치 말지어다.

이와 같은 주장은 개화기의 지식청년이 가진 공통된 욕구였을 것이며 이러한 민주정치에 의한 독립자주의 의욕은 그대로 연설회 토론회를 통하여 민중을 계몽(啓蒙)하고 애국사상을 고취시켰으며 이에 아울러 서양에 대한 새로운 관심을 환기시키게 하였다.

한편 온건파요 점진주의를 주장하는 이태순과 과격파요 급진주의를 주장하는 전성조가 태순의 숙사(宿舍)에서 논쟁하는 장면을 살펴보면 서구제도의 흡수방법에 대하여 구체적인 실천방안에 상호 거리를 가지고 있으니 성조가 부형과 자제간의 윤리관에 대하여 태순에게 말하기를,

우리 부형들도 너무 완고하셔서 참 민망하야 견댈수 없네 나의 소소한 월급량이라도 돈을 좀 보내야라 집에나 좀 다녀가거라 별말삼을 다 하시니 원래 사십이후 사람들은 세상 형편을 모로기로 장성한 자식을 어린 아해와 같이 신칙하야 진퇴를 마암대로 못하게 할 뿐 아니라 가마니 들어앉어서 자식의 봉양이나 받으랴 하난 모양일세 자네도 아는바 서양서난 부모가 자식에게 재산을 전하야 주난 일은 있으나 자식이 부모를 드려앉히고 공급하난 규모난 없지 아니한가 자네도 사

회를 개량코저 하난 사람이니 말이로세.

이와 같이 기성도덕이나 윤리관에서 완전히 해탈하여 서구식으로 급속한 전환을 하는 것이 사회개량의 첩경이라고 주장하는 데 대하여 이태순은,

서양 풍속이라고 어찌 다 아람다오며 우리나라 풍속이기로 다 악하리오 마땅히 그 긴것은 취하고 절은것은 버릴지라 부자의 관계난 우리나라에서 순실한 도덕을 주장하야 극히 아름다오나 법이 오래면 폐가 생김은 면키 어려옴이라 근래에 부모가 자녀를 노예같이 대우하야 완고한 구속으로 전정을 그리치난것은 거세가 일반이라 사회상 발달에 방해가 되게하니 우리가 마땅히 진력하야 이 폐단을 없이할터이나 이일을 행코저 할진대 차서가 있어 천륜을 상치말며 감정이 없도록 할바이니 우리 부모들은 아직 동양의 전하야오든 습관을 당연한 바로 아난대 자식은 서양풍속을 홀지에 행코저 하면 피차의 생각이 같지 아니하야 가정의 풍파를 이르키고 천륜의 친애함을 이러바릴지라…… 오늘날 서양 아람다운 풍속에 한 지아비가 한 지어미를 거나리난 규모도 본받지 못하고 문명이니 개화니 하야 부모의 은덕을 먼저 저바리고 돌아보지 아니하난 자도 많이 있으나 부모도 모르난 사람이 어찌 사회상에 열심하야 몸을 잊어바리리오.

하고 답변하여 서양풍속을 맹목적으로 도입할 것이 아니라 선택하여 장점을 취하고 단점을 버려야 한다는 원칙을 내세운 다음, 특히 부자의 윤리관계에 있어서 전성조가 부모가 장성한 자식에게 대한 간섭을 일소(一掃)해야 한다는 주장을 막아 동양 전래습관이 서양과 다르니 만큼 천륜(天倫)에 어긋나지 않고 피차 갈등이 없도록 개혁해야 하며 특히 부부관계의 생활제도를 서구식의 독자성으로 확립한 다음에야 부자관계를 논할

일일지, 무턱대고 문명이니 개화니 하는 구호로 부모의 은덕부터 배반한다는 것은 몰지각한 자의 처사라고 이를 반박한다.

그러나 전성조는 여러 가지로 격론 끝에 이러한 미온적인 방법으로는 사회를 개혁하기 불능할 것이니 결사당(決死黨)을 조직하여 비밀한 방법을 써서 조속히 소기의 목적을 달해야 되겠다는 요지로 아래와 같이 말을 한다.

> 소홀히 사회를 개혁코저 함은 부즈럽슨 일이로다. 우리도 여간 운동으로난 목적을 달치 못하리니 결사당을 조직하야 비밀한 수단을 쓸밖에 없네.

이와 같은 비밀 결사의 극단적인 방책에 대하여 이태순은,

> 자네말 같을진대 과격한 수단을 좋아하나 나난 공론을 좇어 정치를 개량함이 합당타 하오니 앞뒤를 돌아보지 아니하고 낭패스러운 일을 단정코 할 바 아니니라.

하여 전성조의 과격함을 반대하는 동시에 새로운 정치는 어디까지든지 민중의 여론을 존중하며 개혁해야겠다고 자기 주장을 내세운다.

그러나 한편 전성조도 양보 없이 자기의 지론(持論)을 고집하여,

> 자네말 고식지계만 함이로다. 우리가 진실한 자유권리를 확장코저 하매 범상한 수단으로난 되지 못하리라.

고 이태순의 고식적인 계획을 통박하나 양인 다 끝끝 자기설을 주장하여 타협하지 않고, 태순은 결국 무력을 가진 정부에 대하여 힘없는 민간이

항거할 수 없다는 뜻으로,

> 병점과 순검도 다 정부의 지휘를 좇아 동하난고로 위험한 수단으로 정부 항거하난 자를 제어하기 용이하니 대저 사회주장을 장담하난 자이 깊히 주의할 바이로다.

하고 병정과 순검의 무력을 내세우자 이에 반발하여 성조는,

> 자네 말과 같을진대 세상일을 다 정부에 맡겨바려 두어도 좋을것 같으나 오늘날 형편을 보면 장래 사회가 어찌 될난지 듣기를 원하노라.

하고 반문하니 이태순은 그 대답으로,

> 인민이 분발한즉 국가의 유지자가 될 것이오 공론이 균일한즉 완전한 협회가 되리로다.

하고 유연한 태도를 보였으나 두 청년은 장시간의 토론 끝에도 합의에 도달하지 못하고 헤어진다.

뿐만 아니라 태순은 일산(一山)에서 남덕중, 강순형 등 협회동지와 타합할 때에도 그 이야기 속에서 사회당에 대한 비판을 다음과 같이 가하였다.

> 서양제국에서도 하등인민들의 사회당을 조직하야 사회의 질서를 문란케함은 다 세상에 뜻을 얻지 못한 학자들이 선동함을 인함이라.

이와 같이 같은 협회 안에 있어서도 온건파와 과격파의 양파는 좀처럼 양보점을 발견하려 하지 않고 끝까지 자기주관을 고수할 뿐, 작품 속에서

젊은이들에 의하여 이 이론이 구체화되어 실천에 옮겨진 바가 없고, 이론적인 논쟁을 위주로 하여 주관의 표백에 그친 점이 작품의 실감을 약화시키고 있으나, 광무 융희 연간의 개화운동이 사실 실천보다 이론에 치우쳐 그것이 관념적인 우국지사를 허다히 배출한 사회상의 일면이기도 할 것이다.

둘째로 작중인물들의 신교육관(新教育觀)을 살펴보면 매선의 부친이 사거(死去)하기 전에 행한 일에 대하여 매선 모가 이야기하는 바에 의하면,

> 너의 부친같으신 호협한 기상으로 일찌기 말삼하시기를 지금 세상에 계집아해난 예전 풍기와 같이 아니한고로 침선 방적은 대강이나 알어두면 고만이로되 학문은 넉넉히 힘쓰지 아니치 못한다 하야 너로 하야금 서책에 종사케 하시고…….

이와 같이 매선의 부친은 세태가 변하였으므로 개화여성은 침선(針線) 방적(紡績)은 어느 정도껏 하고, 그보다는 신학문 습득에 노력하지 않으면 안된다고 주장하여 자기딸을 직접 서책에 관련을 가지게 만들었고 매선 자신도 부친 별세후 자기 의사로 자진하여 여학교에 입학하여 공부에 열중하여 자기의 지표(指標)를 자기 의사대로 행할 수 있는 여성으로 성장하여 그것은 마침내 결혼문제에서도 자의식(自意識)의 주장이 반영되기까지 하였다.

한편 이태순은 문전철, 강순형, 남덕중 등 협회 동지들과 시사(時事)를 토론하는 가운데서 정당과 의회의 이야기를 마친 다음 자녀의 교육에 언급하여

> 제일 여자사회를 개량하야 사치하난 풍속과 비루한 행실이 없도록 하여야 속한 효험을 볼지니 완고한 습관이 뇌수에 인박힌 이십이상

> 인물은 말할것 없고 천진으로 있난 소아들을 새정신 새사상이 들도록 하자면 여자사회가 진보되야 집집이 가정 학문이 있은 연후라야 가히 되리라.

하여 여자사회가 진보되고 가정학문이 발전된 연후라야 전반적 사회개량을 가기(可期)할 수 있음을 토로했고, 이 자리에서 문전철이,

> 근래 여자들이 조곰앗치 학문이 있으면 너모 주제남아 남녀동등권이라 말끝마다 내세워 가정을 문란케 하니 그야말로 식자우환이라.

고 너무 선봉적인 여성을 풍자한 데 대하여,

> 부인의 교육이 발달됨은 사회에 대하야 큰 행복이라 하겠거날 문형은 어찌하야 시세 적당치 아니한 말을 하나요.

하고 문전철의 말을 나무라는데, 이러한 점은 이태순이 정치면에 있어서는 끝끝 점진주의를 주장하면서 대여성(對女性) 문제에 있어서는 오히려 급격한 변혁에도 관대하려는 태도를 표하였음은 그 성격의 불일치한 점을 시현(示現)하는 결과로 되어 버린다.

셋째로 결혼이나 애정관에 있어서는 매선을 중심으로 한 혼인문제가 작품 전체를 통관하고 있는 만큼 이 문제는 관념적인 것이 아니라 생각하는 바가 그대로 실천면에 옮겨지고 있다.

우선 매선의 부친은 개화된 사위를 맞이하기 위하여 딸을 공부시키는 동시에 시골소년에서는 대상자가 없으므로 서울에서 구할 생각을 하였고, 자기 심중에 합당한 심랑(沈郎)을 만나자 당사자의 의사를 듣기 위하여 집에다 사위될 사람의 사진을 박아 보냈다는 사실 같은 것은 오늘날 부

부될 상대자끼리 사진을 교환하여 선을 뵈는 일이 적지 않은 현실적인 실례에 비추어 볼 때, 경장(更張)직후의 사회에서 이러한 일을 감행했다는 사실은 파격적이요 희안한 일이라고 하지 않을 수 없다.

매선의 모친 또한 남편 사후 자기 병세가 위독하게 되매 딸의 출가 여부에 대하여 본인의 의사를 토대로 하여 이에 찬성하였고 딸이 자기 의중의 남자를 기다리는 동안 여학교에 입학하는 일에 나무람이 없이 동의하는 점 등은 오늘날에도 결혼에 부모 승낙을 얻지 못하여 자살까지 기도하는 사례가 적잖음에 견주어 볼 때 이는 개화형이 아니라 현대형에 접근하는 가정이라고 보아지는 점이 없지 않다.

그런데 여기서 매선과 이태순이 갖은 악조건을 무릅쓰고 혼인성립에까지 이끌어가는 사이에 있어 의리와 애정의 비중이 문제인데, 매선은 양친의 유훈이라는 점에 의무적인 의리를 느끼고 이 의리를 지키기 위하여 수반되는 것이 애정이 차지하는 비중으로 된다.

매선은 부친 사거 후 모친이 출가 여부의 장래사를 자기에게 물었을 때도,

> 심랑이 우리집과 굳은 언약을 정한 바 아니나 아바님께서 일즉이 말삼하시되 심랑의 문장과 학문이 타인의 비할 바 아니오 이미 통혼하얏으니 경솔히 타처로 언약을 옮기지 말라 하셨을 뿐더러 소녀도 또한 심랑의 사진을 가졌사온즉 만일 어마니께서 회춘치 못하시면 가사난 숙부에게 부탁하옵고 소녀난 어느 여학교에 들어가서 공부나 하다가 이삼년이 지나도록 심랑의 소식을 모르면 그때난 숙부와 의론함이 좋을까 하나이다.

이와 같이 부친의 유언을 지킴이 옳다는 뜻을 표명했을 뿐더러 이 작품 최후 장면에서 자기가 거처하는 권첨사집에 이태순을 불러왔을 때에도 다음과 같이 자기의 경로(經路)와 소회(所懷)를 말한 바 있어 능동성을

띤 자기 의사가 주동되어 혼인에까지 이르고 있으나 그것이 애정에 의한 결과라기보다는 의리에 따르는 책임감이 컸다는 점이다.

……박명한 첩의 엄친 재세시에 공자의 사진을 주시며 이르시되 이난 곧 너의 백년 언약을 정한 바 심량이다. 나 죽은 후라도 부대 신을 지키며 나의 부탁을 저바리지 말라 하심이 있삽기로 영정한 신세로 비상히 곤난을 격사오며 군자의 종적을 탐문코자 하오나 강근한 친족도 없사와 누구로다려 의논할곳도 없사오니 구구히 적은 예절을 지키다난 일생을 그릇칠뿐 아니라 선친의 유언을 거역하와 세상에 용납지못할 불효죄명을 면키 어려울가 하야 부끄러옴을 무릅쓰고 여학교에 들어 일변 학문도 연구하고 일변 군자의 성식을 알고자하야 앞서 독립관 연설장에까지 가서 두루 살피압다가 천행으로 군자의 연설하심을 뵈왔사오나 성씨가 이씨라 하오니 바라던 마암이 땅에 떨어져 창연히 집으로 돌아왔삽더니……

이와 같이 적극성을 띤 매선에 비하여 이태순은 이성 앞에서 졸(拙)하기 짝이 없으니 매선의 집에 찾아갔을 때 매선이 일부러 오게 해서 미안하다는 요지를 말하니 그 대답으로,

문산포 노중에서 밝게 가라치심을 입은후 산두같이 우러름을 마지 못하압더니 더러히 여기지 아니시고 이같이 불으시니 실로 미물의 고기가 용문에 오름을 얻음같사오이다.

이같이 죽어가는 소리를 하였으니 그 표정이야 말할 것도 없고 이성간의 겸손에도 한계가 있는 것인즉 이런 경우에 그것도 생명을 내걸고 사모한 정도도 아닌 이성 앞에서 이같이 비굴한 졸자(卒者)의 모습을 나타

내는 기상으로 무슨 혁신적인 정치제도니 사회개혁이니 부르짖을 패기를 발견할 수 있었을 것인가 의심될 정도이다. 이것이 결국 주인공의 정치면이나 사회면에 있어서의 소극적인 합리주의와 연결되는 일면이라고 본다면 지나친 속단일까.

그러나 매선은 이태순에 대해서 시종 적극적이었을 뿐만 아니라 의숙(義叔) 권첨사가 최종담판으로 매선에게 타처 출가를 강권할 때에도 즉석에서 강경히 숙부의 말에 반대의사를 표명하여,

……그 남자난 아모리 비범한 사람이라도 지금은 결혼할 생각이 없사오며 듣자오니 서양서난 마암에 합당한 사람으로 부부의 언약을 정한후 외양으로만 그 부모에게 의론한다 하오니 은덕을 받든 숙부의 말삼을 거역하기만 죄송하오나 다만 결혼일사난 소녀의 마암대로 하게 바려 두심을 바라나이다.

일언지하(一言之下)에 자기의 부동(不動)한 결의를 내세우고 서구의 사례를 인용하여 오히려 권첨사를 교훈하는 정도로 나왔으니 이 작품 속에서 가장 생생하게 산 인간은 '매선'이라고 하지 않을 수 없다.

또한 여기에 하나 이 작품의 큰 줄거리에서는 삽화적인 이야기에 불과하나 연희(演戱), 즉 연극에 대하여 언급된 바가 있으니, 「설중매」의 초판 연대로 본다면 아직 우리나라에 신극(新劇)이 전연 상연된 일이 없는 시기이기에, 극예술(劇藝術)에 대한 다음과 같은 견해가 있었다는 사실은 주목하지 않을 수 없는 일로 그 대목을 인용하면 주인공 이태순의 박식(博識)의 일면이 적이 수긍되지 않는 바도 아니다.

즉 남덕중이 연희개량(演戱改良)을 발기(發起)하는 사람들에 대하여 불급(不急)한 일을 쓸데없이 서두른다는 뜻으로,

……연희개량을 발견한자가 있난 모양이니 이도 구습의 고루함을

고치지 아니치 못할지나 그러나 오날날 정치와 사회상에 개량할 일이 허다하거날 유지자들이 어느 여가에 그만 일로 떠드난고

이와 같은 말을 하자 태순은 풍속개량에 학교나 소설이나 연설보다 연극의 효과가 가장 큰 것이니 우리나라 극장도 수준을 높여 개량해야 되겠다고 자기의 주견(主見)을 다음과 같이 이야기한다.

연희의 필요함을 형이 모르난도다 동서양을 물론하고 풍속 개량하난 효험이 학교가 제일이라 하겠으나 그 효험의 속함으로 말하면 연설이 학교보다 앞서고 소설이 연설보다 앞서난대 소설보다도 앞서난 것은 연희라 하나니 서양 각국에서난 연희장을 극히 장하게 건축하고 화려하게 설비하였으며 그 주모하난 사람은 상당한 학문이 있어 물정을 추칙하고 고금을 통달하난고로 연희난 일이 모다 시세에 적당하야 부인 아동의 구경거리가 아니오 상등사회의 심신을 깃겁게 하난 처소가 되나니 그런고로 각국에난 제왕과 후비라도 의례히 구경하야 우리나라 연희장과 같지 아니하니 우리나라 연희장은 건축함은 약간 서양 제도를 모방하얐으나 다만 외양 뿐이오 그 유희하난 규모난 모다 이십년전 구풍으로 압제정치만 알던 시대의 사상을 숭상하야 이도령이니 춘향이니 하난 잡설과 어사니 부사니 하는 기구를 주장하며 꼭두니 무동이니 의미없난 유희로 다만 부랑랑자의 도회장이 되야 문명풍화에난 조금도 유익한 바가 없으니 이난 연희를 설시하난 자가 학문이 없어 동양의 부패한 풍습만 알뿐이요 구경하난 사람도 또한 유의유식하야 무항산한 사람과 경박허랑하야 무지각한 무리뿐이니 진실로 개탄할 바로다. 하로라도 바삐 그 방법을 개량하야 역사의 선악과 시세의 가부를 자미있게 형용한 후에야 남녀 구경하난 사람의 안목에 만족할 것이오 외국 사람에게도 조소를 면하리로다.

이와 같은 면까지 종합하여 보면 결국 이태순은 온건하고 합리적인 이론을 내세워 서서히 신사조에 의한 개화를 도모하려는 경장직후의 이론만을 주로하는 소극파의 일면을 가진 인물이라고 보아지는 것이다.

3. 원작(原作)과 번안작품의 관계

「설중매」가 완연한 번안소설이라는 데 대하여는 지금까지 뚜렷하게 언급한 이가 별로 없었고 작품 자체의 내용에 대하여도 구체적인 소개를 한 일이 거의 없었다.

그러나 신소설 「설중매」의 이름만은 문학사나 연극관계 서적에 산견되는 일이 적지 않을뿐더러 그것이 또한 이인직의 작(作)인 것처럼 다루어져 온 일도 없지 않기에 우선 그 경위를 밝혀두고자 한다.

신문학운동에 있어서 개관적으로나마 전반에 걸쳐 최초로 붓을 댄 김태준(金台俊)은 「조선소설사(朝鮮小說史)」에서,

> 국초(菊初) 이인직씨(李人稙氏)가 삼십여세(三十餘歲)에 일본(日本)에 유학(留學)하여 정치(政治) 법률(法律)을 전공하고 돌아와서 원래부터 문학혁명에 뜻을 두었든 그는 환국(還國)한 후 즉시 1909년 일면(一面) 「귀(鬼)의 성(聲)」 「치악산(雉岳山)」 「혈(血)의 루(淚)」 등의 소설을 쓰며 일면(一面) 「설중매」 「은세계(銀世界)」 「김옥균사건(金玉均事件)」을 각색하여 신극창설(新劇創設)의 포부로써 원각사(圓覺社)에다가 비로소 무대의 도구를 배치하고 면막(面幕)을 느려놓고 연출(演出)하기 시작하였다.[2]

2 김태준(金台俊), 「조선소설사(朝鮮小說史)」, 174면.

하였고, 김재철(金在喆)은 「조선연극사(朝鮮演劇史)」에서,

> 광무연간(光武年間)에 원각사극장(圓覺社劇場)이 창립(創立)되어 1909년에 최초로 이인직씨(李人稙氏)가 신극(新劇)「설중매」「은세계(銀世界)」 등을 상연하였으니 그것이 조선(朝鮮) 신극(新劇)의 제일성(第一聲)이었다.[3]

고 기록하였다.

이것이 오늘날까지 「설중매」 작자에 대한 착오를 일으키게 하는 중요한 원인이 되고 있지나 않을까 싶다. 그러나 전기(前記)한 두 저서 중 전자는 각색했음을 운위(云謂)한 것이요 후자는 단지 상연사실만을 기록한데 그칠 따름이지 저작운운(著作云云)에 대하여는 일언반구의 언급도 없는 것으로서, 원작과 번역과 각색과 상연은 전연 혼동할 수 없는 각기 독립된 부문이란 것은 이미 상식화되어 굳이 재언할 필요조차 없는 일이다.

그러나 그 후의 소저(所著)로 고정옥(高晶玉)은 「국어국문학요강(國語國文學要講)」에서 이인직의 작품으로 「혈의 누」(1905) 「은세계」(1908) 「설중매」(1908) 「치악산」(1912?) 등을 열거하여 「설중매」를 연대까지 밝혀서 국초(菊初)의 작(作)으로 해 놓았고,[4] 안종화(安鍾和)는 「신극사(新劇史) 이야기」에서,

> 이인직(李人稙)은 후일 국내에 돌아와서 신체(新體)의 소설을 지어내어 국초(菊初)로 알리워진 작가이다. 그의 손에서 「치악산(雉岳山)」「설중매(雪中梅)」「은세계(銀世界)」「귀(鬼)의 성(聲)」 등(等)의 일종(一種) 정치소설(政治小說)에 가까운 저술을 보였던 것이다.[5]

3 김재철(金在喆), 「조선연극사(朝鮮演劇史)」, 173면.

4 고정옥(高晶玉), 「국어국문학요강(國語國文學要講)」, 457면.

라고 하였고 조연현(趙演鉉)은 《현대문학》에 연재했던 「한국현대문학사」에서,

> 이인직(李人稙)은 호(號)를 국초(菊初)라 하여 일본유학(日本留學)에서 귀국(歸國)한 다음 만세보(萬歲報) 기자(記者)를 거쳐 대한신보(大韓申報)(대한신문(大韓新聞)의 오식(誤植)이 아닌지?)의 사장(社長)을 역임(歷任)하면서 「혈(血)의 루(淚)」를 비롯해서 「귀(鬼)의 성(聲)」 「치악산(雉岳山)」 「설중매(雪中梅)」 「은세계(銀世界)」 등의 신소설(新小說)을 발표하는 일방(一方)……[6]

이와 같이 양자 모두 「설중매」를 이인직의 소작(所作)으로 인정하였으나 작가명만을 열거했을 뿐 그 내용은 언급하지 않고 있다.

한편 해방 전 1939년 《조선일보》지 상에 「개설신문학사(概說新文學史)」[7]의 연재로 신소설에 대하여 비교적 해박한 검토를 시도하였던 임화도 이인직의 소저(所著) 신소설 명목(名目) 속에 「설중매」는 넣지 않고, 다만 전게(前揭)한 「조선소설사」와 「조선연극사」 양저 중 연극에 관계있는 대목을 인용한 부분에 「설중매」의 이름이 보일 뿐 「설중매」의 내용에 대하여는 역시 언급하지 않았다.

그런데 백철(白鐵)은 「신문학사조사(新文學思潮史)」 속에서,

> 신소설(新小說)의 대표적인 작가 이인직(李人稙)은 그의 「설중매(雪中梅)」라는 작품에서 주인공 '이태준'의 입을 빌어서……[8], ……자주

---

5 안종화(安鍾和), 「신극사(新劇史) 이야기」, 40면.

6 조연현(趙演鉉), 「한국현대문학사(韓國現代文學史)」, 71면.

7 임화(林和), 「개설신문학사(概說新文學史)」, 제이편(第二篇) '정치소설(政治小說)과 번역문학(飜譯文學)' 참조.

8 백철(白鐵), 「신문학사조사(新文學思潮史)(상(上))」, 28면.

독립(自主獨立)을 강조했으니 여기에 이인직(李人稙)의 정치소설로서 「설중매(雪中梅)」(융희이년(隆熙二年))가 있다.[9]

등에서 지금까지 선례없는 「설중매」의 내용을 구체적으로 인용한 대목이 있기에 당시는 출판법이 문란한 때라 더욱이 주인공의 이름이 '이태순'이 아니고 '이태준'으로 되었으므로 유사한 내용의 이본(異本)이 있지나 않은가 생각되어 이 사연을 문의하였더니 사조사 저술 당시의 기억이 희미한 데다 저술 당시에 혹은 타인의 책을 차독(借讀)한 일도 있고, 또한 가장서(家藏書)는 사변으로 전부 산일(散逸)되었으니 확답이 곤란하다는 요지였었다.

그런데 본고의 대본으로 한 「설중매」는 이미 서두에서도 언급한 바와 같이 융희 이년 오월간(五月刊)의 회동서관판(匯東書舘版)으로 본문 79면이며 저술자에 구연학(具然學) 교열자(校閱者)에 이해조로 되어 있다.

따라서 신소설 작가의 계보로 따져볼 때 「설중매」를 이인직의 작품으로 가정한다면 이인직의 소작이 이해조의 교열을 받는다는 일은 전연 상상조차 불허하는 일인 동시에 융희이년(1908) 칠월간(七月刊)인 「귀의 성」 하권 초판 후부(後部)에 회동서관(匯東書舘) 발행의 '정치소설(政治小說) 설중매(雪中梅)' 광고가 게재되어 있고, 융희이년 십일월 발행의 「은세계」 초판(初版) 후부(後部)에도 동일한 방법으로 역시 회동서관(匯東書舘) 발행(發行)의 「설중매」 광고가 있으니 동일한 출판사에서 같은 시기에 저자 이명(異名)의 이종(二種) 「설중매」가 간행되었다고는 생각될 수 없으니, 금후 적어도 융희이년(隆熙二年) 오월(五月) 이전 간행으로 저작자 이인직명(李人稙名)이 뚜렷한 판본이 발견되기 전에는 「설중매」의 작자 구연학(具然學)을 번복 부인하기는 불가능한 일이 아닐까 생각된다.

---

9 같은 책, 29면.

또한 「설중매」 작품 속에 주인공 이태순의 연희(演戲) 즉 연극(演劇) 개량에 대한 주장 대목을 부연(敷衍)하여 이인직이 최초로 신극범위에 속할 수 있는 연극을 상연한 일이 있다는 사실에 결부시켜, 이것이 이인직 소작(所作)의 유력한 증거로 선입관적 추단이 가능할지도 모르나, 이 부분은 말광철장(末廣鐵腸)의 「설중매」에도 일본연극을 운위하여 극장개량의 필요성 등을 강조하는 대목이 있으니 굳이 논거될 대상도 못되리라고 본다.

「설중매」의 원작(原作)에 해당되는 작품은 일문(日文)으로 1886년(명치19년) 초간된 말광철장(末廣鐵腸)(末廣重恭) 저(著) 동명(同名)의 「설중매」로 일본(日本) 명치(明治) 개화기의 정치소설이다. 이 말광철장(末廣鐵腸)의 소저(所著) 「설중매」는 상편 7회 하편 8회 도합 15회로 된 장회(章回)소설이며 구연학(具然學)의 「설중매」는 계속 15회로 나누어져 있다. 말광철장(末廣鐵腸)은 「설중매」의 속편으로 「화간앵(花間鶯)」 삼권(三卷)을 써서 그 주인공의 그 후의 정치적인 활동을 서술하여 전후 5권이 당시 일본 정치소설 중 제1위로 꼽혔다고 하나, 구연학(具然學)의 「설중매」는 속편이 없이 「설중매」로서 끝났다.

그 내용을 비교 대조하여 보면 경개는 양자 흡사하나 번안인 것만큼 무대와 인물이 달라졌고, 말광(末廣)은 명치19년(1886)에 명치173년의 일본을 예상하여 그 예상한 미래의 시대에서 명치17년경의 일본사회를 회고하여 과거의 현실을 그리는 방법으로 구성한 데 비하여 구연학은 갑오경장 후의 한국의 현실을 무대로 하여 그리는 동시에, 말광(末廣)이 일본국회 개회를 중심으로 자유당 보수당 급진당 등을 대표하는 인물을 설정한 데 대하여 구연학은 등장 청년 정객(政客) 대부분을 독립협회의 회원으로 정립시켰다.

따라서 말광(末廣)의 상근온천(箱根溫泉) 복주루(福住樓)는, 한국에 와서는 백운대(白雲臺) 북한사(北漢寺)로 되는 등 적절한 장소로 바뀌어지는 한편 등장인물은 경개에 부합되게 거의 동일하여 예를 들면 이태순 〔國野基〕

매선〔お春〕 전성조〔須田蠅之助〕 등으로 대치되어 있다.

한편 무대와 인물은 바뀌었다고 하지만 내용이 그대로 번역된 부분도 적지 않아 그 결과는 자연 일본문(日本文) 직역의 미상(未詳)한 문맥이 섞이는가 하면, 당시의 우리나라 하류 객줏집에서 손님에게 차를 권하는 습속이 있었을 상 싶지 않은데, 객줏집 하녀 또는 손님끼리 차를 권하는 장면이 수삼처(數三處) 나타나는 등 약간의 모순이 노정되기도 한다.

특히 '따이야몬드'를 '따이나마이드'로 오기하여 경찰사태까지 벌어지게 하는 사건 같은 것은 일본 원작과 전연 동일한가 하면, 서구 정치 이론의 복잡한 논쟁 같은 것은 상당량을 할애하고 적절히 꾸며 나갔기에 분량에 있어서도 구연학의 작품은 말광(末廣)의 그것보다 축소되어 있다. 참고로 두 작품의 첫머리만을 대조하여 보면 다음과 같다.

아가 매선아 이리 좀 오너라. 매선이 거기 있나냐 하난 소래난 오십여세 된 부인이니 긴병이 들어 전신이 파리하고 근력이 쇠약하야 자리에서 이지 못하고 누어 바튼 기침을 하면서 그 딸 장소저를 불으난 것이라. 소저의 나이 십육칠세난 되였난대 나직한 소래로 선듯 대답하며 문을 열고 종용히 들어오더니 벼개 옆에와 나부시 앉이며 어마니 부르셨습니까 아까까지 곁에 뫼시고 있삽더니 어마니께서 잠이 곤히 드신 듯 하기로 밖에 좀 나아가 신문을 보았삽나이다. 벌서 네시나 되었사오니 약을 잡수시지 아니 하시려나이까

一コン コン コン お春や一寸 來て おくれ お春は 居ぬかえと 五十餘りの 婦人か 病氣と見え いと瘦せ衰へ たる顔を縛り 枕の上に 置き苦しさう に咳をし乍ら 呼び立る聲に應じ　そつと唐紙を開き立ち出でたるは 年の頃 十六七の少女にて靜かに枕元に座を占めそつと 病人の顔を眺め 御母さん何の御用で御座います 先きまで お側に居りましたか餘り能くおよつ て居らつしやるから一村彼方で 新聞を讀んで居りましたわ

もし四時で御座いますからお藥を召し上りませんか

이상 인용한 바와 같이 「설중매」는 일본소설의 번안작품으로 약간의 모순이 보이지 않는 바도 아니나, 이런 원작에 대한 선입관이 전연 없이 이 작품을 대하면 순전한 창작 소설로 보아 버리기 쉬울 정도로 한국 광무 융희연간의 독립협회를 중심으로 한 우국청년의 현실적인 모습, 특히 같은 동지 간에 있어서도 온건파와 과격파의 대조, 봉건지배층에 대응되는 신흥청년층의 불우(不遇)함, 신교육사조 특히 여성 교육의 필요를 강조 실천하는 점 등이 두드러지게 그려져 있고 등장인물의 거의 대부분이 개화운동에 직접 가담하거나, 이에 관심을 가지는 인물들로 되어 있다. 「설중매」는 그 구성에 있어서 이태순과 매선의 상봉이 우연적으로 이루어지는 대목이 2, 3차나 거듭되고, 또한 대부분의 정치이론이나 사회개혁 방략(方略)이 구두(口頭)의 연설이나 논쟁으로 끝나고 주인공 이태순도 전술한 바와 같이 적극적인 실천파라기보다는 타협적이요 점진적인 합리주의자이면서 그것도 구체적인 실천보다 이론에 치우치는 관념론적 개화인에 불과한 데 대하여, 매선은 국사(國事) 즉 정치에 대단한 관심을 가지는 동시에 환경적인 제약을 극복하면서 솔선 신교육을 받고, 남녀의 자유로운 교제를 실행하는 한편, 부모의 유훈과 자기 의사에 의한 결의 속에서 배우자의 자유선택, 남녀평등 의식의 자각 등 개화기의 적극성 있는 진취적 여성을 대표하는 실천적 인물로 나타나고 있다.

끝으로 신소설의 번안문제와 창작성을 살펴볼 때 「설중매」가 완전한 번안소설임이 비교 대조로 고증되듯이, 현재까지 우리가 순 창작소설로만 간주해온 작품 속에도 번안소설이 전혀 없다고 단정하기는 어려운 일이니, 「철세계」나 「설중매」의 경우에 비추어 볼 때 경장 후의 정치 및 사회적 배경이 번안의 가능성을 다분히 내포하고 있었으니 만큼 이런 문제는 금후의 구명(究明)이 필요한 숙제의 하나라고 보아진다.

찾아보기

작가 연보

1918년	음 9월 5일(호적부 1919년 3월 1일로 출생 신고) 咸南 北靑郡 居山面 下立石里 城川村 1011번지에서 부친 全周協(본관 慶州)과 모친 李彔春(본관 靑海)의 2남 4녀 중 장남으로 출생.
1925년 4월	향리 소재 사립 又新學校 입학.
1929년 3월	又新學校 4학년 졸업.
4월	北靑郡 陽化공립보통학교 제 5학년 편입.
1931년 3월	陽化공립보통학교 졸업.
1934년 4월	北靑공립농업학교 입학.
1937년 3월	北靑공립농업학교 졸업.
1939년 1월	동아일보 신춘문예에 「별나라 공주와 토끼」 입선. 동화 「별나라 공주와 토끼」(東亞日報, 1939.1)
1943년 10월	專檢 합격.
1944년 11월	韓貞子(본관 淸州)와 결혼.
1945년 9월	京城經濟專門學校(서울대학교 상과대학) 경제학과 입학.
1947년 7월	서울대학교 상과대학 2년 수료.
9월	서울대학교 문리과대학 국어국문학과 입학. 高明중학교 야간부 교사 취임(사임 1949.10). 희곡 「물레방아」(公演, 1947.1)
1948년 11월	鄭漢淑, 鄭漢模, 南相圭, 金鳳赫 諸友와 『酒幕』 동인 창립.

1949년 10월 漢城日報 기자 취임(사임 1950.12).
단편 「鴨綠江」(大學新聞, 1949.3)

1951년 9월 서울대학교 문리과대학 졸업.
서울대학교 대학원 국어국문학과 입학.

1952년 4월 숙명여자고등학교 교사 취임(사임 1953.3).

11월 부산 피난지에서 國語國文學會 창립에 참여.

1953년 4월 휘문고등학교 교사 취임(사임 1954.6).
서울대학교 문리과대학 강사 피촉.

9월 서울대학교 대학원 수료.

1954년 4월 덕성여자대학 강사 피촉(사임 1960.3).

6월 서울대학교 사범대학 부속고등학교 교사 취임(사임 1955.3).
논문 「昭陽亭攷」(국어국문학 10, 1954)

1955년 1월 조선일보 신춘문예에 단편소설 「黑山島」 당선.

4월 수도여자사범대학 교수 취임(사임 1957.3).

11월 서울대학교 문리과대학 조교수 취임.
논문 「黑山島民謠硏究」(思想界, 1955.1)
「雪中梅」(思想界, 1955.10)
「雉岳山」(思想界, 1955.11)
단편 「黑山島」(朝鮮日報, 1955.1)
「鹿芥圈」(文學藝術, 1955.8)

1956년 4월 학술논문 「雪中梅」 사상계 논문상 수상.
서울대학교 음악대학 및 서울문리사범대학 강사 피촉 (사임 1961.9).
논문 「遺産繼承과 創作의 方向」(自由文學, 1956.12)
「鬼의 聲」(思想界, 1956.1)
「銀世界」(思想界, 1956.2)
「血의 淚」(思想界, 1956.3)
「牧丹峰」(思想界, 1956.4)
「花의 血」(思想界, 1956.6)
「春外春」(思想界, 1956.7)
「自由鍾」(思想界, 1956.8)

「秋月色」(思想界, 1956.9)

단편 「凍血人間」(朝鮮日報, 1956.1)

「硬動脈」(文學藝術, 1956.3)

1957년 3월 서울대학교에서 「李人稙研究」로 문학석사 학위 받음.

4월 동덕여자대학(사임 1972.8), 외국어대학(사임 1959.3) 및 수도여자사범대학(사임 1958.3) 강사 피촉.

논문 「李人稙研究」(서울大學校 論文集 6 人文社會科學, 1957)

1958년 논문 「祖國과 文學」(知性, 1958.가을)

「素月과 小說」(知性, 1958.겨울)

「玄鎭健論」(새벽, 1958)

단편 「地層」(思想界, 1958.6)

「海圖抄」(思潮, 1958.11)

「霹靂」(現代文學, 1958.12)

1959년 단편집 『黑山島』(乙酉文化社, 1959) 출간.

단편 「주봉氏」(自由公論, 1959.1)

「G.M.C.」(思想界, 1959.2)

「褪色된 勳章」(自由文學, 1959.2)

「영 1 2 3 4」(新太陽, 1959.3)

「射手」(現代文學, 1959.6)

「크라운莊」(思想界, 1959.9)

1960년 단편 「蟲媒花」(思想界, 1960.9)

「招魂曲」(現代文學, 1960.12)

1961년 4월 성균관대학교 강사 피촉(사임 1962.2).

1962년 10월 단편소설 「꺼삐딴 리」로 제7회 東仁文學賞 수상.

논문 「'雁의 聲' 攷」(국어국문학 25, 1962)

단편 「반편들」(思想界, 1962.1, 「바닷가에서」 개제)

「免許狀」(미사일, 1962.1)

「꺼삐딴 리」(思想界, 1962.7)

「郭書房」(週刊 새나라, 1962.7)

「南宮博士」(「擬古堂實記」 改題)(大學新聞, 1962.9)

1963년 11월 국제 P.E.N.클럽 한국본부 사무국장 취임(사임 1964.12).

논문 「解放後 文學 二十年」(解放二十年, 1963)
장편 「太白山脈」(新世界 連載, 1963.2－1964.3)
「裸身」(女苑 連載, 1963.5-1964.9)
단편 「죽음의 姿勢」(現代文學, 1963.7)

1964년 논문 「古典文學에 나타난 庶民像」(韓國大觀, 1964)
단편 「모르모트의 反應」(思想界, 1964.5)
「第三者」(文學春秋, 1964.7)

1965년 장편 『裸身』(徽文出版社, 1965) 출간.
단편 「세끼미」(思想界, 1965.4)

1966년 3월 서울대학교 미술대학(사임 1970.2) 및 서강대학(사임 1967.2) 강사 피촉.
논문 「常綠樹考」(東亞文化 5, 1966)
단편 「머루와 老人」(思想界, 1966.11)
장편 「젊은 소용돌이」(現代文學, 1966.6－1968.2)

1967년 논문 「韓國小說發達史(新小說)」(韓國文化史大系 5, 1967)
장편 『窓과 壁』(乙酉文化社, 1967)

1968년 3월 서울대학교 문리대 의 · 치의예과부장 피촉(사임 1970.3).
9월 고려대학교 교육대학원(사임 1972.8) 및 단국대학교 대학원(사임 1969.2) 강사 피촉.
논문 「小說 六十年의 問題點」(新東亞, 1968.7)

1969년 3월 서울대학교 약학대학 강사 피촉(사임 1970.2).
6월 國語國文學科 대표이사 피선(사임 1971.5).
논문 「3 · 1運動의 文學創作面에 끼친 影響」(3 · 1運動 五十周年 紀念論文集, 1969)

1970년 3월 성심여자대학 강사 피촉(사임 1978.2).
제37차 국제 P.E.N.대회(世界作家大會, 1970년 6월 27일 서울에서 개최) 준비사무국장 피촉.
논문 「韓國作家의 社會的 地位」(文化批評, 1970.1)

1971년 3월 숙명여자대학교 대학원 강사 피촉(사임 1977.8).
8월 아일랜드 더블린에서 개최된 제38차 국제 P.E.N.대회에 한국 대표로 참석.

논문 「韓國語 文章의 時代的 變貌」(月刊文學, 1971.1)

1972년 3월 서울대학교 문리과대학 문학부장(사임 1974.3).

6월 서울대학교 문리과대학 학장 직무대리(사임 1972.8).

1973년 2월 서울대학교에서 「新小說研究」로 문학박사 학위 받음.

3월 이화여자대학교 대학원 강사 피촉(사임 1974.2).

논문 「新小說研究」(서울대학교박사학위논문, 1973)

「白翎島地方 民謠調査報告」(文理大學報 28, 1973)

1974년 1월 문교부 파견으로 중화민국 교육·문화계 시찰.

11월 국제 P.E.N.클럽 한국본부 부회장 피선.

12월 이스라엘 예루살렘에서 개최된 제39차 국제 P.E.N.대회에 한국 대표로 참석.

논문 「民族文學의 意義와 그 方向」(月刊文學, 1974.6)

「李光洙研究序說」(東洋學 4, 1974.10)

단편 「牡丹江行列車」(北韓, 1974.9)

1975년 4월 서울대학교 교수협의회 회장 피선(사임 1977.5).

9월 명지대학 대학원 강사 피촉(사임 1976.2).

단편집 『꺼삐딴 리』(1975) 출간.

논문 「近代 初期 小說에 나타난 性倫理의 限界性」(藝術論文集 14, 1975)

1976년 1월 韓國比較文學會 부회장 피선.

4월 중화민국 臺北에서 개최된 국제 P.E.N.아세아작가대회에 한국 대표로 참석.

8월 영국 런던에서 개최된 제41차 국제 P.E.N.대회에 한국 대표로 참석.

편저 『新小說選集』(同和出判公社, 1976) 출간.

논문 「枯木花에 대하여」(국어국문학 71, 1976)

「祖國統一과 文學」(統一政策, 1976)

1977년 단편집 『凍血人間』(三中堂, 1977)

논문 「韓國現代小說의 向方」(冠岳語文研究 2, 1977)

「兒童文學과 歷史意識」(兒童文學評論, 1977)

「國語와 現代文學」(文協심포지움, 1977)

1978년 3월 인하대학교 교육대학원 강사 피촉(사임 1979.2).

5월 스웨덴 스톡홀름에서 개최된 제43차 국제 P.E.N.대회에 한국 대표로 참석.

12월 韓國現代文學硏究會 회장 피선.

단편집 『牡丹江行列車』(泰昌出版社, 1978)

장편 『太白山脈』(韓國現代文學全集)(三省出版社, 1978)

1979년 3월 서울대학교 含春苑에서 『白史全光鏞博士華甲紀念論叢』 봉정식 가짐(10일).

7월 중화민국 臺北에서 개최된 韓·中 學者會議에 한국 대표로 참석.

12월 소설 「郭書房」으로 대한민국문학상(흙의 문학상 부문) 수상.

단편 「時計」(서울대학교 동창회보, 1979.6)

「표범과 쥐 이야기」(韓國文學, 1979.8)

1980년 4월 韓國比較文學會 회장 피선.

5월 한미 친선 관계로 미국 방문.

논문 「독립신문에 나타난 近代的意識」(국어국문학 84, 1980)

「百年來 韓中文學交流考」(比較文學 5, 1980)

1981년 3월 한국정신문화연구원의 한국학대학원 강사 피촉(사임 1981.8).

8월 미국 피닉스에서 개최된 제15차 世界現代語文學大會에 한국 대표로 참석.

10월 중화민국 臺北에서 개최된 제1차 韓·中作家會議에 한국 대표로 참석.

논문 「李光洙의 文學史的 位置」(崔南善과 李光洙의 文學, 새문사, 1981)

「李人稙의 生涯와 文學」(新文學과 時代意識, 새문사, 1981)

「戰後 韓國文學의 特色」(比較文學 6, 1981)

1982년 8월 미국 뉴욕에서 개최된 제10차 世界比較文學大會에 한국 대표로 참석.

9월 연세대학교 대학원 강사 피촉.

1983년 1월 서울시 교육회 주관 해외교육연수단 참가, 남태평양지역 교육 문화계 시찰.

2월 北靑 民俗藝術保存會 이사장 피선.

3월 문교부의 교류교수 계획에 의하여 청주사범대학에 1년간 근무차 부임(사임 1984.2).

8월 중화민국 臺北에서 개최된 比較文學大會에 한국 대표로 참석.

편저 『韓國近代小說의 理解』(民音社, 1983)

논문 「金東仁의 創作觀」(金東仁研究, 새문사, 1982)

「韓國小說에 있어서의 漢字表記問題」(比較文學 8, 1983)

1984년 1월 서울시 교육회 주관 해외교육연수단 참가, 유럽 교육 문화계 시찰.

8월 서울대학교 교수 정년퇴임. 국민훈장 동백장 수훈.

9월 세종대학 초빙교수 취임.

北靑 民俗藝術保存會 등 5개 단체로 구성된 대한민국 民俗藝術公演團을 인솔, 일본 방문.

서울대학교 정년퇴임기념논문집 『韓國現代小說史研究』(民音社, 1984)를 편저 형식으로 발간.

1986년 저서 『韓國現代文學論攷』(民音社, 1986)

『新小說研究』(새문사, 1986)

1988년 6월 21일 별세.